W9-ATB-404

# GUIDE INDICATEUR

## DES

# RUES DE PARIS

*avec les stations du Métropolitain*
*les plus proches*

## AUTOBUS - MÉTRO - R.E.R

## RENSEIGNEMENTS UTILES

Ambassades, Consulats, Légations, Bureaux de Poste, Commissariats, Eglises, Facultés, Mairies, Ministères, Musées, Spectacles, Adresses utiles...

DÉPOSÉ
ÉDITIONS A. LECONTE

**Siège social, Services Commerciaux et Administratifs :**
8-10, Avenue Henri Barbusse, 94200 IVRY-SUR-SEINE

**TÉL. : (1) 46 58 65 44**

R.C. PARIS B 572 140 788

Imprimerie Hérissey - Évreux - N° 52861 – D.L. : octobre 1990
*Imprimé en France*

# SOMMAIRE

## Moyen de trouver une rue et la station de Métro la desservant.

Chaque plan d'arrondissement est divisé en carrés.

Chaque côté est délimité en hauteur par une lettre et en largeur par un chiffre.

L'indicateur précise le carré dans lequel se trouve située la rue cherchée. En effet, chaque nom de rue est suivi d'une lettre et d'un nombre. Exemple : ***rue Daunou,*** l'indicateur donne 1re colonne : **2** (arrondissement auquel appartient cette rue) ; 2e colonne : **I6,** limitation du carré dans lequel elle se trouve ; 3e colonne : ***Louis-le-Grand, 13,*** rue et numéro où elle commence ; 4e colonne : ***Boulevard des Capucines, 29,*** son aboutissement ; 5e colonne : ***Opéra,*** station du Métro la plus proche.

Les rues très longues sont divisées par série de numéros. Exemple : rue de Rivoli ; la partie comprenant les numéros de 1 à 27 est desservie par la station Saint-Paul ; de 27 à 56, par la station Hôtel-de-Ville ; 53 à 110, par Châtelet ; 91 à 150, par Louvre ; 150 à 170, Palais-Royal ; 170 à 208, Tuileries ; 208 à 268, Concorde.

*En général, le numérotage des rues part de la Seine pour les rues perpendiculaires au fleuve (pairs à droite et impairs à gauche).*

*Pour les rues parallèles, il suit le cours du fleuve.*

---

## How to find a street and the Underground Railway Station nearest to it.

The map is divided into squares.

Each side is designated by a letter for the height and a number for the width.

The index indicates the square where the street looked for is to be found. Thus to find ***rue Daunou,*** the index gives 1st column : **2** (number of the arrondissement where the street is found) ; 2nd column : **I6** shows the square where the street is ; 3rd column : ***Louis-le-Grand, 13,*** street and number where it begins ; 4th column : ***Boulevard des Capucines, 29,*** where it ends ; 5th column : ***Opera,*** nearest underground Railway station.

The very long streets are divided into series of numbers. Thus numbers. 1-27 in the rue de Rivoli are being served by Saint-Paul station ; numbers 27-56 : Hôtel-de-Ville station ; 53-110 : Châtelet station ; 91-150 : Louvre station ; 150-170 : Palais-Royal station ; 170-206 : Tuileries station ; 206-268 : Concorde station.

When streets are running parallel to the Seine, numbers follow generally the river direction.

For streets perpendicular to the Seine, numbers begin at the end nearest the river (even ones on the right, odd ones on the left).

# NOMENCLATURE DES RUES DE PARIS

## A

| Ar. | Rues | Plan | Commençant | Finissant | Métro |
|---|---|---|---|---|---|
| 6 | **Abbaye (de l')** | J8 | de l'Echaudé, 18 | Bonaparte, 37 | *St-Germ.-des-Prés* |
| 5 | **Abbé Basset (pl. de l')** | K9 | Mt Ste Geneviève | St Etienne du Mont | *Cardinal Lemoine* |
| 14 | **Abbé Carton (de l')** | H12 | des Suisses, 7 | des Plantes | *Plaisance* |
| 5 | **Abbé de l'Epée (de l')** | J10 | Gay-Lussac, 48 | Henri Barbusse, 1 | *Luxembourg* |
| 15 | **Abbé R. Derry** | F9 | du Laos | av. Suffren, 96 | *La Motte-Picquet* |
| 13 | **Abbé G. Hénocque (pl.)** | K13 | des Peupliers | de la Colonie | *Tolbiac* |
| 16 | **Abbé Gillet** | D8 | av. Alphonse-XIII | Jean Bologne | *Passy* |
| 6 | **Abbé Grégoire (l')** | I9 | de Sèvres, 75 | de Vaugirard, 92 | *St-Placide* |
| 15 | **Abbé Groult (de l')** | F11 | Entrepreneur, 104 | Convention, 237 | *Convention* |
| 14 | **A. J. Lebeuf (pl. de l')** | H11 | du Château | de l'Ouest | *Pernety* |
| 4 | **Abbé Migne** | L8 | Francs-Bourgeois, 51 | en impasse | *Rambuteau* |
| 14 | **Abbé Migne (sq.)** | I12 | bd St Jacques | pl. Denfert Rochereau | *Denfert-Rochereau* |
| 18 | **Abbé Patureau (l')** | J3 | Paul Féval, 11 | Caulaincourt, 116 | *Lamarck-Caulainc.* |
| 16 | **Abbé Roussel (av.)** | C9 | La Fontaine | Théophile Gauthier | *Eglise d'Auteuil* |
| 17 | **Abbé Rousselot (de l')** | F3 | bd Berthier, 114 | av. Brunetière, 11 | *Pereire* |
| 14 | **Abbé Soulange Bodin. (place et rue)** | H11 | Guilleminot | de l'Ouest | *Pernety* |
| 18 | **Abbesses (pass. des)** | J3 | des Abbesses, 20 | Trois Frères, 57 | *Abbesses* |
| 18 | **Abbesses (pl. des)** | J3 | des Abbesses, 20 | | *Abbesses* |
| 18 | **Abbesses (des)** | J3 | des Martyrs, 89 | Lepic, 34 | *Abbesses* |
| 9 | **Abbeville (d')** | K4 | pl. Franz-Liszt | Maubeuge, 82 | *Poissonnière* |
| 10 | 1 à 17 | | 2 à 16 | | *Poissonnière* |
| 12 | **Abel** | N9 | bd Diderot, 23 | Charenton, 90 | *Gare de Lyon* |
| 16 | **Abel Ferry** | B11 | bd Murat, 128 | Petite Arche, 8 | *Pte de St Cloud* |
| 13 | **Abel Hovelacque** | K12 | av. des Gobelins, 62 | bd Auguste Blanqui, 18 | *Place d'Italie* |
| 12 | **Abel Laurent** | O11 | St Estèphe, 46 | Garonne, 1 | *Dugommier* |
| 12 | **Abel Leblanc (pass.)** | N10 | de Charenton, 127 | Crozatier, 19 | *Reuilly-Diderot* |
| 11 | **Abel Rabaud** | M6 | av. Parmentier, 142 | des Goncourt, 9 | *Goncourt* |
| 17 | **Abel Truchet** | H4 | bd des Batignolles, 30 | Caroline, 11 | *Place Clichy* |
| 2 | **Aboukir (d')** | K6 | pl. des Victoires | St Denis, 287 | *Sentier* |
| | 104-113 | | | | *Bonne Nouvelle* |
| | 114-127 | | | | *Strasb.-St-Denis* |
| 18 | **Abreuvoir (de l')** | J3 | des Saules, 5 | Girardon, 16 | *Lamarck-Caulainc.* |
| 17 | **Acacias (pass. des)** | E4 | av. Mac-Mahon, 33 | des Acacias, 58 | *Ch. de Gaulle-Et.* |
| 17 | **Acacias (des)** | E5 | av. Gde-Armée, 36 | av. Mac-Mahon, 37 | *Argentine* |
| 6 | **Acadie (pl. d')** | J8 | du Four | de Montfaucon | *Mabillon* |

| Ar. | Rues | Plan | Commençant | Finissant | Métro |
|---|---|---|---|---|---|
| 20 | Achille | P7 | des Rondeaux, 28 | Ramus, 25 | *Gambetta* |
| 14 | Achille Luchaire | H13 | Albert Sorel, 8 | bd Brune, 114 | *Pte d'Orléans* |
| 18 | Achille Martinet | J2 | Marcadet, 178 | Montcalm, 30 | *Lamarck-Caulainc.* |
| 5 | Adanson (sq.) | K11 | Monge, 119 | | *Censier-Daubenton* |
| 20 | Adjudant Réau | Q6 | Capitaine Marchal, 20 | de la Dhuis, 21 | *Pelleport* |
| 20 | Adjudant Vincenot (pl.) | Q6 | Surmelin | bd Mortier | *St-Fargeau* |
| 4 | Adolphe Adam | K8 | quai de Gesvres, 13 | av. Victoria, 13 | *Châtelet* |
| 15 | Adol. Chérioux (pl. et sq.) | F11 | Blomet, 93 | Vaugirard, 258 | *Vaugirard* |
| 14 | Adolphe Focillon | I13 | Sarrette, 28 | Leneveux | *Alésia* |
| 1 | Adolphe Jullien | K7 | de Viarmes, 15 | du Louvre, 42 | *Louvre* |
| 19 | Adolphe Mille | O3 | av. Jean Jaurès, 185 | quai de la Marne | *Ourcq* |
| 9 | Adolphe Max (pl.) | I4 | de Bruxelles | | *Place Clichy* |
| 14 | Adolphe Pinard (bd) | G13 | av. Pte de Châtillon | pl. Pte de Vanves | *Pte de Vanves* |
| 16 | Adolphe Yvon | C7 | av. Henri Martin, 84 | bd Lannes, 65 | *Rue de la Pompe* |
| 19 | Adour (villa de l') | O5 | de la Villette, 13b | Mélingue | *Jourdain* |
| 16 | Adrien Hébrard | C8 | pl. Rodin | av. Mozart, 63 | *Jasmin* |
| 9 | Adrien Oudin (pl.) | J5 | Helder | Haussmann | *Chaussée-d'Antin* |
| 20 | Adrienne (cité) | P8 | de Bagnolet, 82 | | *Alexandre Dumas* |
| 14 | Adrienne (villa) | I12 | av. Gal Leclerc, 19 | | *Mouton-Duvernet* |
| 7 | Adr. Lecouvreur (allée) | F8 | av. Silvestre-de-Sacy, 5 | Pl. Joffre | *Ecole Militaire* |
| 14 | Adr. Simon (villa) | I11 | Daguerre, 48 | en impasse | *Denfert-Rochereau* |
| 18 | Affre | L3 | de Jessaint, 18 | Myrha, 7 | *Pte la Chapelle* |
| 16 | Agar | C9 | Gros, 39 | La Fontaine, 19 | *Jasmin* |
| 9 | Agent Bailly | J4 | Rodier, 15 | Milton, 24 | *Cadet* |
| 4 | Agrippa d'Aubigné | L9 | quai Henri-IV, 40 | bd Morland, 17 | *Sully-Morland* |
| 8 | Aguesseau (d') | H6 | Fg St Honoré, 60 | de Surène, 23 | *Madeleine* |
| 14 | Aide sociale (sq.) | H11 | av. du Maine, 158 | | *Gaîté* |
| 18 | Aimé Lavy | K2 | Hermel, 35 | Mont Cenis, 74 | *Jules Joffrin* |
| 17 | Aimé Maillard (pl.) | E4 | av. Niel | Laugier | *Ternes* |
| 13 | Aimé Morot | K14 | bd Kellermann, 67 | av. Caffieri | *Pte d'Italie* |
| 19 | Aisne (de l') | N2 | quai de l'Oise, 15 | de l'Ourcq, 28 | *Crimée* |
| 10 | Aix (d') | M6 | Fg du Temple, 57 | Jacques L. Tessier, 10 | *Goncourt* |
| 7 | Ajaccio (sq. d') | G8 | bd des Invalides | Pl. des Invalides | *Invalides* |
| 14 | Alain | H11 | Vercingétorix | Pl. de Catalogne | *Pernety* |
| 15 | Alain Chartier | F11 | Blomet, 151 | Convention, 195 | *Convention* |
| 14 | Alain Fournier (sq.) | G12 | sq. Auguste Renoir | | *Pte de Vanves* |
| 15 | Alasseur | F9 | Dupleix, 19 | Champaubert | *La Motte-Picquet* |
| 10 | Alb. Satragne (sq.) | L5 | Fg St Denis, 107 | | *Gare de l'Est* |
| 16 | Albéric Magnard | C7 | Octave Feuillet, 7 | Général d'Andigné | *La Muette* |
| 13 | Albert | M13 | Régnault, 62 | Tolbiac, 53 | *Pte d'Ivry* |
| 15 | Al. Bartholomé (av.) | F12 | av. Pte La Plaine | Pte Brancion | *Pte de Vanves* |
| 15 | Al. Bartholomé (sq.) | E12 | av. Al. Bartholomé | | *Pte de Vanves* |
| 13 | Albert Bayet | L12 | av. Edison | bd Vincent Auriol, 197 | *Place d'Italie* |
| 17 | Albert Besnard (sq.) | F3 | pl. Pereire | | *Pereire* |
| 10 | Albert Camus | M4 | pl. Colonel Fabien | pl. Robert Desnos | *Colonel Fabien* |
| 18 | Albert Kahn (pl.) | K2 | Championnet | Mont Cenis | *Simplon* |

| Ar. | Rues | Plan | Commençant | Finissant | Métro |
|---|---|---|---|---|---|
| 13 | **Albert Londres (pl.)** | L13 | Baudricourt | Frères d'A. de la Vigerie | *Tolbiac* |
| 12 | **Albert Malet** | Q10 | av. Emile Laurent, 5 | Jules Lemaître, 6 | *Bel-Air* |
| 20 | **Albert Marquet** | Q8 | Courat | Vitruve, 39 | *Maraîchers* |
| 8 | **Albert-Ier (cours)** | G6 | François-Ier | pl. de l'Alma | *Ch.-Elysées-Clem.* |
| 16 | **Alb. Ier de Monaco (av.)** | E7 | pl. de Varsovie | Palais de Chaillot | *Trocadéro* |
| 7 | **Alb. de Lapparent** | G9 | av. de Saxe, 30 | José M. de Heredia | *Ségur* |
| 16 | **Albert de Mun (av.)** | E7 | av. de New-York, 54 | av. Pr. Wilson | *Iéna* |
| 19 | **Albert Robida** | O4 | Arthur Rozier, 51 | de Crimée, 36 | *Botzaris* |
| 17 | **Albert Samain** | E3 | bd Berthier, 168 | St Mallarmé, 5 | *Pte de Champerret* |
| 4 | **Albert Schweitzer (sq.)** | L8 | de l'Hôtel-de-Ville | Nonnains d'Hyères | *Pont-Marie* |
| 14 | **Albert Sorel** | H13 | bd Brune, 122 | av. Ernest Reyer | *Pte d'Orléans* |
| 10 | **Albert Thomas** | L6 | Léon Jouhaux, 7 | Magenta, 32 | *République* |
| 12 | **Alb. Tournaire (sq.)** | M10 | pl. Mazas | | *Quai de La Rapée* |
| 20 | **Albert Willemetz** | R9 | av. Pte Vincennes | de Lagny | *St-Mandé-Tourelle* |
| 13 | **Albin Cachot (sq.)** | J12 | Léon Maur. Nordmann | | *Glacière* |
| 13 | **Albin Haller** | K13 | Fontaine à Mulard | Brillat Savarin, 24 | *Maison Blanche* |
| 16 | **Alboni (de l')** | D8 | av. Pr. Kennedy, 20 | bd Delessert, 15 | *Passy* |
| 16 | **Alboni (sq.)** | E8 | de l'Alboni, 6 | des Eaux | *Passy* |
| 14 | **Alembert (d')** | I12 | Halle, 17 | Bezout, 4 | *Mouton-Duvernet* |
| 15 | **Alençon (d')** | H10 | bd Montparnasse, 46 | av. du Maine, 9 | *Montparnasse* |
| 14 | **Alésia** | H12 | av. Reille, 2 | de Vouillé | *Alésia* |
| 14 | **Alésia (villa)** | H12 | d'Alésia, 111 | des Plantes, 39b | *Alésia* |
| 14 | **Alésia Ridder (sq.)** | G12 | d'Alésia | R. Losserand | *Plaisance* |
| 15 | **Alexandre (pass.)** | H10 | bd Vaugirard, 71 | bd Pasteur | *Pasteur* |
| 15 | **Alex.Cabanel** | F9 | av. Lowendal, 31 | bd Garibaldi, 1 | *Cambronne* |
| 17 | **Alex. Charpentier** | E3 | bd Gouv.-St-Cyr, 49 | bd de l'Yser, 23 | *Pte de Champerret* |
| 20 | **Alex. Dumas** | P8 | bd Voltaire, 201 | pl. de Réunion, 69 | *Alexandre Dumas* |
| 11 | **1 à 59** | O8 | 2 à 72 | | *Boulets-Montreuil* |
| 19 | **Alexander Fleming** | Q4 | av. du Belvédère | av. Pré St Gervais | *Pré-St-Gervais* |
| 18 | **Alex. l'Ecuyer (imp.)** | J1 | du Ruisseau, 103 | | *Pte Clignancourt* |
| 10 | **Alex. Parodi** | M4 | quai Valmy, 169 | Fg St Martin | *Louis Blanc* |
| 16 | **Alex.-Ier de Yougosl.** | C7 | pl. Pte de La Muette | bd Lannes | *Rue de la Pompe* |
| 19 | **Alexandre Ribot (villa)** | P4 | David d'Angers, 76 | Egalité, 17 | *Danube* |
| 8 | **Alexandre-III (pt)** | G7 | quai d'Orsay | Cours de la Reine | *Invalides* |
| 2 | **Alexandrie (d')** | K6 | St Denis, 241 | Aboukir, 106 | *Réaumur-Sébast.* |
| 11 | **Alexandrine (pass.)** | O8 | Léon Frot | Emile Lepeu, 20 | *Charonne* |
| 9 | **Alex Biscarre (sq.)** | J4 | N.-D. de Lorette, 31 | | *St-Georges* |
| 15 | **Alexis Carrel** | F8 | av. Suffren, 46 | Fédération, 55 | *Dupleix* |
| 16 | **Alfred Bruneau** | D8 | des Vignes, 26 | pl. Chopin, 3 | *La Muette* |
| 16 | **Alfred Capus (sq.)** | B9 | bd Suchet, 116 | Maréchal Lyautey, 27 | *Auteuil* |
| 16 | **Alfred Dehodencq** | C7 | Octave Feuillet, 19 | Franqueville, 12 | *La Muette* |
| 16 | **Alfred Dehodencq (sq.)** | C7 | A.-Dehodencq, 9 | | *La Muette* |
| 8 | **Alfred de Vigny** | F4 | de Courcelles, 80 | Chazelles, 12 | *Courcelles* |
| 17 | | | de 11 et 18 à la fin | | *Courcelles* |
| 14 | **Alf. Durand-Claye** | G12 | R. Losserand, 198 | Vercingétorix, 233 | *Pte de Vanves* |
| 13 | **Alfred Fouillée** | M14 | bd Masséna, 117 | av. Léon Bollée | *Pte de Choisy* |

| Ar. | Rues | Plan | Commençant | Finissant | Métro |
|---|---|---|---|---|---|
| 17 | **Alfred Roll** | F3 | bd Pereire, 78 | bd Berthier, 33 | *Pereire* |
| 9 | **Alfred Stevens** | J4 | des Martyrs, 67 | pass. Alf. Stevens | *Pigalle* |
| 9 | **Alfred Stevens (pass.)** | J4 | A. Stevens, 8 | bd de Clichy, 9 | *Pigalle* |
| 12 | **Alger (cours d')** | M9 | Bercy, 245 | | *Bercy* |
| 1 | **Alger (d')** | I6 | de Rivoli, 216 | St Honoré, 221 | *Tuileries* |
| 19 | **Algérie (bd)** | P4 | av. Pte Brunet | av. Pré St Gervais | *Pré-St-Gervais* |
| 10 | **Alibert** | M5 | quai Jemmapes, 66 | av. Parmentier, 161 | *République* |
| 14 | **Alice (sq.)** | G13 | Didot, 129 | en impasse | *Pte de Vanves* |
| 12 | **Aligre (pl. d')** | N9 | de Cotte, 12 | Beccaria, 25 | *Ledru-Rollin* |
| 12 | **Aligre (d')** | N9 | de Charenton, 97 | Fg St Antoine, 138 | *Ledru-Rollin* |
| 16 | **Aliscamps (sq. des)** | B9 | bd Suchet | av. Maréchal Lyautey | *Pte d'Auteuil* |
| 12 | **Allard** | R10 | St Mandé | bd Carnot | *St-Mandé-Tourelle* |
| 7 | **Allent** | I8 | de Lille, 17 | de Verneuil, 24 | *Rue du Bac* |
| 15 | **Alleray (pl. d')** | G11 | d'Alleray, 65 | Brancion | *Vaugirard* |
| 15 | **Alleray (d')** | F-G11 | de Vaugirard, 301 | pl. Falguière | *Vaugirard* |
| 15 | **Alleray (ham. d')** | F11 | d'Alleray, 25 | en impasse | *Vaugirard* |
| 15 | **Alleray (jardin)** | F11 | d'Alleray, 70 | en impasse | *Vaugirard* |
| 15 | **Aller. Labrouste (jard.)** | G11 | d'Alleray, 91 | St Amand | *Vaugirard* |
| 15 | **Aller. Quintinie (sq.)** | F11 | La Quintinie, 36 | | *Vaugirard* |
| 19 | **Allier (quai)** | N1 | bd MacDonald | hors Paris | *Pte la Villette* |
| 7 | **Alma (cité de l')** | F7 | av. Bosquet, 4 | av. Rapp, 11 | *Alma-Marceau* |
| 16 | **Alma (place de l')** | F7 | c. Albert-Ier, 48 | av. Georges-V, 1 | *Alma-Marceau* |
| 8 | **3, 5 et 7** | | | | *Alma-Marceau* |
| 7 | **Alma (pont de l')** | F7 | av. de New-York | quai d'Orsay | *Alma-Marceau* |
| 3 | **Alombert (pass.)** | L7 | Gravilliers, 26 | Au-Maire, 9 | *Arts-et-Métiers* |
| 19 | **Alouettes (des)** | O4 | Fessart, 32 | Botzaris, 66 | *Botzaris* |
| 13 | **Alpes (pl. des)** | L12 | bd Vincent Auriol, 166 | Godefroy | *Place d'Italie* |
| 16 | **Alphand (av.)** | D5 | Duret, 25 | Piccini, 18 | *Pte Maillot* |
| 13 | **Alphand** | K12 | Cinq-Diamants, 56 | Barrault, 15 | *Corvisart* |
| 19 | **Alphonse Aulard** | P4 | bd Sérurier, 52 | bd Algérie, 9 | *Pré-St-Gervais* |
| 11 | **Alphonse Baudin** | M7 | Pelée, 19 | St Sébastien, 30 | *Richard Lenoir* |
| 15 | **Alphonse Bertillon** | G11 | de la Procession, 96 | de Vouillée, 61 | *Plaisance* |
| 14 | **Alphonse Daudet** | I13 | Sarrette, 32 | av. Gal Leclerc, 91 | *Alésia* |
| 6 | **Alphonse Deville (pl.)** | I9 | bd Raspail | du Cherche-Midi | *Sèvres-Babylone* |
| 15 | **Alphonse Humbert (pl.)** | D9 | Cap. Ménard | av. Emile Zola | *Javel* |
| 19 | **Alphonse Karr** | N12 | de Flandre, 169 | de Cambrai, 22 | *Corentin-Cariou* |
| 5 | **Alph. Laveran (pl.)** | J10 | du Val-de-Grâce | St Jacques | *Port-Royal* |
| 17 | **Alph. de Neuville** | F3 | av. Wagram, 147 | bd Pereire, 79 | *Wagram* |
| 20 | **Alphonse Penaud** | Q6 | du Surmelin, 50 | du Cap. Ferber | *St-Fargeau* |
| 16 | **Alphonse-XIII (av.)** | D8 | Raynouard, 34 | en impasse | *Passy* |
| 10 | **Alsace (d')** | L4 | du 8 mai 1945, 6 | Lafayette, 166 | *Gare de l'Est* |
| 19 | **Alsace (villa d')** | P4 | de Mouzaïa, 22b | en impasse | *Botzaris* |
| 18 | **Alsace (sq. d')** | J1 | Marcel Sembat | Frédéric Schneider | *Pte Clignancourt* |
| 12 | **Alsace-Lorraine (c.)** | O10 | de Reuilly, 61 | | *Montgallet* |
| 19 | **Alsace-Lorraine** | P4 | Gal Brunet, 47 | Manin, 40ter | *Danube* |
| 19 | **Amalia (villa)** | O4 | Gal Brunet, 36 | Liberté, 11 | *Danube* |

| Ar. | Rues | Plan | Commençant | Finissant | Métro |
|---|---|---|---|---|---|
| 20 | Amandiers (des) | O7 | pl. Métivier | Ménilmontant, 54 | Père-Lachaise |
| 2 | Amboise (d') | J5 | Richelieu, 95 | Favart, 16 | Richelieu-Drouot |
| 10 | Ambroise Paré | K4 | de Maubeuge, 93 | bd Magenta, 154 | Barbès-Rochech. |
| 19 | Ambroise Rendu (av.) | P3 | av. Pte Chaumont | av. Pte Brunet | Danube |
| 9 | Ambroise Thomas | K5 | Richer, 6 | Fg Poissonnière, 57 | Poissonnière |
| 7 | Amélie | G8 | St Dominique, 95 | de Grenelle, 172 | Latour-Maubourg |
| 20 | Amélie (villa) | Q5 | Borrégo, 42b | villa Désirée | St-Fargeau |
| 11 | Amelot 6-7 | M8 | bd Richard Lenoir, 5 | bd Voltaire, 8 | Bréguet-Sabin |
| | 12-21 | M8 | | | Chemin Vert |
| | 44-63 | M7 | | | St-Séb.-Froissard |
| | 100-113 | M7 | | | Filles Calvaire |
| 17 | Amérique Latine (jard.) | E3 | pl. Pte Champerret | | Pte de Champerret |
| 11 | Ameublement (cité de l') | O9 | de Montreuil, 31 | en impasse | Faidherbe-Chal. |
| 20 | Amiens (sq. d') | Q7 | Harpignies | Serpollet | Pte de Bagnolet |
| 16 | Amiral Bruix (bd de l') | D5 | av. Foch, 88 | av. Gde-Armée | Pte Maillot |
| 16 | Amiral Cloué | C9 | quai Louis Blériot, 58 | av. de Versailles, 69 | Mirabeau |
| 16 | Amiral Courbet | D6 | av. Victor Hugo, 100 | de la Pompe, 152 | Victor-Hugo |
| 1 | Amiral de Coligny | J7 | quai du Louvre | de Rivoli | Louvre |
| 16 | Amiral de Grasse (pl.) | E6 | av. Iéna | pl. des Etats-Unis | Boissière |
| 16 | Amiral d'Estaing (de l') | E6 | de Lubeck, 10 | pl. Etats-Unis, 15 | Boissière |
| 12 | Am. La-Roncière-Le-Noury | Q11 | bd Soult, 4 | av. Armand Rousseau, 9 | Pte Dorée |
| 13 | Amiral Mouchez | J13 | av. Reille, 1 | bd Kellermann, 108 | Cité Universit. |
| 14 | | J14 | pairs, 14e | impairs, 13e | |
| 15 | Amiral Roussin | F10 | de la Croix-Nivert, 39 | Blomet, 90 | Cambronne |
| | 89-92 | | | | Vaugirard |
| 18 | Amiraux (des) | K12 | Poissonniers, 121 | Clignancourt, 134 | Simplon |
| 17 | Ampère | F3 | bd Malesherbes, 155 | bd Pereire, 119 | Wagram |
| 14 | Amphithéâtre (pl. de l') | H11 | Vercingétorix, 50 | | Pernety |
| 8 | Amsterdam (imp.) | I4 | Amsterdam, 21 | Londres, 43 | St-Lazare |
| 8 | Amsterdam (cour) | I5 | imp. Amsterdam | Amsterdam | St-Lazare |
| 8 | Amsterdam (d') | I5 | St Lazare, 108 | pl. de Clichy, 3 | St-Lazare |
| 9 | 45-54 | I4 | pairs, 9e | impairs, 8e | Liège |
| | 101-108 | I4 | | | Place Clichy |
| 5 | Amyot | K10 | Tournefort, 12 | Lhomond, 23 | Monge |
| 7 | Anatole France (av.) | F8 | quai Branly | pl. Joffre | Ecole Militaire |
| 7 | Anatole France (quai) | I7 | du Bac | pt de la Concorde | Ass. Nationale |
| 17 | Anatole de la Forge | E5 | av. Gde-Armée, 22 | av. Carnot, 25 | Argentine |
| 6 | Ancienne Comédie (de l') | J8 | St André-des-Arts, 67 | bd St Germain, 134 | Odéon |
| 3 | Ancre (pass. de l') | K7 | St Martin, 223 | de Turbigo, 30 | Réaumur-Sébast. |
| 16 | Andigné (d') | C7 | Chaus. de La Muette | Albéric Magnard | La Muette |
| 18 | André Antoine | J4 | bd Clichy, 24 | Abbesses, 23 | Pigalle |
| 18 | André Barsacq | J3 | Foyatier | Drevet | Abbesses |
| 17 | André Bréchet | I1 | av. Pte St Ouen | de Pont-à-Mousson | Pte de St Ouen |
| 1 | André Breton (allée) | K7 | Rambuteau | pl. Maurice Quentin | Les Halles |
| 15 | André Citroën (quai) | D9 | pl. Fernand Forest | bd Victor, 7 | Javel |
| 15 | André Citroën (parc) | C10 | quai André Citroën | Mont. de l'Esperau | Javel |

| Ar. | Rues | Plan | Commençant | Finissant | Métro |
|---|---|---|---|---|---|
| 16 | André Colledebœuf | C9 | Ribera, 32 | en impasse | *Jasmin* |
| 19 | André Danjon | O3 | de Lorraine | Jean Jaurès | *Ourcq* |
| 18 | André del Sarte | K3 | Clignancourt, 31 | Charles Nodier, 14 | *Château-Rouge* |
| 12 | André Derain | Q11 | Montenpoivre | M. Laurencin | *Bel-Air* |
| 13 | André Dreyer (sq.) | J13 | Wurtz, 18 | | *Glacière* |
| 19 | André Dubois | N4 | av. Laumière, 2 | Rhin, 24 | *Laumière* |
| 15 | André Gide | G11 | de la Procession | du Cotentin | *Volontaires* |
| 18 | André Gill | J4 | des Martyrs, 78 | en impasse | *Pigalle* |
| 6 | André Honnorat (pl.) | J10 | av. de l'Observ | Auguste Comte | *Luxembourg* |
| 5 | André Lefèvre (sq.) | K9 | St Jacques | de la Parcheminerie | *St-Michel* |
| 14 | A. Lichtenberger (sq.) | G13 | Mariniers | en impasse | *Pte de Vanves* |
| 1 | André Malraux (pl.) | J7 | av. Opéra, 2 | | *Palais-Royal* |
| 16 | André Maurois (bd) | D4 | Pte Maillot | Neuilly-s.-Seine | *Pte Maillot* |
| 18 | André Messager | J2 | Letort, 27 | Champion., 97 | *Jules Joffrin* |
| 16 | André Pascal | C7 | de Franqueville | en impasse | *La Muette* |
| 14 | André Rivoire (av.) | I14 | av. David Weill | av. Dr Lannelonque | *Cité Universit.* |
| 7 | André Tardieu (pl.) | G9 | av. Villars | bd Invalides | *St-Fr.-Xavier* |
| 15 | André Theuriet | F12 | bd Lefèvre, 68 | av. A. Bartholomé | *Pte de Versailles* |
| 18 | Andrézieux (al. d') | K2 | des Poissonniers, 78 | en impasse | *Marcadet-Poiss.* |
| 8 | Andrieux | H4 | Constantinople, 22 | bd Batignolles, 45 | *Rome* |
| 18 | Androuet | J3 | Trois Frères, 56 | Berthe, 57 | *Abbesses* |
| 18 | Angélique Compoint | J1 | pass. St-Jules, 5 | bd Ney, 115 | *Pte de St Ouen* |
| 18 | Angers (imp. d') | I1 | Leibnitz, 44 | | *Pte de St Ouen* |
| 19 | Anglais (imp. des) | N3 | de Flandre, 72 | | *Riquet* |
| 5 | Anglais (des) | K9 | Galande, 21 | bd St Germain, 70 | *Maubert-Mutualité* |
| 11 | Angoulême (cité d') | N6 | J.-P. Timbaud, 66 | en impasse | *Parmentier* |
| 4 | Anjou (q. d') | L9 | St Louis-en-l'Ile, 2 | Deux-Ponts, 40 | *Sully-Morland* |
| 8 | Anjou (d') 22-23 | H5 | Fg St Honoré, 44 | Pépinière, 13 | *Madeleine* |
| 8 | Anjou (d') 75-78 | H5 | Fg St Honoré, 44 | Pépinière, 13 | *St-Lazare* |
| 16 | Ankara (d') | D8 | av. Pr. Kennedy, 32 | Berton | *Trocadéro* |
| 16 | Anna de Noailles (sq.) | D5 | bd Am. Bruix | av. Div. Leclerc | *Pte Maillot* |
| 20 | Annam (d') | P6 | de la Bidassoa | du Retrait, 9 | *Gambetta* |
| 19 | Anne de Beaujeu (all.) | M4 | Math. Moreau | Four-à-Chaux | *Colonel Fabien* |
| 19 | Annelets (des) | O4 | des Solitaires, 19 | de Crimée, 37 | *Botzaris* |
| 14 | Annibal (cité) | I13 | Tombe-Issoire, 87 | en impasse | *Alésia* |
| 16 | Annonciation (de l') | D8 | Raynouard, 48 | pl. de Passy, 5 | *La Muette* |
| 15 | Anselme Payen | G11 | Vigée-Lebrun | Falguière | *Volontaires* |
| 12 | Antilles (pl. des) | P9 | inters. bd Charonne | av. du Trône | *Nation* |
| 9 | Antin (cité d') | I5 | de Provence, 61 | Lafayette, 5 | *Chaussée-d'Antin* |
| 8 | Antin (imp. d') | G6 | av. Fr.D.-Roosevelt, 29 | | *Ch.-Elysées-Clem.* |
| 2 | Antin (d') | I6 | Dan. Casanova | Port-Mahon, 7 | *Opéra* |
| 16 | Antoine Arnauld | C8 | Gustave Zédé, 14 | Davioud, 5 | *Ranelagh* |
| 16 | Antoine Arnauld (sq.) | C8 | A. Arnaud, 5 | en impasse | *Ranelagh* |
| 15 | Antoine Bourdelle | H10 | av. du Maine, 26 | Falguière, 19 | *Montparnasse* |
| 1 | Antoine Carême (pass.) | K7 | Fg St Honoré | p. des Lingères | *Les Halles* |
| 14 | Antoine Chantin | H13 | av. Jean Moulin, 26 | des Plantes, 47 | *Alésia* |

| Ar. | Rues | Plan | Commençant | Finissant | Métro |
|---|---|---|---|---|---|
| 6 | **Antoine Dubois** | **J9** | Ec. de Médecine, 23 | M. le Prince, 23 | *Odéon* |
| 15 | **Antoine Hajje** | **D10** | St Charles, 97 | | *Charles Michels* |
| 20 | **Antoine Loubeyre (c)** | **D8** | de la Mare, 25 | en impasse | *Jourdain* |
| 18 | **Antoine Piemontési** | **J3** | Houdan | Véron | *Abbesses* |
| 16 | **Antoine Roucher** | **C9** | Mirabeau, 14 | Corot, 6 | *Eglise d'Auteuil* |
| 12 | **Antoine Vollon** | **N9** | Th. Roussel, 8 | Fg St Antoine, 106 | *Ledru-Rollin* |
| 15 | **Antonin Mercié** | **F12** | bd Lefebvre, 90 | av. Alb. Bartholomé | *Pte de Vanves* |
| 9 | **Anvers (pl. d')** | **K4** | av. Trudaine, 19 | bd Rochechouart, 39 | *Anvers* |
| 9 | **Anvers (sq. d')** | **K4** | pl. d'Anvers | | *Anvers* |
| 17 | **Apennins (des)** | **H2** | av. de Clichy, 120 | Davy, 41 | *Brochant* |
| 11 | **Appert** | **M7** | allée Verte | bd Richard Lenoir | *Richard Lenoir* |
| 10 | **Aqueduc (de l')** | **M4** | Lafayette, 159 | bd Villette, 149 | *Louis Blanc* |
| 19 | **Aquitaine (sq. d')** | **P3** | av. Pte Chaumont | bd Sérurier | *Pte de Pantin* |
| 13 | **Arago (bd)** | **J-K11** | av. des Gobelins, 24 | pl. Denf.-Rochereau | *Gobelins* |
| 14 | **40-45** | **K11** | | | *Glacière* |
| | **de 1 à 73 et de 2 à 82, 13e** | **J11** | de 75 à la fin, 14e | | *Denfert-Rochereau* |
| 13 | **Arago (sq.)** | **K11** | bd Arago, 44 | en impasse | *Glacière* |
| 5 | **Arbalète (de l')** | **K10** | des Patriarches, 22 | Berthollet, 13 | *Censier-Daubenton* |
| 1 | **Arbre-Sec (de l')** | **J7** | pl. de l'Ecole | St Honoré, 109 | *Pont-Neuf* |
| 14 | **Arbustes (des)** | **G12** | R. Losserand, 203 | en impasse | *Pte de Vanves* |
| 8 | **Arcade (de l') 1-2** | **H5** | bd Malesherbes, 4 | de Rome, 11 | *Madeleine* |
| | **61-62** | | | | *St-Lazare* |
| 17 | **Arc-de-Triomphe (l')** | **E5** | du G.-Lanrezac | Acacias, 50 | *Ch. de Gaulle-Et.* |
| 19 | **Archereau** | **N12** | Riquet | de l'Ourcq, 87 | *Crimée* |
| 5 | **Archevêché (Pt de l')** | **K9** | q. Archevêché | q. de la Tournelle | *Maubert-Mutualité* |
| 4 | **Archevêché (q. de l')** | **K9** | Pt St-Louis | pl. du Parvis N.-D | *Cité* |
| 4 | **Archives (des)** | **L7-8** | de Rivoli, 52 | de Bretagne | *Hôtel de Ville* |
| 3 | **1 à 41 et 2 à 56, 4e** | **L7** | des 43-58 à la fin, 3e | | *Rambuteau* |
| 4 | **Arcole (pont d')** | **K8** | q. des Gesvres | q. aux Fleurs | *Cité* |
| 4 | **Arcole (d')** | **K8** | quai aux Fleurs, 23 | Cloître N.-Dame, 22 | *Cité* |
| 14 | **Arcueil (d')** | **J14** | l'Am. Mouchez, 80 | bd Jourdan, 14 | *Cité Universit.* |
| 19 | **Ardennes (des)** | **O3** | av. Jean Jaurès, 161 | quai de la Marne, 40 | *Ourcq* |
| 5 | **Arènes (des)** | **L10** | Linné, 27 | de Navarre, 7 | *Jussieu* |
| 5 | **Arènes-Lutèce (sq.)** | **K10** | des Arènes | de Navarre, 5 | *Jussieu* |
| 8 | **Argenson (d')** | **H5** | La Boétie, 16 | bd Haussmann, 111 | *Miromesnil* |
| 1 | **Argenteuil (d')** | **I6** | de l'Echelle, 9 | St Roch, 34 | *Pyramides* |
| 16 | **Argentine (cité l')** | **D6** | av. Victor Hugo, 111 | | *Victor-Hugo* |
| 16 | **Argentine (d')** | **E5** | Chalgrin, 10 | av. Gde-Armée, 27 | *Argentine* |
| 19 | **Argonne (pl. de l')** | **O2** | de l'Argonne, 17 | Dampierre, 2 | *Corentin-Cariou* |
| 19 | **Argonne (de l')** | **O2** | quai de l'Oise, 41 | de Flandre, 156 | *Corentin-Cariou* |
| 2 | **Argout (d')** | **J6** | Etienne Marcel, 46 | Montmartre, 63 | *Sentier* |
| 16 | **Arioste (de l')** | **A10** | bd Murat, 82 | av. Parc des Princes | *Pte de St Cloud* |
| 7 | **Aristide-Briand** | **H7** | bd St Germain | pl. du Pal.-Bourbon | *Ass. Nationale* |
| 18 | **Aristide Bruant** | **J3** | Véron, 40 | Abbesses, 59 | *Blanche* |
| 17 | **Armaillé (d')** | **E4** | des Acacias, 31 | av. des Ternes, 67 | *Argentine* |
| 18 | **Armand (villa)** | **I2** | Champion, 217b | | *Guy Môquet* |

| Ar. | Rues | Plan | Commençant | Finissant | Métro |
|---|---|---|---|---|---|
| 19 | Armand Carrel (pl.) | N4 | Arm.-Carel, 1 | Meynadier, 71 | *Laumière* |
| 19 | Armand Carrel | N4 | pl. Arm. Carrel, 13 | de Meaux, 68 | *Laumière* |
| 19 | Armand Fallières (v.) | O4 | Mig.-Hidalgo | en impasse | *Botzaris* |
| 18 | Armand Gauthier | I3 | Félix Ziem, 1 | E. Carrière, 12 | *Lamarck-Caulainc.* |
| 15 | Armand Moisant | H10 | Falguière, 23 | bd Vaugirard, 2 | *Montparnasse* |
| 12 | Arm. Rousseau (av.) | O11 | pl. Ed. Renard | Er. Lefébure | *Pte Dorée* |
| 18 | Armée d'Orient (de l') | J3 | Lepic, 70 | Lepic, 80 | *Blanche* |
| 17 | Armenonville (d') | D4 | r. de Sablonville | Neuilly | *Pte Maillot* |
| 15 | Armorique (de l') | G11 | bd Pasteur, 70 | du Cotentin, 22 | *Pasteur* |
| 17 | Arnault Tzanck (pl.) | H1 | av. Pte Pouchet | E. Borel | *Pte de St Ouen* |
| 3 | Arquebusiers (des) | M7 | bd Beaumarchais, 91 | St Claude, 3 | *St-Séb.-Froissard* |
| 5 | Arras (d') | K9 | des Ecoles, 9 | Monge | *Cardinal Lemoine* |
| 15 | Arrivée (de l') | H10 | bd Montparnasse, 64 | pl. Bienvenue | *Montparnasse* |
| 4 | Arsenal (de l') | M9 | Mornay, 2 | de la Cerisaie, 5 | *Bastille* |
| 4 | Arsenal (port de l') | M9 | Port Henri-IV | pl. de la Bastille | *Bastille* |
| 8 | Arsène Houssaye | F5 | av. Champs-Elysées, 154 | Beaujon, 3 | *Ch. de Gaulle-Et.* |
| 15 | Arsonval (d') | G10 | Falguière, 63 | de l'Armorique, 8 | *Pasteur* |
| 12 | Artagnan (d') | O10 | Col. Rozanoff | | *Reuilly-Diderot* |
| 17 | Arthur Brière | J2 | av. St Ouen, 117 | J. Leclaire | *Pte de St Ouen* |
| 10 | Arthur Groussier | M5 | av. Parmentier, 168 | St Maur, 205 | *Goncourt* |
| 18 | Arthur Ranc | I1 | bd Ney, 166 | Henri Brisson | *Pte de St Ouen* |
| 19 | Arthur Rozier | O4 | Solitaires, 39 | Compans, 69 | *Botzaris* |
| 14 | Artistes (des) | J13 | d'Alésia, 13 | St Yves, 2 | *Alésia* |
| 8 | Artois (d') | G5 | La Boétie, 98 | Washington, 52 | *St-Ph.-du-Roule* |
| 17 | Arts (av. des) | E4 | av. de Verzy, 5 | en impasse | *Pte Maillot* |
| 6 | Arts (pont des) | J7 | quai du Louvre | pl. de l'Institut | *Pont-Neuf* |
| 12 | Arts (imp. des) | P9 | du Pensionnat, 5 | | *Nation* |
| 14 | Arts (pass. des) | H11 | R. Losserand, 33 | Ed. Jacques, 16 | *Pernety* |
| 18 | Arts (villa des) | I3 | Pierre-Ginier, 15 | | *La Fourche* |
| 11 | Asile (pass. de l') | N7 | pass. Chem. Vert, 2 | Popincourt, 51 | *St-Ambroise* |
| 11 | Asile-Popincourt | N7 | pass. Moufle, 4 | Popincourt, 59 | *St-Ambroise* |
| 14 | Aspirant Dunand (sq.) | I12 | Mout.-Duvernet | Brezin | *Mouton-Duvernet* |
| 6 | Assas (d') | I9-10 | Cherche-Midi, 27 | av. l'Observatoire, 12 | *Rennes* |
| 14 | Asseline | H11 | Maison-Dieu, 12 | du Château, 141 | *Pernety* |
| 16 | Assomption (l') | C8 | Boulainvilliers, 16 | bd Montmorency, 1 | *Ranelagh* |
| 8 | Astorg (d') | H5 | Ville-l'Evêque, 24 | La Boétie, 3 | *St-Augustin* |
| 15 | Astrolabe (imp. de l') | H10 | de Vaugirard, 119 | | *Falguière* |
| 9 | Athènes (d') | I4 | de Clichy, 21 | Amsterdam, 38 | *Trinité* |
| 19 | Atlas (pass. de l') | N5 | de l'Atlas, 10b | de l'Atlas, 16 | *Belleville* |
| 19 | Atlas (de l') | N5 | Rébeval, 1 | av. Simon Bolivar, 69 | *Belleville* |
| 9 | Auber | I5 | pl. de l'Opéra, 5 | Tronchet, 36 | *Opéra* |
| 19 | Aubervilliers (imp. d') | M13 | d'Aubervilliers, 48 | | *Stalingrad* |
| 18 | Aubervilliers (d') | M2 | bd La Chapelle, 2 | bd Ney, 1 | *Stalingrad* |
| 19 | 164 | | pairs 19e | Impairs 18e | *Crimée* |
| 17 | Aublet (villa) | E4 | Laugier, 44 | | *Pereire* |
| 4 | Aubriot | L8 | Ste Cx de la Bretonn., 16 | Blancs-Manteaux, 17 | *Hôtel de Ville* |

| Ar. | Rues | Plan | Commençant | Finissant | Métro |
|---|---|---|---|---|---|
| 20 | Aubry (cité) | P8 | de Bagnolet, 15 | de Bagnolet, 35 | *Alexandre Dumas* |
| 4 | Aubry le-Boucher | K7 | St Martin, 103 | Sébastopol, 24 | *Châtelet* |
| 14 | Aude (de l') | I13 | av. René Coty, 54 | Tombe-Issoire, 91 | *Alésia* |
| 18 | Audran | J3 | Véron, 30 | des Abbesses, 47 | *Abbesses* |
| 12 | Audubon | M10 | Bd Diderot, 7 | de Bercy, 225 | *Gare de Lyon* |
| 20 | Auger | P9 | bd Charonne, 36 | d'Avron, 16 | *Buzenval* |
| 7 | Augereau | F8 | St Dominique, 141 | de Grenelle, 218 | *Ecole Militaire* |
| 11 | Auguste Barbier | M6 | Fontaine-au-Roi, 39 | av. Parmentier, 125 | *Goncourt* |
| 19 | Auguste Baron (pl.) | O1 | av. Pte Villette | bd Commanderie | *Pte la Villette* |
| 15 | Auguste Bartholdi | E9 | pl. Dupleix | bd Grenelle, 73 | *Dupleix* |
| 13 | Auguste Blanqui (bd) | K12 | pl. d'Italie, 9 | de la Santé, 81 | *Corvisart* |
|  | 102-121 |  |  |  | *Glacière* |
| 13 | Auguste Blanqui (v.) | M12 | Jeanne-d'Arc, 46 |  | *Nationale* |
| 14 | Auguste Caïn | H13 | av. Jean Moulin, 60 | des Plantes, 67 | *Pte d'Orléans* |
| 15 | Auguste Chabrières (c.) | E11 | A. Chabrières, 22 |  | *Pte de Versailles* |
| 15 | Auguste Chabrières | E11 | Desnouettes, 41 | Croix-Nivert, 250 | *Pte de Versailles* |
| 20 | Auguste Chapuis | Q8 | Mendelssohn, 5 | Dr Déjerine, 15 | *Pte de Montreuil* |
| 6 | Auguste Comte | J10 | bd St Michel, 66 | d'Assas, 57 | *N.-D. des Champs* |
| 15 | Auguste Dorchain | F10 | de la Croix-Nivert | Quinault | *Commerce* |
| 13 | Auguste Lançon | K13 | Barrault, 84 | de Rungis, 36 | *Cité Universit.* |
| 11 | Auguste Laurent | N8 | Mercœur, 3 | de la Roquette, 142 | *Voltaire* |
| 16 | Auguste Maquet | B11 | bd Exelmans, 7 | bd Murat, 187 | *Exelmans* |
| 20 | Aug. Métivier (pl.) | O7 | bd Ménilmontant, 44 | av. Gambetta, 1 | *Père-Lachaise* |
| 14 | Auguste Mie | H11 | Froidevaux, 75 | av. du Maine, 99 | *Gaîté* |
| 13 | Auguste Perret | L13 | av. d'Italie, 81 | av. de Choisy | *Tolbiac* |
| 14 | Aug. Renoir (sq.) | G12 | R. Losserand |  | *Pte de Vanves* |
| 16 | Aug. Vacquerie | E6 | Newton, 5 | D. d'Urville | *Kléber* |
| 15 | Auguste Vitu | D10 | av. Emile Zola, 16 | Séb. Mercier, 15 | *Javel* |
| 19 | Aug. Thierry | P5 | Compans, 13 | Pré St Gervais, 14 | *Place des Fêtes* |
| 3 | Au-Maire | L7 | des Vertus, 9 | de Turbigo, 44 | *Arts-et-Métiers* |
| 9 | Aumale (d') | J4 | St Georges, 47 | Rochefoucauld, 24 | *St-Georges* |
| 13 | Aumont | L13 | de Tolbiac, 127 | av. d'Ivry, 108 | *Tolbiac* |
| 17 | Aumont-Thiéville | E4 | bd Gouvion St Cyr, 27 | Roger-Bacon, 19 | *Pte de Champerret* |
| 11 | Aunay (imp. d') | O7 | F.-Regnault, 58 |  | *Père-Lachaise* |
| 17 | A. de Paladines (bd d') | O4 | Pte Ternes, 14 | Neuilly | *Pte Maillot* |
| 13 | Austerlitz (pont) | M10 | pl. Mazas | pl. Valhubert | *Gare d'Austerlitz* |
| 13 | Austerlitz (port d') | M11 | pont de Bercy | Pt d'austerlitz | *Gare d'Austerlitz* |
| 13 | Austerlitz (q. d') | M11 | b. V.-Auriol, 2 | pl. Valhubert | *Gare d'Austerlitz* |
| 5 | Austerlitz (cité) | L10 | Nicolas Houël |  | *Gare d'Austerlitz* |
| 12 | Austerlitz (d') | M9 | de Bercy, 234 | de Lyon, 25 | *Gare de Lyon* |
| 16 | Auteuil (pl. d') | C9 | Théophile Gautier, 58 | Chardon Lagache | *Eglise d'Auteuil* |
| 16 | Auteuil (d') | B9 | Théophile Gautier, 66 | bd Murat, 1 | *M.-Ange-Auteuil* |
| 16 | Auteuil (bd d') | A10 | av. Pte Molitor | Boulogne | *M.-Ange-Molitor* |
| 16 | Auteuil (pont d') | C10 | Pt de Grenelle | quai St Exupéry | *Exelmans* |
| 4 | Ave-Maria (de l') | L8 | St Paul, 3 | du Fauconnier, 2 | *Pont-Marie* |
| 4 | Ave-Maria (sq.) | L8 | quai des Célestins |  | *Sully-Morland* |

| Ar. | Rues | Plan | Commençant | Finissant | Métro |
|---|---|---|---|---|---|
| 11 | **Avenir (cité de l')** | **O6** | bd de Ménilmontant, 123 | | *Ménilmontant* |
| 20 | **Avenir (de l')** | **P5** | Pixérécourt, 32 | en impasse | *Place des Fêtes* |
| 16 | **Av.-du-Bois (sq. de l')** | **E5** | Le Sueur, 9 | | *Argentine* |
| 16 | **Av. Foch (sq. de l')** | **D5** | av. Foch | | *Pte Dauphine* |
| 17 | **Aveyron (sq. de l')** | **F3** | Jules Bourdais | en impasse | *Pereire* |
| 15 | **Avre (de l')** | **F9** | bd Grenelle, 140 | Letellier, 43 | *La Motte-Picquet* |
| 20 | **Avron (d')** | **Q8** | bd Charonne, 44 | bd Davout, 67 | *Avron* |
| 18 | **Azaïs** | **J3** | Guibert | St Eleuthère, 8 | *Abbesses* |

# B

| Ar. | Rues | Plan | Commençant | Finissant | Métro |
|---|---|---|---|---|---|
| 7 | **Babylone (de)** | **H9** | bd Raspail, 46 | bd Invalides, 33 | *Sèvres-Babylone* |
| | **61-76** | | | | *St-Fr.-Xavier* |
| 7 | **Babylone (jard.)** | **H9** | de Babylone | imp. Oudinot | *Sèvres-Babylone* |
| 7 | **Bac (du) 45-54** | **I8** | quai Voltaire, 35 | de Sèvres, 26 | *Rue du Bac* |
| | **137-150** | **H8** | | | *Sèvres-Babylone* |
| 2 | **Bachaumont** | **K6** | Montorgueil, 67 | Montmartre, 76 | *Sentier* |
| 18 | **Bachelet** | **K3** | Nicolet, 18 | Lambert, 29 | *Château-Rouge* |
| 20 | **Bagnolet (de)** | **Q7** | bd de Charonne, 148 | bd Davout, 229 | *Alexandre Dumas* |
| 18 | **Baigneur** | **K2** | Ramey, 53 | Mont Cenis, 50 | *Marcadet-Poiss.* |
| 1 | **Baillet** | **J7** | de la Monnaie, 23 | Arbre-Sec, 24 | *Louvre* |
| 1 | **Bailleul** | **J7** | Arbre-Sec, 39 | du Louvre, 12 | *Louvre* |
| 14 | **Baillou** | **H12** | des Plantes, 52 | Lecuirot, 7 | *Alésia* |
| 3 | **Bailly** | **L6** | Réaumur, 27 | Beaubourg, 98 | *Arts-et-Métiers* |
| 15 | **Balard (pl.)** | **D11** | av. F. Faure, 150 | Balard | *Balard* |
| 15 | **Balard** | **D10-** | rd-pt Mirabeau | pl. Balard | *Javel* |
| 1 | **Balcon St Eustache** | **K7** | Forum | Niveau-2 | *Chât.-Les Halles* |
| 11 | **Baleine (imp. de)** | **N6** | J.-P. Timbaud, 92 | | *Couronnes* |
| 20 | **Balkans (des)** | **Q7** | Vitruve, 61 | de Bagnolet, 146 | *Pte de Bagnolet* |
| 9 | **Ballu** | **I4** | Blanche, 57 | de Clichy, 74 | *Place Clichy* |
| 9 | **Ballu (villa)** | **I4** | Ballu, 23 | | *Place Clichy* |
| 17 | **Balmy d'Avricourt** | **F4** | P. Demours, 51 | av. Niel, 82 | *Pereire* |
| 1 | **Baltard** | **K7** | Berger | Rambuteau | *Les Halles* |
| 8 | **Balzac** | **F5** | av. Champs-Elysées, 124 | Fg St Honoré, 195 | *George-V* |
| 2 | **Banque (de la)** | **J6** | Petits-Champs, 2 | pl. de la Bourse, 5 | *Bourse* |
| 13 | **Banquier (du)** | **L11** | Duméril, 22 | av. des Gobelins, 53 | *Campo-Formio* |
| 13 | **Baptiste Renard** | **M12** | Chât. des Rentiers, 105 | Nationale, 96 | *Nationale* |
| 19 | **Barbanègre** | **O2** | de Nantes, 16 | quai Gironde, 11 | *Corentin-Cariou* |
| 18 | **Barbès (bd)** | **K2-3** | bd la Chapelle, 126 | Ordener, 75 | *Barbès-Rochech.* |
| | **35-44** | **K3** | | | *Château-Rouge* |
| | **65-86** | **K2** | | | *Marcadet-Poiss.* |
| 7 | **Barbet-de-Jouy** | **H8** | de Varenne, 69 | de Babylone, 64 | *Varenne* |
| 3 | **Barbette** | **L7** | Elzévir, 9 | Vieille-du-Temple, 70 | *St-Paul* |
| 7 | **Barbey-d'Aurevilly (av.)** | **F8** | av. de la Bourdonnais | allée A. Lecouvreur | *Ecole Militaire* |
| 16 | **Barcelone (pl. de)** | **C9** | av. de Versailles | Mirabeau | *Mirabeau* |

| Ar. | Rues | Plan | Commençant | Finissant | Métro |
|---|---|---|---|---|---|
| 14 | Bardinet | H12 | d'Alésia, 181 | de l'Abbé-Carton, 27 | *Plaisance* |
| 15 | Bargue | G11 | de Vaugirard, 241 | Falguière, 136 | *Volontaires* |
| 17 | Baron | H2 | La Jonquière, 58 | Navier, 51 | *Guy Môquet* |
| 13 | Barrault (pass.) | K12 | des Cinq-Diamants | Barrault, 9 | *Corvisart* |
| 13 | Barrault | K13 | bd A. Blanqui, 73 | pl. de Rungis, 9 | *Corvisart* |
| 19 | Barrelet-de-Ricou | N5 | G. Lardennois | Philippe Hecht | *Bolivar* |
| 4 | Barres (des) | L8 | quai Hôtel-de-Ville, 66 | Fr. Miron, 16 | *Hôtel de Ville* |
| 12 | Barrier (imp.) | N9 | de Cîteaux, 21 | | *Reuilly-Diderot* |
| 3 | Barrois (pass.) | L7 | des Gravilliers, 34 | Au-Maire, 15 | *Arts-et-Métiers* |
| 10 | Barthélémy (pass.) | M4 | Fg St Martin, 265 | de l'Aqueduc, 86 | *Pte la Villette* |
| 15 | Barthélémy | G10 | av. de Breteuil, 78 | bd Garibaldi, 59 | *Sèvres-Lecourbe* |
| 17 | Barye | F4 | R. Médéric, 21 | Cardinet, 22 | *Courcelles* |
| 4 | Barye (sq.) | L9 | Pont de Sully | | *Sully-Morland* |
| 2 | Basfour (pass.) | K6 | St Denis, 178 | de Palestro, 29 | *Réaumur-Sébast.* |
| 11 | Basfroi (pass.) | N8 | pass. Ch. Dallery, 22 | av. Ledru-Rollin, 159 | *Voltaire* |
| 11 | Basfroi | N8 | de Charonne, 71 | de la Roquette, 108 | *Voltaire* |
| 20 | Basilide-Fossard (imp.) | Q6 | av. Gambetta, 90b | | *Pelleport* |
| 8 | Bassano (de) | F5 | av. d'Iéna, 58 | Champs-Elysées, 103 | *George-V* |
| 16 | de 1 à 21 et de 2 à 32 | F6 | | | *Iéna* |
| 5 | Basse-des-Carmes | K9 | Mt Ste Geneviève | des Carmes, 3 | *Maubert-Mutualité* |
| 4 | Bassompierre | M9 | bd Bourdon, 25 | de l'Arsenal, 12 | *Bastille* |
| 19 | Baste | N4 | Secrétan, 35 | Bouret, 21 | *Bolivar* |
| 16 | Bastien Lepage | B9 | Pierre Guérin, 13 | La Fontaine, 81 | *M.-Ange-Auteuil* |
| 12 | Bastille (bd de la) | M9 | pl. Mazas | pl. de la Bastille | *Quai de La Rapée* |
| | 52 | | | | *Bastille* |
| 4 | impairs | | | | |
| 11 | Bastille (pl. de la) | M8 | Fg St Antoine, 1 | bd Beaumarchais, 1 | *Bastille* |
| 12 | 2, 4 et 6 | | | | |
| 4 | Bastille (de la) | M8 | Tournelles, 2b | pl. de la Bastille | *Bastille* |
| 12 | Bataillon du Pacific (pl.du) | N10 | bd de Bercy | de Bercy | *Bercy* |
| 4 | Bataillon français de l'ONU en Corée (pl. du) | L8 | q. de l'Hôtel-de-Ville | de l'Hôtel-de-Ville | *Pont-Marie* |
| 8 | Batignolles (bd des) | H4 | pl. Clichy, 5 | pl. Pr. Goubaux | *Place Clichy* |
| 17 | 43-62 | | | | *Rome* |
| | 63-110 | | pairs 17e | impairs 8e | *Villiers* |
| 17 | Batignolles | H3 | bd des Batignolles, 32 | pl. des Batignolles | *Rome* |
| 17 | Batignolles (sq.) | H3 | pl. Ch. Fillion | | *Brochant* |
| 16 | Bauches (des) | C8 | Boulainvilliers, 45 | de la Muette | *Ranelagh* |
| 18 | Baudelique | K2 | Ordener, 64 | bd Ornano, 23 | *Simplon* |
| 13 | Baudoin | M12 | Clisson, 19 | Dunois, 42 | *Chevaleret* |
| 12 | Baudoin (cour) | O11 | St Estèphe | | *Bercy* |
| 4 | Baudoyer (pl.) | L8 | François Miron | de Rivoli, 25 | *Hôtel de Ville* |
| 13 | Baudran (imp.) | L13 | Damesme, 19 | | *Tolbiac* |
| 13 | Baudricourt (imp.) | L13 | Baudricourt, 68 | | *Tolbiac* |
| 13 | Baudricourt | L13 | Nationale, 111 | av. de Choisy, 72 | *Nationale* |
| | 23-24 | M13 | | | *Tolbiac* |

| Ar. | Rues | Plan | Commençant | Finissant | Métro |
|---|---|---|---|---|---|
| 14 | **Bauer (cité)** | H12 | Didot, 36 | Boyer-Barret | *Pernety* |
| 12 | **Baulant** | O10 | Charolais, 32 | Charenton, 210 | *Dugommier* |
| 20 | **Baumann (villa)** | Q6 | Alphonse Penaud, 35 | Etienne Marey | *Pelleport* |
| 15 | **Bausset** | F11 | pl. Adolphe Chérioux, 6 | Abbé Groult, 76 | *Vaugirard* |
| 8 | **Bayard** | G6 | c. Albert-Ier | av. Montaigne, 44 | *Ch.-Elysées-Clem.* |
| 17 | **Bayen** | E4 | Poncelet, 3 | Gouvion St Cyr, 21 | *Ternes* |
| | **68-73** | | | | *Pte de Champerret* |
| 5 | **Bazeilles (de)** | K11 | Censier, 53 | Monge, 118 | *Censier-Daubenton* |
| 3 | **Béarn (de)** | L8 | pl. des Vosges, 28 | St Gilles, 5 | *Chemin Vert* |
| 15 | **Béatrix Dussanne** | E9 | Viala, 23 | de Lourmel, 18 | *Dupleix* |
| 3 | **Beaubourg (imp.)** | L7 | Beaubourg | Brantôme | *Rambuteau* |
| 3 | **Beaubourg** | L7 | Sim. le Franç., 14 | de Turbigo, 48 | *Arts-et-Métiers* |
| 4 | | K7 | de 1 à 19 et 2 à 20, 4e | | *Rambuteau* |
| 3 | **Beauce (de)** | L7 | Pastourelle, 10 | de Bretagne, 47 | *Arts-et-Métiers* |
| 8 | **Beaucour (av.)** | F5 | Fg St Honoré, 248 | en impasse | *Ternes* |
| 20 | **Beaufils (pass.)** | Q9 | du Volga, 13 | d'Avron, 84 | *Maraîchers* |
| 15 | **Beaugrenelle** | D9 | Emériau, 65 | St Charles, 80 | *Charles Michels* |
| 11 | **Beauharnais (cité)** | O8 | Léon Frot, 4 | | *Charonne* |
| 1 | **Beaujolais (g. de)** | J6 | périst. Beaujolais | périst. Joinville | *Bourse* |
| 1 | **Beaujolais (pass.)** | J6 | de Montpensier, 47 | Richelieu, 52 | *Bourse* |
| 1 | **Beaujolais (de)** | J6 | de Valois, 43 | de Montpensier, 40 | *Bourse* |
| 8 | **Beaujon** | F5 | av. Friedland, 12 | av. de Wagram, 8 | *Ch. de Gaulle-Et.* |
| 8 | **Beaujon (sq.)** | G5 | bd Haussmann, 150 | | *Miromesnil* |
| 4 | **Beaumarchais (bd)** | M8 | pl. de la Bastille | Pont-aux-Choux | *Bastille* |
| 11 | **12-17** | | pairs, 11e | | *Chemin Vert* |
| 3 | **74-79** | | de 1 à 33, 4e | 33 à la fin, 3e | *St-Séb.-Froissard* |
| 7 | **Beaune (de)** | I2 | quai Voltaire, 29 | Université, 34 | *Rue du Bac* |
| 14 | **Beaunier** | I13 | Tombe-Issoire, 138 | av. Gal Leclerc, 115 | *Pte d'Orléans* |
| 2 | **Beauregard** | K6 | Poissonnière, 18 | bd Bonne-Nouvelle, 5b | *Bonne Nouvelle* |
| 2 | **Beaurepaire (cité)** | K6 | Greneta, 48 | | *Etienne Marcel* |
| 10 | **Beaurepaire** | M6 | bd Magenta, 2 | quai Valmy, 71 | *République* |
| 16 | **Beauséjour (bd)** | C8 | ch. de la Muette, 15 | l'Assomption, 106 | *Ranelagh* |
| 16 | **Beauséjour (villa)** | C8 | bd Beauséjour, 7 | en impasse | *Ranelagh* |
| 4 | **Beautreillis** | M6 | des Lions, 4 | St Antoine, 45 | *Sully-Morland* |
| 8 | **Beauvau (pl.)** | H6 | St Honoré, 100 | Miromesnil, 2 | *Ch.-Elysées-Clem.* |
| 6 | **Beaux-Arts (des)** | J8 | de Seine, 16 | Bonaparte, 13 | *St-Germ.-des-Prés* |
| 12 | **Beccaria** | N9 | Charenton, 115 | pl. d'Aligre, 15 | *Gare de Lyon* |
| 18 | **Becquerel** | J3 | Bachelet, 2 | St Vincent | *Lamarck-Caulainc.* |
| 16 | **Beethoven** | E8 | av. Kennedy, 2 | bd Delessert, 11 | *Passy* |
| 15 | **Bela-Bartok (sq.)** | D9 | pl. Brazzaville | | *Bir-Hakeim* |
| 12 | **Bel-Air (av. du)** | P9 | av. St Mandé, 15 | pl. de la Nation, 26 | *Nation* |
| 12 | **Bel-Air (cour du)** | N9 | Fg St Antoine, 56 | | *Ledru-Rollin* |
| 12 | **Bel-Air (villa du)** | Q10 | av. St Mandé, 102 | en impasse | *Pte de Vincennes* |
| 11 | **Belfort (de)** | O9 | bd Voltaire, 135 | Léon Frot | *Charonne* |
| 7 | **Belgrade (de)** | F8 | av. de la Bourdonnais, 58 | allée Adr. Lecouvreur | *Ecole Militaire* |
| 20 | **Belgrand** | Q7 | pl. Gambetta | Bagnolet, 179 | *Pte de Bagnolet* |

| Ar. | Rues | Plan | Commençant | Finissant | Métro |
|---|---|---|---|---|---|
| 18 | **Belhomme** | K3 | bd Rochechouart, 22 | de Sofia, 9 | *Barbès-Rochech.* |
| 17 | **Belidor** | D4 | av. des Ternes, 95 | bd Gouvion St Cyr, 71 | *Pte Maillot* |
| 15 | **Bellart** | G9 | Pérignon, 17 | av. de Suffren, 157 | *Sèvres-Lecourbe* |
| 7 | **Bellechasse (de)** | H7 | quai Anatole France, 9 | de Varenne, 68 | *Solférino* |
| 9 | **Bellefond (de)** | K4 | Fg Poisson., 107 | Rochechouart, 30 | *Poissonnière* |
| 16 | **Bel.-Feuilles (des)** | D6 | rd-pt de Longchamp, 10 | rd-pt Bugeaud, 5 | *Pte Dauphine* |
| 16 | **Bel.-Feuilles (imp. des)** | D6 | des Belles-Feuilles | | *Pte Dauphine* |
| 11 | **Belleville (bd de)** | N6 | Oberkampf, 159 | Fg du Temple, 124 | *Ménilmontant* |
| | **20-37-58** | | | | *Couronnes* |
| | **79-132** | | | | *Belleville* |
| 19 | **Belleville (de)** | N5 | bd de la Villette, 2 | bd Sérurier, 1 | *Belleville* |
| 20 | **168-160** | P5 | pairs, 20e | | *Place des Fêtes* |
| | **305-268** | Q5 | impairs, 19e | | *Pte des Lilas* |
| 20 | **Belleville (parc de)** | O6 | des Couronnes | Piat | *Belleville* |
| 19 | **Bellevue (de)** | P4 | Compans, 72 | des Lilas, 31 | *Place des Fêtes* |
| 19 | **Bellevue (villa de)** | P4 | de Mouzaïa, 32 | de Bellevue, 17 | *Danube* |
| 18 | **Belliard** | J-K1 | du Mont Cenis | av. St Ouen, 126 | *Pte Clignancourt* |
| | **193** | I2 | | | *Pte de St Ouen* |
| 18 | **Belliard (villa)** | I2 | pass. Daunay, 12 | Belliard, 189 | *Pte de St Ouen* |
| 13 | **Bellier-Dedouvre** | K13 | Charles Fourier, 27 | Colonie, 63 | *Tolbiac* |
| 13 | **Bellièvre (de)** | M11 | quai d'Austerlitz, 11 | Ed.-Flamand, 8 | *Quai de la Gare* |
| 16 | **Bellini** | D7 | Scheffer, 23 | La Tour, 58 | *Passy* |
| 19 | **Bellot** | M3 | de Tanger, 19 | d'Aubervilliers, 42 | *Stalingrad* |
| 16 | **Belloy (de)** | E6 | pl. des Etats-Unis, 16 | av. Kléber, 37 | *Boissière* |
| 19 | **Belvédère (av. du)** | Q4 | Pte Pré St Gervais | Périphérique | *Pré-St-Gervais* |
| 10 | **Belzunce (de)** | K4 | bd Magenta, 111 | de Maubeuge, 86 | *Gare du Nord* |
| 2 | **Ben-Aïad (pass.)** | K6 | Mandar, 8 | Léopold Bellan | *Sentier* |
| 14 | **Bénard** | H12 | des Plantes, 22 | Didot, 37 | *Mouton-Duvernet* |
| 19 | **Benj. Constant** | N2 | av. C.-Cariou, 9 | de Cambrai, 32 | *Corentin-Cariou* |
| 16 | **Benj. Franklin** | D7 | bd Delessert, 10 | pl. du Trocadéro | *Passy* |
| 16 | **60-41** | | | | *Trocadéro* |
| 16 | **Benj. Godard** | C6 | Dufrenoy, 2 | de Lota | *Rue de la Pompe* |
| 16 | **Benouville** | D6 | Spontini, 34 | de la Faisanderie, 37 | *Pte Dauphine* |
| 16 | **Béranger (ham.)** | B8 | La Fontaine, 16 | | *Ranelagh* |
| 3 | **Béranger** | M6 | Charlot, 83 | du Temple, 182 | *République* |
| 4 | **Bérard (cour)** | M8 | imp. Guéménée, 8 | | *Bastille* |
| 13 | **Berbier-du-Mets** | K11 | Croulebarbe, 26 | bd Arago, 17 | *Gobelins* |
| 12 | **Bercy (bd de)** | N-O11 | quai de la Râpée, 2 | Charenton, 240 | *Bercy* |
| 12 | **Bercy (entrepôt)** | O11 | bd de Bercy | bd Poniatowsky | *Bercy* |
| 12-13 | **Bercy (pont de)** | N11 | quai de Bercy, 2 | quai de la Gare | *Quai de la Gare* |
| 12 | **Bercy (port de)** | O12 | limite de Paris | Pont de Bercy | *Pte de Charenton* |
| 12 | **Bercy (quai de)** | O12 | bd Poniatowsky | bd de Bercy, 2 | *Bercy* |
| 12 | **Bercy (allée de)** | N10 | bd de Bercy, 26 | de Bercy | *Bercy* |
| 12 | **Bercy (de)** | N10 | de Dijon, 1 | bd de la Bastille, 18 | *Bercy* |
| | **210-211** | M10 | | | *Gare de Lyon* |
| 20 | **Bergame (imp.)** | P8 | des Vignoles, 28 | | *Avron* |

| Ar. | Rues | Plan | Commençant | Finissant | Métro |
|---|---|---|---|---|---|
| 1 | **Berger** | K7 | bd Sébastopol, 31 | du Louvre, 40 | *Les Halles* |
| 16 | **Bergerat (av.)** | C9 | av. Léopold-II | av. Rect. Poincaré | *Jasmin* |
| 9 | **Bergère (cité)** | K5 | Fg Montmartre, 6 | Bergère, 21 | *Rue Montmartre* |
| 9 | **Bergère** | K5 | Fg Poissonnière, 15 | Fg Montmartre, 14 | *Rue Montmartre* |
| 15 | **Bergers (des)** | D10 | de Javel, 62 | Cauchy, 35 | *Charles Michels* |
| 6 | **Bérite** | H9 | du Cherche-Midi, 69 | Gerbillon, 9 | *St-Placide* |
| 16 | **Berlioz** | D5 | Pergolèse, 32 | Ct Marchand, 5 | *Pte Maillot* |
| 9 | **Berlioz (sq.)** | I4 | pl. Adol. Max | | *Place Clichy* |
| 5 | **Bernardins (des)** | K9 | q. la Tournelle, 59 | en impasse | *Maubert-Mutualité* |
| 3 | **Bernard de Clairvaux** | K7 | St Martin | Brantôme | *Rambuteau* |
| 5 | **Bernard Halpern (pl.)** | K10 | des Patriarches | de l'Arbalète | *Censier-Daubenton* |
| 12 | **Bernard Lecache** | R10 | du Chaffault, 21 | ac. Pte Vincennes, 22 | *Pte de Vincennes* |
| 6 | **Bernard Palissy** | J8 | de Rennes, 56 | du Dragon, 17 | *St-Germ.-des-Prés* |
| 14 | **Bernard Ventadour** | H11 | Pernety | Desprez | *Pernety* |
| 8 | **Berne (de)** | H4 | de Leningrad, 5 | de Moscou, 35 | *Rome* |
| 8 | **Bernouilli** | H4 | de Rome, 71 | Constantine, 20 | *Rome* |
| 8 | **Berri (de)** | G5 | av. des Ch.-Elysées, 92 | bd Haussmann, 165 | *George-V* |
| 8 | **Berryer (cité)** | H6 | Royale, 25 | Boissy d'Anglas, 24 | *Madeleine* |
| 8 | **Berryer** | F5 | av. de Friedland, 6 | Fg St Honoré, 193 | *George-V* |
| 3 | **Berthaud (imp.)** | L7 | Beaubourg, 26 | | *Rambuteau* |
| 18 | **Berthe** | J3 | Foyatier | Ravignan, 18 | *Abbesses* |
| 17 | **Berthier (bd) 1** | G2 | Pte de Clichy | av. de Villiers, 136 | *Pte de Clichy* |
| | **101** | F4 | | | *Pte de Champerret* |
| 17 | **Berthier (villa)** | E3 | av. de Villiers, 133 | | *Pte de Champerret* |
| 5 | **Berthollet** | K11 | Claude Bernard, 45 | bd Port-Royal, 64 | *Censier-Daubenton* |
| 8 | **Bertie Albrecht** | F5 | Beaujon, 14 | av. Hoche | *Ch. de Gaulle-Et.* |
| 1 | **Bertin Poirée** | K8 | quai de la Mégisserie, 14 | de Rivoli, 63 | *Châtelet* |
| 16 | **Berton** | D8 | av. Marcel Proust | Raynouard, 65 | *Passy* |
| 11 | **Bertrand (cité)** | N7 | av. de la République, 83 | en impasse | *St-Maur* |
| 18 | **Bervic** | K3 | bd Barbès, 3 | Belhomme, 6 | *Barbès-Rochech.* |
| 17 | **Berzélius (pass.)** | H2 | Pouchet, 65 | Berzélius, 72 | *Brochant* |
| 17 | **Berzélius** | H2 | av. de Clichy, 170 | de la Jonquière, 75 | *Brochant* |
| 11 | **Beslay (pass.)** | N7 | de la Folie-Méricourt, 30 | av. Parmentier, 65 | *Parmentier* |
| 17 | **Bessières (bd)** | I1 | av. Pte de St Ouen | av. Pte de Clichy | *Pte de St Ouen* |
| | **119** | H2 | | | *Pte de Clichy* |
| 17 | **Bessières** | H2 | Fragonard, 15 | de la Jonquière, 105 | *Pte de Clichy* |
| 15 | **Bessin (du)** | F12 | Lieuvin, 7 | Castagnary, 104 | *Pte de Vanves* |
| 4 | **Béthune (q. de)** | L9 | bd Henri-IV, 1 | pt de la Tournelle | *Sully-Morland* |
| | **16** | | | | *Pont-Marie* |
| 17 | **Beudant** | H4 | bd des Batignolles, 74 | des Dames, 91 | *Rome* |
| 14 | **Bezout** | I12 | de la Tombe-Issoire, 70 | av. Gal-Leclerc, 67 | *Alésia* |
| 10 | **Bichat** | M5-6 | Fg du Temple, 45 | q. Jemmapes, 108 | *Goncourt* |
| 20 | **Bidassoa (de la)** | P6 | av. Gambetta, 53 | Sorbier, 7 | *Gambetta* |
| 12 | **Bidault (ruelle)** | N10 | de Charenton, 158 | av. Daumesnil, 123 | *Reuilly-Diderot* |
| 18 | **Bienaimé (cité)** | J1 | bd Ney, 113 | | *Pte de St Ouen* |
| 8 | **Bienfaisance (de la)** | H5 | du Rocher, 29 | av. Messine, 22 | *St-Augustin* |

| Ar. | Rues | Plan | Commençant | Finissant | Métro |
|---|---|---|---|---|---|
| 15 | Bienvenue (pl.) | H10 | bd de Vaugirard, 4 | av. du Maine, 29 | *Montparnasse* |
| 5 | Bièvre (de) | K9 | q. de la Tournelle, 67 | bd St Germain, 54 | *Maubert-Mutualité* |
| 12 | Bignon | O10 | de Charenton, 191 | av. Daumesnil, 134 | *Dugommier* |
| 14 | Bigorre (de) | I12 | du Commandeur, 15 | d'Alésia, 30 | *Alésia* |
| 19 | Binder (pass.) | N3 | pass. du Sud | pass. du Nord | *Laumière* |
| 17 | Biot | I3 | pl. de Clichy, 5 | des Dames, 11 | *Place Clichy* |
| 4 | Birague (de) | M8 | St Antoine, 36 | pl. des Vosges, 2 | *Bastille* |
| 15-16 | Bir-Hakeim (pont de) | E8 | av. du Pr. Kennedy | quai de Grenelle | *Passy* |
| 12 | Biscornet | M9 | Lacuée, 9 | bd de la Bastille, 50 | *Bastille* |
| 20 | Bisson | N6 | bd de Belleville, 86 | des Couronnes, 27 | *Couronnes* |
| 19 | Bitche (pl. de) | N3 | q. de l'Oise, 1 | Jomard, 2 | *Crimée* |
| 7 | Bixio | G8 | Lowendal | av. Ségur, 2ter | *Ecole Militaire* |
| 17 | Bizerte (de) | H3 | Nollet, 13 | Truffaut, 18 | *Place Clichy* |
| 5 | Blainville | K10 | Mouffetard, 10 | Tournefort, 1 | *Monge* |
| 1 | Blaise Cendrars (allée) | J7 | allée Louis Aragon | allée J. Supervielle | *Les Halles* |
| 6 | Blaise Desgoffe | H10 | de Rennes, 138 | de Vaugirard, 79 | *St-Placide* |
| 20 | Blanchard | Q8 | Félix Terrier | bd Davout | *Pte de Montreuil* |
| 9 | Blanche | I4 | Châteaudun, 60 | pl. Blanche, 3 | *Trinité* |
| | 83-102 | | | | *Blanche* |
| 14 | Blanche (cité) | G12 | R. Losserand, 190 | Vercingétorix, 291 | *Pte de Vanves* |
| 9 | Blanche (pl.) | I3 | Blanche, 102 | bd de Clichy, 59 | *Blanche* |
| 19 | Blanche-Antoinette | O4 | François Pinton, 6 | en impasse | *Danube* |
| 4 | Blancs-Manteaux | L8 | Vieille-du-Temple, 51 | du Temple, 40 | *Rambuteau* |
| 12 | Blaye (de) | O11 | Port de Bercy, 1 | | *Bercy* |
| 9 | Bleue | K5 | Fg Poissonnière, 69 | Lafayette, 72 | *Cadet* |
| 15 | Blomet (sq.) | G10 | Blomet | | *Volontaires* |
| 15 | Blomet | G10 | Lecourbe, 23 | St Lambert, 31 | *Volontaires* |
| | 85-98 | F10 | | | *Vaugirard* |
| | 170-175 | E11 | | | *Convention* |
| 2-3 | Blondel | L6 | St Martin, 351 | St Denis, 240 | *Strasb.-St-Denis* |
| 11 | Bluets (des) | O7 | av. République, 79ter | bd Ménilmontant, 109 | *St-Maur* |
| 13 | Bobillot | K13 | pl. d'Italie, 18 | pl. de Rungis, 7 | *Place d'Italie* |
| | 22-31 | K12 | | | *Corvisart* |
| 15 | Bocage (du) | F12 | Castagnary | du Lieuvin | *Pte de Vanves* |
| 8 | Boccador (du) | F6 | av. Montaigne, 21 | av. George-V, 24 | *Alma-Marceau* |
| 9 | Bochart-de-Saron | J4 | Condorcet, 52 | bd Rochechouart | *Anvers* |
| 19 | Boers (villa des) | O4 | G. Brunet, 19 | Mig. Hidalgo, 27 | *Danube* |
| 4 | Bœuf (imp. du) | L7 | Cloître St Merri, 10 | | *Rambuteau* |
| 5 | Bœufs (imp. des) | K9 | de l'Ec. Polytechnique, 22 | | *Maubert-Mutualité* |
| 2 | Boïeldieu (pl.) | J6 | Favart, 1 | Marivaux, 5 | *Richelieu-Drouot* |
| 16 | Boileau | B9-10 | d'Auteuil, 31 | av. de Versailles, 19 | *M.-Ange-Molitor* |
| 16 | Boileau (ham.) | B10 | Boileau, 38 | | *M.-Ange-Molitor* |
| 16 | Boileau (villa) | B10 | Molitor, 18 | | *M.-Ange-Molitor* |
| 18 | Boinod | K2 | bd Ornano, 6 | Championnet, 1 | *Simplon* |
| 19 | Bois (des) | P4 | Pré St Gervais, 42 | bd Sérurier, 69 | *Place des Fêtes* |
| 16 | Bois-de-Boulogne | E5 | Le Sueur, 19 | Duret, 30 | *Argentine* |

| Ar. | Rues | Plan | Commençant | Finissant | Métro |
|---|---|---|---|---|---|
| 17 | Bois-des-Prêtres (bd) | H1 | Pouchet | limite de Clichy | *Pte de St Ouen* |
| 16 | Bois-le-Vent | C8 | pl. Passy | Mozart, 7 | *La Muette* |
| 16 | Boissière | E6 | pl. d'Iéna, 6 | pl. Victor-Hugo, 3 | *Boissière* |
| | 81-82 | | | | *Victor-Hugo* |
| 16 | Boissière (villa) | E6 | Boissière, 29 | | *Boissière* |
| 18 | Boissieu | K3 | bd Barbès, 5 | Belhomme, 10 | *Barbès-Rochech.* |
| 14 | Boissonnade | I11 | bd Montparnasse, 156 | bd Raspail, 257 | *Raspail* |
| 8 | Boissy-d'Anglas | H6 | pl. de la Concorde, 10 | bd Malesherbes, 5 | *Concorde* |
| 13 | Boiton (pass.) | K13 | Butte-aux-Cailles, 13 | M.-Brenard, 10 | *Corvisart* |
| 19 | Bolivar (sq.) | N5 | Simon Bolivar, 36 | Clavel, 27 | *Pyrénées* |
| 6 | Bonaparte | J8 | q. Malaquais, 7 | de Vaugirard, 58 | *St-Germ.-des-Prés* |
| | 50-92 | I9 | | | *St-Sulpice* |
| 10 | Bonhoure (cité) | L5 | des Récollets, 11 | | *Gare de l'Est* |
| 18 | Bonne (de la) | J3 | Ch. de la Barre, 32 | Becquerel | *Château-Rouge* |
| 11 | Bonne-Graine (pass.) | N9 | Fg St Antoine, 115 | Ledru-Rollin, 89 | *Ledru-Rollin* |
| 2 | Bonne-Nouvelle (bd) | K6 | pte St Denis | Fg Poissonnière, 2 | *Strasb.-St-Denis* |
| 10 | 9-12 | | pairs, 10e | | *Bonne Nouvelle* |
| 10 | Bonne-Nouvelle (imp.) | K6 | bd Bonne-Nouvelle, 24 | | *Bonne Nouvelle* |
| 18 | Bonnet | J1 | pass. St Jules, 3 | Jean Dolfus, 20 | *Pte de St Ouen* |
| 11 | Bon-Secours (imp.) | O8 | bd Voltaire, 174 | | *Charonne* |
| 1 | Bons-Enfants (des) | J7 | St Honoré, 194 | Colonel Driant | *Palais-Royal* |
| 3 | Borda | L6 | Volta, 33 | Montgolfier, 12 | *Arts-et-Métiers* |
| 20 | Borrégo (villa du) | P5 | Borrégo, 33 | | *St-Fargeau* |
| 20 | Borrégo (du) | P5 | Pelleport, 154 | Haxo, 79 | *St-Fargeau* |
| 15 | Borromée | F10 | Blomet, 59 | Vaugirard, 224 | *Volontaires* |
| 16 | Bosio | B9 | Poussin, 8 | Pierre Guérin, 23 | *M.-Ange-Auteuil* |
| 7 | Bosquet (av.) | F8 | quai d'Orsay, 93 | pl. Ecole-Militaire, 2 | *Ecole Militaire* |
| 7 | Bosquet | G8 | Cler | av. Bosquet, 69 | *Ecole Militaire* |
| 7 | Bosquet (villa) | F7 | de l'Université, 167 | | *Ecole Militaire* |
| 10 | Bossuet | K4 | Lafayette, 111 | de Belzunce, 3 | *Gare du Nord* |
| 20 | Botha | O5-6 | Piat, 2 | Transvaal, 22 | *Pyrénées* |
| 19 | Botzaris | N5 | Pradier, 15 | de Crimée, 41 | *Buttes-Chaumont* |
| | 72 | O4 | | | *Botzaris* |
| 10 | Bouchardon | L6 | René Boulanger, 84 | Château-d'Eau, 33 | *Strasb.-St-Denis* |
| | 17-18 | | | | *Château-d'Eau* |
| 1 | Boucher | J7 | du Pont-Neuf, 8 | des Bourdonnais, 25 | *Châtelet* |
| 15 | Bouchut | G9 | Pérignon, 5 | Barthélémy, 4 | *Sèvres-Lecourbe* |
| 15 | Boucicaut | D10 | de Lourmel, 111 | de Sarasate, 5 | *Boucicaut* |
| 7 | Boucicaut (sq.) | I9 | de Sèvres, 20 | Babylone, 2 | *Sèvres-Babylone* |
| 18 | Boucry | L2 | Cugnot, 13 | La Chapelle, 66 | *Pte la Chapelle* |
| 20 | Boudin (pass.) | Q6 | Alphonse Penaud | de la Justice, 20 | *St-Fargeau* |
| 16 | Boudon (av.) | C9 | La Fontaine, 43 | George Sand, 14 | *Eglise d'Auteuil* |
| 9 | Boudreau | I5 | Auber, 9 | Caumartin, 30 | *Opéra* |
| 16 | Boufflers (av. de) | B9 | av. des Tilleuls, 8 | av. des Peupliers | *M.-Ange-Auteuil* |
| 7 | Bougainville | G8 | av. de La Motte-Picquet, 19 | Chevert, 18 | *Ecole Militaire* |
| 15 | Bouilloux-Lafont | D11 | av. F. Faure, 139 | Leblanc, 87 | *Balard* |

| Ar. | Rues | Plan | Commençant | Finissant | Métro |
|---|---|---|---|---|---|
| 16 | **Boulainvilliers (ham.)** | C8 | Boulainvilliers | Ranelagh, 63 | *Ranelagh* |
| 16 | **Boulainvilliers (des)** | C8 | pl. Clément-Ader | de Passy, 101 | *La Muette* |
| 5 | **Boulangers (des)** | L10 | Linné, 41 | Monge, 31 | *Jussieu* |
| | **18-19** | K9 | | | *Cardinal Lemoine* |
| 14 | **Boulard** | I11 | Froidevaux, 13 | Brézin, 28 | *Denfert-Rochereau* |
| 17 | **Boulay (pass.)** | H2 | La Jonquière, 104 | bd Bessières, 101 | *Pte de Clichy* |
| 17 | **Boulay** | H2 | av. Clichy, 178 | La Jonquière, 85 | *Pte de Clichy* |
| 17 | **Boulay-Level (sq.)** | H2 | Boulay | Emile-Level | *Pte de Clichy* |
| 12 | **Boule-Blanche (pass.)** | M9 | de Charenton, 47 | Fg St Antoine, 50 | *Ledru-Rollin* |
| 9 | **Boule-Rouge (imp. de la)** | J5 | Geoffroy-Marie, 9 | | *Rue Montmartre* |
| 9 | **Boule-Rouge (de la)** | K5 | Montyon, 6 | Richer, 27 | *Rue Montmartre* |
| 11 | **Boulets (des)** | O9 | Fg St Antoine, 303 | bd Voltaire | *Nation* |
| | **78-79** | | | | *Boulets-Montreuil* |
| 14 | **Boulitte** | H12 | Didot, 97 | en impasse | *Plaisance* |
| 11 | **Boulle** | M8 | bd Richard Lenoir, 32 | Fromant, 5 | *Bréguet-Sabin* |
| 17 | **Boulnois (pl.)** | F4 | Bayen, 6 | | *Ternes* |
| 1 | **Bouloi (du)** | J7 | Cr. P.Champs, 10 | Coquillière, 27 | *Louvre* |
| 16 | **Bouquet-Longchamp (du)** | E6 | Longchamp, 26 | Boissière, 29 | *Boissière* |
| 4 | **Bourbon (q. de)** | L8 | des Deux-Ponts | Jean-du-Bellay | *Pont-Marie* |
| 6 | **Bourbon-le-Château** | J8 | de Buci, 28 | de l'Echaudé, 19 | *St-Germ.-des-Prés* |
| 9 | **Bourdaloue** | J9 | Châteaudun, 20 | St Lazare, 1 | *N.-D. de Lorette* |
| 8 | **Bourdin (imp.)** | G6 | de Marignan, 3 | | *F.-D.-Roosevelt* |
| 4 | **Bourdon (bd)** | M9 | bd Morland, 2 | pl. de la Bastille | *Bastille* |
| 1 | **Bourdonnais (imp. des)** | K7 | des Bourdonnais, 37 | | *Châtelet* |
| 1 | **Bourdonnais (des)** | K7 | quai de la Mégisserie, 20 | Berger, 23 | *Châtelet* |
| 19 | **Bouret** | N4 | Edouard Pailleron, 17 | Jean Jaurès, 10 | *Jaurès* |
| 2 | **Bourg-l'Abbé (pass.)** | K7 | St Denis, 120 | de Palestro, 3 | *Etienne Marcel* |
| 3 | **Bourg-l'Abbé (du)** | K7 | St Martin, 203 | bd Sébastopole, 68 | *Etienne Marcel* |
| 7 | **Bourgogne (de)** | H8 | pl. du Palais-Bourbon | de Varenne, 86 | *Varenne* |
| 13 | **Bourgoin (imp.)** | M13 | Nationale, 33 | | *Pte d'Ivry* |
| 13 | **Bourgoin (pass.)** | M13 | Château des Rentiers, 45 | Nationale, 32 | *Pte d'Ivry* |
| 13 | **Bourgon** | L13 | av. d'Italie, 142 | Damesme, 41 | *Maison Blanche* |
| 4 | **Bourg-Tibourg (du)** | L8 | de Rivoli, 42 | Ste Cx de la Bretonnerie, 7 | *Hôtel de Ville* |
| 17 | **Boursault** | H3 | bd Batignolles, 62 | Ch. Fillion, 1 | *Rome* |
| 17 | **Boursault (imp.)** | H4 | Boursault, 7 | | *Rome* |
| 2 | **Bourse (pl. de la)** | J6 | N.-D. Victoires, 19 | Vivienne, 24 | *Bourse* |
| 2 | **Bourse (de la)** | J6 | Vivienne, 31 | Richelieu, 80 | *Bourse* |
| 15 | **Bourseul** | F11 | des Favorites, 12 | d'Alleray, 17 | *Vaugirard* |
| 13 | **Boussingault** | K13 | pl. de Rungis, 4 | de Tolbiac, 247 | *Glacière* |
| 4 | **Boutarel** | L9 | q. d'Orléans, 36 | St Louis, 77 | *Pont-Marie* |
| 5 | **Boutebrie** | K9 | de la Parcheminerie, 25 | bd St Germain, 90 | *Maubert-Mutualité* |
| 13 | **Boutin** | J12 | de la Glacière, 118 | de la Santé, 123 | *Glacière* |
| 10 | **Boutron (imp.)** | L5 | Fg St Martin, 17 | | *Château-Landon* |
| 13 | **Boutroux (av.)** | N13 | av. Pte de Vitry | av. Pte d'Ivry | *Pte d'Ivry* |
| 5 | **Bouvart (imp.)** | K9 | Lanneau, 8 | | *Maubert-Mutualité* |
| 11 | **Bouvier (imp.)** | O9 | des Boulets, 45 | | *Charonne* |

| Ar. | Rues | Plan | Commençant | Finissant | Métro |
|---|---|---|---|---|---|
| 11 | Bouvines (av. de) | P9 | pl. de la Nation, 9 | de Montreuil, 102 | *Nation* |
| 11 | Bouvines (de) | P9 | de Tunis, 2 | av. Bouvines, 1 | *Nation* |
| 20 | Boyer | P6 | de la Bidassoa, 42 | Ménilmontant, 94 | *Gambetta* |
| 14 | Boyer-Barret | H12 | R. Losserand, 95 | cité Bauer, 21 | *Pernety* |
| 10 | Boy-Zelenski | M5 | ZAC Jemmapes | Grange-aux-Belles | *Colonel Fabien* |
| 10 | Brady (pass.) | L5 | Fg St Martin, 43 | Fg St Denis, 46 | *Château-d'Eau* |
| 15 | Brancion | F12 | d'Alleray, 4 | bd Lefebvre, 167 | *Convention* |
| 15 | Brancion (sq.) | F13 | av. A. Bartholomé | | *Pte de Vanves* |
| 7 | Branly (quai) | E-F7 | Pont de l'Alma | bd de Grenelle | *Pont de l'Alma* |
| 15 | De 73 à 141 | E8 | | | *Bir-Hakeim* |
| 3 | Brantôme | K7 | Gr. St Lazare | Rambuteau | *Rambuteau* |
| 3 | Braque (de) | L7 | des Archives, 49 | du Temple, 70 | *Rambuteau* |
| 15 | Brazzaville (pl. de) | D9 | quai Grenelle | Emeriau | *Bir-Hakeim* |
| 6 | Bréa | I10 | Vavin, 19 | bd Raspail, 143 | *Vavin* |
| 12 | Brèche-aux-Loups | P11 | de Charenton, 257 | Cl. Decaen, 95 | *Daumesnil* |
| 11 | Bréguet | N8 | bd R. Lenoir, 26 | Popincourt, 33 | *Bréguet-Sabin* |
| 11 | Bréguet-Sabin (sq.) | M8 | bd R. Lenoir | Chemin Vert | *Bréguet-Sabin* |
| 17 | Brémontier | F3 | av. de Villiers, 72 | av. Wagram, 128 | *Wagram* |
| 17 | Brésil (pl. du) | F3 | av. de Wagram | av. de Villiers | *Wagram* |
| 16 | Bresse (sq. de la) | B11 | bd Murat, 140 | en impasse | *Pte de St Cloud* |
| 3 | Bretagne (de) | L7 | Vieille-du-Temple, 137 | du Temple, 158 | *Filles Calvaire* |
| 15 | Breteuil (av. de) | G9 | pl. Vauban, 5 | de Sèvres, 114 | *St-Fr.-Xavier* |
| 7 | De 1 à 69 et de 2 à 70 | | 71 et 78 à la fin, 15e | | *Sèvres-Lecourbe* |
| 15-7 | Breteuil (pl. de) | G9 | av. de Saxe, 50 | av. de Breteuil, 74 | *Sèvres-Lecourbe* |
| 20 | Bretonneau | Q6 | Pelleport, 82 | Le Bua, 27 | *Pelleport* |
| 10 | Bretons (cour des) | M5 | Fg du Temple, 99 | en impasse | *Goncourt* |
| 4 | Bretonvilliers (de) | L9 | quai de Béthune, 16 | St L. en l'Ile, 7 | *Sully-Morland* |
| 17 | Brey | F5 | Montenotte, 13 | av. Wagram, 19 | *Ch. de Gaulle-Et.* |
| 14 | Brezin | I12 | av. du Gal Leclerc, 48 | av. du Maine, 171 | *Mouton-Duvernet* |
| 9 | Briare (imp.) | J5 | Rochechouart, 9 | | *Cadet* |
| 17 | Bridaine | H3 | Truffault, 41 | Boursault, 50 | *Rome* |
| 19 | Brie (pass. de la) | M4 | de Meaux, 45 | de Chaumont, 9 | *Jaurès* |
| 12 | Briens (sentier) | Q10 | Sibuet, 39 | bd Picpus, 54 | *Picpus* |
| 16 | Brignole | F6 | av. du Pr. Wilson | av. Pierre-Ier-de-Serbie, 10 | *Iéna* |
| 16 | Brignole-Gall. (sq.) | F6 | av. du Pr. Wilson | av. Pierre-Ier-de-Serbie, 10 | *Iéna* |
| 13 | Brillat-Savarin | K13 | des Peupliers, 42 | Boussingault, 43 | *Maison Blanche* |
| | 42-51 | J13 | | | *Cité Universit.* |
| 18 | Briquet (pass.) | K4 | Seveste, 5 | Briquet, 2 | *Anvers* |
| 18 | Briquet | J4 | bd Rochechouart, 68 | d'Orsel, 31 | *Anvers* |
| 14 | Briqueterie (de la) | G13 | R. Losserand, 225 | bd Brune, 23 | *Pte de Vanves* |
| 4 | Brisemiche | K7 | Cloître St-Merri, 10 | | *Hôtel de Ville* |
| 4 | Brissac (de) | M9 | bd Morland, 8 | Grillon, 5 | *Quai de La Rapée* |
| 20 | Brizeux (sq.) | P6 | Chine | Ménilmontant | *Pelleport* |
| 5 | Broca | K11 | Claude Bernard | bd Arago | *Censier-Daubenton* |
| 13 | 47-48 | | De 67 et 54 à la fin, 13e | | *Gobelins* |
| 17 | Brochant | H3 | Ch.-Fillion, 16 | av. de Clichy, 129 | *Brochant* |

| Ar. | Rues | Plan | Commençant | Finissant | Métro |
|---|---|---|---|---|---|
| 2 | **Brongniart** | J6 | Montmartre, 135 | N.-D. des Victoires, 52 | *Bourse* |
| 4 | **Brosse (de)** | L8 | quai de l'Hôtel-de-V., 90 | pl. St Gervais | *Hôtel de Ville* |
| 5 | **Brossolette** | K10 | pl. L. Herr | Rateaud | *Censier-Daubenton* |
| 18 | **Brouillards (allée des)** | J3 | Girardon, 13 | Simon-Dereure | *Lamarck-Caulainc.* |
| 14 | **Broussais** | J12 | Dareau, 31 | d'Alésia, 8 | *St-Jacques* |
| 15 | **Brown-Séquard** | H10 | Falguière, 47 | bd Vaugirard, 48 | *Pasteur* |
| 13 | **Bruant** | M11 | bd Vincent Auriol, 60 | Jenner, 10 | *Chevaleret* |
| 14 | **Bruller** | J12 | Mt St Gothard, 22 | av. René Coty, 37 | *St-Jacques* |
| 12 | **Brulon (pass.)** | N9 | de Cîteaux, 39 | Crozatier, 66 | *Faidherbe-Chal.* |
| 14 | **Brune (bd)** | H13 | pl. Pte de Vanves | av. Gal Leclerc, 142 | *Pte d'Orléans* |
| 14 | **Brune (villa)** | H13 | des Plantes, 72 | en impasse | *Pte d'Orléans* |
| 17 | **Brunel** | E5 | av. Gde-Armée, 40 | bd Pereire, 237 | *Argentine* |
| 13 | **Bruneseau** | D13 | quai d'Ivry | bd Masséna | *Pte de Charenton* |
| 17 | **Brunetière (av.)** | F2 | Jules Bourdais | av. Pte d'Asnières | *Pte de Champerret* |
| 12 | **Brunoy (pass.)** | N10 | de Chalon, 28 | pass. Raguinot, 13 | *Gare de Lyon* |
| 9 | **Bruxelles (de)** | I4 | pl. Blanche, 7 | de Clichy, 80 | *Blanche* |
| 8 | **Bucarest** | I4 | d'Amsterdam, 61 | Moscou, 20 | *Liège* |
| 5 | **Bûcherie (de la)** | K9 | Haut-Pavé, 6 | du Petit-Pont | *Maubert-Mutualité* |
| 6 | **Buci (carrefour de)** | J8 | Dauphine, 63 | Ancienne-Comédie, 2 | *Odéon* |
| 6 | **Buci (de)** | J8 | Ancienne Comédie, 2 | bd St Germain, 164 | *St-Germ.-des-Prés* |
| 9 | **Budapest** | I5 | St Lazare, 96 | pl. Budapest | *St-Lazare* |
| 9 | **Budapest (pl.)** | I4 | Budapest, 16 | de Londres, 32 | *St-Lazare* |
| 4 | **Budé** | L9 | quai d'Orléans, 10 | St Louis-en-l'Ile, 47 | *Pont-Marie* |
| 7 | **Buenos-Aires (de)** | E8 | allée L. Bourgeois | av. de Suffren, 3 | *Bir-Hakeim* |
| 9 | **Buffault** | J5 | Fg Montmartre, 48 | Lamartine, 13 | *Cadet* |
| 5 | **Buffon** | L10 | bd de l'Hôpital, 2 | G. St Hilaire, 36 | *Gare d'Austerlitz* |
| 16 | **Bugeaud (av.)** | D6 | pl. Victor Hugo, 8 | av. Foch, 77 | *Pte Dauphine* |
| 16 | **Buis (du)** | C9 | Chard. Lagache, 8 | d'Auteuil, 11b | *Eglise d'Auteuil* |
| 10 | **Buisson-St Louis (pass.)** | M5 | Buisson-St Louis, 7 | Buisson-St Louis, 15 | *Belleville* |
| 10 | **Buisson-St Louis (du)** | N5 | St Maur, 194 | bd de la Villette, 27 | *Belleville* |
| 11 | **Bullourde (pass.)** | N8 | Keller, 14 | p. C. Dallery, 15 | *Voltaire* |
| 13 | **Buot** | K13 | de l'Espérance, 7 | M. Bernard, 14 | *Corvisart* |
| 11 | **Bureau (imp. du)** | P9 | pass. du Bureau, 5 | | *Alexandre Dumas* |
| 11 | **Bureau (pass. du)** | P8 | de Charonne, 170 | bd Charonne, 69 | *Alexandre Dumas* |
| 19 | **Burnouf** | N5 | bd de la Villette, 66 | Simon Bolivar, 91 | *Colonel Fabien* |
| 18 | **Burq** | J3 | des Abbesses, 48 | en impasse | *Abbesses* |
| 13 | **Butte-aux-Cailles** | K12 | pl. Paul-Verlaine, 2 | Barrault, 29 | *Corvisart* |
| 19 | **Butte du Chap. Rouge (sq.)** | P4 | av. Debidour | | *Pré-St-Gervais* |
| 19 | **Buttes-Chaumont (parc)** | N4 | Manin, Crimée | Botzaris, Bolivar | *Buttes-Chaumont* |
| 18 | **Buzelin** | M2 | Riquet, 72b | de Torcy, 15 | *Marx Dormoy* |
| 20 | **Buzenval (de)** | Q9 | de Lagny | Alexandre Dumas, 94 | *Buzenval* |

# C

| Ar. | Rues | Plan | Commençant | Finissant | Métro |
|---|---|---|---|---|---|
| 14 | **Cabanis** | J12 | de la Santé, 66 | Broussais, 3 | *Glacière* |

| Ar. | Rues | Plan | Commençant | Finissant | Métro |
|---|---|---|---|---|---|
| 13 | **Cacheux** | K14 | bd Kellermann, 96 | en impasse | *Cité Universit.* |
| 9 | **Cadet** | J5 | Fg Montmartre, 36 | Lamartine, 1 | *Cadet* |
| 15 | **Cadix (de)** | E12 | du Hameau, 21 | Vaugirard, 372 | *Pte de Versailles* |
| 18 | **Cadran (imp. du)** | K3 | bd Rochechouart, 54 | | *Anvers* |
| 3 | **Caffarelli** | L7 | de Bretagne, 58 | Perrée, 5 | *République* |
| 13 | **Caffiéri (av.)** | K14 | Poterne des Peupliers | Louis Pergault | *Pte d'Italie* |
| 13 | **Caffiéri (sq.)** | K14 | Aimé Morot | Gouthière | *Pte d'Italie* |
| 19 | **Cahors (de)** | P3 | bd Sérurier, 114 | av. Ambroise Rendu | *Danube* |
| 10 | **Cail** | L4 | Philippe de Girard, 21 | Fg St Denis, 214 | *Pte la Chapelle* |
| 11 | **Caillard (imp.)** | N8 | des Taillandiers, 13 | | *Ledru-Rollin* |
| 13 | **Caillaux** | L13 | av. de Choisy, 61 | av. d'Italie, 115 | *Maison Blanche* |
| 12 | **Cailletet** | R10 | Mongenot | St Mandé | *St-Mandé-Tourelle* |
| 18 | **Caillié** | M3 | bd de la Chapelle, 10 | Département, 27 | *Stalingrad* |
| 2 | **Caire (pass. du)** | K6 | pl. du Caire, 2 | d'Alexandrie, 33 | *Sentier* |
| 2 | **Caire (pl. du)** | K6 | du Caire, 53 | d'Aboukir, 100 | *Sentier* |
| 2 | **Caire (du)** | K6 | bd Sébastopol, 113 | Damiette, 6 | *Réaumur-Sébast.* |
| 9 | **Calais (de)** | I4 | Blanche, 65 | de Vintimille, 24 | *Blanche* |
| 18 | **Calmels (imp.)** | J2 | du Pôle-Nord, 18 | | *Jules Joffrin* |
| 18 | **Calmels** | J2 | du Ruisseau, 53 | cité Nollez | *Jules Joffrin* |
| 18 | **Calvaire (pl. du)** | J3 | du Calvaire, 3 | | *Abbesses* |
| 18 | **Calvaire (du)** | J3 | Gabrielle, 20 | pl. du Tertre, 11 | *Abbesses* |
| 8 | **Cambacérès** | H5 | de Saussaies, 16 | La Boétie, 17 | *Miromesnil* |
| 19 | **Cambo (de)** | P4 | des Bois, 14 | en impasse | *Télégraphe* |
| 20 | **Cambodge (du)** | P6 | av. Gambetta, 85 | Orfila, 60 | *Gambetta* |
| 1 | **Cambon** | I6 | de Rivoli, 246 | bd de la Madeleine, 1 | *Concorde* |
| 19 | **Cambrai (de)** | N2 | de l'Ourcq, 68 | av. Corentin Cariou | *Corentin-Cariou* |
| 15 | **Cambronne (pl.)** | F9 | bd de Grenelle, 168 | av. Lowendal | *Cambronne* |
| 15 | **Cambronne** | F10 | pl. Cambronne, 7 | de Vaugirard, 230 | *Cambronne* |
| | **100** | | | | *Vaugirard* |
| 15 | **Cambronne (sq.)** | F9 | pl. Cambronne | av. Lowendal | *Cambronne* |
| 14 | **Camélias (des)** | G12 | R. Losserand, 197 | des Arbustes, 11 | *Pte de Vanves* |
| 17 | **Camille Blaisot** | I1 | André Bréchet, 6 | | *Pte de St Ouen* |
| 11 | **Cam. Desmoulins** | N7 | pl. Léon Blum | St Maur, 15 | *Voltaire* |
| 18 | **Cam. Flammarion** | J1 | bd Ney, 136 | en impasse | *Pte Clignancourt* |
| 6 | **Camille Jullian (pl.)** | I10 | N.-D. des Champs, 127 | Assas | *Port-Royal* |
| 18 | **Camille Tahan** | I3 | Cavallotti, 10 | en impasse | *Place Clichy* |
| 16 | **Camoëns (av.)** | E7 | bd Delessert, 4 | Franklin, 14 | *Passy* |
| 14 | **Campagne-Première** | I11 | bd Montparnasse, 148 | bd Raspail, 243 | *Raspail* |
| 13 | **Campo-Formio** | L11 | Pinel, 2 | bd de l'Hôpital, 123 | *Campo-Formio* |
| 15 | **Camulogène** | F12 | Chauvelot, 9 | en impasse | *Pte de Vanves* |
| 8 | **Canada (pl. du)** | G6 | Cours-la-Reine | cours Albert-Ier | *F.-D.-Roosevelt* |
| 18 | **Canada (du)** | L2 | Riquet, 86 | Guadeloupe, 3 | *Marx Dormoy* |
| 12 | **Canart (imp.)** | Q10 | de la Voûte, 32 | | *Pte de Vincennes* |
| 11 | **Candie (de)** | N9 | Trousseau, 22 | de la Forge-Royale | *Ledru-Rollin* |
| 5 | **Candolle (de)** | K9 | Monge, 104 | Daubenton, 35 | *Censier-Daubenton* |
| 6 | **Canettes (des)** | I9 | du Four, 29 | pl. St Sulpice, 8 | *Mabillon* |

| Ar. | Rues | Plan | Commençant | Finissant | Métro |
|---|---|---|---|---|---|
| 14 | Cange (du) | G11 | Desprez, 6 | M. de la Vierge, 16 | *Pernety* |
| 6 | Canivet (du) | I9 | Servandoni, 12 | Férou, 5 | *St-Sulpice* |
| 12 | Cannebière | P11 | Cl. Decaen, 76 | av. Daumes, 188 | *Daumesnil* |
| 13 | Cantagrel | N13 | du Chevaleret, 23 | de Tolbiac, 45 | *Pte d'Ivry* |
| 11 | Cantal (cour du) | M8 | de la Roquette, 22 | de Lappe, 18 | *Bastille* |
| 20 | Capit. Ferber | Q6 | Pelleport, 40 | bd Mortier, 55 | *Pte de Bagnolet* |
| 17 | Capit. Lagache (du) | I2 | Legendre, 177 | Guy Môquet, 52 | *Guy Môquet* |
| 18 | Capit. Madon (du) | I2 | av St Ouen, 50 | Ganneron, 65 | *Guy Môquet* |
| 20 | Capit. Marchal (du) | Q6 | Le Bua, 32 | Etienne Marey | *Pelleport* |
| 15 | Capit. Ménard (du) | D10 | de Javel, 32 | Convention | *Javel* |
| 16 | Capit. Olchanski | B9 | av. Mozart, 128 | Miss. Marchand, 2 | *M.-Ange-Auteuil* |
| 15 | Capit. Scott | E8 | Desaix, 10 | de la Fédération, 35 | *Dupleix* |
| 20 | Capit. Tarron | Q6 | Géo Chavez | bd Mortier, 5 | *Pte de Bagnolet* |
| 5 | Capitan (sq.) | L10 | des Arènes, 8 | | *Jussieu* |
| 18 | Caplat | K3 | Charbonnière, 32 | Goutte d'Or, 45 | *Barbès-Rochech.* |
| 17 | Caporal Peugeot (du) | E3 | bd Somme, 58 | Octave Mirbeau | *Pte de Champerret* |
| 12 | Capri | P11 | Wattignies, 59 | Cl. Decaen, 45 | *Michel Bizot* |
| 18 | Capron | I3 | av. de Clichy, 20 | Cavallotti, 1 | *Place Clichy* |
| 2 | Capucines (bd des) | I6 | Louis-le-Grand, 25 | Capucines, 24 | *Opéra* |
| 9 | pairs, 9e | | impairs, 2e | | |
| 1 | Capucines (des) | I6 | de la Paix, 1 | bd des Capucines, 43 | *Opéra* |
| 2 | pairs, 2e | | impairs, 1er | | |
| 15 | Carcel | F11 | Maublanc, 6 | Gerbert, 5 | *Vaugirard* |
| 17 | Cardan | H2 | Emile Level | Boulay | *Pte de Clichy* |
| 20 | Cardeurs (sq. des) | Q8 | Vitruve | | *Pte de Montreuil* |
| 15 | Cardinal Amette (pl. du) | F9 | pl. Dupleix, 27 | Dupleix | *Dupleix* |
| 18 | Card. Dubois (du) | J3 | Muller | Foyatier | *Abbesses* |
| 6 | Cardinale | J8 | de Furstenberg, 5 | de l'Abbaye, 2 | *St-Germ.-des-Prés* |
| 18 | Card. Guibert (du) | J3 | Azaïs | Ch. de la Barre, 49 | *Abbesses* |
| 12 | Card. Lavigerie (pl. du) | Q12 | bd Poniatowski | Bois de Vincennes | *Pte Dorée* |
| 5 | Card. Lemoine (c. du) | K9 | Card. Lemoine, 18 | en impasse | *Cardinal Lemoine* |
| 5 | Card. Lemoine (du) | K9 | quai Tournelle, 19 | pl. de la Contrescarpe | *Cardinal Lemoine* |
| | 32-37 | K10 | | | *Monge* |
| 9 | Cardinal Mercier | I4 | de Clichy, 56ter | en impasse | *Place Clichy* |
| 17 | Card. Pont-de-Julleville | | | | |
| | (square du) | D4 | Gustave Charpentier | bd A. de Paladines | *Pte Maillot* |
| 15 | Cardinal Verdier (sq.) | E12 | bd Lefèbvre | av. A. Bartholomé | *Pte de Versailles* |
| 15 | Card. Wyszynski (sq.) | H11 | Alain | Vercingétorix | *Pernety* |
| 17 | Cardinet (pass.) | G3 | de Tocqueville, 76 | Cardinet, 127 | *Malesherbes* |
| 17 | Cardinet | G3-4 | av. de Wagram, 78 | av. de Clichy, 151 | *Courcelles* |
| | 192 | H2 | | | *Brochant* |
| 19 | Carducci | O5 | de la Villette, 45 | Alouettes, 20 | *Botzaris* |
| 15 | Carlo Sarrabezolles | C11 | bd Victor | bd Périphérique | *Balard* |
| 5 | Carmes (des) | K9 | bd St Germain, 49 | Ecole Polyth., 22 | *Maubert-Mutualité* |
| 17 | Carnot (av.) | E5 | pl. Ch. de Gaulle | des Acacias, 30 | *Ch. de Gaulle-Et.* |
| 12 | Carnot (bd) | R10 | av. Pte Vincennes | Emile Laurent | *Pte de Vincennes* |

| Ar. | Rues | Plan | Commençant | Finissant | Métro |
|---|---|---|---|---|---|
| 17 | **Caroline** | H3 | Darcet, 9 | des Batignolles, 8 | *Place Clichy* |
| 19 | **Carolus-Duran** | P4 | de l'Orme, 6 | Haxo, 143 | *Pré-St-Gervais* |
| 4 | **Caron** | L8 | St Antoine, 84 | de Jarente, 5 | *St-Paul* |
| 18 | **Carpeaux** | I2 | Etex, 4 | Marcadet, 205 | *Guy Môquet* |
| 18 | **Carpeaux (sq.)** | I2 | Carpeaux, 23 | Marcadet, 225 | *Guy Môquet* |
| 15 | **Carrier-Belleuse** | F9 | bd Garibaldi, 10 | Cambronne, 15 | *Cambronne* |
| 11 | **Carrière-Mainguet (imp.)** | O8 | Léon Frot, 54 | | *Charonne* |
| 16 | **Carrières (imp.)** | D8 | de Passy, 24 | | *Passy* |
| 19 | **Carrières d'Amérique** | P3 | Manin, 68 | bd Sérurier, 141 | *Danube* |
| 1 | **Carrousel (pl. du)** | I7 | Jardin des Tuileries | | *Palais-Royal* |
| 1-7 | **Carrousel (pt du)** | I7 | quai du Louvre | quai Voltaire | *Palais-Royal* |
| 1 | **Carrousel (jardin du)** | I7 | av. Gal Lemonnier | | *Palais-Royal* |
| 20 | **Cartellier (av.)** | R7 | av. Pte de Bagnolet | limite de Paris | *Pte de Bagnolet* |
| 15 | **Casablanca (de)** | E11 | de la Cx-Nivert, 192 | en impasse | *Boucicaut* |
| 20 | **Cascades (des)** | O6 | Ménilmontant, 103 | de la Mare, 82 | *Pyrénées* |
| 6 | **Casimir Delavigne** | J9 | M. le Prince, 12 | pl. de l'Odéon, 3 | *Odéon* |
| 7 | **Casimir Périer** | H8 | St Dominique, 31 | de Grenelle, 126 | *Solférino* |
| 6 | **Cassette** | I9 | de Rennes, 73 | Vaugirard, 72 | *St-Sulpice* |
| 14 | **Cassini** | J11 | Fg St Jacques, 34 | av. Denfert-Rochereau | *Port-Royal* |
| 15 | **Castagnary** | F12- | pl. Falguière, 6 | Brancion, 107 | *Plaisance* |
| 15 | **Castagnary (sq.)** | F12 | Castagnary | J. Baudry | *Plaisance* |
| 20 | **Casteggio (imp. de)** | P8 | des Vignoles, 23 | | *Avron* |
| 8 | **Castellane (de)** | H5 | Tronchet, 19 | de l'Arcade, 30 | *Madeleine* |
| 4 | **Castex** | M8 | bd Henri-IV, 37 | St Antoine, 17 | *Bastille* |
| 1 | **Castiglione (de)** | I6 | de Rivoli, 232 | St Honoré, 237 | *Tuileries* |
| 14 | **Catalogne (pl. de)** | H11 | Vercingétorix | du Texe | *Gaîté* |
| 1 | **Catinat** | J6 | La Vrillière, 6 | pl. des Victoires, 1 | *Bourse* |
| 17 | **Catulle-Mendès** | E3 | av. Stéph. Mallarmé | bd Somme, 27 | *Pte de Champerret* |
| 18 | **Cauchois** | I3 | Lepic, 15 | Constance, 9 | *Blanche* |
| 15 | **Cauchy** | D10 | quai André Citroën, 107 | St Charles, 172 | *Javel* |
| 18 | **Caulaincourt** | I-J3 | bd Clichy, 124 | Mont Cenis, 45 | *Place Clichy* |
| | **72-73** | | | | *Lamarck-Caulainc.* |
| 18 | **Caulaincourt (sq.)** | J2 | Caulaincourt, 63 | Lamarck, 85 | *Lamarck-Caulainc.* |
| 9 | **Caumartin (de)** | I5 | bd des Capucines, 30 | St Lazare, 99 | *Havre-Caumartin* |
| 15 | **Cavalerie (de la)** | F9 | av. de La M.-Picquet, 53b | Abbé Derry | *La Motte-Picquet* |
| 18 | **Cavallotti** | I3 | Capron, 29 | Ganneron, 18 | *Place Clichy* |
| 18 | **Cavé** | L3 | Stephenson, 25 | des Gardes, 30 | *Château-Rouge* |
| 19 | **Cavendish** | N4 | Manin, 65 | de Meaux, 86 | *Laumière* |
| 18 | **Cazotte** | K3 | Charles Nodier, 3 | Ronsard, 2 | *Anvers* |
| 4 | **Célestins (port des)** | L9 | Pont Sully | Pont-Marie | *Sully-Morland* |
| 4 | **Célestins (quai des)** | L9 | bd Henri-IV, 7 | Nonnains-d'Hyères, 2 | *Sully-Morland* |
| | **22** | L8 | | | *Pont-Marie* |
| 14 | **Cels (imp.)** | H11 | Cels, 7 | | *Gaîté* |
| 14 | **Cels** | H11 | Fermat, 10 | Auguste Mie, 7 | *Raspail/Gaîté* |
| 20 | **Cendriers (des)** | O6 | bd Ménilmontant, 102 | des Amandiers, 81 | *Ménilmontant* |
| 5 | **Censier** | L10 | Geoffroy St Hilaire, 35 | Mouffetard, 141 | *Censier-Daubenton* |

| Ar. | Rues | Plan | Commençant | Finissant | Métro |
|---|---|---|---|---|---|
| 15 | Cépré | F9 | bd Garibaldi, 18 | Miollis, 24 | *Cambronne* |
| 4 | Cerisaie (de la) | M9 | bd Bourdon, 33 | du Petit-Musc, 26 | *Bastille* |
| | 16-19 | | | | *Sully-Morland* |
| 8 | Cerisoles | F6 | Clément Marot, 26 | François-Ier, 41 | *F.-D.-Roosevelt* |
| 17 | Cernuschi | G3 | bd Malesherbes, 150 | de Tocqueville, 79 | *Wagram* |
| 8 | César Caire | H5 | pl. St Augustin | de la Bienfaisance | *St-Augustin* |
| 15 | César Frank | G9 | av. de Saxe, 52 | Bellart, 3 | *Ségur* |
| 11 | Cesselin (imp.) | O9 | Paul Bert, 8 | | *Faidherbe-Chal.* |
| 15 | Cévennes (des) | D10 | quai André Citroën, 87 | de Lourmel, 146 | *Javel* |
| 2 | Chabanais | J6 | des Petits-Champs, 24 | Rameau, 11 | *Bourse* |
| 12 | Chablis (de) | O11 | Pomard, 4 | de Bercy, 5 | *Bercy* |
| 10 | Chabrol (cité de) | K5 | cour Ferme St Lazare, 16 | de Chabrol, 27 | *Gare de l'Est* |
| 10 | Chabrol (de) | L5 | bd Magenta, 85 | Lafayette, 100 | *Gare de l'Est* |
| | 54-71 | K5 | | | *Poissonnière* |
| 12 | Chaffault (du) | R10 | bd Carnot | limite de St Mandé | *St-Mandé-Tourelle* |
| 16 | Chaillot (de) | F6 | Pierre-Ier-de-Servie | av. Marceau, 37 | *Iéna* |
| 16 | Chaillot (sq. de) | F6 | de Chaillot, 37 | | *Iéna* |
| 7 | Chaise (de la) | I8 | de Grenelle, 33 | bd Raspail, 37 | *Sèvres-Babylone* |
| 7 | Chaise-Récamier (sq.) | I8 | Récamier | | *Sèvres-Babylone* |
| 17 | Chalabre (imp.) | H2 | av. de Clichy, 163 | | *Brochant* |
| 10 | Chalet (du) | N5 | Buisson-St Louis, 27 | Ste Marthe, 34 | *Belleville* |
| 16 | Chalets (av. des) | C8 | Ranelagh, 101b | de l'Assomption, 66 | *Ranelagh* |
| 16 | Chalgrin | E5 | av. Foch, 22 | Le Sueur, 4 | *Argentine* |
| 12 | Chaligny | O9 | Crozatier, 2 | Fg St Antoine, 200 | *Reuilly-Diderot* |
| | 23-28 | | | | *Faidherbe-Chal.* |
| 12 | Chalon (cour de) | N10 | de Chalon, 32 | | *Gare de Lyon* |
| 12 | Chalon (de) | N10 | de Rambouillet, 5 | bd Diderot, 22 | *Gare de Lyon* |
| 12 | Chambertin (de) | N11 | de Bercy, 118 | bd de Bercy, 38 | *Bercy* |
| 15 | Chambéry (de) | F12 | des Morillons, 60 | Castagnary, 140 | *Pte de Vanves* |
| 8 | Chambiges | F6 | Boccador, 12 | Clément Marot, 7 | *Alma-Marceau* |
| 16 | Chamfort | C9 | de la Source, 16 | Mozart, 107 | *Jasmin* |
| 12 | Chamonard (cour de) | O12 | St Estèphe | v. de la Garonne | *Bercy* |
| 20 | Champagne (cité) | Q8 | des Pyrénées, 83 | en impasse | *Maraîchers* |
| 7 | Champagny | H8 | Casimir Périer, 2 | Martignac, 1 | *Solférino* |
| 15 | Champaubert (av. de) | F9 | av. de Suffren, 82 | av. P. Déroulède | *La Motte-Picquet* |
| 13 | Ch. de l'Alouette | K12 | Corvisart, 22 | de la Glacière, 61 | *Glacière* |
| 7 | Champ de Mars (du) | F8 | Duvivier, 20 | av. de La Bourdonnais, 93 | *Ecole Militaire* |
| 7 | Champ de Mars (parc du) | F8 | quai d'Orsay, 109 | av. Motte-Picquet, 46 | *Ecole Militaire* |
| 7 | Champfleury | F8 | Thomy Thierry | av. de Suffren, 45 | *La Motte-Picquet* |
| 18 | Championnet (pass.) | K2 | Championnet, 57 | Neuve de la Charbonnière | *Pte Clignancourt* |
| 18 | Championnet | K2 | Poissonniers, 135 | av. de St Ouen, 90 | *Simplon* |
| | 232 | I2 | | | *Guy Môquet* |
| 18 | Championnet (v.) | I2 | Championnet, 198 | | *Guy Môquet* |
| 18 | Champ-Marie (pass. du) | J1 | Vincent Compoint, 25 | Belliard, 125 | *Pte Clignancourt* |
| 5 | Champollion | J9 | des Ecoles, 53 | pl. de la Sorbonne, 8 | *Maubert-Mutualité* |
| 8 | Champs (galerie des) | F5 | av. des Ch-Elysées | de Ponthieu | *George-V* |

| Ar. | Rues | Plan | Commençant | Finissant | Métro |
|---|---|---|---|---|---|
| 8 | **Champs-Elysées (av. des)** | H6 | pl. de la Concorde | pl. Ch. de Gaulle | *Concorde* |
| | **15-20** | G6 | | | *Ch.-Elysées-Clem.* |
| | **41-48** | G6 | | | *F.-D.-Roosevelt* |
| | **99-104** | F5 | | | *George-V* |
| 8 | **Champs-Elysées (port)** | G7 | pt de la Concorde | pt des Invalides | *Concorde* |
| 8 | **Champs-Elysées (rd-pt)** | G6 | av. des Ch.-Elysées, 9-16 | av. Montaigne, 60 | *F.-D.-Roosevelt* |
| 7 | **Chanaleilles (de)** | H8 | Vaneau, 26 | Barbet-de-Jouy, 1 | *St-Fr.-Xavier* |
| 16 | **Chancel. Adenauer (pl. du)** | D6 | Spontini | des Belles-Feuilles | *Pte Dauphine* |
| 15 | **Chandon (imp.)** | E11 | Lecourbe, 282 | | *Boucicaut* |
| 16 | **Chanez** | B9 | d'Auteuil, 77 | Molitor, 52 | *Pte d'Auteuil* |
| 16 | **Chanez (villa)** | B9 | Chanez, 1b | en impasse | *Pte d'Auteuil* |
| 12 | **Changarnier** | Q9 | bd Soult | av. Lamoricière | *Pte de Vincennes* |
| 1-4 | **Change (pont au)** | K8 | quai de Corse | quai de Gesvres | *Châtelet* |
| 4 | **Chanoinesse** | K8 | Cloître N.-D., 4 | d'Arcole, 9 | *Cité* |
| 16 | **Chantemesse (av.)** | C5 | bd Lannes | av. Maréchal Fayolle | *Rue de la Pompe* |
| 12 | **Chantier (pass. du)** | N9 | de Charenton, 55 | Fg St Antoine, 67 | *Ledru-Rollin* |
| 5 | **Chantiers (des)** | L9 | fossés St Bernard, 14 | Cardinal Lemoine | *Cardinal Lemoine* |
| 9 | **Chantilly** | K4 | de Bellefond, 26 | Maubeuge, 60 | *Poissonnière* |
| 4 | **Chantres (des)** | K8 | quai aux Fleurs, 11 | des Chanoinesses, 12 | *Cité* |
| 13 | **Chanvin (pass.)** | M12 | du Chevaleret, 149 | Dunois, 28 | *Chevaleret* |
| 11 | **Chanzy** | O8 | St Bernard, 30 | bd Voltaire, 212 | *Charonne* |
| 17 | **Chapelle (av. de la)** | E4 | av. de Verzy, 3 | en impasse | *Pte Maillot* |
| 10 | **Chapelle (bd de la)** | L3 | d'Aubervilliers, 1 | bd Barbès, 2 | *Stalingrad* |
| 18 | **34-37** | L3 | pairs, 18e | impairs, 10e | *Pte la Chapelle* |
| | **63-126** | K3 | | | *Barbès-Rochech.* |
| 18 | **Chapelle (cité de la)** | L3 | Marx Dormoy, 39 | en impasse | *Pte la Chapelle* |
| 18 | **Chapelle (hameau de la)** | L2 | La Chapelle | en impasse | *Marx Dormoy* |
| 18 | **Chapelle (imp. de la)** | L2 | La Chapelle, 31 | | *Marx Dormoy* |
| 18 | **Chapelle (pl. de la)** | L3 | bd de la Chapelle, 34 | de Jessaint, 2 | *Pte la Chapelle* |
| 18 | **Chapelle (de la) 1-2** | L2 | Ordener | bd Ney, 29 | *Marx Dormoy* |
| | **77-84** | L1 | | | *Pte la Chapelle* |
| 3 | **Chapon** | L7 | du Temple, 115 | St Martin, 238 | *Arts-et-Métiers* |
| 18 | **Chappe** | J3 | des Trois-Frères, 8 | St Eleuthère, 3 | *Abbesses* |
| 9 | **Chaptal** | I4 | Pigalle, 49 | Blanche, 68 | *Pigalle* |
| 9 | **Chaptal (cité)** | I4 | Chaptal, 20 | | *Blanche* |
| 16 | **Chapu** | B10 | bd Exelmans, 18 | av. de Versailles, 163 | *Exelmans* |
| 13 | **Charbonnel** | J13 | Brillat-Savarin, 57 | Amiral Mouchez, 59 | *Cité Universit.* |
| 18 | **Charbonnière (de la)** | L3 | Goutte-d'Or, 1 | bd de la Chapelle, 100 | *Barbès-Rochech.* |
| 15 | **Charbonniers (pass. des)** | G10 | bd Garibaldi, 90 | Lecourbe, 10 | *Sèvres-Lecourbe* |
| 13 | **Charcot** | M12 | Chevaleret, 127 | pl. Jeanne-d'Arc | *Chevaleret* |
| 16 | **Chardin** | E7 | Le Nôtre | Beethoven, 4 | *Passy* |
| 16 | **Chardon-Lagache** | B10 | d'Auteuil, 1 | de Versailles, 178 | *Chardon-Lagache* |
| 19 | **Charente (quai de la)** | O2 | canal de l'Ourcq | bd MacDonald, 9 | *Pte la Villette* |
| 12 | **Charenton (de)** | M9 | pl. de la Bastille | bd Poniatowski | *Bastille* |
| | **28-47** | M9 | | | *Ledru-Rollin* |
| | **113-120** | N9 | | | *Reuilly-Diderot* |

| Ar. | Rues | Plan | Commençant | Finissant | Métro |
|---|---|---|---|---|---|
| | 211-240 | O11 | | | Dugommier |
| | 273-302 | P11 | | | Pte de Charenton |
| 4 | Charlemagne (pass.) | L8 | Charlemagne, 16 | St Antoine, 119 | St-Paul |
| 4 | Charlemagne | L8 | St Paul, 31 | de Fourcy, 2 | St-Paul |
| 18 | Charles Albert (pass.) | I1 | Leibniz, 70 | Jules Cloquet, 1 | Pte de St Ouen |
| 12 | Charles Baudelaire | N9 | de Prague, 2 | Fg St Antoine, 118 | Ledru-Rollin |
| 12 | Charles Bénard (villa) | Q10 | Dr Arnold Netter | en impasse | Picpus |
| 18 | Charles Bernard (pl.) | J2 | Poteau | Duhesme | Jules Joffrin |
| 13 | Charles Bertheau | M13 | av. d'Ivry, 61 | av. de Choisy, 44 | Pte de Choisy |
| 12 | Charles Bossut | O10 | du Charolais, 74 | av. Daumesnil, 100 | Reuilly-Diderot |
| 4 | Charles-V | L8 | du Petit-Musc, 17 | St Paul, 20 | Sully-Morland |
| 20 | Charles Cros | Q5 | bd Mortier | | Pte des Lilas |
| 11 | Charles Dallery (pass.) | N8 | de Charonne, 55 | de la Roquette, 92 | Voltaire |
| 12 | Charles de Foucauld (av.) | Q12 | Chailley, 9 | av. Gal Dodds | Pte Dorée |
| 16 | Charles de Gaulle (pl.) | E-F5 | Champs-Elysées | av. de la Grande-Armée | Ch. de Gaulle-Et. |
| 17 | et 8e | | | | |
| 11 | Charles Delescluze | N8 | Trousseau | St Bernard | Ledru-Rollin |
| 16 | Charles Dickens | D8 | des Eaux, 9 | av. Fremiet | Passy |
| 16 | Charles Dickens (sq.) | D8 | des Eaux, 4 | en impasse | Passy |
| 14 | Charles Divry | I12 | Boulard, 44 | Gassendi, 31 | Denfert-Rochereau |
| 18 | Charles Dullin (pl.) | J4 | d'Orsel, 48 | Dancourt, 10 | Anvers |
| 20 | Charles et Robert | R8 | bd Davout | av. Pte de Montreuil | Pte de Montreuil |
| 17 | Charles Fillion (pl.) | H3 | des Moines, 1 | Cardinet, 146 | Brochant |
| 7 | Charles Floquet (av.) | F8 | av. Octave Gréard | Jean Carriès | La Motte-Picquet |
| 13 | Charles Fourier | K13 | des Peupliers | de Tolbiac, 193 | Tolbiac |
| 20 | Charles Friedel | P5 | Olivier Métra, 2 | Pixérécourt | Télégraphe |
| 9 | Charles Garnier (pl.) | I5 | Auber, 4 | Scribe, 11 | Opéra |
| 17 | Charles Gerhardt | F3 | Gustave Doré, 7 | en impasse | Wagram |
| 8 | Charles Girault (av.) | G6 | av. Alexandre-III | av. Dutuit | Ch.-Elysées-Clem. |
| 9 | Charles Godon (cité) | J4 | Milton, 21 | La Tour d'Auvergne, 41 | St-Georges |
| 18 | Charles Hermite | M1 | av. Pte d'Aubervilliers | bd Ney, 111 | Pte la Chapelle |
| 18 | Charles Hermite (sq.) | M1 | Charles Hermite | | Pte la Chapelle |
| 16 | Charles Lamoureux | D6 | E. Ménier, 23 | de Noisiel, 3 | Pte Dauphine |
| 15 | Charles Laurent (sq.) | F10 | Cambronne, 71 | Lecourbe, 100 | Volontaires |
| 18 | Charles Lauth | M1 | Tissandier | bd Ney | Pte la Chapelle |
| 15 | Charles Lecocq | E10 | de la Cx-Nivert, 123 | Lecourbe, 204 | Convention |
| 14 | Charles Le Goffic | H13 | av. Reyer | bd Brune | Pte d'Orléans |
| 13 | Charles Leroy | M14 | av. Pte de Choisy, 2 | Kremlin-Bicêtre | Pte de Choisy |
| 11 | Charles Luiset | M7 | bd des Filles du Calv | Amelot | St-Séb.-Froissard |
| 16 | Ch.-Marie Widor | B10 | Chardon-Lagache, 88 | Boileau | Exelmans |
| 15 | Charles Michels (pl.) | I9 | St Charles | Emile Zola | Charles Michels |
| 19 | Charles Monselet | P4 | bd Sérurier | bd d'Algérie | Pré-St-Gervais |
| 13 | Charles Moureu | L12 | de Tolbiac, 100 | av. Edison | Tolbiac |
| 12 | Charles Nicolle | O10 | Ilot St Eloi | de Charenton, 173 | Montgallet |
| 18 | Charles Nodier | K3 | Levingston, 12 | André del Sarte, 25 | Anvers |
| 11 | Charles Petit (imp.) | O9 | Paul Bert, 6 | | Faidherbe-Chal. |

| Ar. | Rues | Plan | Commençant | Finissant | Métro |
|---|---|---|---|---|---|
| 20 | Charles Renouvier | P7 | des Rondeaux | Stendhal, 27 | *Gambetta* |
| 7 | Charles Risler (av.) | F8 | allée Adr. Lecouvreur | allée Thomy Thierry | *Ecole Militaire* |
| 10 | Charles Robin | M5 | C. Vellefaux, 37 | Grange-aux-Belles, 40 | *Colonel Fabien* |
| 16 | Charles Tellier | B11 | bd Murat, 159 | Cl. Terrasse, 33 | *Pte de St Cloud* |
| 17 | Ch. Tournemire | D-E3 | Jacques Ibert | | *Pte de Champerret* |
| 15 | Charles Vallin (pl.) | F11 | de la Convention | Abbé Groult | *Convention* |
| 4 | Ch. v. Langlois (sq.) | L7 | des Blancs-Manteaux | Abbé Migne | *Rambuteau* |
| 15 | Charles Weiss | G12 | Labrouste, 45 | Castagnary, 52 | *Plaisance* |
| 3 | Charlot | M7 | Quatre-Fils, 14 | bd du Temple | *Filles Calvaire* |
| 15 | Charmilles (v. des) | G12 | Castagnary, 56 | en impasse | *Plaisance* |
| 12 | Charolais (pass. du) | O10 | du Charolais, 26 | Baulant, 4 | *Dugommier* |
| 12 | Charolais (du) | O11 | bd de Bercy, 19 | Daumesnil | *Dugommier* |
| 11 | Charonne (bd de) | P9 | c. de Vincennes | Pierre Bayle, 2 | *Avron* |
| 20 | 111-148 | P8 | impairs, 11e | pairs, 20e | *Alexandre Dumas* |
| | 151-212 | O8 | | | *Philippe Auguste* |
| 11 | Charonne (de) | N8 | Fg St Antoine, 63 | bd de Charonne, 116 | *Ledru-Rollin* |
| | 77-88 | O8 | | | *Charonne* |
| | 110-115 | P8 | | | *Alexandre Dumas* |
| 9 | Charras | I5 | bd Haussmann, 56 | de Provence, 101 | *Havre-Caumartin* |
| 11 | Charrière (imp.) | N8 | de Charonne, 88 | | *Charonne* |
| 5 | Chartière (imp.) | K9 | de Lanneau, 11 | | *Maubert-Mutualité* |
| 18 | Chartres (de) | L5 | bd de la Chapelle, 60 | de la Goutte-d'Or, 45 | *Pte la Chapelle* |
| 6 | Chartreux (des) | J10 | av. de l'Observ., 8 | d'Assas, 87 | *Port-Royal* |
| 8 | Chassaigne Goyon (pl.) | G5 | La Boétie | av. F.D. Roosevelt | *St-Ph.-du-Roule* |
| 15 | Chasseloup-Laubat | F9 | av. de Suffren, 140 | av. de Ségur, 58 | *Ségur* |
| 17 | Chasseurs (av. des) | G3 | bd Pereire, 57 | bd Malesherbes, 168 | *Wagram* |
| 14 | Château (du) | H11 | Ligne du Ch. de Fer | av. du Maine, 166 | *Gaîté* |
| | 185-190 | | | | *Mouton-Duvernet* |
| 8 | Chateaubriand (de) | F5 | Washington, 19 | av. de Friedland, 35 | *George-V* |
| 10 | Château d'Eau (du) | L6 | bd Magenta, 1 | Fg St Denis, 70 | *République* |
| | 55-56 | L5 | | | *Château-d'Eau* |
| 13 | Château des Rentiers | M13 | bd Masséna, 56 | bd Vincent Auriol | *Pte d'Ivry* |
| | 105-106 | L12 | | | *Nationale* |
| 9 | Châteaudun (de) | J5 | Lafayette, 57 | Chaussée d'Antin, 70 | *N.-D. de Lorette* |
| 10 | Château Landon | L4 | Fg St Martin, 185 | bd de la Chapelle, 1 | *Château-Landon* |
| 18 | Château Rouge (pl. du) | K3 | bd Barbès, 44 | Poulet, 21 | *Château-Rouge* |
| 17 | Châtelet (pass. du) | I1 | Jacques Kellner | bd Bessières, 37 | *Pte de St Ouen* |
| 1-4 | Châtelet (pl. du) | K8 | bd Sébastopol, 1 | quai de Gesvres, 10 | *Châtelet* |
| 14 | Châtillon (de) | H13 | av. Jean Moulin, 20 | des Plantes, 43 | *Alésia* |
| 14 | Châtillon (sq. de) | H13 | av. Jean Moulin, 33 | en impasse | *Alésia* |
| 5 | Chat-qui-pêche (du) | K8 | quai St Michel, 11 | de la Huchette, 14 | *St-Michel* |
| 9 | Chauchat | J5 | bd Haussmann | Lafayette, 44 | *Richelieu-Drouot* |
| | 12-13 | | | | *Le Peletier* |
| 10 | Chaudron | M4 | Fg St Martin, 257 | Château Landon, 54 | *Stalingrad* |
| 19 | Chaufourniers (des) | N4 | de Meaux, 18 | en impasse | *Colonel Fabien* |
| 19 | Chaumont (de) | M4 | av. Secrétan, 26 | en impasse | *Jaurès* |

| Ar. | Rues | Plan | Commençant | Finissant | Métro |
|---|---|---|---|---|---|
| 20 | **Chauré (sq.)** | Q6 | Lieutenant Chauré | en impasse | *Gambetta* |
| 9 | **Chaussée d'Antin (de la)** | I5 | bd des Capucines, 2 | St Lazare, 73 | *Chaussée-d'Antin* |
| | **55-70** | | | | *Trinité* |
| 12 | **Chaussin (pass.)** | P11 | de Picpus, 99 | de Toul, 23 | *Bel-Air* |
| 10 | **Chausson (imp.)** | M5 | Grange-aux-Belles, 33 | | *Colonel Fabien* |
| 8 | **Chauveau-Lagarde** | H5 | pl. Madeleine, 25 | bd Malesherbes, 12 | *Madeleine* |
| 15 | **Chauvelot** | F12 | Brancion, 117 | bd Lefebvre, 183 | *Pte de Vanves* |
| 17 | **Chazelles (de)** | G4 | de Courcelles, 96 | de Prony, 19 | *Courcelles* |
| 19 | **Chemin-de-Fer (du)** | O1 | Pte de la Villette | Pantin | *Pte la Villette* |
| 19 | **Cheminets (des)** | P3 | de la Marseillaise | limite de Paris | *Pte de Pantin* |
| 11 | **Chemin Vert (pass. du)** | N7 | Chemin Vert, 45 | Popincourt, 16 | *Richard Lenoir* |
| 11 | **Chemin Vert (du)** | M8 | Beaumarchais, 48 | av. de la République, 132 | *Chemin Vert* |
| | **16-17** | M8 | | | *Bréguet-Sabin* |
| | **152-153** | O7 | | | *Père-Lachaise* |
| 12 | **Chêne Vert (cour du)** | N9 | de Charenton, 48 | | *Ledru-Rollin* |
| 2 | **Chénier** | K6 | Ste Foy, 27 | de Cléry, 96 | *Strasb.-St-Denis* |
| 20 | **Cher (du)** | P7 | des Prairies, 80 | Belgrand, 8 | *Gambetta* |
| 15 | **Cherbourg (de)** | F12 | Fizeau | des Morillons | *Pte de Vanves* |
| 6 | **Cherche-Midi (du)** | I9 | de Sèvres, 1 | Vaugirard, 144 | *Sèvres-Babylone* |
| 15 | **131-146** | H9 | de 123 et 132 à la fin | | *Vanneau* |
| 13 | **Chéreau** | K13 | Butte-aux-Cailles, 3 | Bobillot, 36 | *Corvisart* |
| 16 | **Chernoviz** | D8 | Raynouard, 26 | de Passy, 37 | *Passy* |
| 17 | **Chéroy (de)** | H4 | bd des Batignolles, 80 | des Dames, 101 | *Rome* |
| 2 | **Chérubini** | J6 | Chabanais, 15 | Ste Anne, 54 | *4-Septembre* |
| 11 | **Cheval-Blanc (pass. du)** | M8 | de la Roquette, 3 | | *Bastille* |
| 13 | **Chevaleret** | N12 | Regnault, 14 | bd Vincent Auriol, 79 | *Chevaleret* |
| 18 | **Chevalier de-la-Barre** | I3 | Ramey, 11 | Mont Cenis, 10 | *Abbesses* |
| 20 | **Chevaliers (imp. des)** | P5 | Pixérécourt, 40 | | *Télégraphe* |
| 7 | **Chevert** | G8 | bd Latour-Maubourg, 74 | av. Tourville, 22 | *Ecole Militaire* |
| 9 | **Cheverus (de)** | I4 | sq. de la Trinité | de la Trinité, 1 | *Trinité* |
| 11 | **Chevet (du)** | M6 | Deguerry, 6 | Darboy, 2 | *Goncourt* |
| 11 | **Chevreul** | O9 | Fg St Antoine, 303 | de Montreuil, 74 | *Boulets-Montreuil* |
| 6 | **Chevreuse (de)** | I10 | N.-D. des Champs, 80 | bd Montparnasse, 125 | *Vavin* |
| 16 | **Cheysson (villa)** | B10 | Boileau, 86 | villa E. Meyer, 2 | *Exelmans* |
| 20 | **Chine (de la)** | P6 | C. des Noues, 18 | Ménilmontant, 128 | *Gambetta* |
| 2 | **Choiseul (pass.)** | J6 | Petits-Champs, 42 | St Augustin, 25 | *4-Septembre* |
| 2 | **Choiseul (de)** | J6 | St Augustin, 18 | bd des Italiens, 25 | *4-Septembre* |
| 13 | **Choisy (av. de)** | M14 | bd Masséna, 120 | bd Vincent Auriol | *Pte de Choisy* |
| | **48-51** | L13 | | | *Maison Blanche* |
| | **74-101** | L13 | | | *Tolbiac* |
| | **166-183** | L12 | | | *Place d'Italie* |
| 13 | **Choisy (parc)** | L13 | av. de Choisy, 166 | Charles Moureu | *Place d'Italie* |
| 7 | **Chomel** | I9 | bd Raspail, 42 | de Babylone, 12 | *Sèvres-Babylone* |
| 16 | **Chopin (pl.)** | D8 | Lekain, 12 | Duban, 2 | *La Muette* |
| 9 | **Choron** | J4 | Maubeuge, 11 | des Martyrs, 20 | *N.-D. de Lorette* |
| 12 | **Chrétien de Troyes** | N10 | av. Daumesnil, 78 | | *Gare de Lyon* |

| Ar. | Rues | Plan | Commençant | Finissant | Métro |
|---|---|---|---|---|---|
| 17 | **Christi (imp.)** | I2 | Jacques Kellner, 8 | | *Guy Môquet* |
| 12 | **Christian Dewet** | P9 | Serg. Bauchat, 39 | Dorian, 11 | *Nation* |
| 18 | **Christiani** | K3 | bd Barbès, 19 | Clignancourt, 34 | *Barbès-Rochech.* |
| 6 | **Christine** | J8 | Grands-Augustins, 14 | Dauphine, 35 | *St-Michel* |
| 17 | **Christine de Pisan** | G3 | de Saussure | en impasse | *George-V* |
| 8 | **Christophe Colomb** | F6 | av. George-V, 41 | av. Marceau, 56 | *George-V* |
| 6 | **Cicé (de)** | I10 | Stanislas, 16 | Montparnasse, 25 | *N.-D. des Champs* |
| 16 | **Cimarosa** | E6 | av. Kléber, 68 | Lauriston, 77 | *Boissière* |
| 17 | **Cim. des Batignolles (av.)** | G2 | av. Pte de Clichy | St Just | *Pte de Clichy* |
| 5 | **Cimetière St Benoît (du)** | K9 | imp. Chartière | St Jacques | *Maubert-Mutualité* |
| 17 | **Cino-del-Duca** | D3 | av. Pte de Champerret | bd d'Aurelle de Paladines | *Pte de Champerret* |
| 13 | **Cinq-Diamants (des)** | K12 | bd A. Blanqui, 33 | Butte-aux-Cailles, 34 | *Corvisart* |
| 15 | **Cinq-Martyrs du Lycée Buffon (pont des)** | H11 | bd Pasteur | du Château | *Montparnasse* |
| 8 | **Cirque (du)** | G6 | av. Gabriel, 42 | Fg St Honoré, 65 | *Ch.-Elysées-Clem.* |
| 6 | **Ciseaux (des)** | I8 | bd de St Germain, 145 | du Four, 14 | *St-Germ.-des-Prés* |
| 4 | **Cité (de la)** | K8 | pl. Louis Lépine | pl. Parvis de N.-D | *Cité* |
| 14 | **Cité Universitaire** | J14 | Liard | Jourdan, 22 | *Cité Universit.* |
| 12 | **Citeaux (de)** | N9 | bd Diderot, 45 | Fg St Antoine, 164 | *Faidherbe-Chal.* |
| 10 | **Civiale** | N5 | bd de la Villette, 9 | Buisson-St Louis, 32 | *Belleville* |
| 16 | **Civry (de)** | B10 | bd Exelmans, 95 | de Varize, 25 | *M.-Ange-Molitor* |
| 17 | **Clairaut** | H3 | av. de Clichy, 113 | en impasse | *La Fourche* |
| 8 | **Clapeyron** | H4 | de Moscou, 24 | bd des Batignolles, 31 | *Rome* |
| 8 | **Claridge (Galerie du)** | F5 | av. des Champs-Elysées | de Ponthieu | *George-V* |
| 5 | **Claude Bernard** | K11 | de Bazeilles, 4 | d'Ulm, 47 | *Censier-Daubenton* |
| 16 | **Claude Chahu** | D7 | de Passy, 18 | Gavarni, 9 | *Passy* |
| 17 | **Claude Debussy** | E3 | bd Gouvion St Cyr, 39 | av. Pte de Champerret | *Pte de Champerret* |
| 17 | **Claude Debussy (sq.)** | G3 | Legendre, 25 | sq. Fd de la Tombelle | *Villiers* |
| 12 | **Claude Decaen** | P11 | bd Poniatowski, 65 | pl. Félix Eboué, 4 | *Pte de Charenton* |
| | **15-16** | | | | *Pte Dorée* |
| | **60-63** | | | | *Daumesnil* |
| 16 | **Claude Farrère** | A10 | av. Gal Sarrail | Boulogne | *M.-Ange-Molitor* |
| 15 | **Claude Garamond** | F13 | av. Pte Brancion | av. Pte de Vanves | *Pte de Vanves* |
| 16 | **Claude Lorrain** | B10 | Boileau | Michel-Ange, 79 | *Exelmans* |
| 16 | **Claude Lorrain (v.)** | B10 | av. La Frillière | | *Exelmans* |
| 19 | **Claude Monet (villa)** | O4 | Miguel Hidalgo, 20 | François Pinton | *Danube* |
| 14 | **Claude-Nicolas Ledoux (sq.)** | I11 | pl. Denfert-Rochereau | | *Denfert-Rochereau* |
| 17 | **Claude Pouillet** | H3 | Lebouteux, 14 | Legendre, 36 | *Villiers* |
| 13 | **Claude Regaud** | M14 | bd Masséna, 49 | pl. du Dr Yersin | *Pte d'Ivry* |
| 16 | **Claude Terrasse** | B11 | av. de Versailles, 191 | bd Murat, 129 | *Pte de St Cloud* |
| 12 | **Claude Tillier** | O9 | Diderot, 83 | Fg St Antoine, 240 | *Reuilly-Diderot* |
| 10 | **Claude-Villefaux (av.)** | M5 | Alibert, 22 | pl. Colonel Fabien | *Colonel Fabien* |
| 9 | **Clauzel** | J4 | des Martyrs, 35 | H. Monnier, 8 | *St-Georges* |
| 19 | **Clavel** | O5 | de Belleville, 97 | Fessart, 46 | *Btes-Chaumont* |
| 5 | **Clef (de la)** | K10 | Fer-à-Moulin | Lacépède, 17 | *Censier-Daubenton* |
| | **29-36** | L11 | | | *Monge* |

| Ar. | Rues | Plan | Commençant | Finissant | Métro |
|---|---|---|---|---|---|
| 8 | **Clémenceau (pl.)** | G6 | av. des Champs-Elysées | av. Marigny | *Ch.-Elysées-Clem.* |
| 1 | **Clémence-Royer** | J7 | de Viarmes, 29 | Coquillière, 9 | *Les Halles* |
| 6 | **Clément** | J8 | de Seine, 74 | Mabillon, 5 | *Mabillon* |
| 16 | **Clément Ader (pl.)** | D9 | av. de Versailles | de Boulainvilliers | *Mirabeau* |
| 8 | **Clément Marot** | F6 | av. Montaigne, 31 | Pierre Charron, 48 | *F.-D.-Roosevelt* |
| 15 | **Clément Myonnet** | D10 | Balard | Léontine | *Javel* |
| 7 | **Cler** | G8 | St Dominique, 113 | av. de la Motte-Picquet | *Ecole Militaire* |
| 2 | **Cléry (pass. de)** | K6 | Cléry, 56 | Beauregard, 20 | *Bonne Nouvelle* |
| 2 | **Cléry (de) 4-15** | K6 | Montmartre, 106 | bd Bonne-Nouvelle, 5 | *Sentier* |
| | **35-58** | | | | *Bonne Nouvelle* |
| | **97-102** | | | | *Strasb.-St-Denis* |
| 17 | **Clichy (av. de)** | I3 | pl. Clichy, 7 | bd Bessières, 131 | *Place Clichy* |
| 18 | **43-52** | I3 | impairs, 17e | de 66 à la fin, 17e | *La Fourche* |
| | **129-136** | H2 | | | *Brochant* |
| | **187-194** | G2 | | | *Pte de Clichy* |
| 18 | **Clichy (bd de)** | J4 | des Martyrs, 67 | pl. Clichy, 12 | *Blanche* |
| 9 | **impairs** | I3 | | | *Place Clichy* |
| 17 | **Clichy (pl. de)** | I4 | bd de Clichy, 91 | bd des Batignolles, 10 | *Place Clichy* |
| 9 | **de 1 et de 2 à 10b,** | | de 12 à 16, 18e | 3, 8e | |
| 18 | **Clichy (pass. de)** | I3 | Forest, 1 | pass. Lathuile | *Place Clichy* |
| 9 | **Clichy (de)** | I4 | St Lazare, 70 | pl. de Clichy, 1 | *Trinité* |
| | **88-91** | | | | *Place Clichy* |
| 18 | **Clignancourt (de)** | K3 | bd Rochechouart, 40 | Championnet, 33 | *Barbès-Rochech.* |
| | **44-51** | K3 | | | *Château-Rouge* |
| | **86-87** | K2 | | | *Marcadet-Poiss.* |
| | **124-131** | K2 | | | *Simplon* |
| 18 | **Clignancourt (sq. de)** | K2 | Ordener, 70 | Hermel, 30 | *Simplon* |
| 13 | **Clisson (imp.)** | M12 | Clisson, 43 | | *Nationale* |
| 13 | **Clisson** | M12 | du Chevaleret, 173 | Nationale, 118 | *Nationale* |
| 20 | **Cloche (de la)** | P6 | Villiers-l'Isle-Adam, 6 | Westermann | *Gambetta* |
| 4 | **Cloche-Perce** | L8 | François Miron, 15 | Roi-de-Sicile, 27 | *St-Paul* |
| 15 | **Clodion** | E9 | bd de Grenelle, 53 | Daniel Stern, 20 | *Dupleix* |
| 4 | **Cloître N.-Dame (du)** | K8 | quai aux Fleurs, 1 | d'Arcole, 23 | *Cité* |
| 4 | **Cloître St Merri** | K7 | du Renard, 17 | St Martin, 80 | *Hôtel de Ville* |
| 20 | **Clos (du)** | Q8 | Courat, 2 | St Blaise, 58 | *Maraîchers* |
| 5 | **Clos Bruneau (pass. du)** | K9 | des Ecoles, 33 | des Carmes, 11 | *Maubert-Mutualité* |
| 15 | **Clos Feuquières (du)** | E11 | Théodore Deck, 5 | Desnouettes, 10 | *Convention* |
| 5 | **Clotaire** | K10 | pl. du Panthéon, 15 | Fossés St Jacques, 15 | *Luxembourg* |
| 5 | **Clotilde** | K10 | Clovis, 23 | l'Estrapade, 17 | *Cardinal Lemoine* |
| 11 | **Clotilde-de-Vaux** | M8 | bd Beaumarchais, 56 | Amelot, 47 | *Chemin Vert* |
| 19 | **Clôture (de la)** | P1 | bd MacDonald | limite de Pantin | *Pte la Villette* |
| 15 | **Clouet** | F9 | bd Garibaldi, 24 | Miollis, 16 | *Cambronne* |
| 5 | **Clovis** | K10 | Cardinal Lemoine, 56 | pl. Ste Geneviève | *Cardinal Lemoine* |
| 19 | **Clovis Hugues** | N4 | av. Jean Jaurès, 30 | de Meaux, 65 | *Bolivar* |
| 18 | **Cloys (des)** | J2 | Duhesme, 53 | Damrémont, 102 | *Jules Joffrin* |
| 18 | **Cloys (imp.)** | J2 | des Cloys, 21 | | *Jules Joffrin* |

| Ar. | Rues | Plan | Commençant | Finissant | Métro |
|---|---|---|---|---|---|
| 18 | Cloys (pass. des) | J2 | Marcadet, 190 | Montcalm, 20 | *Lamarck-Caulainc.* |
| 5 | Cluny (de) | K9 | bd St Germain, 73 | des Ecoles, 56 | *Maubert-Mutualité* |
| 5 | Cochin | K9 | de Poissy, 4 | de Pontoise, 5 | *Maubert-Mutualité* |
| 6 | Coëtlogon | I9 | de Rennes, 92 | d'Assas, 5 | *St-Sulpice* |
| 14 | Cœur-de-Vey (villa) | I12 | av. Gal Leclerc, 54 | | *Mouton-Duvernet* |
| 7 | Cognacq-Jay | F7 | Malar, 2 | av. Bosquet, 1 | *Alma-Marceau* |
| 2 | Colbert | J6 | Vivienne, 9 | Richelieu, 60 | *Bourse* |
| 2 | Colbert (galerie de) | J6 | Petits-Champs, 6 | en impasse | *Bourse* |
| 1 | Colette (pl.) | J7 | St Honoré | | *Palais-Royal* |
| 8 | Colisée (du) | G5 | av. des Ch.-Elysées, 50 | Fg St Honoré, 99 | *St-Ph.-du-Roule* |
| 5 | Collégiale (de la) | K11 | bd St Marcel, 86 | Fer-à-Moulin, 39 | *Gobelins* |
| 14 | Collet (villa) | G13 | Didot, 121 | en impasse | *Pte de Vanves* |
| 17 | Collette | I2 | av. de St Ouen, 85 | Jean Leclaire, 6 | *Guy Môquet* |
| 9 | Collin (pass.) | J4 | Duperré, 18 | bd de Clichy, 29 | *Pigalle* |
| 19 | Colmar (de) | N3 | de Crimée, 154 | Evette, 2 | *Crimée/Riquet* |
| 4 | Colombe (de la) | K8 | quai aux Fleurs, 21 | Chanoinesse, 26 | *Cité* |
| 16 | Colombie (pl. de) | C7 | bd Suchet | bd Lannes | *Rue de la Pompe* |
| 16 | Colonel Bonnet (av.) | D8 | Raynouard, 68 | Alfred Bruneau | *La Muette* |
| 12 | Colonel Bourgoin (pl.) | O10 | de Charenton | Crozatier | *Reuilly-Diderot* |
| 15 | Col. Colonna d'Ornano | F10 | François Bonvin | villa Poirier | *Volontaires* |
| 7 | Colonel Combes | G7 | Jean Nicot, 6 | Malar, 7 | *Latour-Maubourg* |
| 13 | Colonel Domine | L14 | av. d'Italie | bd Kellermann | *Pte d'Italie* |
| 1 | Colonel Driant | J7 | Jean-Jacques Rousseau | Valois, 8 | *Palais-Royal* |
| 10-19 | Colonel Fabien (pl.) | M4 | bd de la Villette | av. Mathurin Moreau | *Colonel Fabien* |
| 17 | Colonel Moll | E5 | des Acacias, 11 | St Ferdinand | *Ch. de Gaulle-Et.* |
| 14 | Colonel Monteil | G13 | bd Brune | Maurice Bouchor | *Pte de Vanves* |
| 12 | Colonel Oudot | Q11 | av. Daumesnil, 273 | bd Soult, 25 | *Pte Dorée* |
| 15 | Colonel Pierre Avia | C12 | V. Hugo-Issy | Grognet | *Pte de Versailles* |
| 12 | Colonel Rozanoff | O10 | de Reuilly, 42 | | *Montgallet* |
| 13 | Colonie (de la) | K13 | Vergniaud, 41 | des Peupliers, 20 | *Corvisart* |
| | 53-62 | | | | *Tolbiac* |
| 2 | Colonnes (des) | J6 | 4-Septembre, 4 | Feydeau, 23 | *Bourse* |
| 12 | Colonnes-du-Trône (des) | P9 | av. St Mandé, 23 | bd de Picpus, 79 | *Nation* |
| 12 | Combattants d'Indochine | | | | |
| | (square des) | Q11 | pl. Edouard Renard | | *Pte Dorée* |
| 12 | Combattants en Afrique | | | | |
| | du Nord (pl. des) | M10 | bd Diderot | de Lyon | *Gare de Lyon* |
| 7 | Comète (de la) | G7 | St Dominique, 77 | de Grenelle, 162 | *Latour-Maubourg* |
| 7 | Commaille (de) | H8 | de la Planche, 4 | du Bac, 103 | *Sèvres-Babylone* |
| 17 | Cdt Ch. Martel (pass.) | H3 | Dulong, 30 | de Rome, 113 | *Rome* |
| 16 | Commandant Guilbaud | A10 | av. Pte de St Cloud | Cl. Farrère | *Pte de St Cloud* |
| 11 | Commandant Lamy | N8 | de la Roquette, 49 | Sedaine, 30 | *Bréguet-Sabin* |
| 15 | Commandant Léandri (du) | E11 | Convention, 152 | Jacques Mawas | *Convention* |
| 20 | Cdt L'Herminier (du) | R9 | av. Pte de Vincennes | de Lagny | *Pte de Vincennes* |
| 16 | Commandant Marchand | D5 | av. Malakoff, 151 | en impasse | *Pte Maillot* |
| 10 | Commandant Mortenol | L5 | quai de Valmy | en impasse | *Colonel Fabien* |

| Ar. | Rues | Plan | Commençant | Finissant | Métro |
|---|---|---|---|---|---|
| 14 | **Cdt R. Mouchotte (du)** | H11 | av. du Maine, 54 | | *Montparnasse* |
| 8 | **Commandant Rivière (du)** | G5 | av. Fr.-D. Roosevelt, 73 | d'Artois, 8 | *St-Ph.-du-Roule* |
| 16 | **Cdt. Schloesing (du)** | D7 | av. Paul Doumer | Pétrarque, 12 | *Trocadéro* |
| 19 | **Commanderie (bd de la)** | O1 | av. Pte de la Villette | limite d'Aubervilliers | *Pte la Villette* |
| 14 | **Commandeur (du)** | I12 | Bezout, 13 | pass. Montbrun, 10 | *Alésia* |
| 15 | **Commerce (du)** | F9 | bd de Grenelle, 128 | Entrepreneurs, 99 | *La Motte-Picquet* |
| 15 | **Commerce (pl. du)** | E10 | du Commerce, 82 | Violet, 71 | *Commerce* |
| 15 | **Commerce (imp. du)** | E10 | du Commerce, 70 | | *Commerce* |
| 6 | **Com. St André (c.)** | J8 | St André des Arts, 4 | bd St Germain | *Odéon* |
| 3 | **Com. St Martin (pass. du)** | K7 | St Martin | Brantôme | *Rambuteau* |
| 3 | **Commines** | M7 | de Turenne, 88 | bd des F. du Calvaire, 11 | *Filles Calvaire* |
| 19 | **Compans** | P5-O4 | de Belleville, 221 | d'Hautpoul, 18 | *Place des Fêtes* |
| 19 | **Compans (sq.)** | O4 | Compans, 50 | | *Place des Fêtes* |
| 10 | **Compiègne (de)** | K4 | bd Magenta, 122 | Dunkerque, 27 | *Gare du Nord* |
| 17 | **Compoint (imp.)** | H2 | Guy Môquet, 40 | | *Guy Môquet* |
| 8 | **Comtesse de Ségur (allée)** | G4 | av. Vélasquez | av. Van Dick | *Monceau* |
| 7-8 | **Concorde (pont de la)** | H7 | quai des Tuileries | quai d'Orsay | *Concorde* |
| 8 | **Concorde (port)** | H7 | pt de la Concorde | | *Concorde* |
| 8 | **Concorde (pl. de la)** | H7 | jardin des Tuileries | Ch.-Elysées | *Concorde* |
| 6 | **Condé (de)** | J9 | carrefour de l'Odéon | Vaugirard, 22 | *Odéon* |
| 11 | **Condillac** | O7 | av. de la Républ., 99 | des Nanettes, 10 | *Père-Lachaise* |
| 9 | **Condorcet** | K4 | Maubeuge, 59 | des Martyrs, 60 | *Anvers* |
| 9 | **Condorcet (cité)** | K4 | Condorcet, 29 | | *Anvers* |
| 8 | **Conférence (port de la)** | G7 | pt des Invalides | pt de l'Alma | *Alma-Marceau* |
| 20 | **Confiance (imp. de la)** | P8 | Vignoles, 32 | | *Avron* |
| 12 | **Congo (du)** | O10 | du Charolais, 38 | av. Daumesnil, 128 | *Dugommier* |
| 16 | **Conseiller Collignon** | C7 | de Franqueville | d'Andigné | *La Muette* |
| 9 | **Conservatoire (du)** | K5 | Bergère, 12 | Richer, 11 | *Rue Montmartre* |
| 18 | **Constance** | I3 | Lepic, 19 | de Maistre, 11 | *Blanche* |
| 20 | **Const. Berthaut** | G7 | du Jourdain, 5 | de Belleville, 132 | *Jourdain* |
| 14 | **Const. Brancusi (pl.)** | H11 | | | *Gaîté* |
| 7 | **Const. Coquelin (av.)** | H9 | bd des Invalides, 59 | en impasse | *Duroc* |
| 18 | **Const. Pecqueur (pl.)** | J3 | Cirardon, 15 | Caulaincourt, 91 | *Lamarck-Caulainc.* |
| 7 | **Constantine (de)** | G7 | quai d'Orsay, 37 | de Grenelle, 142 | *Invalides* |
| 8 | **Constantinople** | H4 | pl. de l'Europe | du Rocher, 92 | *Europe* |
| 3 | **Conté** | L6 | Montgolfier, 3 | Vaucanson, 4 | *Arts-et-Métiers* |
| 6 | **Conti (quai de)** | J8 | Pont-Neuf | Pont des Arts | *Pont-Neuf* |
| 6 | **Conti (imp. de)** | J8 | quai de Conti, 13 | | *Pont-Neuf* |
| 5 | **Contrescarpe (pl. de la)** | K10 | Mouffetard, 12 | Lacépède, 57 | *Monge* |
| 15 | **Convention (de la)** | D10 | quai André Citroën, 43 | Dombasle, 65 | *Javel* |
| | **179-198** | E11 | | | *Convention* |
| 13 | **Conventionnel-Chiappe** | L14 | bd Masséna | av. Léon Bollée | *Pte de Choisy* |
| 8 | **Copenhague (de)** | H4 | de Rome, 69 | Constantine, 12 | *Rome* |
| 16 | **Copernic** | E6 | av. Kléber, 54 | pl. Victor Hugo, 1 | *Victor-Hugo* |
| 16 | **Copernic (villa)** | E6 | Copernic, 38 | | *Victor-Hugo* |
| 15 | **Copreau** | G10 | Blomet, 33 | de Vaugirard, 202 | *Volontaires* |

| Ar. | Rues | Plan | Commençant | Finissant | Métro |
|---|---|---|---|---|---|
| 9 | Coq (av. du) | I5 | St Lazare, 87 | en impasse | *Trinité* |
| 11 | Coq (cour du) | M7 | St Sabin, 60 | allée Verte, 1 | *Richard Lenoir* |
| 1 | Coq-Héron | J7 | Coquillière, 28 | du Louvre, 19 | *Les Halles* |
| 1 | Coquillière | K7 | Jour, 1 | Cx des Petits-Champs, 46. | *Les Halles* |
| 12 | Corbera (av. de) | N10 | Charenton, 135 | Crozatier, 13 | *Reuilly-Diderot* |
| 12 | Corbineau | N11 | de Bercy, 100 | bd de Bercy, 48b | *Bercy* |
| 15 | Corbon | F11 | d'Alleray, 42 | Abbé Groult, 139 | *Vaugirard* |
| 13 | Cordelières (des) | K11 | bd Arago, 29 | Corvisart, 26 | *Gobelins* |
|  | 35-38 | K12 |  |  | *Corvisart* |
| 3 | Corderie (de la) | M7-L6 | Franche-Comté, 1 | du Petit-Thouars, 8 | *République* |
| 20 | Cordon Boussard (imp.) | P6 | Pyrénées, 247 |  | *Gambetta* |
| 19 | Corentin Cariou (av.) | O1 | de Flandre | Pte de la Villette | *Corentin-Cariou* |
| 12 | Coriolis | O11 | Nicolaï, 1 | bd de Bercy, 70 | *Dugommier* |
| 16 | Corneille (imp.) | B10 | av. Despréaux |  | *M.-Ange-Molitor* |
| 6 | Corneille | J9 | pl. de l'Odéon, 7 | de Vaugirard, 16 | *Odéon* |
| 16 | Corot | C9 | Wilhelm, 30 | Théophile Gauthier, 61 | *Eglise d'Auteuil* |
| 14 | Corot (villa) | J14 | d'Arcueil |  | *Cité Universit.* |
| 19 | Corrèze (de la) | P3 | bd Sérurier | av. Ambroise Rendu | *Danube* |
| 4 | Corse (quai de la) | K8 | Arcole, 2 | bd du Palais, 1 | *Cité* |
| 16 | Cortambert | D7 | av. Georges Mandel, 47 | pl. Possoz | *La Muette* |
| 18 | Cortot | J3 | Mont Cenis, 23 | des Saules | *Lamarck-Caulainc.* |
| 8 | Corvetto | G5 | Treilhard, 6 | de Lisbonne, 15 | *Villiers* |
| 13 | Corvisart | K12 | L.-Maur. Nordman | bd A. Blanqui, 56 | *Corvisart* |
| 1 | Cossonnerie (de la) | K7 | bd Sébastopol, 41 | Pierre Lescot, 12 | *Les Halles* |
| 16 | Costa-Rica (pl. de) | D8 | de la Tour | Raynouard | *Passy* |
| 15 | Cotentin (du) | G11 | bd Pasteur | Falguière, 93 | *Pasteur* |
| 16 | Cothenet | C6 | de la Faisanderie, 28 | bd Flandrin, 90 | *Pte Dauphine* |
| 18 | Cottages (des) | J2 | Duhesme, 11 | Marcadet, 159 | *Lamarck-Caulainc.* |
| 12 | Cotte (de) | N9 | Charenton, 93 | Fg St Antoine, 128 | *Ledru-Rollin* |
| 18 | Cottin (pass.) | K3 | Ramey, 19 | C. de la Barre, 20 | *Château-Rouge* |
| 14 | Couche | I13 | d'Alésia, 57 | Sarrette, 10 | *Alésia* |
| 14 | Coulmiers (de) | H13 | av. Gal Leclerc, 128 | av. Jean Moulin, 41 | *Pte d'Orléans* |
| 4 | Couperin (sq.) | L8 | des Barres 16,26 |  | *Hôtel de Ville* |
| 20 | Courat | Q8 | des Orteaux, 73 | St Blaise, 46b | *Maraîchers* |
| 8-17 | Courcelles (bd de) | G4 | du Rocher, 101 | pl. des Ternes, 6 | *Villiers* |
| 8 | impairs 8e | G4 | de 48 à 60 |  | *Monceau* |
| 17 | pairs 17e | F4 | de 35 à 94 |  | *Courcelles* |
| 8 | Courcelles (de) | G5 | La Boétie, 68 | Levallois-Perret | *St-Ph.-du-Roule* |
| 17 |  | F4 | de 1 à 77 et de 2 à 94, 8e |  | *Courcelles* |
|  |  | F3 | de 79 et 96 à la fin, 17e |  | *Pereire* |
| 20 | Cour des Noues (de la) | P7 | Pelleport, 31 | des Pyrénées, 819 | *Gambetta* |
| 15 | Cournot | E11 | de Javel, 187 | en impasse | *Convention* |
| 20 | Couronnes (des) | O6 | bd de Belleville, 58 | Envierges, 58 | *Couronnes* |
| 1 | Courtalon | K7 | St Denis, 21 | St Opportune, 4 | *Châtelet* |
| 12 | Courteline (av.) | R10 | bd Soult | St Mandé | *St-Mandé-Tourelle* |
| 12 | Courteline (sq.) | Q10 | av. St Mandé | bd de Picpus | *Picpus* |

| Ar. | Rues | Plan | Commençant | Finissant | Métro |
|---|---|---|---|---|---|
| 11 | Courtois (pass.) | O8 | Léon Frot | Folie-Regnault, 18 | *Charonne* |
| 7 | Courty (de) | H7 | bd St Germain, 239 | de l'Université, 106 | *Ass. Nationale* |
| 18 | Coustou | I3 | bd Clichy, 68 | Lepic, 14 | *Blanche* |
| 4 | Coutellerie (de la) | K8 | de Rivoli, 33 | av. Victoria, 6 | *Hôtel de Ville* |
| 3 | Coutures St Gervais | N7 | de Thorigny, 7 | Vieille-du-Temple, 96 | *St-Séb.-Froissard* |
| 11 | Couvent (cité du) | O8 | de Charonne | | *Charonne* |
| 13 | Coypel | L12 | bd de l'Hôpital, 142 | av. des Gobelins, 71 | *Place d'Italie* |
| 18 | Coysevox | I2 | Etex, 8 | Marcadet, 295 | *Guy Môquet* |
| 6 | Crébillon | J9 | de Condé, 17 | pl. de l'Odéon, 4 | *Odéon* |
| 17 | Crèche (de la) | G3 | de Saussure | | *Rome* |
| 13 | Crédit Lyonnais (imp. du) | K14 | Amiral Mouchez, 95 | | *Cité Universit.* |
| 12 | Crémieux | M9 | de Bercy, 230 | de Lyon, 21 | *Gare de Lyon* |
| 12 | Crépier (cour) | O11 | St Estèphe | v. de la Garonne | *Bercy* |
| 11 | Crespin du Gast | N6 | Oberkampf, 146 | pass. de Ménilmontant, 19 | *Ménilmontant* |
| 9 | Cretet | J4 | Bochart de Saron, 7 | Lallier, 10 | *Anvers* |
| 16 | Crevaux | D5 | av. Bugeaud, 32 | Foch, 63 | *Victor-Hugo* |
| 4 | Crillon | M9 | bd Morland, 6 | de l'Arsenal, 6 | *Arsenal* |
| 19 | Crimée (pass. de) | N2 | de Crimée, 221 | Curial, 52 | *Crimée* |
| 19 | Crimée (de) | O4 | des Fêtes, 27 | d'Aubervilliers, 182 | *Place des Fêtes* |
| | 35-88 | O4 | | | *Botzaris* |
| | 79-155 | N3 | | | *Ourcq* |
| | 160-257 | N2 | | | *Crimée* |
| 20 | Crins (imp. des) | P8 | des Vignoles, 23 | | *Avron* |
| 20 | Cristino-Garcia | R9 | Maryse-Hilsz, 12 | de Lagny, 127 | *Pte de Vincennes* |
| 14 | Crocé-Spinelli | H11 | Vercingétorix, 63 | de l'Ouest, 82 | *Pernety* |
| 15 | Croisic (sq. du) | H10 | bd de Montparnasse, 12 | | *Duroc* |
| 2 | Croissant (du) | J6 | du Sentier, 15 | Montmartre, 148 | *Sentier* |
| 1 | Croix des Petits-Champs | J7 | St Honoré, 168 | pl. des Victoires, 3 | *Palais-Royal* |
| 11 | Croix Faubin | O8 | Folie Regnault, 7 | de la Roquette, 168 | *Voltaire* |
| 13 | Croix Jarry (de la) | N13 | Watt, 17 | Chemin-de-Fer Ceinture | *Pte d'Ivry* |
| 15 | Croix Nivert (de la) | F9-10 | pl. Cambronne, 3 | Vaugirard, 372 | *Cambronne* |
| | 155-166 | E10 | | | *Félix Faure* |
| | 188 à la fin | E11 | | | *Pte de Versailles* |
| 15 | Croix Nivert (villa) | F10 | Cx Nivert, 33 | Cambronne | *Cambronne* |
| 6 | Croix Rouge (carrefour) | I9 | de Sèvres, 2 | du Cherche-Midi, 2 | *Sèvres-Babylone* |
| 20 | Croix St Simon | Q8 | Maraîchers, 80 | bd Davout, 105 | *Maraîchers* |
| 15 | Cronstadt | F11 | de Vouillé, 2 | des Morillons, 51 | *Convention* |
| 19 | Cronstadt (villa de) | O4 | du Gal Brunet, 27 | Miguel Hidalgo | *Danube* |
| 13 | Croulebarbe | K12 | av. des Gobelins, 44 | Corvisart, 55 | *Gobelins* |
| | 28-29 | | | | *Corvisart* |
| 12 | Crozatier (imp.) | N9 | Crozatier, 47 | | *Reuilly-Diderot* |
| 12 | Crozatier | N10 | de Charenton, 153 | Fg St Antoine, 128 | *Reuilly-Diderot* |
| | 56-57 | N9 | | | *Ledru-Rollin* |
| 11 | Crussol (cité) | M7 | Oberkampf, 7 | en impasse | *Filles Calvaire* |
| 11 | Crussol (de) | M7 | bd du Temple, 4 | la Folie-Méricourt, 63 | *Filles Calvaire* |
| | 14-17 | | | | *Oberkampf* |

| Ar. | Rues | Plan | Commençant | Finissant | Métro |
|---|---|---|---|---|---|
| 18 | Cugnot | M2 | de Torcy | Boucry, 2 | *Marx Dormoy* |
| 5 | Cujas | K9 | pl. du Panthéon, 8 | bd St Michel, 51 | *Luxembourg* |
| 3 | Cunin-Gridaine | L6 | de Turbigo, 47 | St Martin, 252 | *Arts-et-Métiers* |
| 16 | Cure (de la) | C8 | Mozart, 64 | de l'Yvette, 4 | *Jasmin* |
| 18 | Curé (imp. du) | L2 | de la Chapelle, 9 | | *Marx Dormoy* |
| 19 | Curial | M2 | Riquet, 48b | de Cambrai, 11 | *Riquet* |
| | 88-89 | N1 | | | *Corentin-Cariou* |
| 17 | Curnonsky (av.) | F2 | Ladwig | Maurice Ravel | *Pereire* |
| 18 | Custine | K3 | bd Barbès, 35 | du Mont Cenis, 36 | *Château-Rouge* |
| 5 | Cuvier | L10 | quai St Bernard | Linné, 2 | *Jussieu* |
| 1 | Cygne (du) | K7 | bd Sébastopol, 57 | de Turbigo, 8b | *Etienne Marcel* |
| 15 | Cygnes (allée des) | D8 | pt de Bir-Hakeim | pt de Grenelle | *Passy* |
| 18 | Cyrano de Bergerac | J2 | Francœur, 14 | Marcadet, 117 | *Lamarck-Caulainc.* |

# D

| Ar. | Rues | Plan | Commençant | Finissant | Métro |
|---|---|---|---|---|---|
| 20 | Dagorno (pass.) | Q8 | des Haies, 102 | des Pyrénées, 103 | *Maraîchers* |
| 12 | Dagorno | P10 | de Picpus, 61 | bd de Picpus, 23 | *Bel-Air* |
| 14 | Daguerre | I11 | av. Gal Leclerc, 6 | av. du Maine, 111 | *Denfert-Rochereau* |
| 11 | Dahomey | O9 | St Bernard, 12 | Faidherbe, 13 | *Faidherbe-Chal.* |
| 2 | Dalayrac | J6 | Méhul, 4 | Monsigny, 2 | *Pyramides* |
| 13 | Dalloz | M13 | bd Masséna, 69 | Dupuy de Lome | *Pte d'Ivry* |
| 15 | Dalou | G10 | de Vaugirard, 171 | Falguière, 44 | *Pasteur* |
| 17 | Dames (des) 8-65 | I3 | av. de Clichy, 27 | de Lévis | *Place Clichy* |
| | 64 à la fin | H4 | | | *Villiers* |
| 13 | Damesme (imp.) | L13 | Damesme, 57 | | *Maison Blanche* |
| 13 | Damesme | L13 | de Tolbiac, 161 | bd Kellermann, 42 | *Tolbiac* |
| | 23-32 | | | | *Maison Blanche* |
| 2 | Damiette (de) | K6 | Forges, 1 | Aboukir, 96 | *Sentier* |
| 11 | Damoye (cour) | M8 | pl. de la Bastille, 12 | Daval, 10 | *Bastille* |
| 19 | Dampierre | O2 | pl. de l'Argonne | quai de la Gironde, 17 | *Corentin-Cariou* |
| 18 | Damrémont (villa) | J2 | Damrémont, 112 | | *Lamarck-Caulainc.* |
| 18 | Damrémont | I3 | de Maistre, 18 | Belliard | *Lamarck-Caulainc.* |
| | 135-136 | J2 | | | *Pte Clignancourt* |
| 18 | Dancourt | J4 | bd Rochechouart, 93 | pl. Charles Dullin, 2 | *Anvers* |
| 18 | Dancourt (villa) | J4 | bd Rochechouart | Dancourt | *Pigalle/Anvers* |
| 16 | Dangeau | C8 | Ribera, 32 | Mozart, 81 | *Jasmin* |
| 7 | Daniel Lesueur (av.) | H9 | bd des Invalides, 63 | | *Duroc* |
| 15 | Daniel Stern | E9 | pl. Dupleix, 20 | bd de Grenelle, 59 | *Dupleix* |
| 2 | Danielle Casanova | I6 | av. de l'Opéra, 31 | de la Paix, 4 | *Pyramides* |
| 1 | impairs | | | | |
| 5 | Dante | K9 | Galande, 45 | bd St Germain, 82 | *Maubert-Mutualité* |
| 6 | Danton | J8 | pl. St André-des-Arts | bd St Germain, 116 | *Odéon* |
| 15 | Dantzig (pass.) | F12 | de Dantzig, 48 | de la Saïda | *Convention* |
| 15 | Dantzig | F11 | de la Convention | bd Lefebvre, 93 | *Convention* |

| Ar. | Rues | Plan | Commençant | Finissant | Métro |
|---|---|---|---|---|---|
| 19 | **Danube (villa du)** | P4 | David d'Angers, 70 | de l'Egalité | *Danube* |
| 19 | **Danube (ham. du)** | P4 | du Gal Brunet | | *Danube* |
| 14 | **Danville** | I11 | Daguerre, 43 | Liancourt, 18 | *Denfert-Rochereau* |
| 8 | **Dany (imp.)** | H4 | du Rocher, 42 | | *St-Lazare* |
| 11 | **Darboy** | M6 | av. Parmentier, 132 | St Maur, 163 | *Goncourt* |
| 17 | **Darcet** | I3 | bd des Batignolles, 20 | des Dames, 25 | *Place Clichy* |
| 20 | **Darcy** | Q6 | du Surmelin, 51 | Haxo, 36 | *St-Fargeau* |
| 17 | **Dardanelles** | D4 | bd Pershing | bd de Dixmude | *Pte Maillot* |
| 14 | **Dareau (pass.)** | J12 | Dareau, 36 | de la Tombe-Issoire, 41 | *St-Jacques* |
| 14 | **Dareau** | J12 | bd St Jacques, 21 | av. René Coty | *St-Jacques* |
| 13 | **Darmesteter** | N13 | av. Boutroux | bd Masséna | *Pte d'Ivry* |
| 8 | **Daru** | F4 | Fg St Honoré, 256 | Courcelles, 77 | *Courcelles* |
| 18 | **Darwin** | J2 | des Saules, 27 | Fontaine du But, 6 | *Lamarck-Caulainc.* |
| 5 | **Daubenton** | L10 | Geoffroy St Hilaire, 37 | Mouffetard, 127 | *Censier-Daubenton* |
| 17 | **Daubigny** | G3 | Cardinet, 81 | Cernuschi, 6 | *Malesherbes* |
| 12 | **Daumesnil (av.)** | N10 | de Lyon, 32 | Poniatowski, 119 | *Gare de Lyon* |
| | **174-197** | P11 | | | *Daumesnil* |
| | **200-229** | P11 | | | *Michel Bizot* |
| | **259-264** | O11 | | | *Pte Dorée* |
| 12 | **Daumesnil (villa)** | P11 | av. Daumesnil | de Fécamp | *Michel Bizot* |
| 16 | **Daumier** | B11 | bd Murat, 179 | Claude Terrasse, 3 | *Pte de St Cloud* |
| 18 | **Daunay (pass.)** | I2 | av. Pte de St Ouen, 122 | av. de St Ouen, 126 | *Pte de St Ouen* |
| 2 | **Daunou** | I6 | Louis le Grand, 13 | bd des Capucines | *Opéra* |
| 6 | **Dauphine (pass.)** | J8 | Dauphine, 28 | Mazarine, 27 | *Odéon* |
| 1 | **Dauphine (pl.)** | J8 | Harlay, 2 | pl. du Pont-Neuf, 15 | *Pont-Neuf* |
| 6 | **Dauphine** | J8 | quai Gds Augustins, 61 | St André-des-Arts, 72 | *Odéon* |
| 17 | **Dautancourt** | I2 | av. de Clichy, 92 | Davy, 5 | *La Fourche* |
| 11 | **Daval** | M8 | bd Richard Lenoir, 14 | St Sabin | *Bréguet-Sabin* |
| 19 | **David d'Angers** | P4 | Manin, 24 | bd Sérurier, 119 | *Danube* |
| 14 | **David Weill (av.)** | I14 | bd Jourdan | av. A. Rivoire | *Cité Universit.* |
| 13 | **Daviel** | K12 | Barrault, 30 | de la Glacière, 99 | *Glacière* |
| 13 | **Daviel (villa)** | K13 | Daviel, 7 | | *Glacière* |
| 16 | **Davioud** | C8 | Mozart, 21 | de l'Assomption, 50 | *Ranelagh* |
| 20 | **Davout (bd)** | Q9 | c. Vincennes, 111 | de Bagnolet, 182 | *Pte de Vincennes* |
| | **227** | Q7 | | | *Pte de Bagnolet* |
| 17 | **Davy** | I2 | av. de St Ouen, 45 | Guy Môquet | *Brochant* |
| 17 | **Débarcadère (du)** | D4 | St Ferdinand, 34 | bd Pereire, 271 | *Pte Maillot* |
| 3 | **Debelleyme** | M7 | de Turenne, 85 | de Turenne, 113 | *St-Séb.-Froissard* |
| | **11-20** | | | | *Filles Calvaire* |
| 12 | **Debergue (cité)** | Q10 | Rendez-Vous, 28 | | *Picpus* |
| 19 | **Debidour (av.)** | P4 | bd Sérurier, 68 | en impasse | *Danube* |
| 11 | **Debille (cour)** | N8 | av. Ledru-Rollin | | *Voltaire* |
| 7-16 | **Debilly (passerelle)** | F7 | av. de New York | quai d'Orsay, 103 | *Alma-Marceau* |
| 16 | **Debilly (port)** | F7 | Pont de l'Alma | Pont d'Iéna | *Alma-Marceau* |
| 16 | **Debrousse** | F7 | av. de New York | av. Pr. Wilson, 5 | *Alma-Marceau* |
| 20 | **Debrousse (jardin)** | Q7 | de Bagnolet | des Balkans | *Pte de Bagnolet* |

| Ar. | Rues | Plan | Commençant | Finissant | Métro |
|---|---|---|---|---|---|
| 16 | **Decamps** | D7 | de Longchamp, 7 | de la Pompe, 66 | *Rue de la Pompe* |
| 1 | **Déchargeurs (des)** | K7 | de Rivoli, 122 | des Halles, 15 | *Châtelet* |
| 14 | **Decrès** | G12 | de Gergovie, 36 | d'Alésia, 176 | *Plaisance* |
| 18 | **Défense (imp. de la)** | I3 | av. de Clichy, 22 | | *Place Clichy* |
| 16 | **Degas** | C9 | Félicien David | quai Louis Blériot | *Eglise d'Auteuil* |
| 2 | **Degrés (des)** | K6 | de Cléry, 89 | Beauregard, 52 | *Strasb.-St-Denis* |
| 11 | **Deguerry** | N6 | av. Parmentier, 128 | St Maur, 161 | *Goncourt* |
| 18 | **Dejean** | K6 | Poissonniers, 23 | Poulet, 26 | *Château-Rouge* |
| 20 | **Delaître** | O6 | des Panoyaux, 47 | Ménilmontant, 44 | *Ménilmontant* |
| 17 | **Delaizemant** | D3 | bd Victor Hugo | Cino del Duca | *Louise Michel* |
| 14 | **Delambre** | I10 | bd Montparnasse, 108 | Montparnasse, 69 | *Edgar-Quinet* |
| 14 | **Delambre (sq.)** | I10 | Delambre, 19 | bd Edgar Quinet, 30 | *Edgar-Quinet* |
| 10 | **Delanos (pass.)** | L4 | d'Alsace, 25 | Fg St Denis, 14 | *Gare de l'Est* |
| 11 | **Delaunay (cité)** | P8 | Charonne, 176 | | *Alexandre Dumas* |
| 11 | **Delaunay (imp.)** | O8 | de Charonne, 125 | | *Charonne* |
| 14 | **Delbet** | H12 | d'Alésia, 149 | Jacquier, 28 | *Alésia* |
| 8 | **Delcassé (av.)** | G5 | Penthièvre, 24 | La Boétie, 37 | *Miromesnil* |
| 15 | **Delecourt (av.)** | E10 | Violet, 65 | | *Commerce* |
| 11 | **Delépine (cour)** | N8 | de Charonne, 35 | | *Ledru-Rollin* |
| 11 | **Delépine (imp.)** | O8 | Léon Frot, 2 | bd Voltaire, 197 | *Charonne* |
| 16 | **Delessert (bd)** | D7 | Le Nôtre | de l'Alboni, 10 | *Passy* |
| 10 | **Delessert (pass.)** | M4 | quai de Valmy, 165 | Pierre Dupont, 8 | *Château-Landon* |
| 19 | **Delesseux** | O3 | des Ardennes, 16 | Adolphe Mille, 13 | *Ourcq* |
| 17 | **Deligny (imp.)** | H1 | pass. Pouchet, 85 | | *Pte de St Ouen* |
| 13 | **Deloder (villa)** | L13 | Vistule, 21 | | *Maison Blanche* |
| 19 | **Delouvain** | O5 | de la Villette, 18 | Lassus, 13 | *Botzaris/Jourdain* |
| 9 | **Delta (du)** | K4 | Fg Poissonnière, 192 | Rochechouart, 84 | *Barbès-Rochech.* |
| 10 | **Demarquay** | L4 | de l'Aqueduc, 25 | Fg St Denis, 192 | *Gare du Nord* |
| 10 | **Denain (bd)** | L4 | bd Magenta, 114 | Dunkerque, 23 | *Gare du Nord* |
| 14 | **Denfert-Rochereau (av.)** | J11 | av. de l'Observatoire | pl. Denfert-Rochereau | *Denfert-Rochereau* |
| 14 | **Denfert-Rochereau (pl.)** | J11 | bd Raspail, 301 | av. du Gal Leclerc, 2 | *Denfert-Rochereau* |
| 17 | **Denis Poisson** | E5 | av. de la Gde-Armée, 52 | pl. St Ferdinand, 35 | *Argentine* |
| 20 | **Dénoyez** | N5 | Ramponeau, 5 | de Belleville, 8 | *Belleville* |
| 7 | **Denys Cochin (pl.)** | G8 | av. de Lowendal | av. de Tourville | *Ecole Militaire* |
| 17 | **Déodat de Séverac** | G3 | Tocqueville | Jouffroy | *Malesherbes* |
| 18 | **Depaquit (pass.)** | I3 | Caulaincourt, 24 | Lepic | *Blanche* |
| 14 | **Deparcieux** | I11 | Froidevaux, 51 | en impasse | *Denfert-Rochereau* |
| 14 | **Départ (du)** | H10 | bd Montparnasse, 68 | av. du Maine, 41 | *Montparnasse* |
| 19 | **Département, 1-121** | M3 | de Tanger, 9 | Marx Dormoy, 36 | *Stalingrad* |
| 18 | **24-61** | L3 | de 20 à 21 à la fin, 19e | | *Pte la Chapelle* |
| 15 | **Desaix** | E8 | av. de Suffren, 38 | bd de Grenelle, 47 | *Dupleix* |
| 15 | **Desaix (sq.)** | E8 | bd de Grenelle, 33 | en impasse | *Dupleix* |
| 11 | **Desargues** | N6 | de l'Orillon, 22 | Fontaine-au-Roi | *Belleville* |
| 16 | **Desaugiers** | B9 | d'Auteuil, 11 | du Buis, 8 | *Eglise d'Auteuil* |
| 13 | **Desault** | N14 | de la Pte de Vitry | Ivry | *Pte d'Ivry* |
| 16 | **Desbordes-Valmore** | D7 | de la Tour, 75 | Faustin-Hélie, 8 | *La Muette* |

| Ar. | Rues | Plan | Commençant | Finissant | Métro |
|---|---|---|---|---|---|
| 5 | **Descartes** . . . . . . . . . . . . . | K10 | M. Ste Geneviève, 41. . . . | Thouin, 10 . . . . . . . . . . . | *Cardinal Lemoine* |
| 17 | **Descombes** . . . . . . . . . . . . | E3 | Guillaume Tell, 9 . . . . . . . | av. de Villiers, 145. . . . . . | *Pte de Champerret* |
| 12 | **Descos** . . . . . . . . . . . . . . . | O10 | Charenton, 187 . . . . . . . . | av. Daumesnil, 130 . . . . . | *Dugommier* |
| 7 | **Desgenettes** . . . . . . . . . . . | G7 | quai d'Orsay, 47 . . . . . . . . | de l'Université, 146 . . . . . | *Latour-Maubourg* |
| 19 | **Desgrais (pass.)** . . . . . . . . . | N2 | Curial, 36 . . . . . . . . . . . . | Mathis, 34. . . . . . . . . . . . | *Crimée* |
| 14 | **Deshayes (villa)** . . . . . . . . . | H13 | Didot, 109. . . . . . . . . . . . | en impasse. . . . . . . . . . . | *Plaisance* |
| 10 | **Désir (pass. du)** . . . . . . . . . | L5 | Fg St Martin, 89. . . . . . . . | Fg St Denis, 86 . . . . . . . . | *Château-d'Eau* |
| 18 | **Désiré Ruggieri** . . . . . . . . . | J2 | Ordener, 168. . . . . . . . . . . | Championnet, 167 . . . . . . | *Pte de St Ouen* |
| 20 | **Désirée** . . . . . . . . . . . . . . . | O7 | des Partants, 24. . . . . . . . | av. Gambetta, 33. . . . . . . | *Gambetta* |
| 15 | **Desnouettes** . . . . . . . . . . . | E11 | de Vaugirard, 352 . . . . . . | bd Victor, 27. . . . . . . . . . | *Convention* |
| 15 | **Desnouettes (sq.)**. . . . . . . . | D11 | Desnouettes, 90. . . . . . . . | . . . . . . . . . . . . . . . . . . . | *Pte de Versailles* |
| 16 | **Despréaux (av.)** . . . . . . . . . | B10 | Boileau, 38 . . . . . . . . . . . | av. Molière . . . . . . . . . . . | *M.-Ange-Molitor* |
| 14 | **Desprez**. . . . . . . . . . . . . . . | H11 | Vercingétorix, 8. . . . . . . . | de l'Ouest, 100 . . . . . . . . | *Pernety* |
| 7 | **Dessous de l'Esplanade** . . . | G7 | Fabert. . . . . . . . . . . . . . . | . . . . . . . . . . . . . . . . . . . | *Invalides* |
| 13 | **Dessous-des-Berges (du)** . . | N13 | Regnault, 48 . . . . . . . . . . | de Domrémy, 25 . . . . . . . | *Pte d'Ivry* |
| | **74-99**. . . . . . . . . . . . . . . | M12 | . . . . . . . . . . . . . . . . . . . | . . . . . . . . . . . . . . . . . . . | *Chevaleret* |
| 6 | **Deux-Anges (imp. des)** . . . . | I8 | St Benoît, 6. . . . . . . . . . . | . . . . . . . . . . . . . . . . . . . | *St-Germ.-des-Prés* |
| 13 | **Deux-Avenues (des)**. . . . . . | L12 | av. de Choisy, 159 . . . . . . | av. d'Italie, 33 . . . . . . . . . | *Tolbiac* |
| 1 | **Deux-Boules (des)** . . . . . . . | K7 | Lav. Ste Opportune, 1 . . . | Bert. Poirée, 20 . . . . . . . . | *Châtelet* |
| 17 | **Deux-Cousins (imp. des)**. . . | E3 | l'Héliopolis, 13. . . . . . . . . | . . . . . . . . . . . . . . . . . . . | *Pte de Champerret* |
| 1 | **Deux-Ecus (pl. des)**. . . . . . . | J7 | du Louvre, 11 . . . . . . . . . | J.-J. Rousseau, 22 . . . . . . | *Louvre* |
| 10 | **Deux-Gares (des)**. . . . . . . . | L4 | d'Alsace, 31 . . . . . . . . . . | Fg St Denis, 154 . . . . . . . | *Gare de l'Est* |
| 18 | **Deux-Nèthes (imp.)** . . . . . . | I3 | av. de Clichy, 30 . . . . . . . | . . . . . . . . . . . . . . . . . . . | *Place Clichy* |
| 1 | **Deux Pavillons (pass. des)** . | J6 | Beaujolais, 6 . . . . . . . . . . | Petits-Champs, 5 . . . . . . . | *Bourse* |
| 4 | **Deux-Ponts (des)**. . . . . . . . | L9 | quai de Béthune, 38. . . . . | quai d'Anjou, 43 . . . . . . . | *Pont-Marie* |
| 9 | **Deux-Sœurs (pass. des)** . . . | J5 | Fg Montmartre, 42. . . . . . | La Fayette, 58 . . . . . . . . . | *Cadet* |
| 20 | **Devéria** . . . . . . . . . . . . . . . | P5 | Pelleport, 148 . . . . . . . . . | Télégraphe, 23 . . . . . . . . | *Télégraphe* |
| 20 | **Dhuys (de la)** . . . . . . . . . . . | Q6 | Etienne Marey. . . . . . . . . | Surmelin, 34 . . . . . . . . . . | *Pelleport* |
| 9 | **Diaghilev (pl.)**. . . . . . . . . . . | I5 | bd Haussmann . . . . . . . . | Scribe . . . . . . . . . . . . . . | *Chaussée-d'Antin* |
| 19 | **Diane de Poitiers (all.)** . . . . | N5 | de Belleville . . . . . . . . . . | Rébeval . . . . . . . . . . . . . | *Belleville* |
| 18 | **Diard**. . . . . . . . . . . . . . . . . | J2 | Marcadet, 127. . . . . . . . . | Francœur, 18 . . . . . . . . . . | *Lamarck-Caulainc.* |
| 12 | **Diderot (bd) 20-21** . . . . . . . | M10 | quai de la Râpée, 94 . . . . | pl. de la Nation, 4 . . . . . . | *Gare de Lyon* |
| | **57-90**. . . . . . . . . . . . . . . | N9 | . . . . . . . . . . . . . . . . . . . | . . . . . . . . . . . . . . . . . . . | *Reuilly-Diderot* |
| | **99-146**. . . . . . . . . . . . . . | O9 | . . . . . . . . . . . . . . . . . . . | . . . . . . . . . . . . . . . . . . . | *Nation* |
| 12 | **Diderot (cour)** . . . . . . . . . . | N10 | de Bercy. . . . . . . . . . . . . | de Chalon. . . . . . . . . . . . | *Gare de Lyon* |
| 14 | **Didot**. . . . . . . . . . . . . . . . . | H12 | du Château, 146 . . . . . . . | bd Brune, 55. . . . . . . . . . | *Pernety* |
| 16 | **Dietz Monnin (villa)** . . . . . . | B10 | villa Cheysson, 12 . . . . . . | Parent de Rosan . . . . . . . | *Exelmans* |
| 20 | **Dieu (pass.)** . . . . . . . . . . . . | Q8 | des Haies, 107. . . . . . . . . | des Orteaux, 48. . . . . . . . | *Maraîchers* |
| 10 | **Dieu** . . . . . . . . . . . . . . . . . | M6 | Beaurepaire, 14. . . . . . . . | quai Valmy, 55 . . . . . . . . | *République* |
| 13 | **Dieudonné-Costes**. . . . . . . . | M14 | av. Pte d'Ivry, 43 . . . . . . . | E. Levassor. . . . . . . . . . . | *Pte d'Ivry* |
| 13 | **Dieulafoy**. . . . . . . . . . . . . . | L13 | Dr Leray, 6 . . . . . . . . . . . | Henri-Pape, 17 . . . . . . . . | *Tolbiac* |
| 12 | **Dijon (de)**. . . . . . . . . . . . . . | O11 | quai de Bercy . . . . . . . . . | de Bercy, 40 . . . . . . . . . . | *Dugommier* |
| 13 | **Disque (du)** . . . . . . . . . . . . | M13 | av. d'Ivry . . . . . . . . . . . . | Javelot. . . . . . . . . . . . . . | *Tolbiac* |
| 6 | **Dix-huit-juin-40 (pl. du)** . . . | H10 | bd Montparnasse, 71 . . . . | de Rennes, 2. . . . . . . . . . | *Montparnasse* |
| 17 | **Dixmude (bd de)**. . . . . . . . . | D4 | av. Pte de la Villette. . . . . | bd d'Aurelle de Paladines . | *Pte Maillot* |
| 17 | **Dobropol (du)**. . . . . . . . . . . | D4 | bd Gouvion St Cyr. . . . . . | bd de Dixmude . . . . . . . . | *Pte de Champerret* |

| Ar. | Rues | Plan | Commençant | Finissant | Métro |
|---|---|---|---|---|---|
| 10 | **Dr Alfred Fournier (pl.)** | M5 | Bichat | av. Richerand | *J. Bonsergent* |
| 12 | **Dr Antoine Béclère (pl.)** | N9 | Fg St Antoine, 182 | | *Faidherbe-Chal.* |
| 12 | **Dr Arnold Netter (av.)** | Q10 | du Sahel | c. de Vincennes | *Pte de Vincennes* |
| 18 | **Dr Babinski** | I1 | av. Pte de St Ouen | av. Pte Montmartre | *Pte de St Ouen* |
| 16 | **Dr Blanche (du)** | B8 | de l'Assomption, 89 | Raffet, 16 | *Jasmin* |
| 16 | **Dr Blanche (sq. du)** | B9 | Dr Blanche, 53 | | *Jasmin* |
| 13 | **Dr Bourneville** | L14 | bd Kellermann | av. Pte d'Italie | *Pte d'Italie* |
| 7 | **Dr Brouardel (av. du)** | E8 | allées Thomy-Thierry | av. de Suffren, 35 | *Dupleix* |
| 15 | **Dr Calmette (sq. du)** | F12 | bd Lefebvre, 80 | av. A. Bartholomé | *Pte de Vanves* |
| 13 | **Dr Charles Richet** | M12 | Jeanne-d'Arc | Nationale | *Nationale* |
| 20 | **Drs Dejerine (des)** | R8 | sq. Gascogne, 7 | Eugène Reiz, 4 | *Pte de Montreuil* |
| 17 | **Dr Fél. Lobligeois (pl.)** | H3 | Legendre | Batignolles | *Rome* |
| 15 | **Dr Finlay (du)** | E9 | quai de Grenelle, 27 | bd de Grenelle, 54 | *Dupleix* |
| 16 | **Dr Germain Sée** | D8 | av. du Pr Kennedy | Raynouard | *Passy* |
| 20 | **Dr Gley (av. du)** | Q5 | av. Pte des Lilas | limite des Lilas | *Pte des Lilas* |
| 12 | **Dr Goujon (du)** | P10 | bd Reuilly, 55 | de Picpus | *Daumesnil* |
| 20 | **Dr Grancher (sq. du)** | P6 | Westermann | Villiers-l'Isle-Adam | *Gambetta* |
| 16 | **Dr Hayem (pl. du)** | C8 | Boulainvilliers | La Fontaine | *Ranelagh* |
| 17 | **Dr Heulin (du)** | H2 | av. de Clichy, 102 | Davy, 19 | *La Fourche* |
| 8 | **Dr Jacques Bertillon (imp.)** | F6 | Pierre-Ier-de-Serbie | | *Alma-Marceau* |
| 15 | **Dr Jacquemaire Clémenceau** | F10 | Mademoiselle | Jean Formigé | *Vaugirard* |
| 20 | **Dr Labbé (du)** | Q6 | bd Mortier | en impasse | *St-Fargeau* |
| 19 | **Dr Lamaze (du)** | M3 | Riquet, 30 | | *Riquet* |
| 8 | **Dr Lancereaux** | G5 | av. de Messine, 11 | Courcelles, 34 | *Miromesnil* |
| 13 | **Dr Landouzy** | L13 | Dr Leray | des Peupliers, 27 | *Maison Blanche* |
| 14 | **Dr Lannelongue** | I14 | av. A. Rivoire | Emile Faguet | *Pte d'Orléans* |
| 13 | **Dr Laurent (du)** | L13 | av. d'Italie, 102 | Damesme, 5 | *Tolbiac* |
| 13 | **Dr Lecène (du)** | L13 | Dr Tuffier | Dr Landouzy | *Maison Blanche* |
| 13 | **Dr Leray (du)** | L13 | Damesme | des Peupliers | *Maison Blanche* |
| 13 | **Dr Lucas Championnière** | L13 | Dr Leray, 17 | Damesme, 42 | *Maison Blanche* |
| 13 | **Dr Magnan** | L13 | av. de Choisy | Ch. Moureu | *Tolbiac* |
| 13 | **Dr Navarre (pl. du)** | M12 | Nationale | B. Renard | *Nationale* |
| 20 | **Dr Paquelin (du)** | Q6 | av. Gambetta, 66 | E. Lefèvre, 7 | *Pelleport* |
| 17 | **Dr Paul Brousse** | H2 | La Jonquière, 94 | bd Bessières, 91 | *Pte de Clichy* |
| 16 | **Dr Paul Michaux (pl.)** | A11 | av. Parc des Princes | | *Pte de St Cloud* |
| 19 | **Dr Potain** | P5 | Belleville, 253 | Bois, 18 | *Télégraphe* |
| 15 | **Dr Roux** | G10 | bd Pasteur, 36 | Volontaires, 40 | *Pasteur* |
| 13 | **Dr Tuffier (du)** | L13 | des Peupliers | Damesme | *Maison Blanche* |
| 20 | **Dr Variot (sq. du)** | Q5 | bd Mortier | av. Gambetta | *Pte des Lilas* |
| 13 | **Dr Victor Hutinel** | M12 | Jeanne-d'Arc | Nationale | *Nationale* |
| 13 | **Dr Yersin (pl. du)** | M14 | bd Masséna | Ivry | *Pte d'Ivry* |
| 16 | **Dode-de-la-Brunerie (av.)** | B11 | av. Marcel Doret | av. Georges Lafont | *Pte de St Cloud* |
| 17 | **Doisy (pass.)** | E4 | d'Armaillé, 18b | av. des Ternes, 55 | *Ternes* |
| 5 | **Dolomieu** | K10 | de la Clef, 45 | Monge, 77b | *Monge* |
| 5 | **Domat** | K9 | des Anglais, 10 | Dante, 7 | *Maubert-Mutualité* |
| 15 | **Dombasle (imp.)** | F11 | Dombasle, 58 | | *Convention* |

| Ar. | Rues | Plan | Commençant | Finissant | Métro |
|---|---|---|---|---|---|
| 15 | Dombasle (pass.) | F11 | Abbé Groult, 128 | de la Convention | *Convention* |
| 15 | Dombasle | F11 | Vaugirard, 355 | Convention, 252 | *Convention* |
| 16 | Dôme (du) | E5 | Lauriston, 24 | Victor Hugo, 27 | *Ch. de Gaulle-Et.* |
| 13 | Domrémy | M12 | Chevaleret, 109 | Jean Colly | *Chevaleret* |
| | 53-64 | | | | *Pte d'Ivry* |
| 16 | Donizetti | B9 | d'Auteuil, 6 | Poussin, 9 | *M.-Ange-Molitor* |
| 17 | Dordogne (sq. de la) | F3 | bd Berthier | | *Pereire* |
| 19 | Dorées (sente des) | P3 | Petit, 99 | | *Pte de Pantin* |
| 12 | Dorian (av.) | P9 | de Picpus, 9 | pl. de la Nation, 4 | *Nation* |
| 12 | Dorian | P9 | de Picpus, 14 | Pierre-Bourdan | *Nation* |
| 16 | Dosne | D6 | de la Pompe, 163 | av. Bugeaud, 27 | *Victor-Hugo* |
| 9 | Douai (de) 22-23 | I4 | Pigalle, 65 | de Clichy, 7 | *Blanche* |
| | 62-71 | | | | *Place Clichy* |
| 14 | Douanier Rousseau | I13 | du Père Corentin | de la Tombe-Issoire | *Pte d'Orléans* |
| 17 | Douaumont (bd du fort de) | G2 | bd F. de Vaux | av. Pte de Clichy | *Pte de Clichy* |
| 5-4 | Double (pont au) | K8 | quai de l'Archêché | quai Montebello | *Cité* |
| 18 | Doudeauville | L3 | Marx Dormoy, 59 | Clignancourt, 62 | *Marx Dormoy* |
| 6 | Dragon (du) | I8 | bd St Germain, 163 | Grenelle, 2 | *St-Germ.-des-Prés* |
| 11 | Dranem | N6 | imp. Gaudelet | en impasse | *Ménilmontant* |
| 17 | Dreux (de) | D4 | pl. de Verdun | Neuilly | *Pte Maillot* |
| 18 | Drevet | J3 | Trois-Frères, 32 | Gabrielle, 21 | *Abbesses* |
| 12 | Driancourt (pass.) | N9 | de Cîteaux, 35 | Crozatier, 60 | *Faidherbe-Chal.* |
| 16 | Droits de l'Homme (pl. des) | E7 | Jardin du Trocadéro | | *Trocadéro* |
| 9 | Drouot | J5 | bd Montmartre | Lafayette, 50 | *Richelieu-Drouot* |
| | 9-12 | | | | *Le Peletier* |
| 12 | Druinot (imp.) | N9 | de Cîteaux, 45 | | *Faidherbe-Chal.* |
| 10 | Dubail (pass.) | L5 | Fg St Martin, 120 | des Vinaigriers, 50 | *Gare de l'Est* |
| 16 | Duban | D8 | pl. Chopin | pl. de Passy, 5 | *La Muette* |
| 8 | Dublin (pl. de) | H14 | de Moscou | | *Liège* |
| 19 | Dubois (pass.) | N3 | Petit, 40 | en impasse | *Laumière* |
| 20 | Dubourg (cité) | P7 | Stendhal, 52 | des Prairies, 57 | *Gambetta* |
| 12 | Dubrunfaut | O11 | bd Reuilly, 5 | av. Daumesnil, 148 | *Dugommier* |
| 18 | Duc | J2 | Hermel, 29 | Duhesme, 52 | *Jules Joffrin* |
| 13 | Duchefdelaville (imp.) | M12 | Duchefdelaville | | *Chevaleret* |
| 13 | Duchefdelaville | M12 | Chevaleret, 155 | Dunois, 32 | *Chevaleret* |
| 14 | Du Couédic | I12 | av. René Coty | av. du Gal Leclerc, 45 | *Mouton-Duvernet* |
| 11 | Dudouy (pass.) | N7 | St Maur, 50 | Servan, 59 | *St-Maur* |
| 20 | Duée (pass. de la) | P6 | de la Duée, 17 | Pixérécourt, 28 | *Gambetta* |
| 20 | Duée (de la) | P5 | Pixérécourt, 10 | Pelleport, 129 | *Gambetta* |
| 16 | Dufrénoy | C6 | av. Victor Hugo, 182 | bd Lannes, 37 | *Rue de la Pompe* |
| 16 | Dufresne (villa) | B11 | bd Murat, 153 | Claude Terrasse, 39 | *Pte de St Cloud* |
| 12 | Dugommier | O11 | bd de Reuilly, 5 | av. Daumesnil, 154 | *Dugommier* |
| 6 | Duguay-Trouin | I9 | d'Assas, 56 | de Fleurus, 19 | *St-Placide* |
| 15 | Duguesclin (pass.) | F9 | Dupleix, 16 | de Presle, 11 | *Dupleix* |
| 15 | Duguesclin | F9 | de Presle, 17 | Dupleix, 22 | *Dupleix* |
| 18 | Duhesme (pass.) | K1 | Mont Cenis, 108 | Championnet, 44 | *Pte Clignancourt* |

| Ar. | Rues | Plan | Commençant | Finissant | Métro |
|---|---|---|---|---|---|
| 18 | **Duhesme** | J2 | Lamarck, 94 | pass. Duhesme, 6 | *Lamarck-Caulainc.* |
| | **64-65** | J2 | | | *Jules Joffrin* |
| | **100-115** | K2 | | | *Simplon* |
| 15 | **Dulac** | H10 | Vaugirard, 159 | Falguière, 24 | *Falguière* |
| 20 | **Dulaure** | Q6 | bd Mortier | le Vau | *Pte de Bagnolet* |
| 17 | **Dulong** | H3 | des Dames, 86 | Cardinet, 142 | *Rome* |
| 11 | **Dumas (pass.)** | O9 | bd Voltaire, 215 | Voltaire, 22 | *Boulets-Montreuil* |
| 13 | **Duméril** | L11 | bd St Marcel, 43 | bd de l'Hôpital, 104 | *Campo-Formio* |
| 16 | **Dumont-d'Urville** | E6 | pl. des Etats-Unis, 14 | av. d'léna, 65 | *Kléber* |
| 19 | **Dunes (des)** | N5 | Lauzin, 10 | av. Simon Bolivar, 53 | *Belleville* |
| 10 | **Dunkerque (de)** | L4 | d'Alsace, 43 | bd Rochechouart, 30 | *Gare du Nord* |
| 9 | **de 1 à 47 et 2 à 36, 10e** | K4 | 38 et 51 à la fin, 9e | | *Anvers* |
| 13 | **Dunois** | M12 | de Domrémy, 32 | bd Vincent Auriol, 101 | *Chevaleret* |
| 13 | **Dunois (sq.)** | M12 | Dunois, 78 | | *Chevaleret* |
| 9 | **Duperré** | J4 | pl. Pigalle, 13 | de Douai, 22 | *Pigalle* |
| 3 | **Dupetit Thouars (c.)** | L6 | Dupetit Thouars, 14 | | *République* |
| 3 | **Dupetit Thouars** | L6 | de Picardie, 23 | du Temple, 160 | *République* |
| 1-8 | **Duphot** | I6 | St Honoré, 384 | bd Madeleine, 23 | *Madeleine* |
| 6 | **Dupin** | I9 | de Sèvres, 49 | du Cherche-Midi, 50 | *Sèvres-Babylone* |
| 16 | **Duplan (cité)** | D5 | Pergolèse, 12b | en impasse | *Pte Maillot* |
| 15 | **Dupleix (place)** | E9 | Dupleix, 26 | | *Dupleix* |
| 15 | **Dupleix** | F9 | av. de Suffren, 80 | bd de Grenelle, 83 | *Dupleix* |
| 11 | **Dupont (cité)** | N7 | St Maur, 52 | | *St-Maur* |
| 16 | **Dupont (villa)** | D5 | Pergolèse, 48 | | *Pte Maillot* |
| 20 | **Dupont de l'Eure** | P6 | av. Gambetta, 115 | Orfila, 104 | *Gambetta* |
| 7 | **Dupont des Loges** | F7 | Ed. Valentin, 9 | av. Bosquet, 16ter | *Ecole Militaire* |
| 3 | **Dupuis** | M6 | Dupetit Thouars, 4 | Béranger, 7 | *République* |
| 18 | **Dupuy (imp.)** | L3 | Ph. de Girard, 74b | | *Marx Dormoy* |
| 13 | **Dupuy de Lôme** | M14 | av. Pte d'Ivry | Péan | *Pte d'Ivry* |
| 6 | **Dupuytren** | J9 | Ecole de Médecine, 29 | M. le Prince, 7 | *Odéon* |
| 7 | **Duquesne (av.)** | G9 | av. de Tourville, 29 | Eblé, 6 | *St-Fr.-Xavier* |
| 12 | **Durance (de la)** | P11 | Brêche-aux-Loups, 27 | bd Reuilly, 26 | *Daumesnil* |
| 11 | **Duranti** | O7 | St Maur, 22 | Folie-Régnault, 59 | *Père-Lachaise* |
| 18 | **Durantin** | J3 | Ravignan, 1 | Lepic, 64 | *Abbesses* |
| 15 | **Duranton** | D11 | de Lourmel, 131 | Lecourbe, 276 | *Boucicaut* |
| 8 | **Duras (de)** | H6 | Fg St Honoré, 78 | Montalivet, 15 | *Ch.-Elysées-Clem.* |
| 18 | **Durel (cité)** | J1 | Leibniz, 20 | Jean Dollfus, 18 | *Pte de St Ouen* |
| 16 | **Duret** | E5 | Foch, 48 | Gde Armée | *Argentine* |
| 20 | **Duris** | O6 | Amandiers, 39 | Cendriers, 26 | *Père-Lachaise* |
| 20 | **Duris (pass.)** | O7 | Duris | | *Père-Lachaise* |
| 11 | **Durmar (cité)** | N6 | Oberkampf, 154 | | *Ménilmontant* |
| 7 | **Duroc** | G9 | bd des Invalides, 52 | pl. de Breteuil, 3 | *Duroc* |
| 14 | **Durouchoux** | I12 | Ch. Divry | av. du Maine, 171 | *Mouton-Duvernet* |
| 20 | **Dury-Vasselon (villa)** | Q5 | Belleville, 292 | | *Pte des Lilas* |
| 2 | **Dussoubs 1-3** | K6 | Tiquetonne, 24 | du Caire, 33 | *Etienne Marcel* |
| | **37-40** | | | | *Réaumur-Sébast.* |

| Ar. | Rues | Plan | Commençant | Finissant | Métro |
|---|---|---|---|---|---|
| 14 | Duthy (villa) | H12 | Didot, 99 | en impasse | *Plaisance* |
| 15 | Dutot | G11 | Volontaires | pl. d'Alleray, 5 | *Pasteur* |
| 8 | Dutuit (av.) | H6 | Cours-la-Reine | av. des Ch.-Elysées | *Ch.-Elysées-Clem.* |
| 19 | Duvergier | N3 | quai de la Seine, 79 | de Flandre, 86 | *Crimée* |
| 7 | Duvivier | G8 | de Grenelle, 159 | de la Motte-Picquet, 22 | *Ecole Militaire* |

# E

| Ar. | Rues | Plan | Commençant | Finissant | Métro |
|---|---|---|---|---|---|
| 16 | Eaux (pass. des) | D8 | Raynouard | Charles Dickens | *Passy* |
| 16 | Eaux (des) | D8 | av. Pr Kennedy, 18 | Charles Dickens | *Passy* |
| 11 | Eaux-Vives (pass.) | M7 | bd Richard Lenoir, 69 | | *Richard Lenoir* |
| 12 | Ebelmen | O10 | Montgallet, 21 | Ste Claire Deville | *Montgallet* |
| 7 | Eblé | G9 | bd des Invalides, 46 | av. de Breteuil, 39 | *Duroc* |
| 6 | Echaudé (de l') | J8 | de Seine, 40 | bd St Germain, 166 | *Mabillon* |
| 1 | Echelle (de l') | I7 | de Rivoli, 184 | av. de l'Opéra, 3 | *Pyramides* |
| 10 | Echiquier (de l') | K5 | Fg St Denis, 35 | Fg Poissonn., 18 | *Strasb.-St-Denis* |
| | 12-13 | | | | *Bonne Nouvelle* |
| 10 | Ecluses St Martin (des) | M5 | Grange-aux-Belles, 49 | quai Jemmapes, 148 | *Colonel Fabien* |
| 9 | Ecole (imp. de l') | J4 | de l'Agent-Bailly | | *N.-D. de Lorette* |
| 1 | Ecole (pl. de l') | J7-8 | quai du Louvre, 14 | de l'Arbre Sec | *Louvre* |
| 6 | Ecole de Médecine | J9 | bd St Michel, 26 | bd St Germain, 85 | *Odéon* |
| 7 | Ecole Militaire (pl.) | G8 | av. de la Motte-Picquet, 23 | Tourville | *Ecole Militaire* |
| 5 | Ecole Polytechnique | K9 | M. Ste Geneviève, 52 | Carmes, 21 | *Maubert-Mutualité* |
| 20 | Ecoles (cité des) | P6 | Villiers-l'Isle-Adam | Orfila, 11 | *Gambetta* |
| 5 | Ecoles (des) | K9 | Cardinal Lemoine, 32 | bd St Michel, 27 | *Cardinal Lemoine* |
| | 8-21 | | | | *Maubert-Mutualité* |
| 15 | Ecoliers (pass. des) | E10 | Violet, 75 | pass. des Entrepreneurs, 9 | *Commerce* |
| 5 | Ecosse (d') | K9 | de Lanneau, 5 | en impasse | *Maubert-Mutualité* |
| 4 | Ecouffes (des) | L8 | de Rivoli, 28 | des Rosiers, 23 | *St-Paul* |
| 16 | Ecriv. Combattants (sq.) | B7 | bd Suchet, 22 | Maréchal Maunoury, 21 | *La Muette* |
| 20 | Ecuyers (sentier des) | Q8 | Cr. St Simon, 10 | des Orteaux, 70 | *Maraîchers* |
| 19 | Edgar Poe | N5 | Barrelet de Ricou | R. et J. de Gourmont | *Buttes-Chaumont* |
| 14-15 | Edgar Quinet (bd) | I10 | bd Raspail, 232 | du Départ | *Raspail* |
| | 57-58 | | de 66 à la fin, 15e | | *Edgar-Quinet* |
| 19 | Edgar Varèse | O3 | Grande Halle | Adolphe Mille | *Pte de Pantin* |
| 8 | Edimbourg (d') | H4 | Rome, 59 | du Rocher, 70 | *Europe* |
| 13 | Edison (av.) | L12 | de Tolbiac | pl. d'Italie | *Place d'Italie* |
| 20 | Edith Piaf (pl.) | Q6 | Capitaine Ferber | Belgrand | *Pte de Bagnolet* |
| 16 | Edmond About | C7 | de Siam, 15 | bd Emile Augier, 48 | *Rue de la Pompe* |
| 13 | Edmond Flamand | M11 | bd Vincent Auriol | Fulton | *Quai de la Gare* |
| 13 | Edmond Gondinet | K12 | Corvisart, 54 | bd A. Blanqui, 70 | *Corvisart* |
| 15 | Edmond Guillout | G10 | Dalou, 12 | bd Pasteur, 47 | *Pasteur* |
| 4 | Edmond Michelet (pl.) | K7 | St Martin | Aubry-le-Boucher | *Rambuteau* |
| 15 | Edmond Roger | E10 | Violet, 62 | des Entrepreneurs, 67 | *Charles Michels* |
| 6 | Edmond Rostand (pl.) | J9 | de Médicis | bd St Michel | *Luxembourg* |

| Ar. | Rues | Plan | Commençant | Finissant | Métro |
|---|---|---|---|---|---|
| 14 | **Edmond Rousse** | H13 | bd Brune | av. Ernest Reyer | *Pte d'Orléans* |
| 7 | **Edmond Valentin** | F7 | av. Bosquet, 14 | av. Rapp, 23 | *Alma-Marceau* |
| 1 | **Edouard Colonne** | K8 | quai de la Mégisserie, 2 | av. Victoria, 23 | *Châtelet* |
| 17 | **Edouard Detaille** | G4 | Cardinet, 41 | av. de Villiers, 61 | *Wagram* |
| 16 | **Edouard Fournier** | C7 | bd J. Sandeau, 21 | Octave Feuillet, 24 | *Rue de la Pompe* |
| 14 | **Edouard Jacques** | H11 | R. Losserand, 23 | du Château, 139 | *Pernety* |
| 12 | **Edouard Lartet** | R11 | Gal Archinard | bd de la Guyane | *Pte Dorée* |
| 11 | **Edouard Lockroy** | N6 | av. Parmentier, 88ter | J.-P. Timbaud, 60 | *Parmentier* |
| 13 | **Edouard Manet** | L12 | Stéphen Pichon | bd de l'Hôpital, 159 | *Place d'Italie* |
| 19 | **Edouard Pailleron** | N4 | av. Simon Bolivar, 116 | Manin, 59 | *Bolivar* |
| 5 | **Edouard Quénu** | K11 | Claude Bernard | Mouffetard, 144 | *Censier-Daubenton* |
| 12 | **Edouard Renard (pl.)** | Q11 | bd Soult | av. A. Rousseau | *Pte Dorée* |
| 12 | **Edouard Robert** | P11 | Fécamp, 41b | Tourneux, 8 | *Michel Bizot* |
| 16 | **Edouard Vaillant (av.)** | A11 | Pte de St Cloud | av. Ferdinand Buisson | *Pte de St Cloud* |
| 20 | **Edouard Vaillant (sq.)** | P6 | av. Gambetta, 48 | de la Chine | *Gambetta* |
| 9 | **Edouard-VII (pl.)** | I5 | Edouard-VII | | *Opéra* |
| 9 | **Edouard-VII** | I6 | bd des Capucines, 18 | pl. Edouard-VII | *Opéra* |
| 8 | **Edward Tuck (av.)** | H6 | Cours-la-Reine | av. Dutuit | *Ch.-Elysées-Clem.* |
| 19 | **Egalité (de l')** | P4 | Mouzaïa, 57 | de la Fraternité | *Danube* |
| 4 | **Eginhard** | L8 | St Paul, 33 | Charlemagne, 6 | *St-Paul* |
| 15 | **Eglise (imp. de)** | E10 | de l'Eglise, 85 | | *Félix Faure* |
| 15 | **Eglise (de l')** | E10 | St Charles, 107 | av. Félix Faure, 6 | *Félix Faure* |
| 16 | **Eg. de l'Assomption (pl.)** | B8 | de l'Assomption, 106 | | *Ranelagh* |
| 12 | **Elie Faure** | R10 | av. Pte de Vincennes | du Chaffault | *St-Mandé-Tourelle* |
| 20 | **Elisa Borey** | O6 | des Amandiers, 62 | Sorbier, 30 | *Père-Lachaise* |
| 12 | **Elisa Lemonnier** | O10 | Dubrunfaut, 11 | av. Daumesnil, 136 | *Dugommier* |
| 7 | **Elisée Reclus (av.)** | F8 | Sil. de Sacy | E. Pouvillon | *Ecole Militaire* |
| 7 | **El-Salvador (pl.)** | G9 | av. Duquesne | av. de Breteuil | *St-Fr.-Xavier* |
| 8 | **Elysée (de l')** | H6 | av. Gabriel, 26 | Fg St Honoré, 49 | *Ch.-Elysées-Clem.* |
| 20 | **Elysée-Ménilmontant** | O6 | Julien Lacroix, 10 | en impasse | *Ménilmontant* |
| 8 | **Elysées-La Boétie (gal.)** | G6 | av. des Ch.-Elysées | La Boétie | *F.-D.-Roosevelt* |
| 8 | **Elysées-Rond Point (Gal.)** | G6 | av. des Ch.-Elysées | av. Fr.-D. Roosevelt | *F.-D.-Roosevelt* |
| 8 | **Elysées 26 (galerie)** | G6 | av. Ch.-Elysées | de Ponthieu | *F.-D.-Roosevelt* |
| 3 | **Elzévir** | L8 | Francs-Bourgeois, 24 | Parc-Royal, 19 | *St-Paul* |
| 19 | **Emélie (imp.)** | N3 | Crimée, 164 | | *Crimée* |
| 15 | **Emeriau** | E9 | Dr Finlay, 24 | Linois, 29 | *Charles Michels* |
| 7 | **Emile Acollas (av.)** | F9 | Jean Carriès | pl. Joffre | *La Motte-Picquet* |
| 17 | **Emile Allez** | E4 | bd Gouvion St Cyr, 31 | Roger Bacon, 5 | *Pte de Champerret* |
| 16 | **Emile Augier (bd)** | C7 | Ch. de la Muette, 12 | av. Henri Martin, 97 | *La Muette* |
| 16 | **Emile Bergerat (av.)** | C9 | av. Rect. Poincaré | av. Léopold-II | *Jasmin* |
| 18 | **Emile Bertin** | M1 | bd Ney | Ch. Hermite | *Pte la Chapelle* |
| 18 | **Emile Blémont** | J2 | du Poteau, 34 | A. Messager, 7 | *Jules Joffrin* |
| 17 | **Emile Borel** | H1 | Bois-le-Prêtre | en impasse | *Pte de St Ouen* |
| 18 | **Emile Chaine** | K2 | Poissonniers, 101 | Boinod, 24 | *Marcadet-Poiss.* |
| 12 | **Emile Cohl (sq.)** | Q10 | bd Soult | Jules Lemaître | *Pte de Vincennes* |
| 7 | **Emile Deschanel (av.)** | F8 | av. J. Bouvard | Savorg. de Brazza | *Ecole Militaire* |

| Ar. | Rues | Plan | Commençant | Finissant | Métro |
|---|---|---|---|---|---|
| 13 | **Emile Deslandres** | K11 | Berbier-du-Mets | Cordeliers | *Gobelins* |
| 19 | **Emile Desvaux** | P5 | Romainville, 17 | des Bois, 24 | *Pré-St-Gervais* |
| 14 | **E. Deutsch de la Meurthe** | J13 | Parc-Montsouris | bd Jourdan, 30 | *Cité Universit.* |
| 14 | **Emile Dubois** | J12 | Dareau, 18 | de la Tombe-Issoire, 25 | *St-Jacques* |
| 15 | **Emile Duclaux** | G10 | Blomet, 13 | Vaugirard, 184 | *Volontaires* |
| 18 | **Emile Duployé** | L3 | Stephenson, 53 | Marcadet, 3 | *Marcadet-Poiss.* |
| 14 | **Emile Faguet** | I14 | bd Jourdan | limite de Montrouge | *Pte d'Orléans* |
| 12 | **Emile Gilbert** | N9 | bd Diderot, 23 | Parot, 4 | *Gare de Lyon* |
| 18 | **Emile Goudeau (pl.)** | J3 | Ravignan | Abbesses | *Abbesses* |
| 20 | **Emile Landrin (pl.)** | P7 | Cour-des-Noues | Prairies | *Gambetta* |
| 20 | **Emile Landrin** | P7 | Rondeaux | pl. Emile Landrin | *Gambetta* |
| 12 | **Emile Laurent (av.)** | Q10 | bd Soult | bd Carnot | *Pte Dorée* |
| 11 | **Emile Lepeu** | O8 | Léon Frot | im. Car. Mainguet | *Charonne* |
| 13 | **Emile Levassor** | M14 | bd Masséna, 79 | | *Pte d'Ivry* |
| 17 | **Emile Level** | H2 | av. de Clichy, 172 | de la Jonquière | *Brochant* |
| 19 | **Emile Loubet (villa)** | P4 | Mouzaïa, 28 | Bellevue, 11 | *Botzaris* |
| 13 | **Emile Male (pl.)** | L10 | Poterne des Peupliers | | *Pte d'Italie* |
| 17 | **E. et Arm. Massar (av.)** | F3 | av. P. Adam, 18 | J. Bourdais | *Pte de Champerret* |
| 16 | **Emile Menier** | D6 | Ch. Lamour | Belles-Feuilles, 71 | *Victor-Hugo* |
| 16 | **Emile Meyer (villa)** | B10 | villa Cheysson | Parent-de-Rozan, 4 | *Exelmans* |
| 20 | **Emile Pierre Casel** | Q6 | Belgrand, 15 | Géo Chavez | *Pte de Bagnolet* |
| 7 | **Emile Pouvillon (av.)** | F8 | av. La Bourdonnais, 40 | A. Lecouvreur | *Ecole Militaire* |
| 19 | **Emile Reynaud** | O1 | bd de la Commanderie | av. Pte de la Villette | *Pte la Villette* |
| 14 | **Emile Richard** | I11 | bd Edgar Quinet | Froideveaux, 39 | *Raspail* |
| 15 | **Emile Zola (av.) 1-2** | D10 | Convention, 1 | Commerce, 38 | *Javel* |
| | **43-58** | D9 | | | *Charles Michels* |
| | **119-120** | E9 | | | *Emile Zola* |
| 15 | **Emile Zola (sq.)** | E9 | av. Emile Zola | en impasse | *Charles Michels* |
| 12 | **Emilio Castelar** | N9 | Traversière, 44 | Cotte, 11 | *Ledru-Rollin* |
| 17 | **Emm. Chabrier (sq.)** | G3 | sq. Cl. Debussy | en impasse | *Malesherbes* |
| 15 | **Emma. Chauvière** | D10 | Léontine | Gutenberg, 42 | *Javel* |
| 20 | **Emma. Fleury (sq.)** | R6 | Le Vau | | *Pte de Bagnolet* |
| 20 | **Emmery** | O5 | des Pyrénées, 30 | Rigoles, 37 | *Jourdain* |
| 19 | **Encheval (de l')** | O4 | de la Villette, 98 | Annelets, 37 | *Botzaris* |
| 15 | **Enfant Jésus (imp. de l')** | H10 | de Vaugirard, 140 | | *Pasteur* |
| 14 | **Enfer (pass. de l')** | I11 | Camp. Première | bd Raspail, 249 | *Raspail* |
| 10 | **Enghien (d')** | K5 | Fg St Denis, 47 | Fg Poissonnière, 22 | *Château-d'Eau* |
| | **14-15** | | | | *Bonne Nouvelle* |
| 15 | **Entrepreneurs (pass. des)** | E10 | Entrepreneurs, 89 | pl. du Commerce, 12 | *Commerce* |
| 15 | **Entrepreneurs (des)** | E10 | pl. Charles Michels | de la Cx-Nivert, 102 | *Charles Michels* |
| 15 | **Entrepreneurs (villa des)** | E10 | Entrepreneurs, 42 | en impasse | *Charles Michels* |
| 20 | **Envierges (des)** | O5 | Piat, 18 | Couronnes, 107 | *Pyrénées* |
| 5 | **Epée-de-Bois (de l')** | K10 | Monge, 98 | Mouffetard, 91 | *Censier-Daubenton* |
| 6 | **Eperon (de l')** | J8 | St André-des-Arts | bd St Germain, 1 | *Odéon* |
| 17 | **Epinettes (imp. des)** | H1 | Epinettes, 40 | | *Guy Môquet* |
| 14 | **Epinettes (pass. des)** | I10 | bd Montparnasse, 78 | en impasse | *Montparnasse* |

| Ar. | Rues | Plan | Commençant | Finissant | Métro |
|---|---|---|---|---|---|
| 17 | **Epinettes (des).** | **H1** | La Jonquière, 64 | bd Bessières, 39 | *Guy Môquet* |
| 17 | **Epinettes (pass. des)** | **H2** | Maria Deraismes | Jean Leclaire | *Guy Môquet* |
| 19 | **Equerre (de l')** | **N5** | Rébeval, 75 | Simon Bolivar, 25 | *Buttes-Chaumont* |
| 12 | **Erard (imp.)** | **O10** | Erard, 7 | | *Reuilly-Diderot* |
| 12 | **Erard** | **O10** | Charenton, 155 | Reuilly, 28 | *Reuilly-Diderot* |
| 5 | **Erasme** | **K10** | Rataud | Ulm | *Monge* |
| 18 | **Erckmann-Chatrian** | **K3** | Polonceau, 34 | Richomme, 9 | *Barbès-Rochech.* |
| 16 | **Erlanger (av.)** | **B9** | Erlanger, 5 | en impasse | *M.-Ange-Molitor* |
| 16 | **Erlanger** | **B9** | d'Auteuil, 67 | bd Exelmans | *M.-Ange-Molitor* |
| | **70-71** | **B10** | | | *Exelmans* |
| 16 | **Erlanger (villa)** | **B10** | Erlanger, 17 | en impasse | *M.-Ange-Molitor* |
| 16 | **Ermitage (av. de l')** | **B10** | av. Villa-de-la-Réunion, 18 | en impasse | *Chardon-Lagache* |
| 20 | **Ermitage (de l')** | **O6-P5** | Ménilmontant, 107 | Olivier Metra | *Ménilmontant* |
| 20 | **Ermitage (v. de l')** | **O6** | de l'Ermitage, 16 | des Pyrénées, 315 | *Ménilmontant* |
| 14 | **Ernest Cresson** | **I12** | av. du Gal Leclerc, 20 | Boulard, 33 | *Denfert-Rochereau* |
| 6 | **Ernest Denis (pl.)** | **J10** | bd Saint-Michel | av. de l'Observatoire | *Port-Royal* |
| 17 | **Ernest Gouin** | **H2** | Emile Level, 13 | Boulay | *Pte de Clichy* |
| 16 | **Ernest Hébert** | **B7** | bd Suchet, 12 | Maréchal Maunoury, 11 | *La Muette* |
| 12 | **Ernest Lacoste** | **Q11** | Picpus, 149 | bd Poniatowski, 103 | *Pte Dorée* |
| 12 | **Ernest Lavisse** | **Q10** | bd Soult | Albert Malet | *Pte de Vincennes* |
| 12 | **Ernest Lefébure** | **Q11** | bd Soult, 12 | A. Rousseau | *Pte Dorée* |
| 20 | **Ernest Lefèvre** | **Q6** | Surmelin, 17 | av. Gambetta, 88 | *Pelleport* |
| 7 | **Ernest Psichari** | **G8** | av. de la Motte-Picquet | cité Négrier | *Ecole Militaire* |
| 15 | **Ernest Renan** | **G10** | Lecourbe, 17 | Vaugirard, 176 | *Pasteur* |
| 15 | **Ernest Renan (av.)** | **E12** | pl. Pte de Versailles | Issy-les-Moulineaux | *Pte de Versailles* |
| 14 | **Ernest Reyer (av.)** | **H13** | av. Pte de Châtillon | pl. du 25-août-1944 | *Pte d'Orléans* |
| 17 | **Ernest Roche** | **H2** | Dr P. Brousse, 2 | Pouchet, 75 | *Pte de Clichy* |
| 13 | **Ernest et H. Rousselle** | **L13** | Damesme, 16 | Moulin des Prés, 67 | *Tolbiac* |
| 18 | **Ernestine** | **L3** | Doudeauville, 46 | Ordener, 29 | *Marcadet-Poiss.* |
| 19 | **Escaut (de l')** | **N2** | de Crimée, 229 | Curial, 60 | *Crimée* |
| 18 | **Esclangon** | **J1** | du Ruisseau, 104 | Letort, 49 | *Pte Clignancourt* |
| 12 | **Escoffier** | **P13** | quai de Bercy | de l'Entrepôt | *Pte de Charenton* |
| 13 | **Espérance (de l')** | **K13** | Butte-aux-Cailles, 29 | Barrault, 61 | *Corvisart* |
| 13 | **Esquirol** | **L11** | pl. Pinel, 12 | bd de l'Hôpital, 111 | *Nationale* |
| 5 | **Essai (de l')** | **L11** | bd St Marcel, 36 | Poliveau, 37 | *St-Marcel* |
| 20 | **Est (de l')** | **P6** | Pixérécourt, 11b | Pyrénées, 290 | *Jourdain* |
| 13 | **Este (villa d')** | **M13** | bd Masséna, 94 | av. d'Ivry | *Pte de Choisy* |
| 20 | **Esterel (sq. de l')** | **Q9** | bd Davout | sq. du Var | *Pte de Vincennes* |
| 9 | **Estienne-d'Orves (pl.)** | **I5** | de Clichy | Blanche | *Trinité* |
| 5 | **Estrapade (pl.)** | **J10** | Fossés St Jacques | Estrapade | *Luxembourg* |
| 5 | **Estrapade (de l')** | **K10** | Tournefort, 2 | Fossés St Jacques, 1 | *Monge* |
| 7 | **Estrées (d')** | **G9** | av. de Villars, 16 | pl. Fontenoy, 1 | *St-Fr.-Xavier* |
| 16 | **Etats-Unis (pl. des)** | **E6** | av. d'Iéna | Galilée, 20 | *Boissière* |
| 18 | **Etex** | **I3** | de Maistre, 46 | av. de St Ouen, 62 | *Guy Môquet* |
| 18 | **Etex (villa)** | **I2** | Etex, 12 | | *Guy Môquet* |
| 11 | **Etienne Delaunay (pass.)** | **P8** | Charonne, 172 | pass. du Bureau, 25 | *Alexandre Dumas* |

| Ar. | Rues | Plan | Commençant | Finissant | Métro |
|---|---|---|---|---|---|
| 20 | Etienne Dolet | O6 | bd de Belleville, 6 | Julien Lacroix, 3 | *Ménilmontant* |
| 18 | Etienne Jodelle | I3 | Pierre Ginier, 1 | av. de St Ouen, 12 | *La Fourche* |
| 1-2 | Etienne Marcel | K7 | bd Sébastopol, 65 | pl. de la Victoire, 9 | *Etienne Marcel* |
| | | | impairs, 1er | pairs, 2e | |
| 20 | Etienne Marey | Q6 | Octave Chanute | du Surmelin | *Pelleport* |
| 20 | Etienne Marey (villa) | Q6 | Etienne Marey, 16 | en impasse | *Pelleport* |
| 15 | Etienne Pernet (pl.) | E10 | des Entrepreneurs, 104 | av. Félix Faure | *Félix Faure* |
| 17 | Etoile (de l') | F5 | av. Wagram, 29 | av. Mac Mahon, 20 | *Ch. de Gaulle-Et.* |
| 11 | Etoile d'Or (cour de l') | N9 | Fg St Antoine, 75 | | *Ledru-Rollin* |
| 13 | Eugène Atget | K12 | Jonas, 1 | bd A. Blanqui, 55 | *Corvisart* |
| 16 | Eugène Beaudoin (pass.) | B8 | de l'Yvette | en impasse | *Jasmin* |
| 18 | Eugène Carrière | J2 | de Maistre, 44 | Vauvenargues, 1 | *Guy Môquet* |
| 16 | Eugène Delacroix | D7 | Descamps, 39 | de la Tour, 102 | *Rue de la Pompe* |
| 17 | Eugène Flachat | F3 | Verniquet, 5 | Gourgaud, 18 | *Pereire* |
| 18 | Eugène Founière | J1 | bd Ney | en impasse | *Pte Clignancourt* |
| 15 | Eugène Gibez | E11 | Vaugirard, 371 | Olivier de Serres, 42 | *Convention* |
| 19 | Eugène Jumin | O3 | Petit, 95 | av. Jean Jaurès, 196 | *Pte de Pantin* |
| 16 | Eugène Labiche | C7 | bd J. Sandeau, 29 | Octave Feuillet | *Rue de la Pompe* |
| 19 | Eugène Leblanc (villa) | P4 | de Bellevue | de Mouzaïa | *Botzaris* |
| 16 | Eugène Manuel | D7 | Cl. Chahu, 9 | av. Paul Doumer | *Passy* |
| 16 | Eugène Manuel (vil.) | D7 | Eugène Manuel, 7 | | *Passy* |
| 15 | Eugène Millon | E11 | Convention, 174 | St Lambert, 25 | *Convention* |
| 13 | Eugène Oudiné | N13 | Chevaleret, 21 | Albert | *Pte d'Ivry* |
| 14 | Eugène Pelletan | I11 | Froidevaux, 13 | Lalande, 1 | *Denfert-Rochereau* |
| 16 | Eugène Poubelle | D9 | Port d'Auteuil | quai Louis Blériot | *Mirabeau* |
| 20 | Eugène Reisz | Q8 | bd Davout | L. Lambeau, 31 | *Pte de Montreuil* |
| 3 | Eugène Spuller | L7 | Bretagne, 46 | Dupetit Thouars | *République* |
| 18 | Eugène Sue | K2 | Marcadet, 92 | Clignancourt, 103 | *Marcadet-Poiss.* |
| 10 | Eugène Varlin | M4 | quai de Valmy, 15 | Fg St Martin, 198 | *Château-Landon* |
| 19 | Eugénie Cotton | P4 | imp. Compans | Lilas | *Place des Fêtes* |
| 12 | Eugénie Eboué | O10 | Erard, 20 | en impasse | *Reuilly-Diderot* |
| 20 | Eugénie Legrand | P7 | des Rondeaux, 16 | Ramus, 13 | *Gambetta* |
| 8 | Euler | F6 | de Bassano, 33 | av. Marceau, 66 | *George-V* |
| 20 | Eupatoria (d') | O6 | Julien Lacroix, 2 | La Mare, 1 | *Ménilmontant* |
| 14 | Eure (de l') | H12 | Hip. Maindron, 12 | Didot, 23 | *Pernety* |
| 8 | Europe (pl. de l') | H4 | de Londres, 58 | de Leningrad, 2 | *Europe* |
| 19 | Euryale Dehaynin | N3 | Jean Jaurès, 81 | quai de la Loire, 64 | *Laumière* |
| 18 | Evangile (de l') | M2 | de Torcy, 44 | Aubervilliers, 17 | *Marx Dormoy* |
| 20 | Evariste Galois | R5 | de Noisy-le-Sec | Léon Frappié | *Pte des Lilas* |
| 20 | Eveillard (imp.) | Q7 | Belgrand, 36 | | *Pte de Bagnolet* |
| 19 | Evette | N3 | de Thionville, 5 | quai de la Marne, 12 | *Crimée* |
| 16 | Exelmans (bd) | B10 | quai Louis Blériot, 168 | Auteuil, 83 | *Exelmans* |
| 16 | Exelmans (ham.) | B10 | bd Exelmans | | *Exelmans* |
| 7 | Exposition (de l') | F8 | St Dominique, 131 | Grenelle, 208 | *Ecole Militaire* |
| 16 | Eylau (av. d') | D7 | pl. du Trocadéro, 8 | pl. de Mexico | *Trocadéro* |
| 16 | Eylau (villa d') | E5 | av. Victor Hugo, 44 | | *Victor-Hugo* |

# F

| Ar. | Rues | Plan | Commençant | Finissant | Métro |
|---|---|---|---|---|---|
| 7 | Fabert | G7 | quai d'Orsay, 41 | de Grenelle, 144 | *Invalides* |
| 12 | Fabre d'Eglantine | P9 | av. St Mandé, 1 | pl. de la Nation | *Nation* |
| 11 | Fabriques (cour) | N6 | J.P. Timbaud, 70 | | *Parmentier* |
| 13 | Fagon | L12 | pl. des Alpes, 4 | bd de l'Hôpital, 165 | *Place d'Italie* |
| 11 | Faidherbe | O9 | Fg St Antoine, 235 | Charonne, 94 | *Faidherbe-Chal.* |
| 16 | Faisanderie (de la) | D6 | av. Foch | av. Victor Hugo | *Pte Dauphine* |
| 18 | Falaise (cité) | I1 | Leibniz, 36 | Jean Dollfus, 8 | *Pte de St Ouen* |
| 20 | Falaises (villa des) | Q6 | de la Py, 68 | | *Pte de Bagnolet* |
| 18 | Falconet | K3 | Chevalier de la Barre | pass. Cottin, 3 | *Château-Rouge* |
| 15 | Falguière (cité) | G10 | Falguière, 74 | | *Pasteur* |
| 15 | Falguière (pl.) | G11 | la Procession, 70 | Castagnary, 3 | *Volontaires* |
| 15 | Falguière | G10 | Vaugirard, 131 | pl. Falguière | *Pasteur* |
| 15 | Fallempin | E9 | de Lourmel, 17 | Violet, 22 | *Dupleix* |
| 16 | Fantin-Latour | B11 | quai Louis Blériot, 172 | bd Exelmans | *Exelmans* |
| 17 | Faraday | E4 | Lebon, 10 | Laugier, 49 | *Ternes* |
| 20 | Faucheur (villa) | O5 | des Envierges, 11 | | *Pyrénées* |
| 4 | Fauconnier (du) | L8 | quai Célestins, 3 | Charlemagne, 17 | *Pont-Marie* |
| 16 | Faustin Hélie | C7 | pl. Possoz, 2 | de la Pompe, 10 | *La Muette* |
| 18 | Fauvet | I3 | Ganneron, 51 | av. de St Ouen, 36 | *La Fourche* |
| 2 | Favart | J6 | Gréty, 1 | bd des Italiens, 9 | *Richelieu-Drouot* |
| 15 | Favorites (des) | F11 | Vaugirard, 271 | pl. d'Alleray | *Vaugirard* |
| 12 | Fécamp (de) | P11 | des Meuniers, 20 | av. Daumesnil, 252 | *Pte de Charenton* |
| | 13-14 | | | | *Michel Bizot* |
| 15 | Fédération (de la) | F8 | quai Branly | av. de Suffren, 70 | *La Motte-Picquet* |
| 1 | Fédérico Garcia Lorca (al.) | K7 | A. Breton | Baltard | *Les Halles* |
| 6 | Félibien | J9 | Clément, 1 | Lobineau, 2 | *Odéon* |
| 16 | Félicien David | C9 | Gros, 21 | Rémusat | *Mirabeau* |
| 13 | Félicien Rops (av.) | L14 | Poterne des Peupliers | Ste Hélène | *Pte d'Italie* |
| 17 | Félicité (de la) | G3 | Tocqueville, 90 | Saussure, 107 | *Malesherbes* |
| 16 | Félix d'Hérelle (av.) | A11 | av. G. Lafont | av. M. Doret | *Pte de St Cloud* |
| 6 | Félix Desruelles (sq.) | J8 | bd St Germain, 168b | | *St-Germ.-des-Prés* |
| 12 | Félix Eboué (pl.) | P11 | bd Reuilly, 51 | de Reuilly, 121 | *Daumesnil* |
| 15 | Félix Faure (av.) | E10 | pl. Et. Pernet | pl. Balard | *Boucicaut/Lourmel* |
| 15 | Félix Faure | D11 | av. Félix Faure, 85 | Frédéric Mistral | *Lourmel* |
| 19 | Félix Faure (vill.) | P4 | de Mouzaïa, 44 | Bellevue, 27 | *Pré-St-Gervais* |
| 20 | Félix Huguenet | Q9 | c. de Vincennes, 61 | Lagny, 60 | *Pte de Vincennes* |
| 17 | Félix Pécaut | I2 | Maria Derais, 12 | Jean Leclaire | *Guy Môquet* |
| 20 | Félix Terrier | Q8 | Eugène Reisz | Harpignies | *Pte de Montreuil* |
| 11 | Félix Voisin | O8 | Gerbier, 14 | Folie Regnault | *Philippe Auguste* |
| 18 | Félix Ziem | I3 | Damrémont, 35 | Eugène Carrière, 24 | *Lamarck-Caulainc.* |
| 9 | Fénelon (cité) | J4 | Milton, 34 | | *Anvers* |
| 10 | Fénlon | K4 | Lafayette, 109 | Belzunce, 5 | *Poissonnière* |

| Ar. | Rues | Plan | Commençant | Finissant | Métro |
|---|---|---|---|---|---|
| 15 | **Fenoux** | F11 | Gerbet, 6 | Abbé Groult, 67 | *Vaugirard* |
| 5 | **Fer-à-Moulin (du)** | L11 | Geoffroy St Hilaire, 17 | av. des Gobelins, 1 | *Censier-Daubenton* |
| 14 | **Ferdinand Brunot (pl.)** | I12 | av. du Maine | Boulard | *Mouton-Duvernet* |
| 16 | **Ferdinand Buisson (av.)** | A11 | av. du Moulin | av. Pte de St Cloud | *Pte de St Cloud* |
| 12 | **Ferdin. de Béhagle** | P12 | av. Pte de Charenton | bd Poniatowski | *Pte de Charenton* |
| 4 | **Ferdin. Duval** | L8 | de Rivoli, 18 | des Rosiers, 9 | *St-Paul* |
| 15 | **Ferdin. Fabre** | F11 | Blomet, 135 | Vaugirard, 304 | *Convention* |
| 18 | **Ferdin. Flocon** | K2 | Ramey, 56 | Ordener, 99 | *Jules Joffrin* |
| 20 | **Ferdin. Gambon** | Q8 | d'Avron, 117 | Cr. St Simon, 4 | *Maraîchers* |
| 8 | **Ferdousi (av.)** | G4 | av. Ruysdaël | bd de Courcelles | *Monceau* |
| 17 | **Ferembach (cité)** | E4 | St Ferdinand, 21 | ................ | *Argentine* |
| 14 | **Fermat (pass.)** | H11 | Fermat, 2 | Froidevaux, 60 | *Gaîté* |
| 14 | **Fermat** | I11 | Froidevaux, 59 | Daguerre, 84 | *Denfert-Rochereau* |
| 1 | **Fermes (cours des)** | J7 | du Louvre, 15 | du Bouloi, 22 | *Louvre* |
| 10 | **Ferme St Lazare (cour)** | L5 | bd Magenta, 79 | ................ | *Gare de l'Est* |
| 10 | **Ferme St Lazare (pass.)** | L5 | cour Ferme St Lazare, 4 | Chabrol, 7 | *Gare de l'Est* |
| 17 | **Fermiers (des)** | G3 | Jouffroy | Saussure, 93 | *Malesherbes* |
| 17 | **Fernand Cormon** | F2 | Sisley | de St Marceaux | *Pereire* |
| 15 | **Fernand Forest (pl.)** | D9 | quai Grenelle, 71 | quai André Citroën, 3 | *Javel* |
| 17 | **Fern. de la Tombelle (sq.)** | G3 | sq. G. Fauré | sq. Claude Debussy | *Villiers* |
| 12 | **Fernand Fourreau** | Q9 | bd Soult | av. Lamoricière | *Pte de Vincennes* |
| 14 | **Fernand Holweck** | G11 | Vercingétorix | du Cange | *Pernety* |
| 18 | **Fernand Labori** | J1 | bd Ney | en impasse | *Pte Clignancourt* |
| 20 | **Fernand Léger** | O7 | des Amandiers | des Muriers | *Père-Lachaise* |
| 17 | **Fernand Pelloutier** | H1 | de Pont-à-Mousson | Louis Loucheur | *Pte de St Ouen* |
| 13 | **Fernand Widal** | L14 | bd Masséna | av. Léon Bollée | *Pte d'Italie* |
| 6 | **Férou** | I9 | pl. St Sulpice, 9 | Vaugirard, 50 | *St-Sulpice* |
| 1 | **Ferronnerie (de la)** | K7 | St Denis, 43 | de la Lingerie, 2b | *Châtelet* |
| 14 | **Ferrus** | J12 | bd St Jacques, 5 | Cabanis, 8 | *Glacière* |
| 19 | **Fessart** | O5 | de Palestine, 1 | Botzaris, 26 | *Buttes-Chaumont* |
| 19 | **Fêtes (pl. des)** | P5 | des Fêtes, 23 | Compans, 46 | *Place des Fêtes* |
| 19 | **Fêtes (des)** | O5 | de Belleville, 169 | Compans, 55 | *Place des Fêtes* |
| 5 | **Feuillantines (des)** | J10 | Cl. Bernard, 79 | P. Nicole, 10 | *Port-Royal* |
| 18 | **Feutrier** | K3 | And. del Sarte, 8 | Muller, 32 | *Château-Rouge* |
| 2 | **Feydeau (galerie)** | J6 | St Marc, 10 | gal. Variétés, 8 | *Richelieu-Drouot* |
| 2 | **Feydeau** | J6 | St Marc, 1 | Richelieu, 82 | *Bourse* |
| 10 | **Fidélité (de la)** | L5 | bd Strasbourg, 77 | Fg St Denis, 96 | *Gare de l'Est* |
| 4 | **Figuier (du)** | L8 | l'Hôtel-de-Ville | Charlemagne, 25 | *Pont-Marie* |
| 3 | **Filles du Calvaire (bd)** | M7 | St Sébastien, 1 | Oberkampf, 2 | *St-Séb.-Froissard* |
| 11 | **9-24** | | impairs, 3e | pairs, 11e | *Filles Calvaire* |
| 3 | **Filles du Calvaire** | M7 | de Turenne, 96 | bd du Temple, 1 | *Filles Calvaire* |
| 2 | **Filles St Thomas** | J6 | Vivienne, 23 | Richelieu, 68 | *Bourse* |
| 18 | **Fillettes (imp. des)** | M1 | Ch. Hermite | ................ | *Pte la Chapelle* |
| 18 | **Fillettes (des)** | L2 | Boucry | en impasse | *Pte la Chapelle* |
| 7 | **Finlande (pl. de)** | G7 | quai d'Orsay | bd Latour-Maubourg | *Invalides* |
| 18 | **Firmin Gémier** | I2 | Vauvenargues, 53 | Championnet | *Pte de St Ouen* |

| Ar. | Rues | Plan | Commençant | Finissant | Métro |
|---|---|---|---|---|---|
| 15 | **Firmin Gillot** | **E12** | Vaugirard, 399 | bd Lefebvre, 55 | *Pte de Versailles* |
| 15 | **Fizeau** | **F12** | Brancion, 85 | Castagnary, 122 | *Pte de Vanves* |
| 19 | **Flandre (pass. de)** | **N3** | de Flandre, 48 | quai de Seine, 49 | *Riquet* |
| 19 | **Flandre (de) 1-2** | **M3** | bd de la Villette, 208 | Pte de la Villette | *Stalingrad* |
| | **62-65** | **N3** | | | *Riquet* |
| | **94-109** | **N2** | | | *Crimée* |
| 16 | **Flandrin (bd)** | **C6** | Henri Martin, 82 | av. Foch, 83 | *Pte Dauphine* |
| 5 | **Flatters** | **K11** | bd Pt Royal, 50 | Bethollet, 27 | *Censier-Daubenton* |
| 9 | **Fléchier** | **J5** | Châteaudun, 18 | Fg Montmartre, 67 | *N.-D. de Lorette* |
| 17 | **Fleurs (cité des)** | **H2** | av. de Clichy, 154 | La Jonquière, 59 | *Brochant* |
| 4 | **Fleurs (quai aux)** | **K8** | Cloître Notre-Dame, 2 | Arcole, 1 | *Cité* |
| 6 | **Fleurus** | **I9** | Guynemer, 22 | Notre-Dame des Champs | *St-Placide* |
| 18 | **Fleury** | **L3** | bd de la Chapelle, 76 | Charbonnière, 7 | *Barbès-Rochech.* |
| 16 | **Flore (villa)** | **B9** | av. Mozart, 120b | en impasse | *Ranelagh* |
| 17 | **Floréal** | **H1** | bd Bois-le-Prêtre | limite de St Ouen | *Pte de St Ouen* |
| 13 | **Florale (cité)** | **J3** | Boussingault | Aug. Lançon | *Maison Blanche* |
| 8 | **Florence (de)** | **I4** | de Leningrad, 35 | Turin, 32 | *Place Clichy* |
| 16 | **Florence Blumenthal** | **C9** | Félicien David | av. de Versailles | *Eglise d'Auteuil* |
| 13 | **Florence Blumenthal (sq.)** | **M13** | pl. B. Renard, 1 | | *Nationale* |
| 19 | **Florentine (cité)** | **O4** | de la Villette, 84 | en impasse | *Place des Fêtes* |
| 16 | **Florentine Estrade (c.)** | **C9** | Verderet, 8b | en impasse | *Eglise d'Auteuil* |
| 20 | **Florian** | **Q8** | Vitruve, 39 | Bagnolet, 106 | *Maraîchers* |
| 14 | **Florimont (imp.)** | **H12** | d'Alésia, 150 | | *Plaisance* |
| 17 | **Flourens (pass.)** | **I1** | Jean Leclaire | bd Bessières | *Pte de St Ouen* |
| 16 | **Foch (av.)** | **E5** | pl. Charles de Gaulle | bd Lannes | *Pte Dauphine* |
| 3 | **Foin (du)** | **M8** | de Béarn, 5 | Turenne, 32 | *Chemin Vert* |
| 11 | **Folie-Méricourt (de la)** | **N7** | bd Voltaire, 71 | bd Jules Ferry, 28 | *St-Ambroise* |
| | **111-114** | **M6** | | | *Goncourt* |
| 11 | **Folie Regnault (pass.)** | **O7** | Folie Regnault | bd Ménilmontant | *Père-Lachaise* |
| 11 | **Folie Regnault (de la)** | **O8** | Léon Frot | Chemin Vert, 134 | *Père-Lachaise* |
| 15 | **Fondary** | **E-F9** | de Lourmel, 27 | de la Cx-Nivert, 44 | *Emile Zola* |
| 15 | **Fondary (villa)** | **F9** | Fondary, 81 | en impasse | *Emile Zola* |
| 11 | **Fonderie (pass. de la)** | **N6** | J.P. Timbaud, 72 | St Maur, 119 | *Parmentier* |
| 12 | **Fonds Verts (des)** | **O11** | Proudhon, 44 | Charenton, 266 | *Dugommier* |
| 9 | **Fontaine** | **J4** | Pigalle, 51 | pl. Blanche, 3 | *Blanche* |
| 19 | **Fontainebleau (all.)** | **O3** | Petit, 98 | | *Pte de Pantin* |
| 19 | **Fontaine-aux-Lions (pl.)** | **O-P3** | av. Jean Jaurès, 219 | Grande Halle | *Pte de Pantin* |
| 13 | **Font.-à-Mulard (de la)** | **K13** | Colonie, 72 | pl. Rungis, 5 | *Tolbiac* |
| 11 | **Font.-au-Roi (de la)** | **N6** | Fg du Temple, 34 | bd Belleville, 55 | *Goncourt* |
| 18 | **Fontaine-du-But** | **J2** | Caulaincourt, 10 | Francœur, 33 | *Lamarck-Caulainc.* |
| 3 | **Font.-du-Temple (des)** | **L6** | du Temple, 185 | Turbigo, 60 | *Arts-et-Métiers* |
| 20 | **Fontarabie (de)** | **P8** | de la Réunion, 98 | Pyrénées, 135 | *Alexandre Dumas* |
| 19 | **Fontenay (villa de)** | **O4** | Liberté, 7 | Gal Brunet, 34 | *Botzaris* |
| 7 | **Fontenoy (pl. de)** | **G9** | av. de Lowendal, 121 | av. de Saxe, 2 | *Ségur* |
| 19 | **Forceval** | **O1** | du Chemin-de-Fer | limite d'Aubervilliers | *Pte la Villette* |
| 18 | **Forest** | **I3** | bd de Clichy, 126 | Capron, 8 | *Place Clichy* |

| Ar. | Rues | Plan | Commençant | Finissant | Métro |
|---|---|---|---|---|---|
| 3 | **Forez (du)** | L7 | Charlot, 59 | Picardie, 22 | *Filles Calvaire* |
| 11 | **Forge Royale** | N9 | Fg St Antoine, 167 | St Bernard, 25 | *Ledru-Rollin* |
| 2 | **Forges (des)** | K6 | de Damiette, 2 | du Caire, 51 | *Sentier* |
| 17 | **Fort de Vaux (bd du)** | F2 | bd Douamont | av. Pte d'Asnières | *Pte de Champerret* |
| 8 | **Fortin (imp.)** | G5 | d'Artois, 9 | | *St-Ph.-du-Roule* |
| 17 | **Fortuny** | G4 | de Prony, 40 | av. de Villiers, 39 | *Malesherbes* |
| 1 | **Forum des Halles** | K7 | Rambuteau | Pierre Lescot | *Chât.-Les Halles* |
| 1 | **Arc-en-Ciel (de l')** | K7 | Forum | Niveau 3 | *Chât.-Les Halles* |
| 1 | **Basse (rue et pl.)** | K7 | Forum | Niveau 3 | *Chât.-Les Halles* |
| 1 | **Pte Berger** | K7 | Forum | Niveau 1, 2, 3 | *Chât.-Les Halles* |
| 1 | **Bons-Vivants (des)** | K7 | Forum | Niveau 3 | *Chât.-Les Halles* |
| 1 | **Brève** | K7 | Forum | Niveau 3 | *Chât.-Les Halles* |
| 1 | **Equerre d'Argent** | K7 | Forum | Niveau 3 | *Chât.-Les Halles* |
| 1 | **Grand Balcon** | K7 | Forum | Niveau 1 | *Chât.-Les Halles* |
| 1 | **Pte Lescot** | K7 | Forum | Niveau 1, 2, 3, 4 | *Chât.-Les Halles* |
| 1 | **Orient-Express (l')** | K7 | Forum | Niveau 4 | *Chât.-Les Halles* |
| 1 | **Pirouette** | K7 | Forum | Niveau 3 | *Chât.-Les Halles* |
| 1 | **Poquelin** | K7 | Forum | Niveau 1 | *Chât.-Les Halles* |
| 1 | **Réale (pass.)** | K7 | Forum | Niveau 2 | *Chât.-Les Halles* |
| 1 | **Verrières (pass. des)** | K7 | Forum | Niveau 3 | *Chât.-Les Halles* |
| 5 | **Fossés St Bernard** | L9 | bd St Germain, 1 | de Jussieu, 45 | *Cardinal Lemoine* |
| 5 | **Fossés St Jacques** | J10 | St Jacques, 163 | l'Estrapade, 29 | *Luxembourg* |
| 5 | **Fossés St Marcel** | L11 | Fer-à-Moulin, 1 | bd St Marcel, 60 | *St-Marcel* |
| 5 | **Fouarre (du)** | K9 | Lagrange, 8 | Galande, 40 | *Maubert-Mutualité* |
| 13 | **Foubert (pass.)** | K13 | des Peupliers | Tolbiac, 175 | *Tolbiac* |
| 16 | **Foucoult** | E7 | av. de New York, 32 | Fresnel, 17 | *Iéna* |
| 20 | **Fougères (des)** | Q5 | av. Pte Ménilmontant | de Guébriant | *St-Fargeau* |
| 6 | **Four (du)** | J8 | bd St Germain, 133 | carr. Croix-Rouge | *St-Sulpice* |
| | **1-6** | J8 | | | *Mabillon* |
| | **57-62** | I9 | | | *St-Sulpice* |
| 19 | **Fours-à-Chaux (pass.)** | N4 | av. Simon Bolivar, 117 | en impasse | *Bolivar* |
| 15 | **Fourcade** | F11 | Vaugirard, 333 | Olivier-de-Serres, 6 | *Convention* |
| 17 | **Fourcroy** | F4 | av. Niel, 16 | Rennequin, 17 | *Ternes* |
| 4 | **Fourcy (de)** | L8 | de Jouy, 2 | St Antoine, 139 | *St-Paul* |
| 17 | **Fourneyron** | H3 | des Moines, 43 | Brochant, 28 | *Brochant* |
| 18 | **Foyatier** | J3 | pl. St Pierre | St Eleuthère, 3 | *Anvers* |
| 17 | **Fragonard** | G2 | av. de Clichy, 194 | Bessières, 17 | *Pte de Clichy* |
| 2 | **Française** | K7 | de Turbigo, 5 | Tiquetonne, 27 | *Etienne Marcel* |
| 1 | **de 1 à 5 et 2 à 6** | | | | |
| 3 | **Franche-Comté (de)** | M7 | de Picardie, 32 | Charlot, 79 | *Filles Calvaire* |
| 11 | **Franchemont (imp.)** | O8 | Jean Macé, 16 | | *Charonne* |
| 18 | **Francis Carco** | L3 | Doudeauville, 26 | Stephenson, 60 | *Château-Rouge* |
| 18 | **Francis de Croisset** | K1 | av. Pte de Clignancourt | Ginette Neveu | *Pte Clignancourt* |
| 13 | **Francis de Miomandre** | K14 | Caffiéri | Louis Pergaud | *Pte d'Italie* |
| 14 | **Francis de Préssensé** | H12 | de l'Ouest, 101 | R. Losserand, 84 | *Pernety* |
| 17 | **Francis Garnier** | I1 | bd Bessières, 24 | de Noyon | *Pte de St Ouen* |

| Ar. | Rues | Plan | Commençant | Finissant | Métro |
|---|---|---|---|---|---|
| 10 | **Francis Jammes** | **M4** | Georges Friedrich Haendel | Louis Blanc | *Colonel Fabien* |
| 20 | **Francis Picabia** | **N6** | de Pali-kao | des Couronnes | *Belleville* |
| 6 | **Francis Poulenc (sq.)** | **J9** | Tournon | Condé | *Odéon* |
| 6 | **Francisque-Gay** | **J8** | bd St Michel | pl. St André-des-Arts | *St-Michel* |
| 16 | **Francisque Sarcay** | **D7** | de la Tour, 25 | Eugène Manuel | *Passy* |
| 13 | **Franc Nohain** | **N13** | av. Boutroux | bd Périphérique | *Pte d'Ivry* |
| 18 | **Francœur** | **F2** | Caulaincourt, 129 | Marcadet, 141 | *Lamarck-Caulainc.* |
| 5 | **Fr.-Aug. Mariette (sq.)** | **K9** | pl. Marcelin Berthelot | | *Maubert-Mutualité* |
| 15 | **François Bonvin** | **G10** | Miollis, 15 | Lecourbe, 64 | *Sèvres-Lecourbe* |
| 15 | **François Coppée** | **E11** | av. Félix Faure, 47 | en impasse | *Boucicaut* |
| 16 | **François Gérard** | **C9** | Théophile Gautier | de Rémusat | *Eglise d'Auteuil* |
| 16 | **François Millet** | **C9** | La Fontaine, 31 | av. Théophile Gautier, 20 | *Jasmin* |
| 4 | **François Miron** | **L8** | pl. St Gervais | de Rivoli, 1 | *St-Paul* |
| 15 | **François Mouthon** | **E11** | Lecourbe, 245 | Jacques Mawas | *Boucicaut* |
| 11 | **Franç.-de-Neuf-Château** | **N8** | Richard Lenoir, 34 | bd Voltaire, 152 | *Voltaire* |
| 19 | **François Pinton** | **O4** | David d'Angers, 10 | vill. Claude Monnet | *Danube* |
| 16 | **François Ponsard** | **C7** | ch. de la Muette, 4 | G. Nadaud, 5 | *La Muette* |
| 8 | **François-Ier (pl.)** | **G6** | François-Ier | Jean Goujon | *F.-D.-Roosevelt* |
| 8 | **François-Ier** | **G6** | av. F.-D. Roosevelt | av. George-V, 40 | *F.-D.-Roosevelt* |
| 8 | **60-61** | **F6** | | | *George-V* |
| 15 | **François Villon** | **F11** | d'Alleray, 4 | Vict. Duruy, 7 | *Convention* |
| 7 | **Franco-Russe (av.)** | **F7** | av. Rapp, 12 | de l'Université, 195 | *Alma-Marceau* |
| 3 | **Francs-Bourgeois** | **L8** | pl. des Vosges, 21 | des Archives, 56 | *St-Paul* |
| 4 | **60-61** | **L7** | pairs, 3e | impairs, 4e | *Rambuteau* |
| 8 | **Franklin-D. Roosevelt (av.)** | **G6** | pl. du Canada | La Boétie | *F.-D.-Roosevelt* |
| 15 | **Franquet** | **G12** | Santos Dumont, 27 | Labrouste, 62 | *Plaisance* |
| 16 | **Franqueville (de)** | **C7** | Verdi, 4 | av. Henri Martin | *La Muette* |
| 10 | **Franz Liszt (pl.)** | **K4** | La Fayette, 111 | Abbeville | *Poissonnière* |
| 19 | **Fraternité (de la)** | **P4** | de l'Egalité, 3 | David d'Angers | *Danube* |
| 8 | **Frédéric Bastiat** | **G5** | Paul Baudry, 7 | d'Artois, 13 | *St-Ph.-du-Roule* |
| 17 | **Frédéric Brunet** | **I1** | bd Bessières | Francis Garnier | *Pte de St Ouen* |
| 20 | **Frédéric Lemaître** | **P5** | des Rigoles, 74 | de Belleville, 183 | *Jourdain* |
| 10 | **Fréd. Lemaître (sq.)** | **M6** | quai de Valmy, 31 | quai de Jemmapes, 34 | *République* |
| 7 | **Frédéric Le Play (av.)** | **F8** | Sav. de Brazza | pl. Joffre | *Ecole Militaire* |
| 20 | **Frédéric Loliée** | **Q9** | Pyrénées | Mounet-Sully | *Maraîchers* |
| 15 | **Frédéric Magisson** | **E10** | de Javel, 144 | Oscar Roty | *Félix Faure* |
| 15 | **Frédéric Mistral** | **D11** | Jean Maridor, 14 | Félix Faure, 11 | *Lourmel* |
| 19 | **Frédéric Mourlon** | **P4** | bd Sérurier | bd d'Algérie | *Pré-St-Gervais* |
| 5 | **Frédéric Sauton** | **K9** | de la Bûcherie | Lagrange, 18 | *Maubert-Mutualité* |
| 18 | **Frédéric Schneider** | **J1** | bd Ney | allée du Métro | *Pte Clignancourt* |
| 15 | **Frédéric Vallois (sq.)** | **F11** | de Vouillé, 3 | en impasse | *Convention* |
| 15 | **Frémicourt** | **F9** | du Commerce | pl. Cambronne, 2 | *Commerce* |
| 16 | **Frémiet (av.)** | **D8** | av. Pr Kennedy, 30 | Charles Dickens, 7 | *Passy* |
| 20 | **Fréquet (pass.)** | **Q8** | Vitruve, 9 | de Fontarabie, 26 | *Alexandre Dumas* |
| 13 | **Frères d'Astier-de-la-Vig.** | **L13** | av. de Choisy | Baudricourt | *Tolbiac* |
| 20 | **Frères Flavien (des)** | **R5** | av. Pte des Lilas | Léon Frapié | *Pte des Lilas* |

| Ar. | Rues | Plan | Commençant | Finissant | Métro |
|---|---|---|---|---|---|
| 15 | Frères Morane | E10 | de la Cx-Nivert, 153 | pl. Etienne Pernet | *Félix Faure* |
| 16 | Frères Périer | F7 | av. de New York, 4 | av. du Pr Wilson | *Alma-Marceau* |
| 15 | Fr. Voisins (bd des) | C12 | Rd-Pt Victor Hugo | pl. Pt Shumann | *Corentin-Celton* |
| 15 | Frères Voisins (all.) | C12 | Frères Voisins | | *Corentin-Celton* |
| 16 | Fresnel | E7 | la Manutention | av. Alb. de Mun, 6 | *Iéna* |
| 16 | Freycinet | F6 | av. Pr Wilson | av. d'Iéna, 48 | *Alma-Marceau* |
| 14 | Friant | H13 | av. de Châtillon, 15 | bd Brune, 177 | *Alésia* |
| 8 | Friedland (av.) | F5 | Fg St Honoré, 177 | pl. Ch. de Gaulle | *Ch. de Gaulle-Et.* |
| 9 | Frochot (av.) | J4 | Vict. Massé, 26 | pl. Pigalle, 3 | *Pigalle* |
| 9 | Frochot | J4 | Vict. Massé, 30 | pl. Pigalle, 7 | *Pigalle* |
| 14 | Froidevaux | I11 | pl. Denfert-Rochereau, 6 | av. du Maine, 91 | *Denfert-Rochereau* |
| 3 | Froissart | M7 | bd F. du Calvaire, 5 | de Turenne, 94 | *St-Séb.-Froissard* |
| 11 | Froment | M8 | Sedaine, 25 | Chemin Vert, 20 | *Bréguet-Sabin* |
| 9 | Fromentin | J4 | Duperré, 32 | bd de Clichy, 39 | *Blanche* |
| 17 | Fructidor | I1 | Emile Zola | Vincent | *Pte de St Ouen* |
| 13 | Fulton | M11 | quai d'Austerlitz | de la Gare, 16 | *Quai de la Gare* |
| 6 | Furstenberg (de) | J8 | Jacob, 5 | de l'Abbaye, 6 | *St-Germ.-des-Prés* |
| 14 | Furtado-Heine | H12 | d'Alésia, 155 | Jacquier, 8 | *Alésia* |
| 5 | Fustel-de-Coulanges | J11 | St Jacques, 348 | Pierre Nicole, 41 | *Port-Royal* |

# G

| Ar. | Rues | Plan | Commençant | Finissant | Métro |
|---|---|---|---|---|---|
| 12 | Gabon (du) | Q10 | av. St Mandé, 101 | La Voûte, 52 | *Pte de Vincennes* |
| 8 | Gabriel (av.) | G6 | pl. de la Concorde | av. Matignon, 2 | *Ch.-Elysées-Clem.* |
| 17 | Gabriel Fauré (sq.) | G3 | Legendre, 27 | en impasse | *Malesherbes* |
| 12 | Gabriel Lame | O11 | pl. Lachambaudie, 2 | en impasse | *Dugommier* |
| 10 | Gabriel Laumain | K5 | d'Hauteville, 29 | Fg Poissonnière | *Bonne Nouvelle* |
| 15 | Gabrielle (villa) | H10 | Falguière, 9 | en impasse | *Falguière* |
| 18 | Gabrielle | J3 | Foyatier | de Ravignan, 24 | *Abbesses* |
| 19 | Gabrielle d'Estrées (all.) | N5 | Rampal | en impasse | *Belleville* |
| 8 | Gabriel Péri (pl.) | H5 | Rome | de la Pépinière | *St-Lazare* |
| 6 | Gabriel Pierné (sq.) | J8 | de Seine | Mazarine | *Odéon* |
| 3 | Gabriel Vicaire | L6 | Perrée, 12 | Dupetit Thouars, 11 | *République* |
| 15 | Gager Gabillot | G11 | la Procession, 36 | des Favorites, 45 | *Vaugirard* |
| 20 | Gagliardini (villa) | Q5 | Haxo, 104 | Durry-Vassel | *Pte des Lilas* |
| 2 | Gaillon (pl.) | J6 | Gaillon | Michodière | *4-Septembre* |
| 2 | Gaillon | I6 | av. de l'Opéra, 28 | St Augustin, 37 | *Opéra* |
| 14 | Gaîté (imp. de la) | I10 | de la Gaîté, 11 | | *Edgar-Quinet* |
| 14 | Gaîté (de la) | H10 | bd Edgar Quinet, 13 | av. du Maine, 75 | *Edgar-Quinet* |
| 5 | Galande | K9 | des Anglais, 2 | St Jacques, 1 | *Maubert-Mutualité* |
| 8-16 | Galilée | E6 | av. Kléber, 55 | av. Ch. Elysées, 115 | *Boissière* |
| | 68-65 | F5 | de 1 à 55 et 2 à 50, 16e | | *George-V* |
| 20 | Galleron | Q7 | Florian, 10 | St Blaise, 22 | *Pte de Montreuil* |
| 16 | Galliéra (de) | F6 | av. Pt Wilson, 14 | Pierre-Ier-de-Serbie, 12 | *Alma-Marceau* |
| 17 | Galvani | E3 | Laugier, 65 | bd Gouvion St Cyr, 19 | *Pte de Champerret* |

| Ar. | Rues | Plan | Commençant | Finissant | Métro |
|---|---|---|---|---|---|
| 20 | Gambetta (av.) | O7 | pl. Auguste Métivier | Belleville, 300 | *Père-Lachaise* |
| | 59-60 | P6-7 | | | *Gambetta* |
| | 100-101 | P6 | | | *Pelleport* |
| | 114-177 | Q5 | | | *St-Fargeau* |
| 20 | Gambetta (pass.) | P5 | St Fargeau, 31 | du Borrégo, 38 | *St-Fargeau* |
| 20 | Gambetta (petite imp.) | P5 | pass. Gambetta, 19 | | *St-Fargeau* |
| 20 | Gambetta (pl.) | P7 | des Pyrénées, 206 | Belgrand | *Gambetta* |
| 11 | Gambey | M6 | Oberkampf, 55 | av. de la République | *Parmentier* |
| 13 | Gandon | L14 | Caillaux, 15 | bd Masséna, 148 | *Maison Blanche* |
| | 27-28 | | | | *Pte d'Italie* |
| 18 | Ganneron | I3 | av. de Clichy, 40 | Etex, 1 | *La Fourche* |
| 6 | Garancière | J9 | St Sulpice, 31 | Vaugirard, 36 | *St-Sulpice/Odéon* |
| 20 | Gare de Charonne (sq.) | Q9 | du Volga | bd Davout | *Pte de Montreuil* |
| 18 | Gardes (des) | K3 | Goutte-d'Or, 28 | Myrha, 45 | *Barbès-Rochech.* |
| 13 | Gare (port de la) | N12 | pont de Tolbiac | pont de Bercy | *Quai de la Gare* |
| 13 | Gare (quai de la) | N12 | bd Masséna | bd Vincent Auriol | *Quai de la Gare* |
| 19 | Gare (de la) | M1 | limite d'Aubervilliers | Haie-Coq, 107 | *Crimée* |
| 12 | Gare Reuilly (de) | P10 | de Reuilly, 119 | de Picpus, 64 | *Daumesnil* |
| 15 | Garibaldi (bd) | G10 | pl. Cambronne, 7 | av. de Breteuil, 88 | *Sèvres-Lecourbe* |
| 15-16 | Garigliano (pont du) | C11 | quai Louis Blériot | quai André Citroën | *Exelmans* |
| 15 | Garnier (villa) | H10 | de Vaugirard, 131 | | *Falguière* |
| 18 | Garreau | J3 | de Ravignan, 11 | Durantin, 20 | *Abbesses* |
| 20 | Gascogne (sq. de) | Q8 | bd Davout | Drs Déjerine | *Pte de Montreuil* |
| 20 | Gasnier-Guy | P6 | des Partants, 30 | Martin-Nadaud | *Gambetta* |
| 14 | Gassendi | I11 | Froidevaux, 41 | av. du Maine, 165 | *Denfert-Rochereau* |
| 14 | Gaston Bachelard (all.) | G13 | bd Brune, 97 | bd Brune, 91 | *Pte d'Orléans* |
| 14 | Gaston Baty (sq.) | H10 | du Maine | Jolivet | *Edgar-Quinet* |
| 15 | Gaston Boissier | E12 | av. Pte de Plaisance, 12 | av. Alb. Bartholomé, 13 | *Pte de Versailles* |
| 17 | Gast. Bertandeau (sq.) | E4 | Labie, 11 | en impasse | *Pte Maillot* |
| 18 | Gaston Couté | J3 | Lamarck, 45 | Paul Féval | *Lamarck-Caulainc.* |
| 18 | Gaston Darboux | M1 | av. Pte d'Aubervilliers | Charles Lauth | *Pte la Chapelle* |
| 15 | Gaston de Caillavet | D9 | quai de Grenelle | Emeriau | *Bir-Hakeim* |
| 16 | Gaston de St Paul | F7 | av. de New York, 12 | av. Pr. Wilson | *Alma-Marceau* |
| 19 | Gaston Pinot | O4 | David d'Angers, 15 | Als.-Lorraine, 13 | *Danube* |
| 19 | Gaston Tessier | N1 | de Crimée, 254 | Curial, 89 | *Crimée* |
| 18 | Gaston Tissandier | M1 | bd Ney, 32 | Ch. Hermite | *Pte la Chapelle* |
| 12 | Gatbois (pass.) | N10 | de Chalon, 14 | av. Daumesnil, 68 | *Gare de Lyon* |
| 20 | Gatines (des) | P6 | av. Gambetta, 77 | av. Gambetta, 95 | *Gambetta* |
| 11 | Gaudelet (imp.) | N6 | Oberkampf, 114 | | *Ménilmontant* |
| 14 | Gauguet | I13 | des Artistes, 36 | en impasse | *Alésia* |
| 17 | Gauguin | F3 | J.L. Forain | de St Marceaux | *Péreire* |
| 17 | Gauthey | H2 | av. de Clichy, 144 | Jonquière, 55 | *Brochant* |
| 19 | Gauthier (pass.) | N5 | Rébeval, 65 | av. Simon Bolivar, 37 | *Buttes-Chaumont* |
| 16 | Gavarni | D8 | de Passy, 12 | de la Tour, 11 | *Passy* |
| 5 | Gay-Lussac | J10 | bd St Michel, 69 | Feuillantines, 2 | *Luxembourg* |
| | 39-50 | | | | *Censier-Daubenton* |

| Ar. | Rues | Plan | Commençant | Finissant | Métro |
|---|---|---|---|---|---|
| 14 | **Gazan** | J13 | av. Reille, 23 | Liard | *Cité Universit.* |
| 17 | **Geffroy Diderot (pass.)** | H4 | bd des Batignolles, 90 | des Dames, 119 | *Villiers* |
| 16 | **Général Anselin (av. du)** | D5 | bd l'Amiral Buix | av. Div. Leclerc | *Pte Dauphine* |
| 16 | **Gal Appert (du)** | D6 | Spontini, 46 | bd Flandrin, 72 | *Pte Dauphine* |
| 12 | **Gal Archinard (du)** | Q11 | av. Gal Méssimy | bd de la Guyane | *Pte Dorée* |
| 16 | **Général Aubé (du)** | C8 | de la Muette | av. Mozart, 21 | *La Muette* |
| 16 | **Gal Balfourier (av. du)** | D10 | Erlanger, 40 | bd Exelmans, 108 | *M.-Ange-Molitor* |
| 15 | **Gal Baratier (du)** | F9 | av. Champaubert, 3 | av. de la Motte-Picquet, 52 | *La Motte-Picquet* |
| 7 | **Général Bertrand (du)** | G9 | Eblé, 17 | de Sèvres, 98 | *Duroc* |
| 15 | **Gal Beuret (pl. du)** | F10 | Blomet, 74 | Lecourbe, 109 | *Vaugirard* |
| 15 | **Général Beuret (du)** | F10 | Blomet, 77 | Vaugirard, 252 | *Vaugirard* |
| 11 | **Général Blaise (du)** | N7 | Rochebrune, 7 | Lacharrière, 20 | *St-Ambroise* |
| 8 | **Général Brocard (pl. du)** | F4 | av. Hoche | de Courcelles | *Courcelles* |
| 19 | **Général Brunet (du)** | O4 | de Crimée, 44 | bd Sérurier, 123 | *Botzaris* |
| | **40-45** | P4 | | | *Danube* |
| 7 | **Général Camou (du)** | F7 | av. Rapp, 24 | av. La Bourdonnais, 33 | *Ecole Militaire* |
| 17 | **Général Catroux (pl. du)** | G4 | av. de Villiers, 44 | bd Malesherbes, 110 | *Malesherbes* |
| 16 | **Général Clavery (av. du)** | B11 | av. Petite-Arche | av. M. Doret | *Pte de St Cloud* |
| 16 | **Gal Clergerie (du)** | D6 | av. Bugeaud, 11 | Amiral Courbet | *Victor-Hugo* |
| 19 | **Général Cochet (pl. du)** | P3 | Manin | Petit | *Pte de Pantin* |
| 15 | **Général de Castelnau (du)** | F9 | av. de la Motte-Picquet | du Laos, 10 | *La Motte-Picquet* |
| 16 | **Général Delestraint (du)** | B10 | bd Exelmans | bd Murat, 99 | *Exelmans* |
| 7 | **Général Détrie (av. du)** | F8 | Thomy-Thierry | av. de Suffren, 53 | *La Motte-Picquet* |
| 12 | **Général Dodds (av. du)** | Q11 | bd Poniatowski, 94 | av. Ch. de Foucauld, 6 | *Pte Dorée* |
| 16 | **Général Dubail (av. du)** | C8 | Assomption | pl. Rodin | *Jasmin* |
| 8 | **Gal Eisenhower (av. du)** | G6 | av. Fr.-D. Roosevelt | pl. Clémenceau | *Ch.-Elysées-Clem.* |
| 15 | **Gal Estienne (du)** | D10 | St Charles, 123 | Lacordaire, 6 | *Charles Michels* |
| 7 | **Général Ferrié (av. du)** | F8 | av. Dr Brouardel | av. Emile Pouvillon | *Ecole Militaire* |
| 8 | **Général Foy (du)** | H4 | Bienfaisance, 18 | Monceau, 88 | *Villiers* |
| 7 | **Général Gouraud (pl. du)** | F8 | av. La Bourdonnais, 45 | av. Rapp, 36, 45 | *Ecole Militaire* |
| 11 | **Général Guilhem** | N7 | Chemin Vert, 97 | St Ambroise, 26 | *St-Maur* |
| 15 | **Gal Guillaumat (du)** | E12 | av. A. Bartholomé, 11 | av. Pte de la Plaine | *Pte de Versailles* |
| 16 | **Général Grossetti (du)** | B11 | Général Malleterre | bd Murat, 144 | *Pte de St Cloud* |
| 17 | **Général Henrys (du)** | I1 | Jean Leclaire | bd Bessières, 29 | *Pte de St Ouen* |
| 14 | **Général Humbert (du)** | G13 | Wilfrid Laurier | Prévost Paradol | *Pte de Vanves* |
| 19 | **Général Ingold (pl. du)** | N5 | bd de la Villette | de Belleville | *Belleville* |
| 17 | **Général Koenig (pl. du)** | D4 | bd Pershing | av. Pte des Ternes | *Pte Maillot* |
| 7 | **Général Lambert (du)** | E8 | Thomy-Thierry | av. de Suffren, 23 | *Dupleix* |
| 12 | **Gal Langle-de-Cary** | O12 | Escoffier | bd Poniatowski | *Pte de Charenton* |
| 16 | **Général Langlois** | D7 | Eugène Delacroix | villa Scheffer | *Rue de la Pompe* |
| 17 | **Général Lanrezac** | E5 | av. Carnot, 14 | av. Mac Mahon, 17 | *Ch. de Gaulle-Et.* |
| 12 | **Gal Laperrine (av.)** | Q11 | av. Gal Dodds, 9 | pl. Ed. Renard | *Pte Dorée* |
| 16 | **Général Largeau** | C9 | Perchamps, 35 | La Fontaine, 65 | *M.-Ange-Auteuil* |
| 15 | **Général Larminat** | F9 | sq. de la Motte-Picquet, 58 | Ouessant, 15 | *La Motte-Picquet* |
| 19 | **Général Lasalle** | N5 | pass. Lauzin, 12 | de Rébeval, 72 | *Belleville* |
| 14 | **Général Leclerc (av. du)** | I12 | pl. Denfert-Rochereau, 32 | bd Brune, 137 | *Denfert-Rochereau* |

| Ar. | Rues | Plan | Commençant | Finissant | Métro |
|---|---|---|---|---|---|
| | 21-36................ | I12 | .................... | .................... | *Mouton-Duvernet* |
| | 72-88................ | I12 | .................... | .................... | *Alésia* |
| | 131-142.............. | I13 | .................... | .................... | *Pte d'Orléans* |
| 1 | **Gal Lemonnier (du)** ...... | I7 | quai des Tuileries ...... | de Rivoli, 100 ......... | *Tuileries* |
| 15 | **Général Lucote** ......... | C11 | bd Victor, 2........... | av. Pte de Sèvres ...... | *Balard* |
| 14 | **Général Maistre (av.)** ..... | G-H13 | av. G. de Maud'huy, 2 ... | H. de Bournazel........ | *Pte d'Orléans* |
| 16 | **Général Malleterre (du)** ... | B11 | Général Grossetti....... | de la Petite-Arche ...... | *Pte de St Cloud* |
| 16 | **Général Mangin (av. du)**... | D8 | Berton .............. | Dr Germain Sée ....... | *Passy* |
| 7 | **Gal Margueritte (av.)** ..... | F8 | av. Général Tripier...... | av. Barbey-d'Aurevilly ... | *Ecole Militaire* |
| 15 | **Gal Martial-Valin (bd du)** .. | C11 | quai André Citroën ..... | bd Victor ............ | *Balard* |
| 14 | **Général de Maud'Huy** .... | H13 | av. du Gal Maistre, 2 .... | bd Brune, 92.......... | *Pte d'Orléans* |
| 12 | **Général Méssimy (av. du)**.. | Q11 | av. A. Rousseau........ | Dr Salmon ........... | *Pte Dorée* |
| 12 | **Gal Michel Bizot (av. du)**... | P12 | Charenton, 331 ........ | du Sahel............. | *Pte de Charenton* |
| | 43-50................ | P11 | .................... | .................... | *Michel Bizot* |
| | 111-118.............. | Q11 | .................... | .................... | *Bel-Air* |
| 15 | **Gal Monclar (pl. du)** ...... | G12 | Georges Pitard ........ | Castagnary........... | *Plaisance* |
| 7 | **Gal Négrier (cité du)**...... | G8 | de Grenelle, 151b ...... | Ernest Psichari ........ | *Latour-Maubourg* |
| 20 | **Général Niessel (du)**...... | Q9 | Cours de Vincennes..... | de Lagny ............ | *Pte de Vincennes* |
| 16 | **Général Niox (du)**........ | B11 | quai St Exupéry........ | bd Murat ............ | *Pte de St Cloud* |
| 16 | **Général Patton (pl. du)**.... | E5 | av. de la Gde-Armée .... | Duret............... | *Argentine* |
| 11 | **Général Renault (du)** ..... | N7 | av. Parmentier......... | Général Blaise......... | *St-Ambroise* |
| 16 | **Général Roques (du)**...... | A11 | pl. G. Stéfanik ......... | av. Parc-des-Princes .... | *Pte de St Cloud* |
| 19 | **Gal San-Martin (av. du)** ... | N4 | Fessart.............. | av. Secrétan .......... | *Buttes-Chaumont* |
| 16 | **Général Sarrail (av. du)**.... | A10 | pl. Pte d'Auteuil........ | Lecomte-Nouy......... | *Pte d'Auteuil* |
| 14 | **Gal Séré-Rivières (du)** .... | G13 | av. Pte Didot.......... | av. G. Lafenest ........ | *Pte de Vanves* |
| 16 | **Gal Stéfanik (pl. du)** ...... | A11 | bd Murat............. | Général Roques ....... | *Pte de St Cloud* |
| 20 | **Gal T. de Marguerittes (pl.)**. | Q9 | H. Tomasi ............ | de la Tour du Pin....... | *Pte de Montreuil* |
| 7 | **Général Tripier (av. du)**.... | F8 | Thomy-Thierry ........ | av. de Suffren, 39 ...... | *Dupleix* |
| 19 | **Gal Zarapoff (sq.)**........ | Q4 | av. René Fonck ........ | en impasse........... | *Pte des Lilas* |
| 20 | **Gênes (cité de)**.......... | O6 | Julien Lacroix, 48 ...... | en impasse........... | *Couronnes* |
| 12 | **Génie (pass. du)**......... | O9 | Fg St Antoine, 246...... | bd Diderot, 95......... | *Reuilly-Diderot* |
| 20 | **Géo Chavez**............ | Q6 | bd Mortier............ | pl. Oct. Chanute ....... | *Pte de Bagnolet* |
| 20 | **Géo Chavez (sq.)** ........ | Q6 | Géo Chavez........... | .................... | *Pte de Bagnolet* |
| 4 | **Geoffroy l'Angevin**....... | L7 | du Temple, 61......... | Beaubourg, 18......... | *Rambuteau* |
| 4 | **Geoffroy l'Asnier**......... | L8 | quai de l'H.-de-Ville, 52 .. | François Miron, 50...... | *St-Paul* |
| 9 | **Geoffroy Marie** ......... | K5 | Fg Montmartre, 20...... | Richer, 29............ | *Rue Montmartre* |
| 5 | **Geoffroy St Hilaire**....... | L11 | bd St Marcel, 42 ....... | Cuvier, 59............ | *St-Marcel* |
| | 35-36................ | L10 | .................... | .................... | *Monge* |
| 13 | **George Eastman** ........ | L12 | av. de Choisy ......... | av. Edison............ | *Place d'Italie* |
| 16 | **George-Sand**........... | C9 | av. Théophile Gautier.... | Mozart, 115........... | *Eglise d'Auteuil* |
| 16 | **George-Sand (villa)** ...... | C9 | George Sand, 26 ....... | .................... | *Jasmin* |
| 8 | **George-V (av.)**.......... | F6 | pl. de l'Alma .......... | av. des Ch. Elysées, 101.. | *George-V* |
| 20 | **G.-Ambroise Boisselat et** .. | | .................... | .................... | |
| | **Blanche (cité)**.......... | Q8 | Avron, 131 ........... | Rasselins, 7 .......... | *Pte de Vincennes* |
| 17 | **Georges Berger**......... | G4 | bd de Courcelles, 48 .... | pl. Malesherbes, 1...... | *Monceau* |
| 5 | **Georges Bernanos**....... | J10 | bd St Michel .......... | bd Port-Royal ......... | *Port-Royal* |

| Ar. | Rues | Plan | Commençant | Finissant | Métro |
|---|---|---|---|---|---|
| 9 | Georges Berry (pl.) | I5 | Caumartin | Joubert | *Havre-Caumartin* |
| 16 | Georges Bizet | F6 | av. Marceau, 19 | av. d'Iéna, 56 | *Alma-Marceau* |
| 14 | Georges Braque | J13 | Nansouty, 14 | en impasse | *Cité Universit.* |
| 15 | Georges Brassens (parc) | F12 | Dantzig | des Morillons | *Pte de Vanves* |
| 3 | Georges Cain (sq.) | L8 | Payenne | | *Chemin Vert* |
| 15 | Georges Citerne | E9 | Théâtre, 51 | Rouelle, 50 | *Dupleix* |
| 12 | Georges Contenot (sq.) | P11 | Cl. Decaen, 75 | de Gravelle, 7 | *Daumesnil* |
| 14 | G. de Porto-Riche | I13 | Henri Barboux | Monticelli | *Pte d'Orléans* |
| 5 | Georges Desplas | L10 | pl. Puits de l'Ermite | Daubenton | *Censier-Daubenton* |
| 10 | G.-Friedrich Haendel | M4 | quai de Jemmapes | pl. Robert Desnos | *Colonel Fabien* |
| 8 | G. Guillaumin (pl.) | F5 | av. de Friedland | Balzac | *Ch. de Gaulle-Et.* |
| 14 | G. Lafenestre (av.) | G13 | bd Brune, 64 | bd Adolphe Pinard | *Pte de Vanves* |
| 16 | Georges Lafont (av.) | A11 | pl. Pte de St Cloud | limite de Boulogne | *Pte de St Cloud* |
| 14 | Georges Lamarque (sq.) | I11 | Froidevaux | pl. Denfert-Rochereau | *Denfert-Rochereau* |
| 19 | Georges Lardennois | N5 | av. Mathurin Moreau, 38 | Barrelet-de-Ricou | *Colonel Fabien* |
| 15 | Georges Leclanche | G11 | Arist. Maillol | | *Pasteur* |
| 12 | Georges Lesage (sq.) | M9 | av. Ledru-Rollin, 4 | en impasse | *Quai de La Rapée* |
| 16 | Georges Leygues | C7 | Octave Feuillet, 31 | Franqueville | *La Muette* |
| 16 | Georges Mandel (av.) | D7 | pl. du Trocadéro | de la Pompe | *Trocadéro* |
| 12 | Georges Meliès (sq.) | Q10 | bd Soult | Emile Laurent | *Pte de Vincennes* |
| 15 | Georges Mulot (pl.) | G9 | Valentin Hauy | Bouchut | *Sèvres-Lecourbe* |
| 15 | Georges Pitard | G11 | Procession, 90 | de Vouillé, 59 | *Plaisance* |
| 4 | Georges Pompidou (pl.) | K7 | St Merri | Rambuteau | *Rambuteau* |
| 1-4 | G. Pompidou (voie) | C9 | D8-I7-K8-L8 | Voie express rive dr | |
| 19 | Georges Récipion (al.) | M4 | de Meaux | de Meaux | *Colonel Fabien* |
| 16 | Georges Risler (av.) | B10 | Claude Lorrain | villa Cheysson | *Exelmans* |
| 20 | Georges Rouault (al.) | D6 | Julien Lacroix | impasse | *Couronnes* |
| 14 | Georges Saché | H12 | de la Sablière, 10 | Severo | *Mouton-Duvernet* |
| 16 | Georges Ville | E6 | Paul Valéry, 19 | av. Victor Hugo, 63 | *Victor-Hugo* |
| 18 | Georgette Agutte | I2 | Championnet, 192 | Belliard, 151 | *Pte de St Ouen* |
| 20 | Georgina (villa) | P5 | Taclet, 13 | Duée, 34 | *Pelleport* |
| 9 | Gérando | K4 | av. Trudaine, 10 | bd Rochechouart, 21 | *Anvers* |
| 13 | Gérard | K12 | Bobillot, 4 | Jonas, 11 | *Place d'Italie* |
| 18 | Gérard de Nerval | J1 | Henri Huchard | bd Périphérique | *Pte de St Ouen* |
| 16 | Gérard Philipe | C6 | bd Lannes | du Maréchal Fayolle | *Pte Dauphine* |
| 15 | Gerbert | F11 | Blomet, 117 | Vaugirard, 282 | *Vaugirard* |
| 15 | Gerbert (sq.) | F11 | Blomet | Gerbert | *Vaugirard* |
| 11 | Gerbier | O8 | Folie Regnault, 17 | de la Roquette, 170 | *Philippe Auguste* |
| 14 | Gergovie (pass. de) | G11 | de Gergovie, 6 | Vercingétorix, 130 | *Plaisance* |
| 14 | Gergovie (de) | H12 | Blottière, 33 | d'Alésia, 134 | *Pernety* |
| 16 | Géricault | B9 | d'Auteuil, 52 | Poussin, 27 | *M.-Ange-Auteuil* |
| 18 | Germain Pilon (cité) | J3 | Germain Pilon, 23 | | *Pigalle* |
| 18 | Germain Pilon | J3 | bd de Clichy, 38 | Abbesses, 33 | *Pigalle* |
| 17 | Gervex | F3 | Senlis | Jules Bourdais | *Pereire* |
| 4 | Gesvres (quai de) | K8 | pl. de l'H.-de-Ville | pl. du Châtelet | *Châtelet* |
| 13 | Giffard | M11 | quai d'Austerlitz, 5 | bd Vincent Auriol, 10 | *Quai de la Gare* |

| Ar. | Rues | Plan | Commençant | Finissant | Métro |
|---|---|---|---|---|---|
| 15 | Gil de Guingand (sq.) | F9 | pl. du Card. Amette | sq. de la Motte-Picquet | *La Motte-Picquet* |
| 18 | Ginette Neveu | K1 | av. Pte de Clignancourt, 16 | av. Pte de Clignancourt, 32 | *Pte Clignancourt* |
| 15 | Ginoux | E9 | Héricart, 36 | Lourmel, 54 | *Charles Michels* |
| 14 | Giordano Bruno | H13 | des Plantes, 70 | Ledion, 28 | *Alésia* |
| 18 | Girardon (imp.) | J3 | Girardon, 5 | | *Lamarck-Caulainc.* |
| 18 | Girardon | J3 | Lepic, 87 | St Vincent, 49 | *Lamarck-Caulainc.* |
| 16 | Girodet | B9 | d'Auteuil, 48 | Poussin, 13 | *M.-Ange-Auteuil* |
| 19 | Gironde (quai de) | O2 | quai de l'Oise, 41 | bd MacDonald | *Corentin-Cariou* |
| 6 | Gît-le-Cœur | J8 | quai des G. Augustins, 25 | St André-des-Arts, 30 | *St-Michel* |
| 13 | Glacière (de la) | K11 | bd Port-Royal, 37 | Tolbiac, 242 | *Gobelins* |
| | 13-22 | J11 | | | *Port-Royal* |
| 20 | Glaïeuls (des) | Q5 | Charles Cros | av. Pte des Lilas | *Pte des Lilas* |
| 9 | Glück | I5 | Halévy, 1 | bd Haussmann, 31 | *Opéra* |
| 13 | Glycines (des) | K13 | Orchidées | A. Lançon, 37 | *Cité Universit.* |
| 5 | Gobelins (av. des) | K11 | Monge, 123 | pl. d'Italie, 2 | *Gobelins* |
| 13 | 62-69 | L12 | de 1 à 23 et 2 à 22, 5e, le | reste, 13e | *Place d'Italie* |
| 13 | Gobelins (cité des) | L11 | Rubens, 4 | av. des Gobelins, 61 | *Gobelins* |
| 13 | Gobelins (des) | K11 | av. des Gobelins, 32 | Berbier-du-Mets | *Gobelins* |
| 13 | Gobelins (villa des) | K12 | av. des Gobelins, 54 | | *Gobelins* |
| 11 | Gobert | N8 | Richard Lenoir, 24 | bd Voltaire, 160 | *Charonne* |
| 13 | Godefroy | L12 | pl. des Alpes, 5 | pl. d'Italie, 7 | *Place d'Italie* |
| 11 | Godefroy-Cavaignac | N8 | de Charonne, 85 | de la Roquette, 128 | *Voltaire* |
| 20 | Godin (villa) | P7 | de Bagnolet, 85 | | *Alexandre Dumas* |
| 9 | Godot-de-Mauroy | I5 | bd de la Madeleine, 10 | des Mathurins, 15 | *Madeleine* |
| 16 | Goethe | F6 | Georges Bizet, 3 | Galliéra, 6 | *Alma-Marceau* |
| 19 | Goix (pass.) | M3 | Aubervilliers, 16 | Département, 13 | *Stalingrad* |
| 1 | Gomboust (imp.) | I6 | pl. Marché St Honoré, 33 | | *Pyramides* |
| 1 | Gomboust | I6 | Saint Roch, 59 | pl. Marché St Honoré, 40 | *Pyramides* |
| 11 | Goncourt (des) | M6 | Darboy, 5 | Fg du Temple, 68 | *Goncourt* |
| 11 | Gonnet | O9 | Fg St Antoine, 283 | Montreuil, 60 | *Boulets-Montreuil* |
| 16 | Gordon-Bennett (av.) | A9 | bd d'Auteuil | av. Pte d'Auteuil | *Pte d'Auteuil* |
| 12 | Gossec | P11 | av. Daumesnil, 233 | de Picpus, 104 | *Michel Bizot* |
| 20 | Got-Sully (sq.) | Q9 | Mounet-Sully | cours de Vincennes | *Pte de Vincennes* |
| 19 | Goubet | O3 | Petit | Manin | *Danube* |
| 17 | Gounod | F4 | av. de Wagram, 123 | Demours, 100 | *Wagram* |
| 17 | Gourgaud (av.) | F3 | pl. Péreire, 8 | bd Berthier, 57 | *Péreire* |
| 13 | Gouthière | K14 | bd Kellermann | av. Caffiéri | *Pte d'Italie* |
| 18 | Goutte-d'Or (de la) | K3 | Polonceau, 1 | bd Barbès, 24 | *Barbès-Rochech.* |
| 17 | Gouvion St Cyr (bd) | D4 | av. de Villiers, 147 | av. Gde Armée | *Pte Maillot* |
| 17 | Gouvion St Cyr (sq.) | E4 | bd Gouvion St Cyr | | *Pte Maillot* |
| 6 | Gozlin | I8 | des Ciseaux, 2 | de Rennes, 41 | *St-Germ.-des-Prés* |
| 10 | Grâce-de-Dieu (cour) | N5 | Fg du Temple, 129 | | *Belleville* |
| 5 | Gracieuse | K10 | l'Epée-de-Bois, 2 | Lacépède, 31 | *Monge* |
| 17 | Graisivaudan (sq.) | E3 | av. Pte de Villiers | Alexandre Charpentier | *Pte de Champerret* |
| 15 | Gramme | E10 | du Commerce, 69 | de la Cx-Nivert, 68 | *Commerce* |
| 2 | Gramont (de) | J6 | St Augustin, 14 | bd des Italiens, 17 | *4-Septembre* |

| Ar. | Rues | Plan | Commençant | Finissant | Métro |
|---|---|---|---|---|---|
| 14 | Grancey (de) | I12 | pl. Denfert-Rochereau, 20. | Daguerre, 10 | *Denfert-Rochereau* |
| 6 | Grands-Augustins (quai des) | J8 | Pt St Michel | Dauphine, 1 | *St-Michel* |
| 6 | Grands-Augustins | J8 | quai des Gds-Augustins | St André-des-Arts, 54 | *St-Michel* |
| 16-17 | Grande-Armée (av.) | E5 | pl. Ch. de Gaulle | bd Gouvion St Cyr | *Ch. de Gaulle-Et.* |
| | 36-41 | E5 | | | *Argentine* |
| | 78-87 | D5 | impairs, 16e | pairs, 17e | *Pte Maillot* |
| 17 | Grande-Armée (villa) | E5 | des Acacias, 8 | | *Argentine* |
| 2 | Grand-Cerf (pass.) | K6 | St Denis, 145 | Dussoubs, 10 | *Etienne Marcel* |
| 6 | Gde Chaumière | I10 | N.-D. des Champs, 72 | bd du Montparnasse, 115. | *Vavin* |
| 20 | Grands Champs (des) | Q9 | bd de Charonne | Volga, 48 | *Buzenval* |
| 5 | Grands Degrés (des) | K9 | Maître Albert, 2 | Haut-Pavé, 3 | *Maubert-Mutualité* |
| 11 | Grand Prieuré | M6 | de Crussol, 29 | av. République, 18 | *Oberkampf* |
| 1 | Gde Truanderie | K7 | bd Sébastopol, 57 | Turbigo, 4 | *Les Halles* |
| 3 | Grand Veneur (du) | M7 | des Arquebusiers | | *St-Séb.-Froissard* |
| 13 | Grangé (sq.) | K11 | Glacière, 22 | | *Glacière* |
| 10 | Grange-aux-Belles | M5 | quai Jemmapes, 98 | bd de la Villette | *J. Bonsergent* |
| 10 | 40-42 | | | | *Colonel Fabien* |
| 9 | Grange-Batelière | J5 | Fg Montmartre, 21 | Drouot | *Richelieu-Drouot* |
| 12 | Gravelle | P11 | Wattignies, 51 | Cl. Decaen, 57 | *Daumesnil* |
| 3 | Gravilliers (pass.) | L7 | Chapon, 10 | Gravilliers, 19 | *Arts-et-Métiers* |
| 3 | Gravilliers (des) | L7 | du Temple, 127 | St Martin, 248 | *Arts-et-Métiers* |
| 8 | Greffulhe | I5 | Castellane, 10 | Mathurins, 31 | *Havre-Caumartin* |
| 6 | Grégoire-de-Tours | J8 | Bucy, 7 | Quatre-vents, 20 | *Odéon* |
| 13 | Grellet (pass.) | O13 | Bruneseau | en impasse | *Pte d'Ivry* |
| 19 | Grenade (de la) | P3 | de la Marseillaise | au Pré St Gervais | *Pte de Pantin* |
| 15 | Grenelle (bd de) | E8 | quai Branly, 141 | pl. Cambronne, 1 | *Bir-Hakeim* |
| 15 | 163-166 | F9 | | | *La Motte-Picquet* |
| 15-16 | Grenelle (pont de) | D9 | av. du Pr. Kennedy | quai de Grenelle | *Charles Michels* |
| 15 | Grenelle (port de) | E8 | pt de Bir-Hakeim | pont de Grenelle | *Bir-Hakeim* |
| 15 | Grenelle (quai de) | E8 | bd de Grenelle | pont de Grenelle | *Bir-Hakeim* |
| 6 | Grenelle (de) | I8 | c. Croix-Rouge | av. La Bourdonnais, 83 | *Sèvres-Babylone* |
| 7 | 65-78 | I8 | | | *Rue du Bac* |
| | 177-198 | G8 | | | *Latour-Maubourg* |
| | de 1 à 7 et 2 à 10, 6e | | de 9 et 12 à la fin, 7e | | |
| 15 | Grenelle (villa de) | E9 | Violet, 16 | villa Juge, 7 | *Dupleix* |
| 2 | Greneta (cour) | K6 | St Denis, 163 | Greneta, 32 | *Réaumur-Sébast.* |
| 2 | Greneta | K6 | St Martin, 241 | Montorgueil, 80 | *Réaumur-Sébast.* |
| 3 | de 1 à 15 et 2 à 10 | | | | |
| 3 | Grenier St Lazare | K7 | Beaubourg, 57 | St Martin, 202 | *Etienne Marcel* |
| 4 | Grenier-sur-l'Eau | L8 | Geoffroy l'Asnier, 23 | des Barres, 14 | *Pont-Marie* |
| 20 | Grès (pl. des) | Q7 | St Blaise, 31 | Vitruve, 42 | *Pte de Montreuil* |
| 20 | Grès (sq. des) | Q7 | Vitruve | | *Pte de Montreuil* |
| 19 | Gresset | N2 | Crimée, 176 | Joinville, 11 | *Crimée* |
| 2 | Grétry | J6 | Favart, 1 | de Grammont, 20 | *4-Septembre* |
| 16 | Greuze | D7 | av. Georges Mandel, 9 | Decamps, 17 | *Trocadéro* |
| 7 | Gribeauval (de) | I8 | pl. St Thomas-d'Aquin | du Bac, 45 | *Rue du Bac* |

| Ar. | Rues | Plan | Commençant | Finissant | Métro |
|---|---|---|---|---|---|
| 5 | Gril (du) | L11 | Censier, 12 | Daubenton, 9 | *Censier-Daubenton* |
| 19 | Grimaud (imp.) | O4 | Hautpoul, 20 | | *Botzaris* |
| 15 | Grisel (imp.) | F9 | bd Garibaldi, 3 | | *Cambronne* |
| 11 | Griset (cité) | N6 | Oberkampf, 125 | | *Ménilmontant* |
| 20 | Gros (imp.) | Q8 | passage Dieu, 3 | | *Alexandre Dumas* |
| 16 | Gros | D9 | av. de Versailles, 2 | La Fontaine, 17 | *Mirabeau* |
| | 43-45 | C9 | | | *Jasmin* |
| 7 | Gros-Caillou (port) | G7 | pt des Invalides | pt de l'Alma | *Invalides* |
| 7 | Gros-Caillou (du) | F8 | Augereau, 11 | Grenelle, 210 | *Ecole Militaire* |
| 18 | Grosse-Bouteille (imp.) | J2 | du Poteau, 67 | | *Pte Clignancourt* |
| 20 | Groupe Manouchian | Q6 | Surmelin, 31 | av. Gambetta, 100 | *Pelleport* |
| 18 | Guadeloupe (de la) | L2 | Pajol, 69 | de l'Olive, 8 | *Marx Dormoy* |
| 8 | Guatémala (pl. du) | H5 | Bienfaisance | Malesherbes | *St-Augustin* |
| 16 | Gudin | B11 | bd Murat, 125 | av. de Versailles, 217 | *Pte de St Cloud* |
| 18 | Gué (imp. du) | L1 | de la Chapelle, 79 | | *Pte la Chapelle* |
| 20 | Guébriant (de) | Q5 | bd Mortier | Léon Frapié | *St-Fargeau* |
| 18 | Guelma (imp. de) | J4 | bd de Clichy, 30 | | *Pigalle* |
| 4 | Guéménée (imp. de) | M8 | St Antoine, 28 | | *Bastille* |
| 6 | Guénégaud | J8 | quai Conti, 9 | Mazarine, 15 | *Odéon* |
| 11 | Guénot | O9 | bd Voltaire, 245 | en impasse | *Boulets-Montreuil* |
| 11 | Guénot (pass.) | O9 | bd Voltaire, 223 | Guénot, 15 | *Boulets-Montreuil* |
| 2 | Guérin-Boisseau | K6 | Palestro, 33 | St Denis, 186 | *Réaumur-Sébast.* |
| 17 | Guersant | E4 | P. Demours | bd Gouvion St Cyr, 35 | *Pte Maillot* |
| 16 | Guibert (villa) | D7 | de la Tour, 83 | | *Rue de la Pompe* |
| 16 | Guichard | D8 | de Passy, 72 | pl. Possoz, 1 | *La Muette* |
| 20 | Guignier (pl.) | P5 | des Pyrénées, 292 | Guignier | *Jourdain* |
| 20 | Guignier (du) | P5 | des Pyrénées, 292 | des Rigoles, 23 | *Jourdain* |
| 11 | Guilhem (pass.) | N7 | Guilhem, 18 | St Maur, 51 | *St-Maur* |
| 6 | Guillaume Apollinaire | J8 | Bonaparte, 42 | St Benoît, 11 | *St-Germ.-des-Prés* |
| 11 | Guillaume Bertran | N7 | St Maur, 58 | av. République, 90 | *St-Maur* |
| 17 | Guillaume Tell | E3 | Laugier, 62 | av. de Villiers, 112 | *Péreire* |
| 12 | Guillaumot | N10 | av. Daumesnil, 42 | J. Bouton, 7 | *Gare de Lyon* |
| 14 | Guilleminot | H11 | de l'Ouest, 54 | Crocé Spinelli, 3 | *Pernety* |
| 4 | Guillemites (des) | L8 | Ste Cx de la Bretonnerie | Francs-Bourgeois, 53 | *Hôtel de Ville* |
| 6 | Guirsade | I9 | Mabillon, 14 | des Canettes, 21 | *Mabillon* |
| 17 | Guizot (villa) | E5 | Acacias, 21 | | *Argentine* |
| 17 | Gustave Charpentier | D4 | bd de Paladines | pl. de Verdun | *Pte Maillot* |
| 16 | Gustave-V de Suède | E7 | jardin du Trocadéro | Palais Chaillot | *Trocadéro* |
| 16 | Gustave Courbet | D6 | Longchamp, 100 | de la Pompe, 130 | *Victor-Hugo* |
| 17 | Gustave Doré | F3 | av. Wagram, 155 | bd Péreire, 85 | *Wagram* |
| 7 | Gustave Eiffel (av.) | E8 | Syl. de Sacy | Octave Gréard | *Bir-Hakeim* |
| 17 | Gustave Flaubert | F4 | Rennequin, 16 | Courcelles, 105 | *Courcelles* |
| 13 | Gustave Geffroy | K11 | Gobelins, 5 | Berbier-du-Mets | *Gobelins* |
| 10 | Gustave Goublier | L6 | bd de Strasbourg | Fg St Martin | *Strasb.-St-Denis* |
| 15 | Gustave Larroumet | F10 | Mademoiselle | Léon Lhermite | *Commerce* |
| 14 | Gustave-le-Bon | H13 | av. Ernest Reyer | bd Brune | *Pte d'Orléans* |

| Ar. | Rues | Plan | Commençant | Finissant | Métro |
|---|---|---|---|---|---|
| 11 | Gustave Lepeu (pass.) | O8 | Léon Frot | Emile Lepeu, 10 | *Charonne* |
| 13 | Gustave Mesureur (sq.) | L12 | Esquirol | Jeanne-d'Arc | *Nationale* |
| 16 | Gustave Nadaud | C7 | de la Pompe, 15 | bd E. Augier, 12 | *La Muette* |
| 18 | Gustave Rouanet | J1 | du Poteau | du Ruisseau | *Pte Clignancourt* |
| 9 | Gustave Toudouze (pl.) | J4 | H. Monnier | Clauzel | *St-Georges* |
| 16 | Gustave Zédé | C8 | des Bauches, 23 | Ranelagh, 74 | *Ranelagh* |
| 15 | Gutenberg | D10 | Javel, 54 | Balard | *Javel* |
| 17 | Guttin | H2 | Fragonard, 13 | bd Bessières, 113 | *Pte de Clichy* |
| 12 | Guyane (bd de la) | R11 | av. Daumesnil | | *Pte Dorée* |
| 5 | Guy-de-la-Brosse | L10 | Jussieu, 13 | Linné, 16 | *Jussieu* |
| 16 | Guy de Maupassant | C7 | Mignard, 8 | bd E. Augier, 54 | *Rue de la Pompe* |
| 17 | Guy Môquet | I2 | av. de Clichy | av. de St Ouen | *Guy Môquet* |
| 20 | Guyenne (sq. de la) | Q8 | bd Davout | Mendelssohn | *Pte de Montreuil* |
| 6 | Guynemer | I9 | de Vaugirard, 21 | d'Assas, 55 | *St-Placide* |
| 10 | Guy Patin | K4 | bd Magenta, 154 | bd de la Chapelle, 45 | *Barbès-Rochech.* |
| 13 | Guyton de Morveau | K13 | Bobillot, 76 | Espérance, 43 | *Corvisart* |

| Ar. | Rues | Plan | Commençant | Finissant | Métro |
|---|---|---|---|---|---|
| 19 | Haie Coq (de la) | M1 | Aubervilliers | av. Porte d'Aubervilliers | *Pte la Chapelle* |
| 20 | Haies (pass. des) | P8 | des Haies, 47 | M. de Bourge, 20 | *Buzenval* |
| 20 | Haies (des) | Q8 | Planchat, 6 | Maraîchers, 105 | *Buzenval* |
| 19 | Hainaut (du) | O3 | Petit, 77 | Jean Jaurès, 176 | *Ourcq* |
| 9 | Havély | I5 | pl. de l'Opéra, 8 | b. Haussmann, 25 | *Opéra* |
| 14 | Hallé | I12 | Tombe Issoire, 42 | Commandeur, 12 | *Mouton-Duvernet* |
| 14 | Hallé (villa) | I12 | Hallé, 36 | en impasse | *Mouton-Duvernet* |
| 1 | Halles (des) | K7 | Rivoli, 104 | Pont-Neuf, 16 | *Châtelet* |
| 15 | Hameau (du) | E11 | Desnouettes, 33 | bd Victor, 51 | *Pte de Versailles* |
| 16 | Hamelin | E6 | de Lubeck, 18 | av. Kléber, 43 | *Boissière* |
| 2 | Hanovre (de) | J6 | Choiseul, 19 | Louis le Grand | *4-Septembre* |
| 20 | Hardy (villa) | P7 | Stendhal, 44 | en impasse | *Gambetta* |
| 1 | Harlay (de) | J8 | Q. de l'Horloge, 19 | quai des Orfèvres, 42 | *Châtelet* |
| 15 | Harmonie (de l') | G12 | Labrouste, 63 | Castagnary, 74 | *Plaisance* |
| 5 | Harpe (de la) | K8 | la Huchette, 31 | bd Saint-Germain, 100 | *St-Michel* |
| 20 | Harpignies | Q7 | bd Davout | en impasse | *Pte de Montreuil* |
| 19 | Hassart | O4 | Plateau, 26 | Botzaris, 54 | *Buttes-Chaumont* |
| 3 | Haudriettes (des) | L7 | Archives, 53 | Temple, 84 | *Rambuteau* |
| 8 | Haussmann (bd) | J5 | bd des Italiens | Fg Saint Honoré, 206 | *Richelieu-Drouot* |
| 9 | 9-22 | I5 | | | *Chaussée-d'Antin* |
| | 55-64 | I5 | de 1 à 53 et de 2 à 70, 9e | | *Havre-Caumartin* |
| | 73-76 | H5 | | | *St-Lazare* |
| | 157-170 | G5 | de 55 et 72 à la fin, 8ème | | *St-Ph.-du-Roule* |
| 6 | Hautefeuille (imp.) | J8 | Hautefeuille, 5 | | *Odéon* |
| 6 | Hautefeuille | J9 | pl. Saint André-des-Arts | Ecole de Médecine, 8 | *St-Michel* |
| 19 | Hauterive (villa) | O4 | Général Brunet, 29 | Miguel Hidalgo | *Danube* |

| Ar. | Rues | Plan | Commençant | Finissant | Métro |
|---|---|---|---|---|---|
| 13 | **Hautes Formes (imp.)** | M2 | Baudricourt, 23 | Nationale, 81 | *Tolbiac* |
| 10 | **Hauteville (cité)** | K5 | Hauteville, 84 | Chabrol, 53 | *Poissonnière* |
| 10 | **Hauteville (d')** | K5 | bd Bonne Nouvelle, 32 | pl. Franz Liszt | *Bonne Nouvelle* |
|  | **39-44** |  |  |  | *Poissonnière* |
| 5 | **Haut Pavé** | K9 | quai Montebello, 11 | Grands-Degrés, 10 | *Maubert-Mutualité* |
| 19 | **Hautpoul (imp. d')** | O3 | Petit, 59 |  | *Ourcq* |
| 19 | **Hautpoul (d')** | O3 | Crimée, 58 | Jean Jaurès, 142 | *Botzaris* |
| 9 | **Havre (cour du)** | I5 | Saint Lazare, 108 | d'Amsterdam, 1 | *St-Lazare* |
| 9 | **Havre (pass. du)** | I5 | Caumartin, 69 | Saint Lazare, 109 | *Havre-Caumartin* |
| 9 | **Havre (pl. du)** | I5 | du Havre, 16 | Saint Lazare, 109 | *St-Lazare* |
| 8 | **Havre (du)** | I5 | bd Haussmann, 72 | Saint Lazare, 21 | *St-Lazare* |
| 9 | **Pairs** |  |  |  | *Havre-Caumartin* |
| 20 | **Haxo (imp.)** | Q6 | Alphonse Penaud, 27 |  | *St-Fargeau* |
| 19 | **Haxo** | Q5-6 | du Surmelin, 41 | bd Sérurier, 67 | *Pré-St-Gervais* |
| 20 | **de 1 à 113 et 2 à 110** |  |  |  | *St-Fargeau* |
| 18 | **Hébert (pl.)** | L2 | de l'Evangile, 23 | Boucry | *Pte la Chapelle* |
| 10 | **Hébrard (pass.)** | M5 | Saint Maur, 204 | Chalet, 5 | *Belleville* |
| 12 | **Hébrard (ruelle des)** | O10 | Charolais, 62 | av. Daumesnil, 114 | *Dugommier* |
| 19 | **Hector Guimard** | N5 | Jules Romains |  | *Belleville* |
| 12 | **Hector Malot** | N9 | de Chalon, 48 | Charenton, 106 | *Gare de Lyon* |
| 18 | **Hégésippe Moreau** | I3 | Ganneron, 15 | Ganneron, 31 | *La Fourche* |
| 9 | **Helder (du)** | J5 | bd des Italiens, 38 | bd Haussmann | *Chaussée-d'Antin* |
| 17 | **Hélène** | I3 | av. de Clichy, 43 | Lemercier, 20 | *La Fourche* |
| 13 | **Hélène Boucher (sq.)** | L14 | Fernand Widal | av. de la Porte d'Italie | *Pte d'Italie* |
| 13 | **Héloïse et Abélard (sq.)** | M12 | Dunois | de Vimoutiers | *Chevaleret* |
| 12 | **Hennel (pass.)** | N10 | Charenton, 140 | av. Daumesnil, 103 | *Reuilly-Diderot* |
| 9 | **Henner** | I4 | La Bruyère, 44 | Chaptal, 15 | *Blanche* |
| 14 | **Henri Barboux** | H13 | bd Jourdan | av. Paul Appell | *Pte d'Orléans* |
| 5 | **Henri Barbusse** | J10 | bd Saint Michel | av. de l'Observatoire | *Port-Royal* |
| 14 |  |  | de 55 et 62 à la fin, 14e |  | *Luxembourg* |
| 13 | **Henri Becque** | J13 | Boussingault, 45 | Amiral Mouchez, 13 | *Glacière* |
| 8 | **Henri Bergson (pl.)** | H5 | du Rocher, 9 | bd Haussmann, 132 | *St-Augustin* |
| 15 | **Henri Bocquillon** | E10 | Javel, 162 | de la Convention, 125 | *Félix Faure* |
| 18 | **Henri Brisson** | J1 | bd Ney | Arthur Ranc | *Pte de St-Ouen* |
| 20 | **Henri Chevreau** | O6 | Ménilmontant, 79 | Couronnes, 98 | *Ménilmontant* |
| 10 | **Henri Christine (sq.)** | L6 | pl. de la République |  | *République* |
| 16 | **Henri de Bornier** | C7 | Octave Feuillet, 25 | Franqueville, 14 | *La Muette* |
| 14 | **Henri Delormel (sq.)** | I12 | Ernest-Cresson, 9b | en impasse | *Mouton-Duvernet* |
| 20 | **Henri Dubouillon** | Q5 | Haxo, 60 | av. Gambetta, 203 | *St-Fargeau* |
| 15 | **Henri Duchêne** | E9 | Fondary, 34 | av. Emile Zola, 135 | *Commerce* |
| 17 | **Henri Duparc (sq.)** | G3 | sq. F. de la Tombelle | en impasse | *Malesherbes* |
| 20 | **Henri Duvernois** | R7 | Louis Lumière, 74 | Serpollet, 25 | *Pte de Bagnolet* |
| 10 | **Henri Feulard** | M5 | Sambre-et-Meuse, 27 | bd de la Villette, 47 | *Colonel Fabien* |
| 16 | **Henri Gaillard (pass.)** | C6 | bd Lannes | bd A. Bruix | *Pte Dauphine* |
| 4 | **Henri Galli (sq.)** | L9 | quai des Célestins | bd Henri-IV | *Sully-Morland* |
| 16 | **Henri Heine** | B9 | av. Mozart | du Dr. Blanche | *Jasmin* |

| Ar. | Rues | Plan | Commençant | Finissant | Métro |
|---|---|---|---|---|---|
| 18 | **Henri Huchard** | J1 | av. Pte de Montmartre | Gd de Nerval | *Pte de St-Ouen* |
| 18 | **Henri Huchard (sq.)** | I1 | av. de la Pte de Sait Ouen | H. Huchard | *Pte de St-Ouen* |
| 20 | **Henri Karcher (sq.)** | P7 | Pyrénées, 171 | | *Alexandre Dumas* |
| 16 | **Henri Martin (av.)** | C7 | la Pompe | bd Lannes, 77 | *Rue de la Pompe* |
| 20 | **Henri Matisse (pl.)** | O6 | Elisa Borey | du Soleillet | *Père-Lachaise* |
| 7 | **Henri Moissan** | G7 | quai d'Orsay, 59 | av. Robert Schuman | *Latour-Maubourg* |
| 9 | **Henri Monnier** | J4 | Notre-Dame-de-Lorette, 38 | Victor Massé, 27 | *St-Georges* |
| 19 | **Henri Murger** | N4 | av. M.-Moreau | Secrétan, 56 | *Bolivar* |
| 13 | **Henri Pape** | L13 | Damesme, 18 | des Peupliers, 41 | *Tolbiac* |
| 20 | **Henri Poincaré** | P6 | av. Gambetta, 141 | Saint Fargeau, 12 | *Pelleport* |
| 4 | **Henri-IV (bd)** | M9 | quai de Béthune, 14 | pl. de la Bastille | *Sully-Morland* |
| | **29-30** | | | | *Bastille* |
| 4 | **Henri-IV (port)** | M9 | pont d'Austerlitz | pont Sully | *Sully-Morland* |
| 4 | **Henri-IV (quai)** | M9 | bd Morland, 1 | bd Henri-IV, 2 | *Quai de La Rapée* |
| | **30** | L9 | | | *Sully-Morland* |
| 15 | **Henri Queuille (pl.)** | G10 | bd Pasteur | av. de Breteuil | *Sèvres-Lecourbe* |
| 11 | **Henri Ranvier** | O7 | Gerbier | de la Folie-Regnault | *Philippe Auguste* |
| 14 | **Henri Regnault** | I13 | de la Tombe-Issoire, 132 | du Père-Corentin, 47 | *Pte d'Orléans* |
| 19 | **Henri Ribière** | P5 | Compans | des Bois | *Place des Fêtes* |
| 1 | **Henri Robert** | J8 | pl. Dauphine | pl. du Pont Neuf | *Pont-Neuf* |
| 17 | **Henri Rochefort** | G4 | de Prony, 30 | av. de Villiers, 33 | *Malesherbes* |
| 15 | **Henri Rollet (pl.)** | E11 | Vaugirard | Desnouettes | *Convention* |
| 13 | **Henri Rousselle (sq.)** | K2 | Bobillot, 32 | de la Butte-aux-Cailles | *Corvisard* |
| 20 | **Henri Tomasi** | Q9 | bd Davout | en impasse | *Pte de Montreuil* |
| 19 | **Henri Turot** | N5 | bd de la Villette, 92 | av. Simon Bolivar, 97 | *Colonel Fabien* |
| 16 | **Henry Bataille (sq.)** | B8 | bd Suchet, 66 | M.-F.-d'Espérey, 67 | *Ranelagh* |
| 14 | **Henri de Bournazel** | G13 | bd Brune | av. M. d'Ocagne | *Pte de Vanves* |
| 6 | **Henry de Jouvenel** | I9 | pl. St Sulpice | Canivet | *St-Sulpice* |
| 7 | **Henry de Montherland** | I7 | quai Anatole France | | *Invalides* |
| 16 | **Henry-de-la-Vaulx** | B11 | quai St Exupéry | av. de la Brunerie | *Pte de St Cloud* |
| 8 | **Henry Dunant (pl.)** | F6 | François Ier | Quentin | *George-V* |
| 16 | **Henry Paté (sq.)** | C9 | Félicien David | F. Gérard | *Mirabeau* |
| 17 | **Hérault de Séchelles** | H1 | Floréal | Morel | *Pte de St Ouen* |
| 15 | **Héricart** | E9 | sq. Héricart | St Charles, 50 | *Charles Michels* |
| 15 | **Héricart (sq.)** | E9 | Emeriaux | Ginoux | *Charles Michels* |
| 18 | **Hermann Lachapelle** | K2 | Boinod, 35 | Amiraux, 17 | *Simplon* |
| 18 | **Hermel (cité)** | K2 | Hermel, 12 | en impasse | *Jules Joffrin* |
| 18 | **Hermel** | K2 | Custine, 58 | bd Ornano, 43 | *Simplon* |
| 1 | **Hérold** | J6 | Coquillière, 44 | Etienne Marcel, 47 | *Louvre* |
| 10 | **Héron (cité)** | M5 | l'Hôpital St Louis, 5 | en impasse | *Colonel Fabien* |
| 16 | **Herran** | D6 | Decamps, 6 | Longchamp, 101 | *Rue de la Pompe* |
| 16 | **Herran (villa)** | D7 | de la Pompe, 85 | en impasse | *Rue de la Pompe* |
| 6 | **Herschel** | J10 | bd St Michel, 72 | av. de l'Observatoire, 9 | *Port-Royal* |
| 15 | **Hersent (villa)** | F11 | d'Alleray, 27 | en impasse | *Vaugirard* |
| 3 | **Hesse (de)** | M7 | Villehardoin | Eglise St Denis | *St-Séb.-Froissard* |
| 9 | **Hippolyte Lebas** | I5 | de Maubeuge, 9 | Martyrs, 12 | *N.-D. de Lorette* |

| Ar. | Rues | Plan | Commençant | Finissant | Métro |
|---|---|---|---|---|---|
| 14 | **Hippolyte Maindron** | **H12** | Maurice Ripoche | Alésia, 130 | *Pernety* |
| 6 | **Hirondelle (de l')** | **J8** | pl. St Michel, 6 | Gît-le-Cœur, 11 | *St-Michel* |
| 10 | **Hittoff (cité)** | **L5** | cité Magenta | Hittoff, 2 | *Château-d'Eau* |
| 10 | **Hittoff** | **L5** | cité Hittoff | Fg St Martin | *Château-d'Eau* |
| 19 | **Hiver (cité)** | **N4** | av. Secrétan, 73 | en impasse | *Bolivar* |
| 8 | **Hoche (av.)** | **F5** | Courcelles, 69 | pl. Charles de Gaulle | *Ch. de Gaulle-Et.* |
| 6 | **Honoré Chevalier** | **I9** | Bonaparte, 88 | Cassette, 21 | *St-Sulpice* |
| 13 | **Hôpital (bd de l')** | **M10** | pl. Valhubert, 1 | pl. d'Italie, 3 | *Gare d'Austerlitz* |
| 5 | **de 2 à 44, 5ème** | **L11** | 1 à 171 et 46 à 140, 13ème | | *St-Marcel* |
| | **104-123** | **L11** | | | *Campo-Formio* |
| | **146-171** | **L12** | | | *Place d'Italie* |
| 10 | **Hôpital St Louis (de l')** | **M5** | de la Grange-aux-Belles | quai de Jemmapes, 124 | *Colonel Fabien* |
| 1 | **Horloge (quai de l')** | **K8** | bd du Palais, 2 | pl. du Pont Neuf | *Châtelet* |
| 3 | **Horloge à automates** | | | | |
| | **(pass. de l')** | **K7** | St Martin | Rambuteau | *Rambuteau* |
| 4 | **Hosp. St Gervais** | **L8** | des Rosiers, 46 | des Francs-Bourgeois, 47 | *St-Paul* |
| 5 | **Hôtel Colbert** | **K9** | quai Montebello, 17 | Lagrange, 9 | *Maubert-Mutualité* |
| 4 | **Hôtel d'Argenson (imp.)** | **L8** | Vieille-du-Temple, 20 | | *St-Paul* |
| 4 | **Hôtel de Ville (pl.)** | **K8** | quai de Gesvres, 2 | Rivoli, 31 | *Hôtel de Ville* |
| 4 | **Hôtel de Ville (port)** | **K8** | pont Marie | pont d'Arcole | *Pont-Marie* |
| 4 | **Hôtel-de-Ville (quai)** | **K8** | Non.-d'Hyères, 1 | pont d'Arcole | *Pont-Marie* |
| 4 | **Hôtel de Ville (de l')** | **L8** | Fauconnier, 3 | de Brosse, 4 | *Pont-Marie* |
| 4 | **Hôtel St Paul (de l')** | **L8** | Neuve St Pierre | St Antoine | *St-Paul* |
| 20 | **Houdard** | **D7** | pl. Auguste Métivier | Tlemcen, 10 | *Père-Lachaise* |
| 15 | **Houdart de Lamotte** | **E10** | av. Félix Faure, 43 | en impasse | *Boucicaut* |
| 18 | **Houdon** | **J4** | bd de Clichy, 16 | des Abbesses, 7 | *Pigalle* |
| 15 | **Hubert Monmarché (pl.)** | **F10** | Péclet | Lecourbe | *Vaugirard* |
| 5 | **Huchette (de la)** | **K8** | pl. Petit Pont, 2 | pl. St Michel, 3 | *St-Michel* |
| 10 | **Huit Mai-1945 (du)** | **L5** | Fg St Martin | Magenta, 84 | *Gare de l'Est* |
| 10 | **Huit Novembre 1942 (pl.)** | **K4** | La Fayette | de Châteaudun | *Poissonnière* |
| 1 | **Hulot (pass.)** | **J6** | Montpensier, 31 | Richelieu, 34 | *Palais-Royal* |
| 15 | **Humblot** | **E9** | bd Grenelle, 63 | Daniel Stern, 3 | *Dupleix* |
| 14 | **Huyghens** | **I10** | bd Raspail, 208 | bd Edgard Quinet, 20 | *Vavin* |
| 6 | **Huysmans** | **I10** | Duguey Trouin, 7 | bd Raspail, 107 | *N.-D. des Champs* |

# I

| Ar. | Rues | Plan | Commençant | Finissant | Métro |
|---|---|---|---|---|---|
| 20 | **Ibsen (av.)** | **R6** | av. de la Pte Bagnolet | limite de Paris | *Pte de Bagnolet* |
| 16 | **Iéna (av. d')** | **E6** | av. Albert de Mun | pl. Charles de Gaulle | *Iéna* |
| | **67-98** | **E5** | | | *Ch. de Gaulle-Et.* |
| 16 | **Iéna (pl. d')** | **E7** | av. d'Iéna, 24 | du Président Wilson, 21 | *Iéna* |
| 7-16 | **Iéna (pont d')** | **E7** | av. de New York | quai Branly | *Trocadéro* |
| 4 | **Igor Stravinsky (pl.)** | **K7** | Brisemiche | St Merri | *Rambuteau* |
| 20 | **Ile-de-France (imp. de l')** | **P8** | de la Réunion, 97 | | *Alexandre Dumas* |
| 4 | **Ile-de-France (sq.)** | **K9** | pt Archevêché | pt St Louis | *Cité* |

| Ar. | Rues | Plan | Commençant | Finissant | Métro |
|---|---|---|---|---|---|
| 12 | Ile de la Réunion (pl. l') | P9 | bd de Picpus | av. du Trône | *Nation* |
| 14 | Ile-de-Sein (pl.) | J11 | bd Arago | Fg St Jacques | *St-Jacques* |
| 11 | Immeubles Indus. | P9 | Fg St Antoine, 309 | bd Voltaire, 264 | *Nation* |
| 19 | Indochine (bd d') | P3 | av. de la Pte de Pantin | av. Pte Brunet | *Pte de Pantin* |
| 20 | Indre (de l') | Q7 | Prairies, 34 | Pelleport, 25 | *Gambetta* |
| 11 | Industrie (cité) | N6 | Saint Maur, 90 | Oberkampf, 98 | *St-Maur* |
| 11 | Industrie (cour) | O9 | Montreuil, 37b | en impasse | *Faidherbe-Chal.* |
| 10 | Industrie (pass.) | L5 | bd Strasbourg | Fg St Denis, 42 | *Strasb.-St-Denis* |
| 13 | Industrie (de l') | L13 | Bourgon, 11 | Tage, 16 | *Maison Blanche* |
| 11 | Industrielle (cité) | N7 | de la Roquette, 115 | en impasse | *Voltaire* |
| 7 | Infante (jard. de l') | J7 | pl. du Louvre | | *Pont-Neuf* |
| 15 | Ingénieur R.-Keller | D9 | quai André Citroën, 7 | pl. Charles Michels | *Charles Michels* |
| 16 | Ingres (av.) | C8 | ch. de la Muette | bd Suchet, 39 | *Ranelagh* |
| 1 | Innocents (des) | K7 | St Denis, 43 | Lingerie, 4 | *Châtelet* |
| 19 | Inspect. Allès (de l') | P4 | des Bois | de la Mouzaïa | *Pré-St-Gervais* |
| 6 | Institut (pl. de l') | J8 | quai de Conti, 23 | pt des Arts | *Louvre* |
| 15 | Insurgés de Varsovie (pl. des) | E13 | av. de la Pte de la Plaine | Louis Vicat | *Pte de Versailles* |
| 7 | Intendant (jard.) | G8 | av. de Tourville | la Tour Maubourg | *Latour-Maubourg* |
| 8 | Intérieure | I5 | Cour de Rome | Cour du Havre | *St-Lazare* |
| 13 | Interne Loeb (de l') | L13 | Dr. Leray | du Dr. Tuffier | *Maison Blanche* |
| 7 | Invalides (bd des) | G8 | Grenelle, 127 | de Sèvres, 90 | *Varenne* |
| | 56-63 | H9 | | | *Duroc* |
| 7 | Invalides (espl.) | G7 | Hôtel des Invalides | quai d'Orsay | *Invalides* |
| 7 | Invalides (pl. des) | G8 | de Grenelle, 142b | av. du Mal Gallieni | *Invalides* |
| 7-8 | Invalides (pt des) | G7 | quai d'Orsay | quai Conférence | *Invalides* |
| 20 | Irénée Blanc | Q6 | Paul Strauss, 4 | Jules Siegfried | *Pte de Bagnolet* |
| 13 | Iris (des) (c. Florale) | K13 | Brillat Savarin, 50 | des Glycines | *Cité Universit.* |
| 19 | Iris (villa des) | Q4 | pass. des Mauxins | | *Pte des Lilas* |
| 5 | Irlandais (des) | K10 | Estrapade, 17 | Lhomond, 9 | *Monge* |
| 16 | Isabey | B9 | Auteuil, 50 | Poussin, 13 | *M.-Ange-Auteuil* |
| 18 | Islettes (des) | K3 | bd de la Chapelle, 112 | Goutte d'Or, 57 | *Barbès-Rochech.* |
| 8 | Isly (de l') | I5 | Havre, 9 | Rome, 12 | *St-Lazare* |
| 17 | Israël (pl. d') | F3 | av. de Wagram | Ampère | *Wagram* |
| 15 | Issy-les-Moulineaux (q. d') | C11 | bd Victor | lim. d'Issy-les-Moulineaux | *Balard* |
| 13 | Italie (av. d') | L12 | pl. d'Italie, 1 | bd Masséna, 108 | *Place d'Italie* |
| | 23-42 | L12 | | | *Tolbiac* |
| | 87-122 | L13 | | | *Maison Blanche* |
| | 143-180 | L14 | | | *Pte d'Italie* |
| 13 | Italie (pl. d') | L12 | av. des Gobelins et Italie | av. de Choisy | *Place d'Italie* |
| 13 | Italie (d') | L13 | Damesme, 24 | du Moulin des Prés | *Tolbiac* |
| 2-9 | Italiens (bd des) | J5 | Richelieu, 105 | Chaussée d'Antin | *Richelieu-Drouot* |
| | 13-18 | | Paris, 9ème | Impairs, 2ème | *Opéra* |
| 9 | Italiens (des) | J5 | bd des Italiens | Taitbout, 9 | *4-Septembre* |
| 13 | Ivry (av. d') | M13 | bd Masséna, 76 | av. Choisy, 116 | *Pte d'Ivry* |
| | 61-64 | L13 | | | *Tolbiac* |

| Ar. | Rues | Plan | Commençant | Finissant | Métro |
|---|---|---|---|---|---|
| 13 | Ivry (quai d') | O13 | pont National | Ivry | *Pte d'Ivry* |
| 13 | Ivry Regnault (sq.) | M13 | imp. Bourgoim | | *Pte d'Ivry* |

# J

| Ar. | Rues | Plan | Commençant | Finissant | Métro |
|---|---|---|---|---|---|
| 6 | **Jacob** | J8 | de Seine, 50 | des Sts Pères, 31 | *St-Germ.-des-Prés* |
| 11 | **Jacquard** | M7 | Ternaux, 17 | Oberkampf, 52 | *Parmentier* |
| 17 | **Jacquemont (villa)** | H3 | Jacquemont, 14 | en impasse | *La Fourche* |
| 17 | **Jacquemont** | H3 | av. Clichy, 87 | Lemercier, 52 | *La Fourche* |
| 14 | **Jacques Antoine (sq.)** | I11 | bd Raspail | pl. Denfert-Rochereau | *Denfert-Rochereau* |
| 7 | **Jacques Bainville (pl.)** | H7 | de Bellechasse | St Dominique | *Solférino* |
| 15 | **Jacques Baudry** | F12 | Chauvelot, 21 | Castagnary | *Pte de Vanves* |
| 17 | **Jacques Bigen** | G4 | pl. Malesherbes, 20 | Legendre, 9 | *Malesherbes* |
| 10 | **Jacques Bonsergent (pl.)** | L6 | bd Magenta | Lancry | *J. Bonsergent* |
| 6 | **Jacques Callot** | J8 | Mazarine, 44 | Seine, 45 | *Odéon* |
| 18 | **Jacques Cartier** | I2 | Championnet, 230 | Lagille, 26 | *Guy Môquet* |
| 4 | **Jacques Cœur** | M8 | La Cerisaie, 6 | St Antoine, 5 | *Bastille* |
| 6 | **Jacques Copeau (pl.)** | J8 | bd St Germain | 141 à 145 | *St-Germ.-des-Prés* |
| 15 | **Jacques et Thérèse Tréfouel (pl.)** | G10 | bd Pasteur | | *Pasteur* |
| 18 | **Jacques Froment (pl.)** | I2 | Carpeaux | Lamarck | *Guy Môquet* |
| 17 | **Jacques Ibert** | E3 | de Courcelles | av. de la pte Champerret | *Pte de Champerret* |
| 18 | **Jacques Kablé** | L3 | Département | Philippe Girard, 56 | *Pte la Chapelle* |
| 17 | **Jacques Kellner** | I2 | av. de St Ouen, 123 | bd Bessières | *Pte de St Ouen* |
| 10 | **Jacques Louvel Tessier** | M5 | Bichat, 24 | St Maur, 195 | *Goncourt* |
| 15 | **Jacques Mawas** | E11 | Cdt. Léandri | François Mouthon | *Convention* |
| 16 | **Jacques Offenbach** | C8 | du Gal Aubé | Antoine Arnauld | *Ranelagh* |
| 20 | **Jacques Prévert** | O7 | de Tlemcen | des Amandiers | *Père-Lachaise* |
| 9 | **Jacques Rouché (pl.)** | I5 | Halévy | Gluck | *Opéra* |
| 7 | **Jacques Rueff (pl.)** | F8 | Joseph Bouvard | Anatole France | *Ecole Militaire* |
| 11 | **Jacques Viguès (cour)** | N8 | Fg St Antoine | cour St Joseph | *Bastille* |
| 14 | **Jacquier** | H12 | Delbet, 8 | Bardinet, 17 | *Plaisance* |
| 17 | **Jardin** | G4 | de Chazelles, 41 | Médéric, 37 | *Monceau* |
| 14 | **Jamot (villa)** | H13 | Didot, 105 | en impasse | *Plaisance* |
| 19 | **Jandelle (cité)** | N5 | Rébeval, 55 | en impasse | *Belleville* |
| 19 | **Janssen** | P4 | des Lilas, 20 | Insp. Allès | *Pré-St-Gervais* |
| 20 | **Japon (du)** | P6 | Belgrand | av. Gambetta, 48 | *Gambetta* |
| 11 | **Japy** | N8 | Gobert, 7 | François de Neufch, 4 | *Voltaire* |
| 6 | **Jardinet (du)** | J8 | l'Eperon, 12 | c. Rohan, 3 | *Odéon* |
| 11 | **Jardiniers (imp.)** | O9 | bd Voltaire, 215b | | *Boulets-Montreuil* |
| 12 | **Jardiniers (des)** | P11 | de Charenton, 315 | Meuniers | *Pte de Charenton* |
| 4 | **Jardins St Paul (des)** | L8 | quai Célestin, 28 | Charlemagne, 9 | *Pont-Marie* |
| 4 | **Jarente (de)** | L8 | Turenne, 15 | Sévigné, 14 | *St-Paul* |
| 10 | **Jarry** | L5 | bd de Strasbourg, 69 | Fg St Denis, 92 | *Gare de l'Est* |
| 16 | **Jasmin** | C9 | Mozart, 78 | Raffet, 10 | *Jasmin* |

| Ar. | Rues | Plan | Commençant | Finissant | Métro |
|---|---|---|---|---|---|
| 16 | **Jasmin (cour)** | B9 | Jasmin, 16 | en impasse | *Jasmin* |
| 16 | **Jasmin (sq.)** | B9 | Jasmin, 10 | en impasse | *Jasmin* |
| 12 | **Jaucourt** | P9 | Picpus, 23 | pl. de la Nation, 10 | *Nation* |
| 15 | **Javel (port de)** | D9 | pont de Grenelle | pont Garigliano | *Javel* |
| 15 | **Javel (de)** | D9 | quai André Citroën, 41 | Blomet, 152 | *Javel* |
| | **69-70** | D10 | | | *Charles Michels* |
| | **170-171** | E11 | | | *Convention* |
| 13 | **Javelot (du)** | M13 | Tolbiac | Baudricourt | *Tolbiac* |
| 11 | **Jean Aicard (av.)** | N6 | Oberkampf, 138 | pl. Ménilmontant | *Ménilmontant* |
| 13 | **Jean Antoine de Baïf** | O13 | de la Croix Jarry | quai de la Gare | *Bd Masséna* |
| 13 | **Jean Baptiste Berlier** | O13 | bd Masséna | quai d'Ivry | *Pte d'Ivry* |
| 18 | **Jean Baptiste Clément (pl.)** | J3 | Ravignan, 19 | Lepic, 93 | *Abbesses* |
| 17 | **Jean Baptiste Dumas** | E4 | Bayen, 46 | Laugier, 63 | *Pereire* |
| 20 | **Jean Baptiste Dumay** | O5 | des Pyrénées, 348 | de Belleville, 114 | *Jourdain* |
| 6 | **Jean Bart** | I9 | de Vaugirard, 31 | de Fleurus, 14 | *St-Placide* |
| 4 | **Jean Beausire (imp.)** | M8 | Jean Beausire, 21 | | *Bastille* |
| 4 | **Jean Beausire (pass.)** | M8 | Jean Beausire, 11 | Tournelles, 12 | *Bastille* |
| 4 | **Jean Beausire** | M8 | de la Bastille, 9 | bd Beaumarchais, 13 | *Bastille* |
| 5 | **Jean de Beauvais** | K9 | bd St Germain, 51 | Lanneau, 18 | *Maubert-Mutualité* |
| 4 | **Jean du Bellay** | L8 | quai d'Orléans, 42 | quai Bourbon, 35 | *Hôtel de Ville* |
| 16 | **Jean Bologne** | D8 | l'Annonciation, 12 | de Passy, 53 | *Passy* |
| 12 | **Jean Bouton** | N10 | Hector Malot, 16 | bd Diderot | *Gare de Lyon* |
| 5 | **Jean Calvin** | K10 | Mouffetard | pl. Lucien Herr | *Censier-Daubenton* |
| 7 | **Jean Carriès** | F8 | Thomy Thierry | av. de Suffren | *La Motte-Picquet* |
| 18 | **Jean Cocteau** | K1 | Francis de Croisset | | *Pte Clignancourt* |
| 15 | **Jean Cocteau (sq.)** | D11 | St Charles | Modigliani | *Balard* |
| 13 | **Jean Colly** | M12 | Tolbiac, 48 | Château-des-Rentiers, 108 | *Nationale* |
| 18 | **Jean Cottin** | L2 | des Roses, 22 | en impasse | *Marx Dormoy* |
| 15 | **Jean Daudin** | G10 | bd Garibaldi, 56 | Lecourbe, 38 | *Sèvres-Lecourbe* |
| 14 | **Jean Dolent** | J12 | Santé, 42 | Fg St Jacques, 79 | *St-Jacques* |
| 18 | **Jean Dollfus** | I1 | Leibniz, 42 | bd Ney | *Pte de St-Ouen* |
| 13 | **Jean Dunand** | M13 | Charles Bertheau | de la Pointe d'Ivry | *Maison Blanche* |
| 10 | **Jean Falk (sq.)** | M4 | La Villette, 117 | | *Jaurès* |
| 6 | **Jean Ferrandi** | H9 | du Cherche Midi | Vaugirard | *St-Placide* |
| 15 | **Jean Formigé** | F10 | Théophraste Renaudot | du Dr. J. Clémenceau | *Vaugirard* |
| 6 | **Jean-François Gerbillon** | H9 | l'Abbé Grégoire, 26 | Bérite, 4 | *St-Placide* |
| 18 | **Jean-François Lépine** | L3 | Marx Dormoy, 25 | Stephenson, 12 | *Pte la Chapelle* |
| 16 | **Jean Giraudoux** | F6 | av. Marceau, 39 | La Pérouse, 38 | *Kléber* |
| 12 | **Jean Godart (villa)** | Q11 | av. Daumesnil, 276 | Ernest Lacoste | *Pte Dorée* |
| 8 | **Jean Goujon** | G6 | av. Fr. D. Roosevelt | pl. Reine Astrid | *Alma-Marceau* |
| 18 | **Jean Henri Fabre** | J1 | av. de la Pte Montmartre | av. de la Pte Clignancourt | *Pte Clignancourt* |
| 16 | **Jean Hugues** | C6 | Longchamp, 160 | en impasse | *Pte Dauphine* |
| 1 | **Jean-Jacques Rousseau** | J7 | St Honoré, 158 | Montmartre, 21 | *Les Halles* |
| 19 | **Jean Jaurès (av.)** | N3 | bd de la Villette, 202 | bd Sérurier | *Jaurès* |
| | **110-121** | N3 | | | *Laumière* |
| | **174-185** | O3 | | | *Pte de Pantin* |

| Ar. | Rues | Plan | Commençant | Finissant | Métro |
|---|---|---|---|---|---|
| 1 | **Jean Lantier** | K8 | St Denis, 5 | Bertin-Poirée, 16 | *Châtelet* |
| 17 | **Jean Leclaire** | I2 | La Jonquière, 22 | bd Bessières | *Guy Môquet* |
| 17 | **Jean Leclaire (sq.)** | I2 | Navier | J. Kellner | *Pte de St Ouen* |
| 16 | **Jean Lorrain (pl.)** | B9 | La Fontaine | Michel-Ange | *M.-Ange-Auteuil* |
| 17 | **Jean-Louis Forain** | F3 | de l'Abbé Rousselot | av. Brunetière | *Pereire* |
| 11 | **Jean Macé** | O8 | de Chanzy, 21 | Faidherbe, 40 | *Charonne* |
| 15 | **Jean Maridor** | E11 | av. Félix Faure, 79 | Lecourbe, 292 | *Lourmel* |
| 13 | **Jean-Marie Jégo** | K12 | de la Butte-aux-Cailles, 1 | Samson | *Corvisart* |
| 19 | **Jean Ménans** | N4 | Manin, 47 | Edouard Pailleron, 42 | *Bolivar* |
| 8 | **Jean Mermoz** | G5 | Rd-Pt des Ch. Elysées, 2 | Fg St Honoré, 95 | *F.-D.-Roosevelt* |
| 10 | **Jean Moinon** | M5 | St Maur, 218 | Sambre-et-Meuse, 34 | *Belleville* |
| 16 | **Jean Monnet (pl.)** | D6 | de la Pompe | av. Victor Hugo | *Victor-Hugo* |
| 17 | **Jean Moréas** | E3 | av. St Mallarmé | bd Somme, 15 | *Pte de Champerret* |
| 12 | **Jean Morin (sq.)** | O11 | Coriolis | bd de Bercy | *Dugommier* |
| 14 | **Jean Moulin (av.)** | H13 | av. du Gal Leclerc, 90 | bd Brune, 145 | *Alésia* |
| 14 | **Jean Moulin (sq.)** | H13 | av. de la Pte Châtillon | Nicolas Taunay | *Pte d'Orléans* |
| 7 | **Jean Nicot (pass.)** | G8 | St Dominique, 89 | Grenelle, 170b | *Latour-Maubourg* |
| 7 | **Jean Nicot** | G7 | quai d'Orsay, 69 | St Dominique, 74 | *Latour-Maubourg* |
| 17 | **Jean Ostreicher** | E3 | av. de la Pte Champerret | Cap. Peugeot | *Louise Michel* |
| 8 | **Jean Perrin (sq.)** | G6 | Palais de la Découverte | ........ | *Ch.-Elysées-Clem.* |
| 16 | **Jean-Paul Laurens (sq.)** | C8 | av. Théodore Rousseau | en impasse | *Ranelagh* |
| 7 | **Jean Paulhan (al.)** | E7-F8 | quai Branly | av. Gustave Eiffel | *Passy* |
| 10 | **Jean Poulmarch** | L5 | de Marseille, 17 | quai de Valmy | *J. Bonsergent* |
| 19 | **Jean Quarré** | P5 | Henri Ribière | Dr. Potain | *Place des Fêtes* |
| 15 | **Jean Rey** | E8 | Fédération | av. de Suffren, 16 | *Bir-Hakeim* |
| 16 | **Jean Richepin** | C7 | de la Pompe, 39 | bd Emile Augier | *Rue de la Pompe* |
| 18 | **Jean Robert** | L3 | Doudeauville, 12 | Ordener, 11 | *Marx Dormoy* |
| 19 | **Jean Rostand (pl.)** | N5 | bd de la Villette | de Belleville | *Belleville* |
| 13 | **Jean-Sébastien Bach** | M12 | Nationale | Clisson | *Nationale* |
| 15 | **Jean Sicard** | C12 | bd Lefebvre | av. Albert Bartholomé | *Pte de Vanves* |
| 15 | **Jean Thébaud (sq.)** | F9 | Paul Chautard | Paul Chautard | *Cambronne* |
| 11 | **Jean-Pierre Timbaud** | N6 | bd du Temple, 2 | bd de Belleville | *Couronnes* |
|  | **11-12** | M6 | ........ | ........ | *Oberkampf* |
|  | **45-54** | M6 | ........ | ........ | *Parmentier* |
|  | **103-120** | N6 | ........ | ........ | *Couronnes* |
| 1 | **Jean Tison** | J7 | de Rivoli, 154 | Bailleul, 11 | *Louvre* |
| 18 | **Jean Varenne** | J1 | bd Ney | av. de la Pte Montmartre | *Pte de St Ouen* |
| 20 | **Jean Veber** | K7 | bd Davout | en impasse | *Pte de Bagnolet* |
| 4 | **Jean-XXIII (sq.)** | K8 | quai de l'Archevêché | du Cloître Notre-Dame | *Cité* |
| 14 | **Jean Zay** | H11 | Vercingétorix | du Château | *Gaîté* |
| 13 | **Jeanne d'Arc (pl.)** | M12 | Jeanne d'Arc, 38 | Lahire, 1 | *Nationale* |
| 13 | **Jeanne d'Arc** | L11-M | Domremy, 54 | bd St Marcel, 41 | *Nationale* |
| 15 | **Jeanne Hachette** | F10 | Lecourbe, 167 | Blomet, 114 | *Vaugirard* |
| 18 | **Jehan Rictus (sq.)** | J3 | pl. des Abbesses | ........ | *Abbesses* |
| 10 | **Jemmapes (quai de)** | M6 | Fg du Temple, 29 | bd de la Villette, 131 | *République* |
|  | **96** | M5 | ........ | ........ | *J. Bonsergent* |

| Ar. | Rues | Plan | Commençant | Finissant | Métro |
|---|---|---|---|---|---|
| | 148 | M5 | | | *Château-Landon* |
| | 210 | M4 | | | *Jaurès* |
| 13 | **Jenner** | **M11** | bd Vincent Auriol, 82 | bd de l'Hôpital, 109 | *Campo-Formio* |
| 17 | **Jérôme Bellat (sq.)** | **E3** | bd Berthier | | *Pereire* |
| 18 | **Jessaint (de)** | **L3** | pl. de la Chapelle, 28 | Charbonnière, 1 | *Pte la Chapelle* |
| 18 | **Jessaint (sq. de)** | **L3** | pl. de la Chapelle | en impasse | *Pte la Chapelle* |
| 11 | **Jeu de Boules (pass.)** | **M6** | Amelot, 144 | de Malte, 45 | *Oberkampf* |
| 2 | **Jeûneurs (des)** | **K6** | Poissonnière, 7 | Montmartre, 158 | *Sentier* |
| | 23-30 | | | | *Rue Montmartre* |
| 1 | **Joacquim du Bellay (pl.)** | **K7** | Berger | St Denis | *Chât.-Les Halles* |
| 14 | **Joanès (pass.)** | **H12** | Didot, 93 | Joanès, 12 | *Plaisance* |
| 14 | **Joanès** | **H12** | de l'Abbé Carton, 56 | Boulitte, 7 | *Plaisance* |
| 15 | **Jobbé Duval** | **F11** | Dombasle, 40 | Morillons, 21 | *Convention* |
| 16 | **Jocelyn (villa)** | **C6** | sq. Lamartine, 3 | en impasse | *Rue de la Pompe* |
| 7 | **Joffre (pl.)** | **F8** | av. de la Motte-Picquet | av. de Suffren | *Ecole Militaire* |
| 10 | **Johan Strauss (pl.)** | **L6** | bd St Martin | René Boulanger | *République* |
| 17 | **John James Audubon** | **G3** | de Saussure | bd Pereire (nord) | *Wagram* |
| 19 | **Joinville (imp.)** | **N2** | de Flandre, 106 | | *Crimée* |
| 19 | **Joinville (pl. de)** | **N3** | quai de l'Oise | de Joinville | *Crimée* |
| 19 | **Joinville (de)** | **N2** | quai de l'Oise, 3 | de Flandre, 104 | *Crimée* |
| 14 | **Jolivet** | **H10** | du Maine, 2 | bd Edgard Quinet | *Edgar-Quinet* |
| 11 | **Joly (cité)** | **O7** | Chemin Vert, 123 | en impasse | *Père-Lachaise* |
| 19 | **Jomard** | **N9** | de Crimée, 160 | de Joinville, 1 | *Crimée* |
| 13 | **Jonas** | **K12** | des Cinq Diamants | | *Corvisart* |
| 15 | **Jongkind** | **D11** | St Charles | Varet | *Lourmel* |
| 14 | **Jonquilles (des)** | **G12** | Raymond Losserand, 182 | Vercingétorix, 211 | *Pte de Vanves* |
| 14 | **Jonquoy** | **H12** | des Suisses, 11 | Didot, 78 | *Plaisance* |
| 7 | **José-Maria de Heredia** | **G9** | av. Ségur, 63 | Pérignon, 18 | *Ségur* |
| 16 | **José Marti (pl.)** | **D7** | av. Paul Doumer | Commandant Schloesing | *Trocadéro* |
| 6 | **Joseph Bara** | **I10** | d'Assas, 110 | N.-D. des Champs, 97 | *Vavin* |
| 13 | **Joseph Bédier** | **N14** | av. Maryse Bastié | Dr. Yersin, 4 | *Pte d'Ivry* |
| 7 | **Joseph Bouvard (av.)** | **F8** | pl. du Champs de Mars | av. de Suffren, 41 | *Ecole Militaire* |
| 12 | **Joseph Chailley** | **Q12** | Poniatowski, 92 | Charles de Foucauld | *Pte Dorée* |
| 18 | **Joseph Dijon** | **K2** | Beaudelieu, 27 | Mont Cenis, 88 | *Simplon* |
| 16 | **Joseph et M.-Hackim (sq.)** | **D4** | bd. André Maurois, 2 | av. de Neuilly, 25 | *Pte Maillot* |
| 7 | **Joseph Granier** | **G8** | av. Tourville, 10 | Louis Codet | *Ecole Militaire* |
| 15 | **Joseph Liouville** | **F10** | Mademoiselle | Croix Nivert | *Commerce* |
| 18 | **Joseph de Maistre** | **I3** | Lepic, 31 | Champion, 217 | *Blanche* |
| | 37-82 | I2 | | | *Guy Môquet* |
| 20 | **Joseph Python** | **R7** | Louis Lumière | en impasse | *Pte de Bagnolet* |
| 8 | **Joseph Sansbœuf** | **H5** | de la Pépinière | du Rocher | *St-Lazare* |
| 18 | **Joséphine** | **J2** | Damrémont, 117 | en impasse | *Pte Clignancourt* |
| 20 | **Josseaume (pass.)** | **Q8** | des Haies, 69 | des Vignoles, 22 | *Buzenval* |
| 11 | **Josset (pass.)** | **N8** | Charonne, 40 | av. Ledru Rollin, 101 | *Ledru-Rollin* |
| 9 | **Joubert** | **I5** | Chaussée d'Antin, 37 | Caumartin, 58 | *Chaussée-d'Antin* |
| 11 | **Joudrier (imp.)** | **P8** | bd Charonne, 85 | | *Alexandre Dumas* |

| Ar. | Rues | Plan | Commençant | Finissant | Métro |
|---|---|---|---|---|---|
| 9 | **Jouffroy (pass.)** | J5 | bd Montmartre, 12 | Grange-Batelière, 9 | *Richelieu-Drouot* |
| 17 | **Jouffroy** | G3 | bd Pereire, 1 | av. Wagram, 82 | *Wagram* |
| 1 | **Jour (du)** | K7 | Coquillière, 2 | Montmartre, 11 | *Les Halles* |
| 20 | **Jourdain (du)** | O5 | Pyrénées, 336 | Belleville, 136 | *Jourdain* |
| 14 | **Jourdan (bd)** | J14 | Amiral Mouchez, 100 | av. Général Leclerc, 131 | *Pte d'Orléans* |
| 16 | **Jouvenet (sq.)** | B10 | Jouvenet, 6 | | *Chardon-Lagache* |
| 16 | **Jouvenet** | B10 | av. de Versailles, 152 | Boileau, 53 | *Chardon-Lagache* |
| 4 | **Jouy (de)** | L8 | N.-d'Hyères, 37 | François Miron, 58 | *St-Paul* |
| 20 | **Jouye Rouve** | O5 | Belleville, 60 | Julien Lacroix, 68 | *Pyrénées* |
| 17 | **Joyeux (cité)** | H1 | des Epinettes, 53 | en impasse | *Pte de St Ouen* |
| 15 | **Juge** | E9 | Viala, 15 | Violet, 8 | *Dupleix* |
| 15 | **Juge (villa)** | E9 | Juge, 22 | villa de Grenelle | *Dupleix* |
| 4 | **Juges Consuls (des)** | K7 | Verrerie, 70 | Cloître St Merri, 3 | *Hôtel de Ville* |
| 20 | **Juillet (de)** | O6 | Bidassoa, 44 | Bidassoa, 54 | *Gambetta* |
| 17 | **Jules Bourdais** | F3 | av. Brunetière | bd Berthier | *Pte de Champerret* |
| 13 | **Jules Breton** | L11 | Jeanne d'Arc, 172 | bd St Marcel, 37 | *St-Marcel* |
| 12 | **Jules César** | M9 | bd de la Bastille, 26 | de Lyon, 43 | *Bastille* |
| 6 | **Jules Chaplain** | I10 | Notre-Dame des Champs | Bréa, 21 | *Vavin* |
| 20 | **Jules Chéret (sq.)** | Q8 | Mendelssohn, 11 | Dr. Déjerine, 9 | *Pte de Montreuil* |
| 16 | **Jules Claretie** | C7 | bd Emile Augier, 40 | en impasse | *La Muette* |
| 18 | **Jules Cloquet** | I1 | pass. Charles Albert, 20 | bd Ney, 131 | *Pte de St Ouen* |
| 4 | **Jules Cousin** | M9 | bd Henri-IV, 11 | Petit-Musc, 10 | *Sully-Morland* |
| 20 | **Jules Dumien** | P6 | Pelleport, 108 | Henri Poincaré | *Pelleport* |
| 15 | **Jules Dupré** | F12 | des Périchaux | bd Lefèvre, 95 | *Pte de Versailles* |
| 11 | **Jules Ferry (bd)** | M6 | av. de la République, 13 | Fg du Temple, 28 | *République* |
| 11 | **Jules Ferry (sq.)** | M6 | bd Jules Ferry, 14 | Fg du Temple, 28 | *République* |
| 14 | **Jules Guesde** | H11 | Vercingétorix, 19 | Raymond Losserand, 18 | *Gaîté* |
| 14 | **Jules Hénaffe (pl.)** | I13 | av. Reille | | *Pte d'Orléans* |
| 16 | **Jules Janin (av.)** | C7 | de la Pompe, 12 | de la Pompe, 32 | *La Muette* |
| 18 | **Jules Joffrin (pl.)** | K2 | Ordener | Mairie 18ème | *Jules Joffrin* |
| 18 | **Jules Jouy** | J2 | Francœur, 16 | Cyrano de Bergerac, 5 | *Lamarck-Caulainc.* |
| 9 | **Jules Lefebvre** | I4 | de Clichy, 49 | Amsterdam, 68 | *Liège* |
| 12 | **Jules Lemaître** | Q10 | bd Soult | en impasse | *Pte de Vincennes* |
| 12 | **Jules Pichard** | P11 | Meuniers | Jardiniers | *Pte de Charenton* |
| 17 | **Jules Renard (pl.)** | E3 | bd Gouvion-St Cyr | Alexandre Charpentier | *Pte de Champerret* |
| 19 | **Jules Romains** | N5 | de Belleville, 17 | Rébeval, 30 | *Belleville* |
| 16 | **Jules Sandeau (bd)** | C7 | Octave Feuillet, 2 | av. Henri Martin, 101 | *Rue de la Pompe* |
| 19 | **Jules Senard (pl.)** | Q4 | Pte des Lilas (av.) | en impasse | *Pte des Lilas* |
| 20 | **Jules Siegfried** | Q6 | Irénée Blanc | Pierre Mouillard | *Pte de Bagnolet* |
| 15 | **Jules Simon** | E10 | Croix-Nivert, 141 | Cournot | *Félix Faure* |
| 1 | **Jules Supervielle (al.)** | K7 | Berger | pl. R. Cassin | *Les Halles* |
| 11 | **Jules Vallès** | O8 | Chanzy, 25 | de Charonne, 104 | *Charonne* |
| 11 | **Jules Verne** | N6 | de l'Orillon, 21 | Fg du Temple, 98 | *Belleville* |
| 14 | **Julia Bartet** | F13 | pl. de la Pte de Vanves | bd Adolphe Pinard | *Pte de Vanves* |
| 20 | **Julien Lacroix** | O6 | Ménilmontant, 49 | de Belleville, 56 | *Couronnes* |
| 13 | **Julienne** | K11 | Pascal, 52 | bd Arago, 45 | *Gobelins* |

| Ar. | Rues | Plan | Commençant | Finissant | Métro |
|---|---|---|---|---|---|
| 10 | **Juliette Dodu** | M5 | Claude Vellefaux, 3 | Grange-aux-Belles, 20 | *Colonel Fabien* |
| 17 | **Juliette Lamber** | G3 | bd Pereire, 36 | bd Malesherbes, 190 | *Pereire* |
| 18 | **Junot (av.)** | J3 | Girardon | Caulaincourt, 64 | *Lamarck-Caulainc.* |
| 13 | **Jura (du)** | L11 | Oudry, 14 | bd St Marcel, 49 | *Campo-Formio* |
| 2 | **Jussienne (de la)** | K6 | Etienne Marcel, 42 | Montmartre, 41b | *Les Halles* |
| 5 | **Jussieu (pl.)** | L9 | Linné, 24 | Jussieu, 19 | *Jussieu* |
| 5 | **Jussieu** | L10 | Cuvier, 10 | Cardinal Lemoine, 35 | *Jussieu* |
| 18 | **Juste Métivier** | J3 | av. Junot | Caulaincourt, 56 | *Lamarck-Caulainc.* |
| 20 | **Justice (de la)** | Q6 | du Surmelin, 72 | bd Mortier | *Pelleport* |

# K

| Ar. | Rues | Plan | Commençant | Finissant | Métro |
|---|---|---|---|---|---|
| 19 | **Kabylie (de)** | M3 | bd de la Villette, 216 | de Tanger, 12 | *Pte la Villette* |
| 11 | **Keller** | N8 | de Charonne, 43 | de la Roquette, 74 | *Ledru-Rollin* |
| 13 | **Kellermann (bd)** | L14 | av. d'Italie, 192 | Amiral Mouchez | *Pte d'Italie* |
| | **18** | K14 | | | *Cité Universit.* |
| 13 | **Kellermann (villa)** | L14 | bd Kellermann, 22 | | *Maison Blanche* |
| 16 | **Keppler** | F6 | de Bassano, 21 | Galilée, 42 | *Kléber* |
| 13 | **Keufer** | L14 | bd Kellermann | av. Caffieri | *Pte d'Italie* |
| 16 | **Kléber (av.)** | E5 | pl. Charles de Gaulle | pl. du Trocadéro, 4 | *Kléber* |
| | **57-90** | E6 | | | *Boissière* |
| 16 | **Kléber (imp.)** | E6 | av. Kléber, 62 | en impasse | *Kléber* |
| 9 | **Kossuth (pl.)** | J5 | Châteaudun, 12 | Fg Montmartre, 58 | *N.-D. de Lorette* |
| 18 | **Kracher (pass.)** | K2 | Clignancourt, 137 | Neuve de la Charbonnière | *Simplon* |
| 13 | **Kuss** | K13 | Peupliers | Brillat Savarin | *Maison Blanche* |

# L

| Ar. | Rues | Plan | Commençant | Finissant | Métro |
|---|---|---|---|---|---|
| 18 | **Labat** | K3 | Poissonnière, 61 | Bachelet, 14 | *Marcadet-Poiss.* |
| 8 | **La Baume (de)** | G5 | de Courcelles, 22 | av. Percier, 13 | *St-Ph.-du-Roule* |
| 17 | **Labie** | E4 | av. des Ternes, 81 | Brunel, 46 | *Argentine* |
| 8 | **La Boétie** | H5 | bd Haussmann, 9 | av. des Ch.-Elysées, 62 | *St-Augustin* |
| | **100-110** | G5 | | | *St-Ph.-du-Roule* |
| 19 | **Labois Rouillon** | M2 | Curial, 29 | Aubervilliers, 164 | *Crimée* |
| 8 | **Laborde (de)** | H5 | du Rocher, 9 | bd Haussmann, 132 | *St-Augustin* |
| 7 | **La Bourdonnais (av.)** | F8 | quai Branly | av. de la Motte-Picquet | *Ecole Militaire* |
| 7 | **La Bourdonnais (port)** | F7 | pont de l'Alma | pont d'Iéna | *Alma-Marceau* |
| 12 | **Labourmène (cour)** | O11 | de Gallois, 10 | en impasse | *Bercy* |
| 15 | **Labrador (imp. du)** | F12 | Camulogène, 5 | | *Pte de Vanves* |
| 15 | **Labrouste** | G11 | pl. Falguière, 4 | Morillons, 107 | *Plaisance* |
| | **65-75** | G12 | | | *Pte de Vanves* |
| 9 | **La Bruyère** | J4 | Notre-Dame de Lorette, 33 | Blanche, 50 | *St-Georges* |
| 9 | **La Bruyère (sq.)** | I4 | Pigalle, 21 | | *Trinité* |
| 20 | **Labyrinthe (c. du)** | O6 | Ménilmontant, 24 | des Panoyaux, 35 | *Ménilmontant* |

| Ar. | Rues | Plan | Commençant | Finissant | Métro |
|---|---|---|---|---|---|
| 14 | **Lac (allée du)** | J13 | al. de la Mire | al. de la Vanne | *Cité Universit.* |
| 17 | **Lacaille** | I2 | Balagny, 53 | La Jonquière, 19 | *Guy Môquet* |
| 14 | **Lacaze** | I13 | de la Tombe-Issoire, 128 | du Père Corentin, 35 | *Alésia* |
| 5 | **Lacépède** | L10 | Linné, 1 | Mouffetard, 19 | *Monge* |
| 12 | **Lachambaudie** | O11 | de Bercy, 44 | Proudhon | *Dugommier* |
| 11 | **Lacharrière** | N7 | bd Voltaire, 73 | St Maur, 63 | *St-Ambroise* |
| 13 | **Lachelier** | M14 | bd Masséna | pass. Gallot | *Pte de Clichy* |
| 17 | **La Condamine** | H3 | av. de Clichy, 75 | Dulong, 14 | *Rome* |
| 15 | **Lacordaire** | D10 | de Javel, 82 | St Charles, 177 | *Charles Michels* |
| 15 | **Lacretelle** | E12 | Vaugirard, 395 | Olivier de Serres, 102 | *Pte de Versailles* |
| 17 | **Lacroix** | H2 | av. de Clichy, 114 | Davy, 31 | *Brochant* |
| 12 | **Lacuée** | M9 | bd de la Bastille, 34 | de Lyon, 45 | *Bastille* |
| 9 | **La Fayette** | J5 | Chaussée d'Antin, 58 | bd de la Villette, 137 | *Chaussée-d'Antin* |
| 9 | **40-41** | J5 | | | *Le Peletier* |
| 9 | **91-92** | K4 | de 1 à 91 et 2 à 92, 9ème | | *Poissonnière* |
| 10 | **141-148** | L4 | | | *Gare du Nord* |
| 10 | **202-213** | M4 | de 93 et 94 à la fin, 10ème | | *Louis Blanc* |
| 9 | **Laferrière** | J4 | Notre-Dame de Lorette, 2 | Henri Monnier, 4 | *St-Georges* |
| 2 | **La Feuillade (pairs)** | J6 | pl. des Victoires, 4b | des Petits Pères, 2 | *Bourse* |
| 1 | **Impairs** | | | | |
| 9 | **Laffite** | J5 | bd des Italiens, 20 | Châteaudun, 21 | *Richelieu-Drouot* |
| | **30-31** | | | | *Le Peletier* |
| | **50-51** | | | | *N.-D. de Lorette* |
| 16 | **La Fontain (Rd. pt)** | B10 | ham. Boileau | imp. Racine | *M.-Ange-Molitor* |
| 16 | **La Fontaine** | C9 | de l'Assomption, 1 | d'Auteuil, 48 | *M.-Ange-Auteuil* |
| 16 | **La Fontaine (ham.)** | C8 | La Fontaine, 8 | en impasse | *Ranelagh* |
| 16 | **La Fontaine (sq.)** | C9 | La Fontaine, 33 | | *Jasmin* |
| 19 | **Laforgue (villa)** | O4 | Miguel Hidalgo | | *Danube* |
| 16 | **La Frillière (av. de)** | B10 | Claude Lorrain | Parc de Rosan, 7 | *Exelmans* |
| 5 | **Lagarde** | K10 | de l'Arbalète, 16 | Vauqelin, 16b | *Censier-Daubenton* |
| 5 | **Lagarde (sq.)** | K10 | Lagarde, 7 | | *Censier-Daubenton* |
| 18 | **Laghouat** | L3 | Stéphenson, 41 | Léon, 20 | *Château-Rouge* |
| 18 | **Lagille** | I2 | av. de St Ouen, 118 | en impasse | *Guy Môquet* |
| 20 | **Lagny (pass. de)** | Q9 | de Lagny, 89 | Philidor, 20 | *Pte de Vincennes* |
| 20 | **Lagny (de)** | P9 | bd Charonne, 10 | à Vincennes | *Nation* |
| | **87-88** | Q9 | | | *Pte de Vincennes* |
| 5 | **Lagrange** | K9 | quai Montebello, 21 | pl. Maubert, 12 | *Maubert-Mutualité* |
| 13 | **Lahire** | M12 | Jeanne d'Arc, 41 | Clisson, 79 | *Nationale* |
| 17 | **La Jonquière (imp.)** | H2 | La Jonquière, 101 | | *Pte de Clichy* |
| 17 | **La Jonquière** | I2 | av. de St Ouen, 81 | bd Bessières, 103 | *Guy Môquet* |
| | **97-114** | H2 | | | *Pte de Clichy* |
| 15 | **Lakanel** | E10 | du Commerce, 87 | Croix-Nivert, 88 | *Commerce* |
| 14 | **Lalande** | I11 | Froideveaux, 19 | Liancourt, 12 | *Denfert-Rochereau* |
| 9 | **Lallier** | J4 | av. Trudaine, 26 | bd Rochechouart, 52 | *Anvers* |
| 19 | **Lally Tollendal** | N4 | de Meaux, 73 | Jean Jaurès, 40 | *Jaurès* |
| 16 | **Lalo** | D5 | Pergolèse, 64 | bd de l'Amiral Bruix | *Pte Dauphine* |

| Ar. | Rues | Plan | Commençant | Finissant | Métro |
|---|---|---|---|---|---|
| 17 | Lamandé | P3 | Bridaine, 6 | Legendre, 70 | *Rome* |
| 18 | Lamarck | K3 | M. Utrillo | av. de St Ouen, 64 | *Anvers* |
| | 97-114 | J2 | | | *Lamarck-Caulainc.* |
| | 153-160 | I2 | | | *Guy Môquet* |
| 18 | Lamarck (sq.) | J2 | Lamarck, 104 | en impasse | *Lamarck-Caulainc.* |
| 9 | Lamartine | J5 | Rochechouart, 5 | Fg Montmartre | *Cadet* |
| 16 | Lamartine (sq.) | C7 | av. Victor Hugo, 193 | av. Henri Martin | *Rue de la Pompe* |
| 16 | Lamballe (av. de) | D8 | av. du Président Kennedy. | Dr. Germain Sée | *Passy* |
| 18 | Lambert | K3 | Nicolet, 10 | Bachelet, 26 | *Château-Rouge* |
| 12 | Lamblardie | P10 | pl. Félix Eboué, 7 | de Picpus, 88 | *Daumesnil* |
| 8 | Lamennais | F5 | Washington, 31 | av. Friedland, 19 | *George-V* |
| 11 | Lamier (imp.) | O8 | Mont Louis, 8 | | *Philippe Auguste* |
| 2 | La Michodière | J6 | St Augustin, 28 | bd des Italiens, 29 | *4-Septembre* |
| 12 | Lamoricière | R10 | av. Courteline | av. de la Pte de Vincennes | *Pte de Vincennes* |
| 15 | La Motte-Picquet (av.) | G8 | Grenelle, 146 | bd Grenelle, 111 | *Latour-Maubourg* |
| 7 | 43-46 | G8 | de 1 à 43 et 2 à 46, 7ème. | | *Ecole Militaire* |
| | 67-68 | F9 | de 45 et 48 à la fin, 15ème | | *La Motte-Picquet* |
| 15 | La Motte-Picquet (sq.) | F9 | pl. Cardinal Amette | Ouessant, 5 | *La Motte-Picquet* |
| 12 | Lancette (de la) | F11 | Taine, 4 | Nicolaï, 29 | *Daumesnil* |
| 16 | Lancret | B10 | av. de Versailles, 142 | Jouvenet, 16 | *Chardon-Lagache* |
| 10 | Lancry (de) | L5 | René Boulanger, 52 | quai de Valmy, 85 | *J. Bonsergent* |
| 7 | Landrieu (pass.) | F7 | Université, 171 | St Dominique, 102 | *Ecole Militaire* |
| 15 | Langeac (de) | E11 | Desnouettes, 7 | Vaugirard, 356 | *Convention* |
| 5 | Lanneau (de) | K9 | Valette, 2 | Jean de Beauvais, 31 | *Maubert-Mutualité* |
| 16 | Lannes (bd) | C6 | av. Foch | av. Henri Martin, 98 | *Pte Dauphine* |
| | 9 | C7 | | | *Rue de la Pompe* |
| 17 | Lantiez | I1 | de la Jonquière, 52 | Navier, 43 | *Guy Môquet* |
| 17 | Lantiez (villa) | H2 | Lantiez | | *Guy Môquet* |
| 19 | Laonnais (sq. du) | P4 | bd Sérurier | en impasse | *Pré-St-Gervais* |
| 15 | Laos (du) | F9 | av. Suffren, 90 | Alexandre Cabanel, 62 | *Cambronne* |
| 16 | La Pérouse | E5 | Belloy, 1 | av. d'léna, 65 | *Kléber* |
| 18 | Lapeyrère | J2 | Marcadet, 112 | Ordener, 115t | *Jules Joffrin* |
| 5 | Laplace | K9 | Montagne Ste Geneviève, 60 | Valette, 13 | *Cardinal Lemoine* |
| 7 | La Planche (de) | I8 | de Varenne, 15 | en impasse | *Sèvres-Babylone* |
| 11 | Lappe (de) | M8 | de la Roquette, 34 | de Charonne, 13 | *Bastille* |
| | 28-41 | N8 | | | *Ledru-Rollin* |
| 15 | La Quintinie | G11 | Bargue, 18 | d'Alleray, 29 | *Vaugirard* |
| 4 | La Reynie (de) | K7 | St Martin, 93 | St Denis, 34 | *Châtelet* |
| 16 | Largillière | C8 | Mozart, 14 | bd Beauséjour, 1 | *La Muette* |
| 12 | Laroche | O11 | Léopold | de Blaye | *Bercy* |
| 9 | La Rochefoucauld | J4 | St Lazare, 54 | Pigalle, 54 | *St-Georges* |
| 7 | La Rochefoucauld (sq.) | H8 | Bac, 108 | | *Sèvres-Babylone* |
| 14 | Larochelle | H11 | de la Gaîté, 31b | en impasse | *Gaîté* |
| 5 | Laromiguière | K10 | de l'Estrapade, 7 | Amyot, 10 | *Monge* |
| 5 | Larrey | L10 | Daubenton, 18 | Monge, 75b | *Monge* |
| 8 | Larribe | H4 | Constantin, 31 | du Rocher, 86 | *Villiers* |

| Ar. | Rues | Plan | Commençant | Finissant | Métro |
|---|---|---|---|---|---|
| 7 | **Las Cases** | **H8** | Bellechasse, 40 | Bourgogne, 15 | *Solférino* |
| 12 | **Lasson** | **Q10** | du Dr. Arnold Netter | Marguettes, 25 | *Picpus* |
| 1 | **La Sourdière (de)** | **I6** | St Honoré, 306 | Gomboust, 1 | *Tuileries* |
| 19 | **Lassus** | **O5** | Belleville, 137 | Fessart, 3 | *Jourdain* |
| 16 | **Lasteyrie (de)** | **D5** | av. Raymond Poincaré | de la Pompe | *Victor-Hugo* |
| 18 | **Lathuille (pass.)** | **I3** | av. de Clichy, 11 | pass. Clichy, 11 | *Place Clichy* |
| 9 | **La Tour d'Auvergne (imp.)** | **J4** | Tour d'Auvergne, 34 | | *Anvers* |
| 9 | **La Tour d'Auvergne** | **J4** | Maubeuge, 37 | des Martyrs, 54 | *Anvers* |
| 7 | **Latour-Maubourg (bd)** | **G7** | quai d'Orsay, 41 | av. Lowendal, 2 | *Latour-Maubourg* |
| 7 | **Latour-Maubourg (sq.)** | **G8** | de Grenelle, 143 | en impasse | *Latour-Maubourg* |
| 5 | **Latran (de)** | **K9** | Jean de Beauvais, 10 | Thénard, 7 | *Maubert-Mutualité* |
| 8 | **La Trémoille** | **F6** | av. George-V | François-Ier, 29 | *Alma-Marceau* |
| 17 | **Laugier (villa)** | **E4** | Laugier, 38 | | *Pereire* |
| 17 | **Laugier** | **F4** | Poncelet, 25 | Gouvion-St Cyr, 7 | *Ternes* |
| | **50-53** | **E4** | | | *Pereire* |
| | **89-92** | **E3** | | | *Pte de Champerret* |
| 19 | **Laumière (av. de)** | **N4** | pl. Armand Carrel | Jean Jaurès, 96 | *Laumière* |
| 20 | **Laurence Savart** | **P6** | Boyer, 18 | du Retrait, 21 | *Gambetta* |
| 16 | **Laurent Pichat** | **D5** | av. Foch | Pergolèse, 49 | *Victor-Hugo* |
| 6 | **Laurent Prache (sq.)** | **J8** | Abbaye | pl. St Germain des Prés | *St-Germ.-des-Prés* |
| 15 | **Laure Surville** | **D10** | av. Emile Zola, 2 | Convention, 3 | *Javel* |
| 16 | **Lauriston** | **E5** | Presbourg, 11 | Longchamps, 76 | *Ch. de Gaulle-Et.* |
| | **84-95** | **E6** | | | *Boissière* |
| | **112-121** | **E6** | | | *Trocadéro* |
| 19 | **Lauzin** | **N5** | Rébeval, 41 | Simon Bolivar, 61 | *Belleville* |
| 11 | **La Vacquerie** | **O8** | Folie Regnault, 3 | Roquette, 166 | *Voltaire* |
| 1 | **Lavandières Ste Opportune** | **K8** | av. Victoria, 24 | des Halles, 7 | *Châtelet* |
| 18 | **La Vieuville (de)** | **J3** | pl. des Abbesses | des Trois Frères, 31 | *Abbesses* |
| 8 | **Lavoisier** | **H5** | d'Anjou, 59 | d'Astorg, 22 | *St-Augustin* |
| 1 | **La Vrillière** | **J6** | Croix-Petits Champs, 43 | La Feuillade, 7 | *Palais-Royal* |
| 18 | **Léandre (villa)** | **J3** | av. Jugnot, 25 | | *Lamarck-Caulainc.* |
| 15 | **Leblanc** | **C-D11** | quai André Citroën, 171 | Lecourbe, 364 | *Balard* |
| 17 | **Lebon** | **E4** | Demours, 13 | bd Pereire, 195 | *Pte Maillot* |
| 14 | **Lebouis** | **H11** | de l'Ouest, 23 | Raymond Losserand, 12 | *Gaîté* |
| 17 | **Lebouteux** | **H4** | de Saussure, 15 | de Lévis, 34 | *Villiers* |
| 14 | **Le Brix Mesmin** | **I13** | bd Jourdan | de Porto Riche | *Pte d'Orléans* |
| 13 | **Le Brun** | **L11** | St Marcel, 55 | av. des Gobelins, 45 | *Gobelins* |
| 20 | **Le Bua** | **Q6** | Pelleport, 60 | Capitaine Marchal | *Pelleport* |
| 17 | **Le Chapelais** | **I3** | av. de Clichy, 37 | Lermercier, 8 | *La Fourche* |
| 17 | **Le Châtelier** | **E3** | av. de Villiers, 120 | Courcelles, 183 | *Pereire* |
| 11 | **Léchevin** | **N7** | av. Parmentier, 64b | pass. St Ambroise | *Parmentier* |
| 20 | **Leclaire (cité)** | **Q7** | des Riblettes, 19 | | *Pte de Montreuil* |
| 14 | **Leclerc** | **J11** | Fg St Jacques, 72 | bd St Jacques, 50 | *St-Jacques* |
| 17 | **Lécluse** | **I3** | bd des Batignolles, 14 | des Dames, 15 | *Pte de Clichy* |
| 17 | **Lecomte** | **H3** | Legendre, 99 | Clairaut, 19 | *Brochant* |
| 16 | **Lecomte de Noüy** | **A10** | bd Murat | av. du Parc des Princes | *Exelmans* |

| Ar. | Rues | Plan | Commençant | Finissant | Métro |
|---|---|---|---|---|---|
| 16 | **Leconte de Lisle** | C9 | Théophile Gautier, 62 | Pierre Guérin, 10 | *Eglise d'Auteuil* |
| 16 | **Leconte de Lisle (villa)** | C9 | Leconte de Lisle, 9 | | *Eglise d'Auteuil* |
| 6-7 | **Le Corbusier (pl.)** | I9 | bd Raspail | de Sèvres | *Sèvres-Babylone* |
| 16 | **Le Corbusier (pl.)** | A10 | bd d'Auteuil | av. de la Pte Molitor | *M.-Ange-Molitor* |
| 15 | **Lecourbe** | G10 | bd Garibaldi, 98 | bd Victor | *Sèvres-Lecourbe* |
| | **135-148** | F10 | | | *Vaugirard* |
| | **243-250** | E11 | | | *Convention* |
| | **361-364** | D11 | | | *Balard* |
| 15 | **Lecourbe (villa)** | E11 | Lecourbe, 295 | | *Boucicaut* |
| 14 | **Lecuirot** | H12 | d'Alésia, 143 | Louis Morard, 20 | *Alésia* |
| 18 | **Lécuyer** | K3 | Ramey, 43 | Custine, 50 | *Château-Rouge* |
| 13 | **Le Dantec** | K12 | bd Auguste Blanqui | Barrault | *Corvisart* |
| 14 | **Ledion** | H13 | Giordano Bruno, 20 | Didot, 117 | *Pte d'Orléans* |
| 12 | **Ledru-Rollin (av.)** | M9 | quai de la Rapée, 96 | pl. Léon Blum | *Quai de La Rapée* |
| 11 | **de 88 et 89 à la fin, 11ème** | N8-9 | | | *Ledru-Rollin* |
| 15 | **Lefebvre (bd)** | F12 | Vaugirard, 407 | bd Brune | *Pte de Versailles* |
| 15 | **Lefebvre** | E12 | Olivier de Serres, 108 | Firmin Gillot | *Pte de Versailles* |
| 17 | **Legendre (pass.)** | I2 | av. de St Ouen, 61 | Legendre | *Guy Môquet* |
| 17 | **Legendre** | G4 | pl. Malesherbes | av. de St Ouen, 79 | *Villiers* |
| | **71-76** | H3 | | | *Rome* |
| | **119-130** | H3 | | | *La Fourche* |
| | **190-192** | I2 | | | *Guy Môquet* |
| 17 | **Léger (imp.)** | G3 | de Tocqueville, 57 | | *Villiers* |
| 14 | **Légion Etrangère** | H14 | pl. du 25-Août 1944 | à Montrouge | *Pte d'Orléans* |
| 5 | **Le Goff** | J9 | Soufflot, 17 | Gay Lussac, 9 | *Luxembourg* |
| 10 | **Legouvé** | L5 | de Lancry, 57 | L. Sampaix, 24 | *J. Bonsergent* |
| 19 | **Legrand** | N5 | Monjol | Simon Bolivar, 83 | *Colonel Fabien* |
| 12 | **Legraverend** | N9 | Diderot, 25 | av. Daumesnil, 28 | *Gare de Lyon* |
| 18 | **Leibniz** | J1 | du Poteau, 91 | av. de St Ouen, 130 | *Pte de St Ouen* |
| 18 | **Leibniz (sq.)** | I1 | Leibniz, 64 | | *Pte de St Ouen* |
| 16 | **Lekain** | D8 | l'Annonciation, 31 | pl. Chopin | *La Muette* |
| 14 | **Lemaignan** | J13 | de l'Amiral Mouchez, 28 | av. Reille, 23 | *Cité Universit.* |
| 19 | **Léman (du)** | Q5 | de Belleville, 353 | bd Sérurier, 11 | *Pré-St-Gervais* |
| 16 | **Le Marois** | B11 | av. de Versailles, 197 | bd Murat, 119 | *Pte de St Cloud* |
| 17 | **Lemercier (cité)** | H3 | Lemercier, 28 | | *La Fourche* |
| 17 | **Lemercier** | H3 | des Dames, 14 | Cardinet, 170 | *La Fourche* |
| | **100-101** | | | | *Brochant* |
| 2 | **Lemoine (pass.)** | K6 | bd Sébastopol, 135 | St Denis, 232 | *Strasb.-St-Denis* |
| 20 | **Lémon** | N5 | bd Belleville, 122 | Denoyez, 11 | *Bastille* |
| 14 | **Leneveux** | I13 | Marguerin, 12 | Alphonse Daudet, 16 | *Alésia* |
| 8 | **Leningrad (de)** | H4 | pl. de l'Europe | pl. Clichy, 3 | *Europe* |
| | **36-45** | I4 | | | *Place Clichy* |
| 16 | **Le Nôtre** | E7 | av. de New York, 64 | bd Delessert, 1 | *Passy* |
| 9 | **Lentonnet** | K4 | Condorcet, 18 | Pétrelle, 21 | *Anvers* |
| 16 | **Léo Delibes** | E6 | av. Kléber, 88b | Lauriston, 99 | *Boissière* |
| 18 | **Léon (pass.)** | K3 | St Luc, 1 | Cavé, 23 | *Château-Rouge* |

| Ar. | Rues | Plan | Commençant | Finissant | Métro |
|---|---|---|---|---|---|
| 18 | **Léon** | K2 | Cavé, 34 | Ordener, 39 | *Château-Rouge* |
| 16 | **Léonard de Vinci** | D6 | Paul Valéry, 39 | pl. Victor Hugo | *Victor-Hugo* |
| 11 | **Léon Blum (pl.)** | N8 | bd Voltaire, 130 | av. Parmentier | *Voltaire* |
| 13 | **Léon Bollée (av.)** | L14 | av. de la Pte d'Italie | av. de la Pte de Choisy | *Pte d'Italie* |
| 16 | **Léon Bonnat** | C9 | Ribéra, 14 | en impasse | *Jasmin* |
| 7 | **Léon Bourgeois (all.)** | E8 | quai Branly | av. Octave Gréard, 2 | *Bir-Hakeim* |
| 16 | **Léonce Reynaud** | F6 | av. Marceau | Freycinet, 12 | *Alma-Marceau* |
| 2 | **Léon Cladel** | J6 | Montmartre, 115 | Réaumur, 134 | *Bourse* |
| 17 | **Léon Cogniet** | F4 | Médéric, 19 | Cardinet, 16 | *Courcelles* |
| 17 | **Léon Cosnard** | G3 | Legendre, 19b | Tocqueville, 42 | *Villiers* |
| 15 | **Léon Delagrange** | D11 | bd Victor, 39 | en impasse | *Pte de Versailles* |
| 15 | **Léon Delhomme** | F11 | François Villon,3 | Yvart, 6 | *Vaugirard* |
| 16 | **Léon Deubel (pl.)** | B11 | Gudin | Le Marois | *Pte de St Cloud* |
| 15 | **Léon Dierx** | F12 | bd Lefèbvre | av. Albert Bartholomé | *Pte de Vanves* |
| 17 | **Léon Droux** | H4 | bd des Batignoles, 78 | de Chéroy, 2 | *Rome* |
| 14 | **Léone (villa)** | H12 | Bardinet | | *Alésia* |
| 20 | **Léon Frapié** | Q5 | des Fougères | aux Lilas | *St-Fargeau* |
| 11 | **Léon Frot** | O8 | bd Voltaire | de la Roquette | *Charonne* |
| 20 | **Léon Gaumont** | R9 | av. Pte de Montreuil | de Lagny | *Pte de Montreuil* |
| 19 | **Léon Giraud** | N3 | Crimée, 144 | de l'Ourcq, 21 | *Ourcq* |
| 15 | **Léon Guillot (sq.)** | F11 | de Dantzig | en impasse | *Convention* |
| 16 | **Léon Heuzey (av.)** | C9 | de Rémusat, 21 | en impase | *Mirabeau* |
| 17 | **Léon Jost** | F4 | de Chazelles | Cardinet | *Courcelles* |
| 10 | **Léon Jouhaux** | M5 | pl. de la République, 12 | quai Valmy, 41 | *République* |
| 15 | **Léon Lhermite** | F10 | Théophraste Renaudot | Pétel | *Commerce* |
| 13 | **Léon Maur. Nordmann** | K11 | bd Arago | de la Santé | *Glacière* |
| 6-7 | **Léon Paul Fargue (pl.)** | H9 | bd du Montparnasse | de Sèvres | *Duroc* |
| 15 | **Léon Séché** | F10 | Jacquemaire Clemenceau | Petel | *Vaugirard* |
| 7 | **Léon Vaudoyer** | G9 | av. de Saxe | Pérignon, 12 | *Ségur* |
| 14 | **Léonidas** | H12 | des Plantes, 32 | Hippolyte Maindron, 23 | *Alésia* |
| 15 | **Léontine** | D10 | Sébastien Mercier, 40 | Cévennes, 25 | *Javel* |
| 3 | **Léopold Achille (sq.)** | L8 | Payenne | Sévigné | *St-Paul* |
| 2 | **Léopold Bellan** | K6 | des Petits-Carreaux | Montmartre | *Sentier* |
| 16 | **Léopold-II (av.)** | C9 | La Fontaine, 38 | pl. Rodin | *Jasmin* |
| 14 | **Léopold Robert** | I10 | bd du Montparnasse, 124 | bd Raspail, 215 | *Vavin* |
| 19 | **Lepage (cité)** | M4 | de Meaux, 33 | bd de la Villette | *Jaurès* |
| 9 | **Le Peletier** | I5 | bd des Italiens, 16 | de Châteaudun | *Richelieu-Drouot* |
| 18 | **Lepic (pass.)** | J3 | Lepic, 16 | Robert Planquette, 10 | *Blanche* |
| 18 | **Lepic** | J3 | bd de Clichy, 82 | Jean-Baptiste Clément | *Blanche* |
| 13 | **Leredde** | N12 | de Tolbiac, 17 | Dessous-des-Berges, 68 | *Pte d'Ivry* |
| 4 | **Le Regrattier** | L9 | quai d'Orléans, 24 | quai de Bourbon | *Pont-Marie* |
| 15 | **Leriche** | E11 | Vaugirard, 377 | Olivier de Serres, 54 | *Convention* |
| 16 | **Leroux** | E5 | av. Victor Hugo, 54 | av. Foch, 33 | *Victor-Hugo* |
| 20 | **Leroy (cité)** | P6 | des Pyrénées, 315 | | *Jourdain* |
| 16 | **Leroy Beaulieu (sq.)** | C8 | av. Adrien Hébrard | | *Jasmin* |
| 12 | **Leroy Dupré** | P10 | bd de Picpus, 42 | Sibuet, 27 | *Bel-Air* |

| Ar. | Rues | Plan | Commençant | Finissant | Métro |
|---|---|---|---|---|---|
| 20 | **Lesage (cour)** | N5 | Lesage, 15 | de Belleville, 48 | *Belleville* |
| 20 | **Lesage** | N5 | de Tourtille, 30 | Jouve Rouve, 18 | *Belleville* |
| 4 | **Lesdiguières (de)** | M8 | de la Cerisaie, 10 | St Antoine, 13 | *Bastille* |
| 20 | **Lespagnol** | O8 | du Repos, 6 | en impasse | *Philippe Auguste* |
| 20 | **Lesseps** | P7 | de Bagnolet, 81 | cim. du Père-Lachaise | *Alexandre Dumas* |
| 16 | **Le Sueur** | E5 | av. Foch, 32 | av. de la Grande Armée | *Argentine* |
| 16 | **Le Tasse** | E7 | bd Delessert | Franklin, 20 | *Trocadéro* |
| 15 | **Letellier** | F9 | Violet, 23 | de la Croix-Nivert, 26 | *Emile Zola* |
| 15 | **Letellier (villa)** | E9 | Letellier, 20 | | *Emile Zola* |
| 18 | **Letort (imp.)** | J2 | Letort, 32 | | *Simplon* |
| 18 | **Letort** | J1 | Duhesme, 69 | bd d'Ornano, 77 | *Pte Clignancourt* |
| 20 | **Leuck Mathieu** | Q7 | des Prairies, 42 | de la Cour-des-Noues, 7 | *Gambetta* |
| 20 | **Le Vau** | Q6 | av. Pte Ménilmontant | av. Ibsen | *Pte de Bagnolet* |
| 6 | **Leverrier** | I10 | d'Assas, 116 | N.-D. des Champs, 101 | *Vavin* |
| 20 | **Levert** | O5 | de la Mare, 84 | de Belleville, 172 | *Place des Fêtes* |
| 17 | **Lévis (imp. de)** | H4 | Lévis, 20 | | *Villiers* |
| 17 | **Lévis (pl. de)** | G4 | Lévis, 57 | Legendre, 24 | *Villiers* |
| 17 | **Lévis (de)** | H4 | av. de Villiers, 2 | Cardinet, 100 | *Villiers* |
| | **116-117** | G3 | | | *Malesherbes* |
| 11 | **Lhomme (pass.)** | N8 | Charonne, 26 | | *Ledru-Rollin* |
| 5 | **Lhomond** | K10 | des Fossés-St Jacques, 26 | de l'Arbalète, 8 | *Luxembourg* |
| | **36-39** | | | | *Censier-Daubenton* |
| 15 | **Lhuillier** | F11 | Olivier de Serres, 33 | en impasse | *Convention* |
| 14 | **Liancourt** | I11 | Boulard, 34 | av. du Maine, 131 | *Denfert-Rochereau* |
| 11 | **Liandier (cité)** | O8 | Charonne | | *Charonne* |
| 14 | **Liard** | I14 | Amiral Mouchez, 78 | Gazan, 47 | *Cité Universit.* |
| 20 | **Liban (du)** | O6 | Julien Lacroix, 7 | des Maronites, 48 | *Ménilmontant* |
| 19 | **Liberté (de la)** | P4 | de Mouzaïa, 13 | de la Fraternité | *Danube* |
| 12 | **Libourne (de)** | O12 | Bercy | | *Bercy* |
| 8 | **Liège (de)** | I4 | de Clichy, 37 | pl. de l'Europe, 40 | *Liège* |
| 9 | **de 11 à 19 et 2 à 18** | | | | |
| 12 | **Lieutenance (sent. de la)** | Q10 | bd Soult, 81 | villa Bel-Air, 19 | *Bel-Air* |
| 20 | **Lieutenant Chaurré (du)** | Q6 | Etienne Marey | Capitaine Ferber | *Pelleport* |
| 18 | **Lieutenant-Colonel Dax** | J1 | René Binet, 36 | bd Périphérique | *Pte Clignancourt* |
| 16 | **Lt.-Colonel Deport (du)** | A11 | pl. du Dr. Paul Michaux | bd Murat | *Pte de St Cloud* |
| 14 | **Lieutenant Lapeyre** | G13 | bd Brune, 50 | Séré-de-Rivières | *Pte de Vanves* |
| 14 | **Lt. Stéph. Piobetta (pl. du)** | H12 | av. Villemain | Alésia | *Plaisance* |
| 15 | **Lieuvin (du)** | F12 | Fizeau, 13 | des Morillons, 82 | *Pte de Vanves* |
| 20 | **Ligner** | P8 | de Bagnolet, 39 | de Bagnolet, 55 | *Alexandre Dumas* |
| 19 | **Lilas (des)** | P4 | Pré St Gervais, 27 | bd Sérurier, 115 | *Place des Fêtes* |
| 19 | **Lilas (villa des)** | P4 | de Mouzaïa | de Bellevue, 21 | *Place des Fêtes* |
| 9 | **Lili Boulanger (pl.)** | I4 | Ballu | de Vintimille | *Place Clichy* |
| 7 | **Lille (de)** | I8 | des Sts Pères, 4 | de Bourgogne, 3 | *Rue du Bac* |
| | **88-109** | H7 | | | *Ass. Nationale* |
| 13 | **Limagne (sq. de la)** | N13 | bd Masséna | av. Boutroux | *Pte d'Ivry* |
| 13 | **Limousin (sq. du)** | N13 | av. de la Pte de Vitry | Darmesteter | *Pte d'Ivry* |

| Ar. | Rues | Plan | Commençant | Finissant | Métro |
|---|---|---|---|---|---|
| 8 | Lincoln | F6 | François-Ier, 58 | av. Champs-Elysées, 75 | *George-V* |
| 1 | Lingères (pass. des) | J7 | St Honoré | Berger | *Les Halles* |
| 1 | Lingerie (de la) | K7 | des Halles, 22 | Berger, 17 | *Les Halles* |
| 5 | Linné | L10 | Lacépède, 2 | pl. de Jussieu, 7 | *Jussieu* |
| 15 | Linois | D9 | pl. Fernand Forest | pl. Charles Michels | *Charles Michels* |
| 4 | Lions St Paul (des) | L9 | du Petit-Musc, 9 | St Paul, 8 | *Sully-Morland* |
| 19 | Lions (villa) | P3 | J.-B. Semanaz, 29 | en impasse | *Danube* |
| 20 | Lippmann | R9 | bd Davout | Louis-Delaporte | *Pte de Vincennes* |
| 11 | Lisa (pass.) | N8 | Popincourt, 26 | Popincourt | *Voltaire* |
| 8 | Lisbonne (de) | H4 | du Général Foy, 15 | Courcelles, 66 | *Villiers* |
| | 50-51 | G4 | | | *Courcelles* |
| 13 | Liserons (des) | K13 | Brillat Savarin | des Glycines | *Cité Universit.* |
| 20 | Lisfranc | Q7 | Stendhal, 20 | des Prairies, 23 | *Gambetta* |
| 6 | Littré | H10 | de Rennes, 148 | Vaugirard, 61 | *Montparnasse* |
| 18 | Livingstone | K3 | d'Orsel, 8 | pl. St Pierre, 1 | *Anvers* |
| 4 | Lobau (de) | K8 | quai de l'Hôtel de Ville | Rivoli, 25 | *Hôtel de Ville* |
| 6 | Lobineau | J9 | de Seine, 78 | Mabillon, 7 | *Mabillon* |
| 17 | Logelbach (de) | G4 | bd de Courcelles, 50 | Henri Rochefort, 18 | *Monceau* |
| 20 | Loi (imp. de la) | P8 | Michel de Bourges, 10 | | *Avron* |
| 14 | Loing (du) | I13 | d'Alésia, 69 | Sarrette, 20 | *Alésia* |
| 19 | Loire (quai de la) | N3 | Jean Jaurès, 1 | Crimée, 157 | *Riquet* |
| | 96 | M3 | | | *Jaurès* |
| 13 | Loiret (du) | N13 | Regnault, 6 | Chevaleret, 14 | *Pte d'Ivry* |
| 1 | Lombards (des) | K7 | St Martin, 57 | Ste Opportune, 02 | *Châtelet* |
| 4 | 1 à 205 et 2 à 28, 4ème | | 31 et 42 à la fin, 1er | | |
| 9 | Londres (cité de) | I5 | St Lazare, 86 | de Londres, 13 | *Trinité* |
| 9 | Londres (de) | I5 | de Clichy, 3 | pl. de l'Europe | *Trinité* |
| 8 | 39-40 | H4 | | | *Europe* |
| 16 | Longchamp (de) | E6-7 | pl. d'Iéna, 8 | bd Lannes, 11 | *Iéna* |
| | 61-64 | C-D6 | | | *Rue de la Pompe* |
| 16 | Longchamp (villa de) | E7 | de Longchamp, 38 | | *Trocadéro* |
| 13 | Longues Raies (des) | K14 | Cacheux, 17 | en impasse | *Cité Universit.* |
| 8 | Lord Byron | F5 | Chateaubriand, 11 | Arsène Houssaye, 6 | *George-V* |
| 19 | Lorraine (de) | O3 | de Crimée, 106 | de Crimée, 136 | *Ourcq* |
| 19 | Lorraine (villa de) | P4 | de la Liberté, 22 | en impasse | *Danube* |
| 14 | Losserand Suisses (sq.) | G12 | Raymond Losserand | des Suisses | *Plaisance* |
| 19 | Lot (quai du) | N1 | bd MacDonald | hors Paris | *Pte la Villette* |
| 16 | Lota (de) | C7 | de Longchamp, 137 | Benjamin Godard | *Pte Dauphine* |
| 1 | Louis Aragon (all.) | J7 | Clément Royer | all. Blaise Cendars | *Les Halles* |
| 15 | Louis Armand | D12 | av. Pte de Sèvres | Pte d'Issy | *Balard* |
| 12 | Louis Armand (cour) | M10 | Parvis | Gare de Lyon | *Gare de Lyon* |
| 16 | Louis Barthou (av.) | C7 | pl. de Colombie | av. du Maréchal Fayolle | *Rue de la Pompe* |
| 10 | Louis Blanc | M4 | pl. du Colonel Fabien | bd de la Chapelle | *Colonel Fabien* |
| | 32-33 | M4 | | | *Louis Blanc* |
| | 72-75 | L4 | | | *Pte la Chapelle* |
| 16 | Louis Blériot (quai) | C10 | av. de Versailles | bd Murat, 191 | *Mirabeau* |

| Ar. | Rues | Plan | Commençant | Finissant | Métro |
|---|---|---|---|---|---|
| 16 | **Louis Boilly** | C7 | av. Raphaël, 24 | bd Suchet, 19 | *La Muette* |
| 11 | **Louis Bonnet** | N6 | de l'Orillon, 37 | bd de Belleville, 79 | *Belleville* |
| 12 | **Louis Braille** | Q11 | bd de Picpus, 2 | Gal Michel Bizot | *Bel-Air* |
| 7 | **Louis Codet** | G8 | bd Latour-Maubourg, 88 | Chevert, 19 | *Ecole Militaire* |
| 16 | **Louis David** | D7 | Scheffer, 43 | de la Tour, 74 | *Passy* |
| 20 | **Louis Delaporte** | R9 | Noël Ballay, 7 | de Lagny, 112 | *Pte de Vincennes* |
| 20 | **Louis Ganne** | R7 | bd Davout | en impasse | *Pte de Bagnolet* |
| 12 | **Louis Gentil (sq.)** | Q12 | Joseph Chailley | av. du Gal Dodds | *Pte Dorée* |
| 18 | **Louisiane (de la)** | L2 | de la Guadeloupe, 2 | de Torcy, 23 | *Marx Dormoy* |
| 2 | **Louis-le-Grand** | I6 | Daniel Casanova | bd des Italiens, 33 | *Opéra* |
| 4 | **Louis Lépine (pl.)** | K8 | de la Cité | Lutèce | *Cité* |
| 17 | **Louis Loucheur** | I1 | bd Bessières | Fernand Pelloutier | *Pte de St Ouen* |
| 20 | **Louis Lumière** | Q7 | av. Pte de Bagnolet | Lucien Lambeau | *Pte de Bagnolet* |
| 5 | **Louis Marin (pl.)** | J10 | bd St Michel | Abbé-de-l'Epée | *Luxembourg* |
| 14 | **Louis Morard** | H12 | des Plantes, 56 | Jacquier, 1 | *Alésia* |
| 8 | **Louis Murat** | G5 | Dr. Lancereaux | de Monceau | *Courcelles* |
| 20 | **Louis-Nicolas Clérambault** | O6 | Duris | des Amandiers | *Père-Lachaise* |
| 18 | **Louis Pasteur Valery Radot** | I1 | Gérard de Nerval, 13 | av. de la Pte St Ouen, 36 | *Pte de St Ouen* |
| 13 | **Louis Pergaud** | K14 | av. Caffieri | | *Cité Universit.* |
| 11 | **Louis Philippe (pass.)** | M8 | de Lappe, 21 | pass. Thiéré, 27 | *Bastille* |
| 4 | **Louis Philippe (pont)** | L8 | quai de l'Hôtel de Ville | quai de Bourbon | *Hôtel de Ville* |
| 20 | **Louis Robert (imp.)** | O-P6 | de l'Ermitage | | *Ménilmontant* |
| 12 | **Louis Proust (cour)** | N11 | quai de Bercy, 4 | Laroche | *Bercy* |
| 4 | **Louis-XIII (sq.)** | M8 | pl. des Vosges | | *Chemin Vert* |
| 8 | **Louis-XVI (sq.)** | H5 | bd Haussmann | | *St-Lazare* |
| 5 | **Louis Thuillier** | J10 | d'Ulm, 44 | Gay-Lussac, 43 | *Luxembourg* |
| 15 | **Louis Vicat** | F13 | av. du Gal Guillaumat | Limite du 14ème | *Pte de Vanves* |
| 17 | **Louis Vierne** | E3 | Jacques Ibert | | *Louise Michel* |
| 19 | **Louise Labé (all.)** | N5 | Rébéval, 19 | Simon Bolivar, 61 | *Belleville* |
| 18 | **Louise Marillac (sq.)** | L3 | bd de la Chapelle | Pajol | *Pte la Chapelle* |
| 19 | **Louise Thulliez** | P4 | Compans | Lilas | *Place des Fêtes* |
| 14 | **Louise et Tony (sq.)** | I13 | du Loing | en impasse | *Alésia* |
| 13 | **Louise Wess** | M12 | du Chevaleret | bd Vincent Auriol | *Chevaleret* |
| 15 | **Lourmel (de)** | E9 | bd de Grenelle, 60 | Leblanc, 103 | *Dupleix* |
| | **73-74** | E10 | | | *Charles Michels* |
| | **120-121** | D11 | | | *Lourmel* |
| 14 | **Louvat (villa)** | I12 | Boulard, 38b | | *Denfert-Rochereau* |
| 2 | **Louvois (de)** | J6 | de Richelieu, 71 | Ste Anne, 62 | *4-Septembre* |
| 2 | **Louvois (sq.)** | J6 | de Richelieu, 60 | de Louvois, 2 | *4-Septembre* |
| 1 | **Louvre (pl. du)** | J7 | du Louvre, 2 | | *Louvre* |
| 1 | **Louvre (port du)** | J7 | pont des Arts | pont Royal | *Palais-Royal* |
| 1 | **Louvre (quai du)** | J7 | Pont Neuf | pont du Carrousel | *Pont-Neuf* |
| 2 | **Louvre (du)** | J6-7 | Rivoli, 156 | Mail, 36 | *Louvre* |
| 1 | **de 2 à 52 et 1 à 25** | | | | |
| 15 | **Lowendal (av. de)** | F9 | av. Tourville, 7 | pl. Cambronne | *Cambronne* |
| 7 | **de 1 à 23 et 2 à 14** | G8-9 | | | *Ecole Militaire* |

| Ar. | Rues | Plan | Commençant | Finissant | Métro |
|---|---|---|---|---|---|
| 15 | **Lowendal (sq.)** | F9 | Alexandre Cabanel | | *Cambronne* |
| 16 | **Lubeck (de)** | E6 | av. d'Iéna, 23 | du Président Wilson, 34 | *Iéna* |
| 15 | **Lucien Bossoutrot** | C11 | bd Victor | du Gal Lucote | *Balard* |
| 14 | **Lucien Descaves (av.)** | I14 | av. P.-V. Couturier | av. André Rivoire | *Cité Universit.* |
| 18 | **Lucien Gaulard** | J3 | Caulaincourt, 58 | cim. St Vincent | *Lamarck-Caulainc.* |
| 20 | **Lucien et Sacha Guitry** | Q9 | cours de Vincennes, 47 | de Lagny, 48 | *Pte de Vincennes* |
| 5 | **Lucien Herr (pl.)** | K10 | Lhomond | Vauquelin | *Censier-Daubenton* |
| 20 | **Lucien Lambeau** | R8 | av. Girardot | Eugène Reisz | *Pte de Montreuil* |
| 20 | **Lucien Leuwen** | Q7 | Stendhal | en impasse | *Gambetta* |
| 10 | **Lucien Sampaix** | L5 | Château d'Eau, 34 | quai Valmy, 103 | *J. Bonsergent* |
| 2 | **Lulli** | J6 | Rameau, 2 | de Louvois, 1 | *4-Septembre* |
| 14 | **Lunain (du)** | I13 | d'Alésia, 71 | Sarrette, 26 | *Alésia* |
| 2 | **Lune (de la)** | K6 | bd Bonne Nouvelle, 7 | Poissonnière, 40 | *Bonne Nouvelle* |
| 19 | **Lunéville (de)** | O3 | Petit, 67 | Jean Jaurès, 150 | *Ourcq* |
| 4 | **Lutèce (de)** | K8 | de la Cité | bd du Palais, 3 | *Cité* |
| 6 | **Luxembourg (jard. du)** | J9 | bd St Michel | de Vaugirard | *Odéon* |
| 7 | **Luynes (de)** | I8 | St Germain, 20b | bd Raspail, 9 | *Rue du Bac* |
| 7 | **Luynes (sq. de)** | I8 | de Luynes | | *Rue du Bac* |
| 20 | **Lyanes (des)** | Q7 | de Bagnolet, 149 | Pelleport, 34 | *Pte de Bagnolet* |
| 20 | **Lyanes (villa des)** | Q7 | des Lyanes, 16 | | *Pte de Bagnolet* |
| 16 | **Lyautey** | D8 | Raynouard, 30 | Abbé Gillet | *Passy* |
| 12 | **Lyon (de)** | M9 | bd Diderot, 21 | pl. de la Bastille | *Gare de Lyon* |
| | **75-164** | | | | *Bastille* |
| 5 | **Lyonnais (des)** | K11 | Broca, 42 | Berthollet, 13 | *Censier-Daubenton* |

# M

| Ar. | Rues | Plan | Commençant | Finissant | Métro |
|---|---|---|---|---|---|
| 6 | **Mabillon** | J9 | du Four, 8 | St Sulpice, 32 | *Mabillon* |
| 19 | **Macdonald (bd)** | O1 | canal de l'Ourcq | pte d'Aubervilliers | *Pte la Villette* |
| 17 | **Mac Mahon (av.)** | E5 | pl. Charles de Gaulle | av. des Ternes, 35 | *Ch. de Gaulle-Et.* |
| 12 | **Maconnais** | O12 | Neuve de la Garonne | | *Bercy* |
| 12 | **Madagascar** | P11 | des Meuniers, 32 | de Wattignies, 58 | *Pte de Charenton* |
| 6 | **Madame** | I9 | de Rennes, 57 | d'Assas, 51 | *St-Sulpice* |
| 1-8 | **Madeleine (bd de la)** | I6 | Cambon, 53 | pl. de la Madeleine, 10 | *Madeleine* |
| 9 | **1 à 23, 1er** | | 2 à 12, 9ème | le reste, 8ème | |
| 8 | **Madeleine (galie.)** | H6 | pl. de la Madeleine, 11 | Boissy d'Anglas, 30 | *Madeleine* |
| 8 | **Madeleine (pass. de la)** | H6 | pl. de la Madeleine, 21 | de l'Arcade, 6 | *Madeleine* |
| 8 | **Madeleine (pl. de la)** | H6 | Royale, 24 | Tronchet, 2 | *Madeleine* |
| 15 | **Mademoiselle** | E10 | des Entrepreneurs, 107 | Cambronne, 80 | *Commerce* |
| | **82-107** | F10 | | | *Vaugirard* |
| 18 | **Madone (de la)** | L2 | Marc Séguin, 30 | des Roses, 23 | *Marx Dormoy* |
| 18 | **Madone (sq. de la)** | L2 | de la Madonne | | *Marx Dormoy* |
| 8 | **Madrid (de)** | H4 | pl. de l'Europe | du Général Foy | *Europe* |
| 16 | **Magdebourg (de)** | E7 | de Lubeck, 38 | av. Kléber, 81 | *Trocadéro* |
| 8 | **Magellan** | F6 | Quentin Bauchard | de Bassano, 50 | *George-V* |

| Ar. | Rues | Plan | Commençant | Finissant | Métro |
|---|---|---|---|---|---|
| 13 | Magendie | K11 | Corvisart, 10 | des Tanneries, 9 | *Glacière* |
| 9 | Magenta (bd de) | L6 | pl. de la République | bd Rochechouart, 1 | *J. Bonsergent* |
| 10 | 67-70 | L5 | | | *Gare de l'Est* |
| | 101-114 | K4 | | | *Gare du Nord* |
| | 151-170 | K4 | | | *Barbès-Rochech.* |
| | de 155 à la fin des Nos. | | impairs, 9ème, | les autres Nos, 10ème | |
| 10 | Magenta (cité de) | L5 | bd de Magenta, 33 | cité Hittorff | *J. Bonsergent* |
| 19 | Magenta | P1 | av. Pte de la Villette | Pantin | *Pte la Villette* |
| 20 | Maigrot Delaunay (pass.) | P9 | de la Plaine, 15 | des Orneaux, 36 | *Buzenval* |
| 2 | Mail (du) | J6 | pl. des Petits-Pères, 6 | Montmartre, 83 | *Sentier* |
| 11 | Maillard | O8 | La Vacquerie, 6 | Gerbier, 3 | *Voltaire* |
| 11 | Main-d'Or (pass.) | N9 | Fg St Antoine, 133 | de Charonne, 60 | *Ledru-Rollin* |
| 11 | Main-d'Or (de la) | N9 | Trousseau, 11 | pass. de la Main-d'Or, 6 | *Ledru-Rollin* |
| 15 | Maine (av. du) | H10 | bd Montparnasse, 40 | av. du Gal Leclerc, 88 | *Montparnasse* |
| 14 | 74-66 | H10 | | | *Edgar-Quinet* |
| | 137-144 | H11 | | | *Gaîté* |
| | 200-201 | I12 | de 1 à 31 et 2 à 36, 15ème | | *Alésia* |
| 14 | Maine (du) | H10 | de la Gaîté, 10 | av. du Maine, 47 | *Edgar-Quinet* |
| 6 | Maintenon (all.) | H10 | Vaugirard, 114-116 | en impasse | *Montparnasse* |
| 3 | Maire (au) | L7 | Vertus, 15 | Turbigo, 44 | *Arts-et-Métiers* |
| 18 | Mairie (cité de la) | J3 | La Vieuville, 20 | | *Abbesses* |
| 13 | Maison Blanche | L13 | av. d'Italie, 65 | Tolbiac | *Tolbiac* |
| 11 | Maison-Brulée (cour) | N9 | Fg St Antoine, 89 | | *Ledru-Rollin* |
| 14 | Maison-Dieu | H11 | Raymond Losserand, 21 | av. du Maine, 130 | *Gaîté* |
| 5 | Maître-Albert | K9 | des Grands Degrés | pl. Maubert, 54 | *Maubert-Mutualité* |
| 16 | Malakoff (av. de) | D5 | av. Foch | av. Grande-Armée, 89 | *Victor-Hugo* |
| | 161-164 | | | | *Pte Maillot* |
| 16 | Malakoff (imp.) | D5 | av. de Malakoff, 161 | | *Pte Maillot* |
| 16 | Malakoff (villa) | E6 | av. Raymond Poincaré | | *Trocadéro* |
| 6 | Malaquais (quai) | J8 | pont des Arts | pont Carrousel | *St-Germ.-des-Prés* |
| 7 | Malar | G7 | quai d'Orsay, 77 | St Dominique, 90 | *Latour-Maubourg* |
| 15 | Malassis | E12 | Vaugelas, 23 | Olivier de Serres, 78 | *Convention* |
| 5 | Malebranche | J9 | St Jacques, 186 | Le Goff, 1 | *Luxembourg* |
| 8 | Malesherbes (bd) | H5 | pl. de la Madeleine, 13 | bd Berthier, 13 | *Madeleine* |
| 17 | 45-50 | H5 | | | *St-Augustin* |
| | 108-133 | G4 | | | *Malesherbes* |
| | 170-181 | F-G3 | de 1 à 121 et 2 à 92, 8ème | | *Wagram* |
| 9 | Malesherbes (cité) | J4 | des Martyrs, 61 | Victor Massé, 20 | *Pigalle* |
| 17 | Malesherbes (villa) | G3 | bd Malesherbes, 112 | | *Malesherbes* |
| 8 | Maleville | G4 | Corvetto, 1 | Mollien, 2 | *Villiers* |
| 14 | Mallebay (villa) | H12 | Didot, 86 | en impasse | *Plaisance* |
| 4 | Malher | L8 | de Rivoli, 6 | Pavée, 20 | *St-Paul* |
| 16 | Malherbe (sq.) | B9 | bd Suchet | av. du Mal Lyautey | *Pte d'Auteuil* |
| 16 | Mallet Stevens | B8 | Dr. Blanche, 9 | | *Jasmin* |
| 13 | Malmaisons (des) | L14 | av. de Choisy, 33 | Gandon, 21 | *Maison Blanche* |
| 11 | Malte (de) | M6-7 | Oberkampf, 23 | du Fg du Temple, 14 | *République* |

| Ar. | Rues | Plan | Commençant | Finissant | Métro |
|---|---|---|---|---|---|
| 20 | Malte-Brun | P7 | Emile Landrin, 21 | av. Gambetta, 30 | *Gambetta* |
| 5 | Malus | K10 | de la Clef, 47 | Monge, 75 | *Monge* |
| 2 | Mandar | K6 | Montorgueil, 59 | Montmartre, 68 | *Sentier* |
| 19 | Manin (villa) | P3 | Carr. d'Amérique | Solidarité, 25 | *Danube* |
| 19 | Manin | N4 | Simon Bolivar, 42 | bd Sérrurier, 153 | *Bolivar* |
| | 42-107 | P3 | | | *Danube* |
| 9 | Mansart | I4 | de Douai, 25 | Blanche, 82 | *Blanche* |
| 9 | Manuel | J4 | Milton, 13 | des Martyrs, 28 | *N.-D. de Lorette* |
| 16 | Manutention (de la) | F7 | av. de New York, 24 | av. Pr. Wilson, 15 | *Iéna* |
| 19-20 | Maquis du Vercors (pl. du) | Q4 | René Fonck/Dr Gley | av. Pte des Lilas/Glaïeuls | *Pte des Lilas* |
| 20 | Maraîchers (des) | Q9 | c. Vincennes, 87 | Pyrénées, 114 | *Maraîchers* |
| 10 | Marais (pass. des) | L5 | des Marais, 62 | Legouvé | *J. Bonsergent* |
| 16 | Marbeau | D5 | Pergolèse, 54 | bd Amiral Bruix | *Pte Dauphine* |
| 16 | Marbeau (bd) | D5 | Marbeau, 21 | | *Pte Dauphine* |
| 8 | Marbeuf | F6 | George-V, 20 | av. des Ch.-Elysées | *F.-D.-Roosevelt* |
| 18 | Marcadet | K2 | Ordener, 25 | av. de St Ouen, 88 | *Marcadet-Poiss.* |
| | 134-135 | J2 | | | *Lamarck-Caulainc.* |
| | 265-274 | I2 | | | *Guy Môquet* |
| 13 | Marc-Antoine Charpentier | N13 | de Patay | Eugène Oudiné | *Pte d'Ivry* |
| 8 | Marceau (av.) | F6 | av. Pr. Wilson | pl. Charles de Gaulle | *Alma-Marceau* |
| 16 | 80-81 | | pairs, 8e | impairs, 16e | *Ch. de Gaulle-Et.* |
| 19 | Marceau (villa) | O4 | Gal Brunet, 30 | Liberté, 5 | *Danube* |
| 19 | Marcel Achard (pl.) | N5 | Rebeval | | *Belleville* |
| 18 | Marcel Aymé (pl.) | J3 | Norvins | Girardon | *Lamarck-Caulainc.* |
| 16 | Marcel Doret (av.) | B11 | bd Murat | Boulogne | *Pte de St Cloud* |
| 12 | Marcel Dubois | Q11 | bd Poniatowski, 98 | Gal Laperrine, 5 | *Pte Dorée* |
| 8 | Marcel Gramaire | M7 | de Laborde | | *St-Augustin* |
| 13 | Marcel Jambenoire (al.) | K14 | bd Kellermann, 88 | en impasse | *Cité Universit.* |
| 5 | Marcelin Berthelot (pl.) | K9 | J. de Beauvais, 33 | St Jacques, 91 | *Maubert-Mutualité* |
| 16 | Marcel Proust (av.) | D8 | René Boylesve | Berton | *Passy* |
| 17 | Marcel Renault | E4 | Vill. Mareuil, 5 | P. Demours, 14 | *Ternes* |
| 18 | Marcel Sembat | J1 | bd Ney | allée du Métro | *Pte Clignancourt* |
| 15 | Marcel Toussaint (sq.) | F11 | de Dantzig, 7 | en impasse | *Convention* |
| 11 | Marcès (imp.) | N8 | Popincourt, 39 | | *St-Ambroise* |
| 19 | Marchais (des) | P4 | av. Pte Brunet | bd d'Indochine | *Danube* |
| 10 | Marché (pass. du) | L6 | Bouchardon, 25 | Fg St Martin, 62 | *Château-d'Eau* |
| 4 | Marc. des Blancs-Manteaux | L8 | Hosp. St Gervais, 3 | Vieille-du-Temple, 50 | *Hôtel de Ville* |
| 5 | Marc.-aux-Chevaux (imp. du) | L11 | Geoffroy St Hilaire, 5 | | *St-Marcel* |
| 4 | Marché-Neuf (quai) | K8 | Petit-Pont | pl. St Michel | *Cité* |
| 18 | Marché Ordener | I2 | Ordener, 174 | Championnet, 175b | *Guy Môquet* |
| 5 | Marc. des Patriarches | K10 | de Mirbel, 11 | Daubenton, 38 | *Censier-Daubenton* |
| 11 | Marché Popincourt | N7 | Ternaux, 12 | Ternaux, 16 | *Parmentier* |
| 4 | Marché Ste Catherine (pl.) | L8 | d'Ormesson, 6 | Caron, 8 | *St-Paul* |
| 1 | Marché St Honoré (pl.) | I6 | Marché St Honoré, 1 | | *Pyramides* |
| 1 | Marché St Honnoré | I6 | St Honoré, 330 | Daniel Casanova | *Pyramides* |
| 14 | Marc Sangnier (av.) | G13 | pl. de la Pte de Vanves | Geoffroy Lafenestre | *Pte de Vanves* |

| Ar. | Rues | Plan | Commençant | Finissant | Métro |
|---|---|---|---|---|---|
| 18 | **Marc Séguin** | M2 | Cugnot | La Chapelle, 24 | *Marx Dormoy* |
| 6 | **Marco Polo (jard.)** | J10 | sq. de l'Observatoire | | *Port-Royal* |
| 20 | **Mare (imp. de la)** | O6 | de la Mare, 14 | | *Ménilmontant* |
| 20 | **Mare (de la)** | O6 | Ménilmontant, 71 | des Pyrénées, 383 | *Ménilmontant* |
| 16 | **Mal-de-L.-de-Tassigny (pl.)** | C5 | av. Foch | bd Lannes | *Pte Dauphine* |
| 16 | **Maréchal Fayolle (av.)** | C6 | av. L.-Barthou | Pte Dauphine | *Pte Dauphine* |
| 16 | **Mal Fr.-d'Espérey (av.)** | B8 | pl. de la Pte de Passy | Maréchal Lyautay, 95 | *Ranelagh* |
| 7 | **Maréchal Gallieni (av.)** | G7 | quai d'Orsay | pl. des Invalides | *Invalides* |
| 7 | **Maréchal Harispe** | F8 | av. de La Bourdonnais, 2 | A.-Lecouvreur | *Ecole Militaire* |
| 17 | **Maréchal Juin (pl. du)** | F3 | av. de Villiers, 112 | | *Pereire* |
| 16 | **Maréchal Lyautey (av. du)** | B9 | M. Fr. d'Espérey, 95 | pl. de la Pte d'Auteuil | *Pte d'Auteuil* |
| 16 | **Maréchal Maunoury (av.)** | B7 | pl. de la Pte de la Muette | pl. de la Pte de Passy | *La Muette* |
| 1 | **Marengo (de)** | J7 | de Rivoli, 164 | St Honoré, 151 | *Louvre* |
| 14 | **Marguerin** | I13 | d'Alésia, 73 | Leneveux | *Alésia* |
| 17 | **Margueritte** | F4 | bd de Courcelles, 106 | av. de Wagram, 76 | *Courcelles* |
| 1 | **Marg. de Navarre (pl.)** | K7 | de la Lingère | des Innocents | *Châtelet* |
| 12 | **Marguettes** | Q10 | Lasson | av. St Mandé, 102 | *Pte de Vincennes* |
| 17 | **Maria Deraismes** | I2 | Collette, 4 | Arthur Brière, 1 | *Guy Môquet* |
| 17 | **Marie (cité)** | H2 | Dr. Paul Brousse, 14 | | *Guy Môquet* |
| 4 | **Marie (pont)** | L8 | quai des Célestins | quai d'Anjou | *Pont-Marie* |
| 12 | **Marie Benoist** | P9 | Dorian | en impasse | *Nation* |
| 18 | **Marie Blanche (imp.)** | I3 | Constance, 9 | | *Blanche* |
| 14 | **Marie Davy** | I13 | du Père Corentin, 42 | Sarrette, 33 | *Alésia* |
| 20 | **Marie de Miribel (pl.)** | Q8 | de la Croix St Simon | bd Davout | *Pte de Montreuil* |
| 10 | **Marie et Louise** | M5 | Bichat, 33 | av. Richerand, 10 | *Goncourt* |
| 12 | **Marie Laurencin** | P11 | Sahel | André Derain | *Bel-Air* |
| 20 | **Marie Laurent (all.)** | Q9 | Buzenval | Mounet-Sully, 15 | *Buzenval* |
| 14 | **Marie Rose** | I13 | du Père Corentin | Sarrette, 25 | *Alésia* |
| 2 | **Marie Stuart** | K6 | Dussoubs, 7 | Montorgueil, 62 | *Etienne Marcel* |
| 16 | **Marietta Martin** | C8 | des Vignes, 67 | des Bauches, 18 | *La Muette* |
| 8 | **Marignan (de)** | G6 | François-Ier, 24 | Champs Elysées, 35 | *F.-D.-Roosevelt* |
| 8 | **Marigny (av. de)** | H6 | av. Gabriel, 34 | Fg St Honoré, 59 | *Ch.-Elysées-Clem.* |
| 14 | **Mariniers (des)** | G13 | Didot, 108 | | *Pte de Vanves* |
| 7 | **Marinoni** | F8 | av. de la Bourdonnais | Adrien Lecouvreur | *Ecole Militaire* |
| 15 | **Mario Nikis** | F9 | av. de Suffren, 112 | Ch. Laubat | *Ségur* |
| 17 | **Mariotte** | H3 | des Dames, 56 | des Batignolles, 27 | *Rome* |
| 2 | **Marivaux (de)** | J6 | Grétry, 6 | bd des Italiens, 13 | *4-Septembre* |
| 15 | **Marmontel** | F11 | Yvart, 4 | Convention, 209 | *Convention* |
| 13 | **Marmousets** | K11 | des Gobelins, 24 | bd Arago, 17 | *Gobelins* |
| 19 | **Marne (quai de la)** | O2 | de Crimée, 154 | quai de Metz | *Crimée* |
| 19 | **Marne (de la)** | O2 | de l'Ourcq, 22 | quai de la Marne, 30 | *Ourcq* |
| 19 | **Maroc (pl. du)** | M3 | du Maroc, 18 | Tanger, 18 | *Stalingrad* |
| 19 | **Maroc (du)** | M3 | de Flandre, 27 | d'Aubervilliers, 56 | *Stalingrad* |
| 19 | **Maroc (imp.)** | M3 | pl. du Maroc, 4 | | *Stalingrad* |
| 20 | **Maronites (des)** | O6 | bd Belleville, 20 | Julien Lacroix, 11 | *Ménilmontant* |
| 17 | **Marquis d'Arlandes (du)** | F2 | bd de Reims | av. Brunetière | *Pte de Champerret* |

| Ar. | Rues | Plan | Commençant | Finissant | Métro |
|---|---|---|---|---|---|
| 16 | **Marronniers (des)** | C8 | Raynouard, 78 | Boulainvilliers, 40 | *La Muette* |
| 19 | **Marseillaise (de la)** | P3 | des Sept Arpents | | *Pte de Pantin* |
| 19 | **Marseillaise (sq.)** | P3 | de la Marseillaise | | *Pte de Pantin* |
| 10 | **Marseille (de)** | M5 | Yves Toudic, 36 | quai de Valmy | *J. Bonsergent* |
| 2 | **Marsollier** | J6 | Méhul, 1 | Monsigny, 1 | *4-Septembre* |
| 12 | **Marsoulan** | Q9 | bd de Picpus, 66 | cours de Vincennes, 50 | *Picpus* |
| 10 | **Martel** | K5 | des Petites-Ecuries, 16 | de Paradis, 17 | *Château-d'Eau* |
| 7 | **Martignac (cité)** | H8 | de Grenelle, 111 | | *Solférino* |
| 7 | **Martignac (de)** | H8 | St Dominique, 33 | de Grenelle, 132 | *Varenne* |
| 13 | **Martin Bernard** | K13 | Bobillot, 40 | de Tolbiac, 198 | *Corvisart* |
| 20 | **Martin Garat** | Q7 | de la Py, 10 | Géo Chavez, 5 | *Pte de Bagnolet* |
| 20 | **Martin Nadaud (pl.)** | P7 | av. Gambetta | Sorbier | *Gambetta* |
| 10 | **Martini (imp.)** | L6 | Fg St Martin, 25 | | *Strasb.-St-Denis* |
| 18 | **Martinique (de la)** | L2 | Guadeloupe, 6 | de Torcy, 25 | *Marx Dormoy* |
| 17 | **Marty (imp.)** | I1 | Jacques Kelhner | | *Pte de St Ouen* |
| 9 | **Martyrs (des)** | J4 | Notre-Dame de Lorette, 2 | La Vieuville, 14 | *N.-D. de Lorette* |
| 18 | **69-72** | | de 67b à 74 à la fin, 18e | | *Pigalle* |
| 15 | **Martyrs Juifs du Vélodrome d'Hiver (pl. des)** | E8 | quai de Grenelle | quai Branly | *Bir-Hakeim* |
| 18 | **Marx Dormoy** | L3 | pl. de la Chapelle | Ordener | *Pte la Chapelle* |
| 13 | **Maryse Bastié** | N14 | Joseph Bédier, 1 | Francis Nohain, 5 | *Pte d'Ivry* |
| 20 | **Maryse Hilsz** | R9 | pl. de la Pte de Montreuil | de Lagny | *Pte de Montreuil* |
| 16 | **Maspéro** | C7 | Franqueville, 2 | G. d'Andigné, 10 | *La Muette* |
| 13 | **Masséna (bd)** | N13 | quai de la Gare, 1 | av. d'Italie, 169 | *Quai de la Gare* |
| | **14** | N13 | | | *Pte d'Ivry* |
| | **94-148** | M14 | | | *Pte de Choisy* |
| 13 | **Masséna (sq.)** | M13 | bd Masséna, 20 | | *Pte d'Ivry* |
| 16 | **Massenet** | D8 | Passy, 44 | Vital, 33 | *La Muette* |
| 7 | **Masseran** | G9 | Eblé | Duroc | *Duroc* |
| 12 | **Massif Central (sq. du)** | P12 | bd Poniatowski | | *Pte de Charenton* |
| 4 | **Massillon** | K8 | Chanoinesse, 9 | du Cloître Notre-Dame, 8 | *Cité* |
| 18 | **Massonnet (imp.)** | K2 | Poissonnières, 141 | | *Pte Clignancourt* |
| 19 | **Mathis** | N2 | de Flandre, 107 | Curial, 30 | *Crimée* |
| 19 | **Mathurin Moreau (av.)** | N4 | pl. du Colonel Fabien | Manin, 29 | *Colonel Fabien* |
| 15 | **Mathurin Régnier** | G11 | Vaugirard, 235 | Bargue, 47 | *Volontaires* |
| 8 | **Mathurins (des)** | H-I5 | Scribe, 15 | bd Malesherbes, 32 | *Havre-Caumartin* |
| 9 | **de 1 à 21 et 2 à 28** | I5 | | | |
| 8 | **Matignon (av.)** | G5 | rd. pd. Champs-Elysées, 2 | Penthièvre, 31 | *F.-D.-Roosevelt* |
| 5 | **Maubert (imp.)** | K9 | Frédéric Sauton, 3 | en impasse | *Maubert-Mutualité* |
| 5 | **Maubert (pl.)** | K9 | bd St Germain, 60 | | *Maubert-Mutualité* |
| 9 | **Maubeuge (de)** | J-K4 | Châteaudun, 12 | bd de la Chapelle, 39 | *Cadet* |
| 10 | **de 67 et 86 à la fin** | K-L4 | 85-102 | | *Gare du Nord* |
| 9 | **Maubeuge (sq.)** | K4 | de Maubeuge, 56 | | *Poissonnière* |
| 15 | **Maublanc** | F11 | Blomet, 103 | de Vaugirard, 266 | *Vaugirard* |
| 1 | **Mauconseil** | K7 | Française, 5 | Montorgueil, 38 | *Les Halles* |
| 3 | **Maure (pass. du)** | K7 | Beaubourg, 35 | Brantôme | *Rambuteau* |

| Ar. | Rues | Plan | Commençant | Finissant | Métro |
|---|---|---|---|---|---|
| 5 | **Maurel (pass.)** | L10 | bd de l'Hôpital, 8 | de Buffon, 7 | *Gare d'Austerlitz* |
| 1 | **Maurice Barrès (pl.)** | I6 | Cambon | St Honoré | *Madeleine* |
| 20 | **Maurice Berteaux** | Q6 | bd Mortier | en impasse | *Pte de Bagnolet* |
| 14 | **Maurice Bouchor** | G13 | av. de la Pte Didot | Prévost Paradol | *Pte de Vanves* |
| 16 | **Maurice Bourdet** | D9 | pt de Grenelle | av. du Pdt Kennedy | *Mirabeau* |
| 20 | **Maurice Chevalier (pl.)** | O6 | Etienne Dolet | Julien Lacroix | *Ménilmontant* |
| 12 | **Maurice Denis** | N10 | Pass. Raguinot | Pass. Gatbois | *Gare de Lyon* |
| 12 | **Maurice de Fontenay (pl.)** | O10 | Reuilly, 56 | | *Montgallet* |
| 13 | **Maurice et L. de Broglie** | M12 | Louise Weiss | du Chevaleret | *Chevaleret* |
| 7 | **M. de la Sizeranne** | G9 | Duroc | Sèvres | *Duroc* |
| 14 | **Maurice d'Ocagne (av.)** | G13 | av. du Gal Lafenestre | av. de la Pte Châtillon | *Pte de Vanves* |
| 11 | **Maurice Gardette (sq.)** | N7 | Gen. Blaise, 1 | Lacharrière | *St-Ambroise* |
| 18 | **Maurice Genevoix** | L2 | La Chapelle | Boucry | *Marx Dormoy* |
| 14 | **Maurice Loewy** | I13 | de l'Aude, 16 | en impasse | *Alésia* |
| 15 | **Maurice Maignen** | G11 | du Cotentin | Aristide Maillot | *Pasteur* |
| 14 | **Maurice Noguès** | F13 | Marc Sangnier, 8 | bd Adolphe Pinard | *Pte de Vanves* |
| 14 | **Maurice Noguès (sq.)** | F13 | Maurice Noguès | | *Pte de Vanves* |
| 1 | **Maurice Quentin (pl.)** | K7 | Berger | des Halles | *Les Halles* |
| 12 | **Maurice Ravel (av.)** | Q10 | J. Lemaître | av. Emile-Laurent | *Pte de Vincennes* |
| 14 | **Maurice Ripoche** | H12 | av. du Maine | Didot | *Pernety* |
| 19 | **Maurice Rollinat (villa)** | O4 | Miguel Hidalgo | en impasse | *Danube* |
| 14 | **Maurice Rouvier** | G12 | Raymond Losserand, 166 | Vercingétorix, 189 | *Plaisance* |
| 18 | **Maurice Utrillo** | K13 | Paul Albert | Lamarck | *Château-Rouge* |
| 4 | **Mauvais Garçons (des)** | L8 | de Rivoli, 46 | de la Verrerie, 5 | *Hôtel de Ville* |
| 20 | **Mauves (all. des)** | Q8 | Mouraud, 35 | St Blaise, 72 | *Pte de Montreuil* |
| 19 | **Mauxins (pass. des)** | Q4 | Romainville, 61 | bd Sérurier, 15 | *Pte des Lilas* |
| 15 | **Max Hymans (sq.)** | H10 | bd de Vaugirard, 25 | bd Pasteur | *Montparnasse* |
| 13 | **Max Jacob** | L14 | Poterne des Peupliers | Keufer | *Pte d'Italie* |
| 17 | **Mayenne (sq. de la)** | F3 | av. Brunetière | | *Pte de Champerret* |
| 6 | **Mayet** | I9 | de Sèvres, 133 | du Cherche-Midi, 124 | *Duroc* |
| 9 | **Mayran** | K5 | Montholon, 26 | Rochechouart, 16 | *Cadet* |
| 13 | **Mazagran (av.)** | K14 | av. Pte de Gentilly | | *Pte d'Italie* |
| 10 | **Mazagran (de)** | K6 | bd Bonne Nouvelle, 18 | de l'Echiquier, 11 | *Strasb.-St-Denis* |
| 6 | **Mazarine** | J8 | de Seine, 7 | Dauphine, 52 | *Odéon* |
| 12 | **Mazas (pl.)** | M10 | quai de la Rapée, 100 | | *Quai de La Rapée* |
| 6 | **Mazet** | J8 | Dauphine, 49 | St André des Arts, 66 | *Odéon* |
| 19 | **Meaux (de)** | M4 | bd de la Villette, 130 | Jean Jaurès, 110 | *Colonel Fabien* |
| | **46-95** | N4 | | | *Bolivar* |
| | **95-139** | N3 | | | *Laumière* |
| 14 | **Méchain** | J11 | de la Santé, 36 | Fg St Jacques, 57 | *St-Jacques* |
| 17 | **Médéric** | F4 | de Courcelles | de Prony | *Courcelles* |
| 6 | **Médicis (de)** | J9 | de Vaugirard, 15 | pl. Edmond Rostand | *Odéon* |
| 1 | **Mégisserie (quai de la)** | K8 | pl. du Châtelet | du Pont Neuf, 2 | *Pont-Neuf* |
| 2 | **Méhul** | J6 | des Petits-Champs, 46 | Marsollier | *4-Septembre* |
| 15 | **Meilhac** | F10 | de la Croix-Nivert, 61 | Quinault | *Commerce* |
| 17 | **Meissonier** | F4 | de Prony, 50 | Jouffroy, 79 | *Wagram* |

| Ar. | Rues | Plan | Commençant | Finissant | Métro |
|---|---|---|---|---|---|
| 19 | **Mélingue** | O5 | de Belleville, 103 | Fessart, 31 | *Pyrénées* |
| 19 | **Melun (pass. de)** | N3 | Jean Jaurès, 62 | de Meaux, 97 | *Laumière* |
| 2 | **Ménars** | J6 | de Richelieu, 81 | 4-Septembre, 12 | *4-Septembre* |
| 20 | **Mendelssohn** | Q8 | bd Davout, 88 | Dr. Dejerine, 3 | *Pte de Montreuil* |
| 3 | **Ménétriers (pass. des)** | K7 | Beaubourg | Brantôme | *Rambuteau* |
| 11-20 | **Ménilmontant (bd)** | O7 | de Mont-Louis, 15 | Ménilmontant, 2 | *Philippe Auguste* |
|  | **30-65** | O7 |  |  | *Père-Lachaise* |
|  | **143-150** | O6 | Pairs, 20ème | Impairs, 11ème | *Ménilmontant* |
| 11 | **Ménilmontant (pass.)** | O6 | av. Jean Aicard | bd Ménilmontant, 113 | *Ménilmontant* |
| 20 | **Ménilmontant (pl.)** | O6 | Ménilmontant | Mare | *St-Fargeau* |
| 20 | **Ménilmontant (de)** | O6 | bd de Belleville, 2 | Pelleport, 105 | *Ménilmontant* |
|  | **130-131** | P6 |  |  | *Pelleport* |
| 20 | **Ménilmontant (sq.)** | P6 | La Duée | Ménilmontant | *Ménilmontant* |
| 11 | **Mercœur** | O8 | bd Voltaire, 129 | La Vacquerie | *Voltaire* |
| 16 | **Mérimée** | D6 | B. Feuilles, 61 | Emile Ménier | *Victor-Hugo* |
| 12 | **Merisiers (sent. des)** | Q10 | bd Soult, 101 | du Niger, 9 | *Pte de Vincennes* |
| 12 | **Merlin** | O7 | la Roquette, 151 | Chemin-Vert, 128 | *Père-Lachaise* |
| 16 | **Méryon** | A10 | bd Murat | av. du Gal Sarrail, 31 | *M.-Ange-Molitor* |
| 3 | **Meslay (pass.)** | L6 | Meslay, 32 | bd St Martin, 25 | *République* |
| 3 | **Meslay** | L6 | du Temple, 207 | St Martin, 330 | *République* |
|  | **69** |  |  |  | *Strasb.-St-Denis* |
| 16 | **Mesnil** | D6 | pl. Victor Hugo, 9 | St Didier, 56 | *Victor-Hugo* |
| 10 | **Messageries (des)** | K5 | d'Hauteville, 75 | Fg Poissonnière, 80 | *Poissonnière* |
| 12 | **Messidor** | Q10 | de Toul, 36 | Gal Michel Bizot, 117 | *Bel-Air* |
| 14 | **Messier** | J11 | bd Arago, 77 | Jean Dolent, 4 | *St-Jacques* |
| 8 | **Messine (av. de)** | G5 | bd Haussmann, 134 | Monceau, 42 | *Miromesnil* |
| 8 | **Messine (de)** | G5 | Dr. Lancereaux | av. Messine, 25 | *Monceau* |
| 10 | **Metz (de)** | L6 | bd de Strasbourg, 19 | Fg St Denis, 32 | *Strasb.-St-Denis* |
| 19 | **Metz (quai de)** | O2 | de Thionville, 29 | quai de la Marne | *Ourcq* |
| 12 | **Meuniers (des)** | P12 | bd Poniatowski, 33 | de la Brèche-aux-Loups | *Pte de Charenton* |
|  | **57-66** | P11 |  |  | *Dugommier* |
| 19 | **Meurthe (de la)** | N3 | de Thionville, 11 | quai de la Marne | *Ourcq* |
| 16 | **Mexico (pl. de)** | D6 | de Longchamp, 72 | des Sablons | *Trocadéro* |
| 9 | **Meyerbeer** | I5 | de la Chaussée d'Antin, 5 | Halévy, 12 | *Opéra* |
| 19 | **Meynadier** | O4 | pl. André Carrel, 14 | de Crimée, 97 | *Laumière* |
| 6 | **Mézières (de)** | I9 | Bonaparte, 80 | de Rennes, 81 | *St-Sulpice* |
| 13 | **Michal** | K3 | Barrault, 41 | Martin-Bernard, 18 | *Corvisart* |
| 16 | **Michel-Ange (ham.)** | B11 | Parent de Rosan | en impasse | *Exelmans* |
| 16 | **Michel-Ange (villa)** | B9 | Bastien Lepage, 5 |  | *M.-Ange-Auteuil* |
| 16 | **Michel-Ange** | B10 | d'Auteuil, 55 | av. de Versailles, 226 | *M.-Ange-Molitor* |
| 13 | **Michel Bréal** | M13 | bd Masséna, 63 | Dupuy de Lôme | *Pte d'Ivry* |
| 12 | **Michel Chasles** | N9 | bd Diderot, 25 | av. Daumesnil, 2 | *Gare de Lyon* |
| 20 | **Michel de Bourges** | P8 | des Vignoles, 42 | des Vignoles, 50 | *Buzenval* |
| 3 | **Michel le Comtes** | L7 | du Temple, 89 | Beaubourg, 54 | *Rambuteau* |
| 13 | **Michel Peter** | K11 | bd St Marcel, 79 | Reine-Blanche, 24 | *Gobelins* |
| 6 | **Michelet** | J10 | bd St Michel, 84 | d'Assas, 81 | *Port-Royal* |

| Ar. | Rues | Plan | Commençant | Finissant | Métro |
|---|---|---|---|---|---|
| 2 | Michodière (de la) | J6 | carrefour Gaillon | bd des Italiens | *Opéra* |
| 18 | Midi (cité du) | J3 | bd de Clichy, 50 | | *Pigalle* |
| 16 | Mignard | C7 | av. Henri Martin, 85 | de Siam, 18 | *Rue de la Pompe* |
| 16 | Mignet | C9 | Georges Sand, 11 | Lec. de Lisle, 12 | *M.-Ange-Auteuil* |
| 6 | Mignon | J9 | Danton, 7 | St Germain, 112 | *Odéon* |
| 16 | Mignot (sq.) | D7 | Pétrarque, 22b | en impasse | *Trocadéro* |
| 19 | Mignottes (des) | O4 | Compans | de Monzaïa, 16 | *Botzaris* |
| 19 | Miguel Hidalgo | O4 | pl. du Danube, 2 | Compans, 118 | *Danube* |
| 9 | Milan (de) | I4 | de Clichy, 33 | d'Amsterdam, 48 | *Liège* |
| 16 | Milleret de Brou (av.) | C8 | Assomption | Recteur Poincaré | *Jasmin* |
| 17 | Milne Edwards | E4 | bd Pereire, 164 | J.-B. Dumas, 10 | *Pereire* |
| 18 | Milord (imp.) | I1 | av. de St Ouen, 140 | | *Pte de St Ouen* |
| 9 | Milton | J4 | Lamartine, 48 | de La Tour d'Auvergne, 19 | *N.-D. de Lorette* |
| 13 | Mimosas (sq. des) | K13 | des Liserons | | *Corvisart* |
| 3 | Minimes (des) | M8 | des Tournelles, 37 | de Turennes, 38 | *Chemin Vert* |
| 15 | Miollis | F10 | bd Garibaldi, 50 | Cambronne, 37 | *Cambronne* |
| 15-16 | Mirabeau (pont) | C9 | quai Louis Blériot | quai André Citroën | *Mirabeau* |
| 15 | Mirabeau (rd. pt.) | D10 | quai André Citroën | av. Emile Zola | *Javel* |
| 16 | Mirabeau | C9 | av. de Versailles, 64 | Chardon Lagache, 7 | *Mirabeau* |
| 5 | Mirbel (de) | K10 | de la Clef, 17 | Patriarches, 5 | *Censier-Daubenton* |
| 14 | Mire (all. de la) | J14 | av. de la Tunisie | de la Cité Universitaire | *Cité Universit.* |
| 18 | Mire (de la) | J3 | de Ravignan, 19 | Lepic, 112 | *Abbesses* |
| 8 | Miromesnil (de) | H5 | Fg St Honoré, 98 | bd de Courcelles, 15 | *Miromesnil* |
| | 107-110 | H4 | | | *Villiers* |
| 7 | Mission Etrangère (sq.) | H9 | Commaille | | *Sèvres-Babylone* |
| 16 | Mission Marchand | B9 | P. Guérin, 30 | de la Source, 29 | *M.-Ange-Auteuil* |
| 15 | Mizon | G10 | Brown Séquard, 10 | bd Pasteur, 63 | *Pasteur* |
| 19 | Moderne (av.) | N3 | du Rhin, 21 | | *Laumière* |
| 14 | Moderne (villa) | H12 | des Plantes, 15 | | *Alésia* |
| 15 | Modigliani | D11 | Balard | St Charles | *Balard* |
| 15 | Modigliani (terr.) | H11 | Commandant Mouchotte | | *Montparnasse* |
| 9 | Mogador (de) | I5 | bd Haussmann, 46 | St Lazare, 75b | *Trinité* |
| 17 | Moines (des) | H2 | pl. Ch. Fillion | de la Jonquière, 45 | *Brochant* |
| 16 | Molière (av.) | B10 | av. Despréaux | imp. Racine | *M.-Ange-Molitor* |
| 3 | Molière (pass.) | K7 | St Martin, 159 | Quincampoix, 82 | *Rambuteau* |
| 1 | Molière | J6 | av. de l'Opéra, 8 | de Richelieu, 37 | *Pyramides* |
| 18 | Molin (imp.) | M2 | Buzelin, 10 | en impasse | *Marx Dormoy* |
| 16 | Molitor | B10 | Chardon Lagache, 16 | bd Murat, 27 | *M.-Ange-Molitor* |
| 16 | Molitor (villa) | B10 | Molitor, 9 | Chardon Lagache, 52 | *Chardon-Lagache* |
| 8 | Mollien | G5 | Treilhard, 87 | de Lisbonne, 29 | *Villiers* |
| 17 | Monbel (de) | G3 | Tocqueville, 110 | bd Pereire, 47 | *Wagram* |
| 8 | Monceau (parc) | F5 | bd de Courcelles, 58 | av. Ruysdaël | *Monceau* |
| 8 | Monceau (de) | G5 | bd Haussmann, 188 | du Rocher, 89 | *Courcelles* |
| | 96-97 | G-H4 | | | *Villiers* |
| 17 | Monceau (sq.) | H4 | bd des Batignolles, 84 | | *Rome* |
| 17 | Monceau (villa) | F4 | bd de Courcelles, 158 | | *Pereire* |

| Ar. | Rues | Plan | Commençant | Finissant | Métro |
|---|---|---|---|---|---|
| 17 | **Moncey (pass.)** | I2 | av. de la Pte St Ouen, 37 | Dautancourt, 32 | *La Fourche* |
| 9 | **Moncey** | I4 | Blanche, 39 | de Clichy, 46b | *Liège* |
| 9 | **Moncey (sq.)** | I4 | Moncey, 12 | | *Liège* |
| 1 | **Mondétour** | K7 | Rambuteau, 104 | Turbigo, 10 | *Etienne Marcel* |
| 1 | **Mondovi (de)** | H6 | de Rivoli, 254 | Mont-Thabor, 29 | *Concorde* |
| 5 | **Monge (pl.)** | K10 | Monge, 72 | Gracieuse | *Monge* |
| 5 | **Monge** | K9 | bd St Germain, 47 | av. des Gobelins, 1 | *Maubert-Mutualité* |
| | **11-22** | K9 | | | *Cardinal Lemoine* |
| | **56-57** | K10 | | | *Monge* |
| | **87-88** | K11 | | | *Censier-Daubenton* |
| 12 | **Mongenot** | R10 | av. Vincent d'Indy | lim. St Mandé | *Pte de Vincennes* |
| 19 | **Monjol** | N5 | Henri Turot, 11 | Legrand | *Colonel Fabien* |
| 1 | **Monnaie (de la)** | J7 | quai du Louvre, 2 | de Rivoli, 75 | *Pont-Neuf* |
| 20 | **Monplaisir (imp.)** | O6 | bd Ménilmontant, 104 | | *Ménilmontant* |
| 17 | **Monseigneur Loutil (pl.)** | F3 | av. de Villiers, 70 | Jouffroy | *Wagram* |
| 10 | **Monseigneur Rodhain** | M5 | quai de Valmy | R. Blache | *Château-Landon* |
| 7 | **Monsieur** | H9 | de Babylone, 59 | Oudinot, 16 | *St-Fr.-Xavier* |
| 6 | **Monsieur-le-Prince** | J9 | carr. de l'Odéon, 18 | bd St Michel, 58 | *Odéon* |
| | **30-47** | | | | *Luxembourg* |
| 2 | **Monsigny** | J6 | Dalayrac, 50 | 4-Septembre, 23 | *4-Septembre* |
| 20 | **Monsoreau (sq. de)** | P8 | Alexandre Dumas, 91 | Monte-Cristo | *Alexandre Dumas* |
| 15 | **Montagne d'Autas (de la)** | D11 | Balard | St Charles | *Javel* |
| 15 | **Montagne de la Faye (de la)** | D11 | Balard | St Charles | *Balard* |
| 15 | **Montagne de l'Esperou** | C10 | quai André Citroën | Pic de Barette | *Javel* |
| 15 | **Montagne du Goulet (pl.)** | D10 | inters. Balard | et des Cévennes | *Javel* |
| 5 | **Mont Ste Geneviève (du)** | K9 | Monge, 2 | pl. Ste Geneviève | *Maubert-Mutualité* |
| | **33-50** | | | | *Cardinal Lemoine* |
| 8 | **Montaigne (av.)** | G6 | pl. de l'Alma, 7 | rd. pt. Champs-Elysées, 7. | *F.-D.-Roosevelt* |
| 15 | **Mont Aigouat (du)** | C10 | Cauchy | de la Montagne de l'Esperou. | *Javel* |
| 7 | **Montalembert (de)** | I8 | Sébastien Bottin | du Bac, 43 | *Rue du Bac* |
| 8 | **Montalivet** | H6 | d'Aguesseau, 15 | des Saussaies, 12 | *Ch.-Elysées-Clem.* |
| 15 | **Montauban** | F12 | Robert Lindet, 20 | | *Convention* |
| 16 | **Mont-Blanc (sq.)** | C9 | av. Perrichon, 25 | en impasse | *Eglise d'Auteuil* |
| 14 | **Montbrun (pass.)** | I12 | Montbrun, 2 | | *Alésia* |
| 14 | **Montbrun** | I12 | René Dumoncel | d'Alésia, 30 | *Alésia* |
| 18 | **Montcalm** | J12 | Damrémont, 78 | du Ruisseau, 65 | *Jules Joffrin* |
| 18 | **Montcalm (villa)** | J2 | Montcalm, 17 | des Cloÿs, 57 | *Lamarck-Caulainc.* |
| 18 | **Mont-Cenis (pass. du)** | K1 | Mont-Cenis, 135 | bd Ornano, 82 | *Pte Clignancourt* |
| 18 | **Mont-Cenis (du)** | J2-3 | de Norvins, 2 | Belliard, 41 | *Jules Joffrin* |
| | **140-149** | K2 | | | *Pte Clignancourt* |
| 17 | **Mont-Dore (du)** | H4 | bd des Batignolles, 40 | Batignolles, 9 | *Rome* |
| 5 | **Montebello (port)** | K9 | pont Archevêché | du Petit-Pont | *Maubert-Mutualité* |
| 5 | **Montebello (quai)** | K9 | pont Archevêché | du Petit-Pont | *Maubert-Mutualité* |
| 15 | **Montebello** | F12 | Chauvelot, 7 | Camulogène | *Pte de Vanves* |
| 20 | **Monte-Cristo** | P8 | de Bagnolet, 30 | Alexandre Dumas | *Alexandre Dumas* |
| 12 | **Montempoivre** | Q10 | Général Michel Bizot, 120. | bd Soult, 69 | *Bel-Air* |

| Ar. | Rues | Plan | Commençant | Finissant | Métro |
|---|---|---|---|---|---|
| 12 | **Montempoivre (sent.)** | P10 | de Toul | bd de Picpus | *Bel-Air* |
| 19 | **Montenegro (pass. du)** | P5 | de Romainville, 28 | Haxo, 127 | *Télégraphe* |
| 17 | **Montenotte (de)** | E4 | av. des Ternes, 23 | av. Mac Mahon | *Ch. de Gaulle-Et.* |
| 12 | **Montéra** | Q10 | av. de St Mandé, 83 | bd Soult, 145 | *Pte de Vincennes* |
| 16 | **Montespan (av.)** | D6 | av. Victor Hugo, 177 | de la Pompe, 101 | *Rue de la Pompe* |
| 1 | **Montesquieu** | J7 | C. des Petits-Champs, 13 | Bons-Enfants, 18 | *Palais-Royal* |
| 12 | **Montesquieu-Fenzensac** | Q11 | Armand Rousseau, 14 | en impasse | *Pte Dorée* |
| 16 | **Montevideo** | C6 | de Longchamp, 147 | Dufrenoy, 18 | *Pte Dauphine* |
| 6 | **Montfaucon (de)** | J8 | bd St Germain, 131 | Clément, 10 | *Mabillon* |
| 12 | **Montgallet (pass.)** | O10 | Montgallet, 25 | Erard, 26 | *Montgallet* |
| 12 | **Montgallet** | O10 | de Charenton, 189 | de Reuilly, 68 | *Montgallet* |
| 3 | **Montgolfier** | L6 | de Turbigo, 59 | Vertbois, 21 | *Arts-et-Métiers* |
| 9 | **Monthiers (cité)** | I4 | de Clichy, 55 | Amsterdam, 72 | *Place Clichy* |
| 9 | **Montholon (sq.)** | K5 | Lafayette, 79 | Pierre Sémard, 6 | *Cadet* |
| 9 | **Montholon (de)** | K5 | Fg Poissonnière, 85 | Rochechouart, 2 | *Cadet* |
| 20 | **Montibœufs (des)** | Q6 | du Capitaine Ferber | Le Bua, 24 | *Pelleport* |
| 14 | **Monticelli** | I13 | bd Jourdan | av. Paul Appell | *Pte d'Orléans* |
| 11 | **Mont-Lous (imp.)** | O8 | de Mont-Louis, 6 | | *Philippe Auguste* |
| 11 | **Mont-Louis (de)** | O8 | de la Folie Regnault, 3 | bd Ménilmontant, 1 | *Philippe Auguste* |
| 2-9 | **Montmartre (bd)** | J5 | Montmartre, 169 | Richelieu, 112 | *Rue Montmartre* |
| | **12-13** | | Pairs, 9ème | Impairs, 2ème | *Richelieu-Drouot* |
| 2 | **Montmartre (gal.)** | J6 | Montmartre, 151 | pass. Panoramas, 25 | *Rue Montmartre* |
| 2 | **Montmartre (cité)** | K6 | Montmartre, 55 | en impasse | *Sentier* |
| 2 | **Montmartre** | K7 | Montorgueil, 1 | bd Montparnasse, 1 | *Les Halles* |
| 1 | **83-104** | J6 | | | *Sentier* |
| | **135-156** | J6 | de 1 à 21 et 2 | à 36, 1er | *Rue Montmartre* |
| 9 | **Montmartre (Fg)** | J5 | bd Montmartre, 2 | Lamartine, 43 | *Rue Montmartre* |
| | **32-35** | | | | *Le Peletier* |
| 16 | **Montmorency (av.)** | B9 | Poussin, 12 | av. du Square, 5 | *M.-Ange-Auteuil* |
| 16 | **Montmorency (bd)** | B8 | de l'Assomption, 93 | d'Auteuil, 76 | *M.-Ange-Auteuil* |
| 3 | **Montmorency (de)** | L7 | du Temple, 105 | St Martin, 214 | *Arts-et-Métiers* |
| 16 | **Montmorency (villa)** | B9 | bd de Montmorency | Poussin, 12 | *M.-Ange-Auteuil* |
| 1-2 | **Montorgueil** | K6-7 | Montmartre, 2 | St Sauveur, 59 | *Les Halles* |
| | **78-102** | K6 | | | *Sentier* |
| 14 | **Montparnasse (bd)** | H10 | de Sèvres, 145 | av. de l'Observatoire, 22 | *Falguière* |
| 15 | **61-64** | I10 | 1 à 171, 6ème | 2 à 66, 15ème | *Montparnasse* |
| 6 | **99-106** | I10 | 68 à 174, 14ème | | *Vavin* |
| 14 | **Montparnasse (pass. du)** | H10 | d'Odessa | du Départ | *Montparnasse* |
| 6 | **Montparnasse** | I10 | N.-D. des Champs, 30 | d'Odessa, 23 | *Edgar-Quinet* |
| 14 | **de 37 et 42 à la fin** | | | | |
| 1 | **Montpensier (gal.)** | J6 | péristyle Montpensier | péristyle Joinville | *Palais-Royal* |
| 1 | **Montpensier (de)** | J6 | de Richelieu, 8 | de Beaujolais, 21 | *Palais-Royal* |
| 11 | **Montreuil (de)** | O9 | Fg St Antoine, 225 | bd de Charonne, 33 | *Faidherbe-Chal.* |
| | **62-69** | O9 | | | *Nation* |
| | **100-117** | P9 | | | *Avron* |
| 14 | **Montsouris (allée)** | J13 | allée de la Vanne | allée du Puits | *Cité Universit.* |

| Ar. | Rues | Plan | Commençant | Finissant | Métro |
|---|---|---|---|---|---|
| 14 | **Montsouris (parc)** ....... | J13 | av. Reille............ | bd Jourdan........... | *Cité Universit.* |
| 7 | **Monttessuy (de)**......... | F7 | av. Rapp, 18 .......... | av. de La Bourdonnais... | *Alma-Marceau* |
| 1 | **Mont Thabor (du)**........ | I6 | d'Alger, 9 ............ | de Mondovi, 7......... | *Tuileries* |
|  | 45-48............... |  | .................... | .................... | *Concorde* |
| 15 | **Mont Tonnerre (imp.)**..... | H10 | de Vaugirard, 127 ...... | .................... | *Falguière* |
| 9 | **Montyon (de)**........... | K5 | de Trévise, 9.......... | Fg Montmartre, 18...... | *Rue Montmartre* |
| 16 | **Mony**................. | C6 | Spontini, 7 ........... | Benjamin Godard, 8..... | *Rue de la Pompe* |
| 11 | **Morand**............... | N6 | Jean-Pierre Timbaud, 79 . | de l'Orillon, 18 ......... | *Couronnes* |
| 12 | **Moreau**............... | M9 | av. Daumesnil, 7 ....... | de Charenton, 40........ | *Ledru-Rollin* |
| 14 | **Morère** ............... | H13 | Friant, 42 ............ | av. Jean Moulin, 47..... | *Pte d'Orléans* |
| 11 | **Moret** ................ | N6 | Oberkampf, 135........ | Jean-Pierre Timbaud, 98 . | *Couronnes* |
| 15 | **Morieux (cité)** .......... | E8 | de la Fédération ....... | .................... | *Dupleix* |
| 15 | **Morillons (des)**.......... | F12 | Olivier de Serres, 45 .... | Castagnary, 88 ........ | *Convention* |
| 4 | **Morland (bd)** ........... | M9 | quai Henri-IV.......... | bd Henri-IV, 8 ......... | *Quai de La Rapée* |
| 4 | 15-18............... |  | .................... | .................... | *Sully-Morland* |
| 12 | **Morland (pont)**.......... | M9 | bd de la Bastille........ | bd Bourdon............ | *Quai de La Rapée* |
| 11 | **Morlet (imp.)** ........... | P9 | de Montreuil, 113 ...... | .................... | *Avron* |
| 9 | **Morlot**................ | I5 | sq. de la Trinité........ | de la Trinité, 5......... | *Trinité* |
| 4 | **Mornay**............... | M9 | bd Bourdon, 19 ........ | de Sully, 2 .......... | *Quai de La Rapée* |
| 14 | **Moro Giafferi (pl.)**........ | H11 | du Château ........... | Didot .............. | *Pernety* |
| 20 | **Mortier (bd)**............ | Q6 | Pte de Bagnolet........ | Pte des Lilas.......... | *Pte des Lilas* |
| 12 | **Morvan (du)**............ | N7 | Pétion, 26 ............ | St Maur, 25........... | *Voltaire* |
| 8 | **Moscou**............... | I4 | Amsterdam, 47 ........ | bd des Batignolles, 43 ... | *Rome* |
| 19 | **Moselle**............... | N3 | Jean Jaurès, 70........ | quai de la Loire, 52 ..... | *Laumière* |
| 19 | **Moselle (pass. de la)**...... | N3 | Jean Jaurès, 65........ | de Meaux, 103 ........ | *Laumière* |
| 18 | **Moskowa (cité)** ......... | J1 | Leibniz, 24............ | Jean Dollfus .......... | *Pte de St-Ouen* |
| 5 | **Mouffetard** ............ | K10 | Thouin, 5 ............ | Censier, 5............ | *Monge* |
|  | 83-84............... |  | .................... | .................... | *Censier-Daubenton* |
| 5 | **Mouffetard-Monge (gal.)** .. | K10 | Gracieuse ............ | Mouffetard .......... | *Censier-Daubenton* |
| 11 | **Moufle** ............... | N7 | du Chemin Vert, 33 ..... | bd Richard Lenoir, 64.... | *Richard Lenoir* |
| 12 | **Moulin (pass.)** .......... | N10 | de Chalon, 44 ......... | J. Bouton, 14 ......... | *Gare de Lyon* |
| 1 | **Moulins (des)**........... | J6 | Thérèse, 20........... | des Petits-Champs, 51 ... | *Pyramides* |
| 11 | **Moulin-Joly (du)**......... | N6 | Jean-Pierre Timbaud, 95 . | de l'Orillon, 36-40 ...... | *Couronnes* |
| 13 | **Moulin-de-la-Pointe**...... | L13 | av. d'Italie, 104 ........ | bd Kellermann, 24...... | *Tolbiac* |
|  | 21-22............... |  | .................... | .................... | *Maison Blanche* |
| 14 | **Moul.-de la Vierge (jard.)** .. | G12 | de l'Ouest........... | Vercingétorix ......... | *Plaisance* |
| 14 | **Moulin de la Vierge** ...... | G12 | Raymond Losserand, 12.. | Vercingétorix, 133...... | *Plaisance* |
| 13 | **Moulin-des-Prés (pass.)** ... | K-L12 | Moulin-des-Prés, 21..... | Bobillot, 24........... | *Place d'Italie* |
| 13 | **Moulin-des-Prés** ........ | K12 | bd Auguste Blanqui, 27 .. | Damesne, 30.......... | *Corvisart* |
|  | 38-43............... | K-L13 | .................... | .................... | *Tolbiac* |
| 14 | **Moulin-Vert (imp.)**....... | H12 | des Plantes, 29 ........ | .................... | *Alésia* |
| 14 | **Moulin-Vert (du)** ........ | H12 | av. du Maine, 220 ...... | de Gergovie, 67........ | *Alésia* |
| 13 | **Moulinet (pass.)**......... | L13 | du Moulinet, 49........ | de Tolbiac, 160 ........ | *Tolbiac* |
| 13 | **Moulinet (du)**........... | L13 | av. d'Italie, 60 ......... | Bobillot, 51 ........... | *Tolbiac* |
| 20 | **Mounet-Sully** .......... | Q9 | des Pyrénées, 3........ | Plaine, 50 ........... | *Pte de Vincennes* |
| 20 | **Mouraud**.............. | Q8 | Croix-St Simon, 21..... | St Blaise, 78 .......... | *Pte de Montreuil* |

| Ar. | Rues | Plan | Commençant | Finissant | Métro |
|---|---|---|---|---|---|
| 12 | **Mousset (imp.)** | O10 | de Reuilly | en impasse | *Montgallet* |
| 12 | **Mousset Robert** | Q10 | Sibuet, 30 | du Dr. Arn. Netter | *Picpus* |
| 4 | **Moussy (de)** | L8 | de la Verrerie, 10 | Ste-Croix Bretonnerie | *Hôtel de Ville* |
| 14 | **Mouton-Duvernet** | I12 | av. du Gal Leclerc, 38 | av. du Maine | *Mouton-Duvernet* |
| 19 | **Mouzaïa (de)** | P4 | du Général Brunet, 8 | bd Sérurier | *Danube* |
| 12 | **Moynet (cité)** | O10 | de Charenton, 181 | Ste Claire-Deville | *Montgallet* |
| 16 | **Mozart (av.)** | C8 | chaussée de la Muette, 1 | La Fontaine, 110 | *La Muette* |
| | **83-85** | B-C9 | | | *Jasmin* |
| 16 | **Mozart (sq.)** | C8 | Mozart, 28 | | *Ranelagh* |
| 16 | **Mozart (villa)** | C8 | Mozart, 73 | en impasse | *Jasmin* |
| 16 | **Muette (ch. de la)** | C8 | Boulainvilliers, 67 | av. Ingres | *La Muette* |
| 2 | **Mulhouse** | K6 | de Cléry, 29 | des Jeûneurs, 9 | *Sentier* |
| 16 | **Mulhouse (villa de)** | B10 | bd Exelmans | Claude Lorrain | *Exelmans* |
| 18 | **Muller** | K3 | Clignancourt, 49 | Lamarck, 2 | *Château-Rouge* |
| 16 | **Murat (bd)** | B9 | d'Auteuil, 83 | quai Louis Blériot | *Pte d'Auteuil* |
| | **187** | A-B11 | | | *Pte de St Cloud* |
| 16 | **Murat (villa)** | B11 | Claude Terrasse, 37 | bd Murat, 155 | *Pte de St Cloud* |
| 20 | **Mûriers (jard. des)** | O7 | des Amandiers, 42 | des Mûriers, 4 | *Gambetta* |
| 20 | **Mûriers (des)** | O7 | des Partants, 16 | av. Gambetta, 27 | *Gambetta* |
| 8 | **Murillo** | G4 | av. Ruysdaël, 5 | de Courcelles, 66 | *Courcelles* |
| 16 | **Musset (de)** | B10 | Jouvenet, 9 | Boileau, 69 | *Chardon-Lagache* |
| 5 | **Mutualité (sq. de la)** | K9 | St Victor | en impasse | *Maubert-Mutualité* |
| 18 | **Myrha** | L3 | Stephenson, 31 | Christiani, 16 | *Château-Rouge* |
| 8 | **Miron-Timothy-Herrick (av.)** | G5 | Fg St Honoré | de Courcelles | *St-Ph.-du-Roule* |

# N

| Ar. | Rues | Plan | Commençant | Finissant | Métro |
|---|---|---|---|---|---|
| 17 | **Naboulet (imp.)** | H2 | de la Jonquière, 70 | | *Guy Môquet* |
| 18 | **Nadar (sq.)** | J3 | Azaïs | St Eleuthère | *Abbesses* |
| 10 | **Nancy (de)** | L5 | bd Magenta, 35 | Fg St Martin, 86 | *J. Bonsergent* |
| 11 | **Nanettes (des)** | O7 | bd Ménilmontant, 101 | av. de la République, 9 | *Ménilmontant* |
| 14 | **Nansouty (imp.)** | I13 | Emile Deustch, 16 | | *Cité Universit.* |
| 14 | **Nansouty** | J13 | av. Reille, 25 | du Parc Montsouris, 2 | *Cité Universit.* |
| 19 | **Nantes (de)** | O2 | quai de l'Oise, 19 | de Flandre, 132 | *Corentin-Cariou* |
| 15 | **Nanteuil** | G11 | Brancion, 17 | St Amand, 16 | *Convention* |
| 8 | **Naples (de)** | H4 | de Rome, 63 | bd Malesherbes, 74 | *Europe* |
| 10 | **Napoléon III (pl.)** | L4 | de Dunkerque | | *Gare du Nord* |
| 7 | **Narbonne (de)** | H8 | de la Planche, 4 | en impasse | *Sèvres-Babylone* |
| 16 | **Narcisse Diaz** | C9 | av. de Versailles, 86 | Mirabeau, 17 | *Mirabeau* |
| 8 | **Narvik (pl. de)** | G5 | av. Messine | de la Bienfaisance | *Miromesnil* |
| 12 | **Nation (pl. de la)** | P9 | bd Voltaire | bd Diderot, 145 | *Nation* |
| 11 | **Impairs** | | | | |
| 16 | **Nations-Unies (av. des)** | E7 | av. Albert de Mun | bd Delessert | *Trocadéro* |
| 13 | **National (pass.)** | M13 | Château des Rentiers, 27 | Nationale, 22 | *Pte d'Ivry* |
| 12 | **National (pont)** | O12 | quai de Bercy | quai de la Gare | *Pte d'Ivry* |

| Ar. | Rues | Plan | Commençant | Finissant | Métro |
|---|---|---|---|---|---|
| 13 | **Nationale (imp.)** | **M13** | Nationale, 56 | | *Pte d'Ivry* |
| 13 | **Nationale (pl.)** | **M12** | Nationale | Château des Rentiers | *Nationale* |
| 13 | **Nationale** | **M13** | bd Masséna | bd Vincent Auriol, 47 | *Pte d'Ivry* |
| | **99-100** | **M12** | | | *Nationale* |
| 18 | **Nattier (pl.)** | **I2** | Eugène Carrière | Félix Ziem | *Lamarck-Caulainc.* |
| 9 | **Navarin (de)** | **J4** | des Martyrs, 39 | H. Monnier, 18 | *Pigalle* |
| 5 | **Navarre (jard.)** | **K9** | Descartes | | *Cardinal Lemoine* |
| 5 | **Navarre (de)** | **L10** | Lacépède, 12 | Monge, 59 | *Monge* |
| 17 | **Navier** | **I2** | av. de St Ouen, 121 | des Epinettes, 34 | *Pte de St Ouen* |
| 4 | **Necker** | **M8** | d'Ormesson, 2 | de Jarente, 3 | *St-Paul* |
| 7 | **Négrier (cité)** | **G8** | de Grenelle, 151b | Ernest Psichari | *Latour-Maubourg* |
| 15 | **Nélaton** | **E8** | bd de Grenelle, 4 | du Dr. Finaly | *Bir-Hakeim* |
| 11 | **Nemours (de)** | **M6** | Oberkampf, 63 | Jean-Pierre Timbaud | *Parmentier* |
| 6 | **Nesle (de)** | **J8** | Dauphine, 24 | de Nevers, 17 | *St-Michel* |
| 16 | **Neuilly (av. de)** | **D4** | pl. de Verdun | Neuilly | *Pte Maillot* |
| 18 | **Nve-de-la-Charbonnière** | **K2** | du Simplon, 50 | Championnet, 41b | *Simplon* |
| 12 | **Neuve-de-la-Garonne** | **O11** | Abel Laurent | | *Bercy* |
| 11 | **Neuve-des-Boulets** | **O8** | Léon Frot | de Nice, 1 | *Charonne* |
| 11 | **Neuve-Popincourt** | **N7** | Oberkampf, 60 | pass. Beslay, 19 | *Parmentier* |
| 4 | **Neuve-St Pierre** | **L8** | Beautreillis, 23 | St Paul, 34 | *St-Paul* |
| 8 | **Néva (de la)** | **F4** | Fg St Honoré, 260 | bd Courcelles, 77 | *Ternes* |
| 6 | **Nevers (imp. de)** | **J8** | de Nesle, 13 | | *St-Michel* |
| 6 | **Nevers (de)** | **J8** | quai de Conti, 5 | de Nesle, 12 | *St-Michel* |
| 16 | **Newton** | **F5** | av. Marceau, 75 | av. d'Iéna, 84 | *Ch. de Gaulle-Et.* |
| 16 | **New York (av. de)** | **F7** | pl. de l'Alma, 1 | Beethoven, 2 | *Passy* |
| 18 | **Ney (bd)** | **L-M1** | d'Aubervilliers, 33 | av. St Ouen, 15 | *Pte la Chapelle* |
| | **101** | **K1** | | | *Pte Clignancourt* |
| | **150** | **I-J1** | | | *Pte de St Ouen* |
| 17 | **Nicaragua (pl.)** | **G3** | bd Malesherbes | Jouffroy | *Wagram* |
| 11 | **Nice (de)** | **O8** | Neuve-des-Boulets, 19 | de Charonne, 154 | *Charonne* |
| 12 | **Nicolaï** | **P11** | Coriolis, 1 | en impasse | *Dugommier* |
| 20 | **Nicolas (imp.)** | **Q8** | bd Davout, 139 | en impasse | *Pte de Montreuil* |
| 15 | **Nicolas Charlet** | **G10** | bd Vaugirard, 177 | Falguière, 50 | *Pasteur* |
| 17 | **Nicolas Chuquet** | **F3** | bd Malesherbes, 201 | Philippe Delorme, 12 | *Pereire* |
| 4 | **Nicolas Flamel** | **K7** | de Rivoli, 90 | des Lombards, 9 | *Châtelet* |
| 13 | **Nicolas Fortin** | **L12** | Albert Bayet | av. de Choisy, 168 | *Place d'Italie* |
| 5 | **Nicolas Houël** | **L10** | bd de l'Hôpital, 18 | en impasse | *Gare d'Austerlitz* |
| 13 | **Nicolas Roret** | **L11** | La Reine Blanche | Le Brun, 34 | *Gobelins* |
| 17 | **Nicolay (sq.)** | **H3** | Moines, 16 | Legendre, 77b | *Brochant* |
| 14 | **Nicolas Taunay** | **H13** | av. Reyer | bd Brune | *Pte d'Orléans* |
| 18 | **Nicolet** | **K3** | Ramay, 23 | Bachelet | *Château-Rouge* |
| 16 | **Nicolo** | **D7** | de Passy, 38 | de la Pompe, 42 | *La Muette* |
| 17 | **Niel (av.)** | **E4** | av. des Ternes, 3 | pl. du Mal Juin, 5 | *Ternes* |
| 17 | **97-98** | **F3-4** | | | *Pereire* |
| 17 | **Niel (villa)** | **F4** | av. Niel, 30b | en impasse | *Ternes* |
| 14 | **Niepce** | **H11** | de l'Ouest, 81 | Raymond Losserand, 5 | *Pernety* |

| Ar. | Rues | Plan | Commençant | Finissant | Métro |
|---|---|---|---|---|---|
| 13 | **Nieuport (villa)** | M13 | des Terres-au-Curé, 39 | en impasse | *Pte d'Ivry* |
| 12 | **Niger (du)** | Q10 | bd Soult, 113 | av. de St Mandé, 94 | *Pte de Vincennes* |
| 2 | **Nil (du)** | K6 | de Damiette, 3 | des Petits-Carreaux, 34 | *Sentier* |
| 18 | **Nobel** | J2 | Caulaincourt, 119 | Francœur, 9 | *Lamarck-Caulainc.* |
| 15 | **Nocard** | E8 | quai de Grenelle, 15 | Nélaton, 8 | *Bir-Hakeim* |
| 3 | **Noël (cité)** | L7 | Rambuteau, 22 | en impasse | *Rambuteau* |
| 20 | **Noël Ballay** | R9 | Louis Delaporte | bd Davout | *Pte de Vincennes* |
| 16 | **Noisiel (de)** | D6 | E. Meunier, 28 | Spontini, 19 | *Pte Dauphine* |
| 20 | **Noisy-le-Sec (de)** | R5 | av. Pte Ménilmontant | Les Lilas-Bagnolet | *St-Fargeau* |
| 17 | **Nollet (sq.)** | H3 | Nollet, 103 | en impasse | *Brochant* |
| 17 | **Nollet** | H3 | des Dames, 22 | Cardinet, 166 | *Place Clichy* |
| | **97-108** | | | | *Brochant* |
| 18 | **Nollez (cité)** | J2 | Ordener, 144 | en impasse | *Lamarck-Caulainc.* |
| 11 | **Nom de Jésus (cour)** | M9 | Fg St Antoine, 47 | | *Bastille* |
| 4 | **Nonnains d'Hyères** | L8 | quai des Célestins, 58 | Charlemagne, 25 | *Pont-Marie* |
| 19 | **Nord (pass. du)** | N3 | Petit, 25 | Petit, 33 | *Laumière* |
| 18 | **Nord (du)** | K2 | Poissonniers, 99 | Clignancourt, 116 | *Marcadet-Poiss.* |
| 3 | **Normandie** | M7 | Debelleyme, 41 | Charlot, 64 | *Filles Calvaire* |
| 18 | **Norvins** | J3 | du Mont-Cenis, 1 | Girardon, 4 | *Abbesses* |
| 4 | **Notre-Dame (pont)** | K8 | quai de la Cité | quai de Gesvres | *Cité* |
| 2 | **N.-D. de Bonne Nouvelle** | K6 | Beauregard, 21b | Bonne Nouvelle, 2 | *Bonne Nouvelle* |
| 9 | **Notre-Dame de Lorette** | J5 | St Lazare, 2 | Pigalle, 50 | *N.-D. de Lorette* |
| 3 | **Notre-Dame de Nazareth** | L6 | du Temple, 201 | bd Sébastopol, 104 | *République* |
| 2 | **N.-D. de Recouvrance** | K6 | Beauregard, 3 | Bonne Nouvelle, 39 | *Bonne Nouvelle* |
| 6 | **Notre-Dame des Champs** | I10 | de Rennes, 127 | av. de l'Observatoire, 20 | *St-Placide* |
| | **28-30** | | | | *N.-D. des Champs* |
| 2 | **Notre-Dame des Victoires** | J6 | pl. des Petits-Pères, 9 | Montmartre, 141 | *Bourse* |
| 20 | **Nouveau-Belleville (sq.)** | O6 | bd de Belleville, 30 | | *Couronnes* |
| 19 | **Nouveau Conservatoire (av.)** | O3 | av. Jean Jaurès | Edgar Varèse | *Pte de Pantin* |
| 8 | **Nouvelle (villa)** | F5 | av. de Wagram, 28-30 | | *Ch. de Gaulle-Et.* |
| 12 | **Nouvelle Calédonie** | Q11 | bd Soult | av. du Général Messimy | *Pte Dorée* |
| 19 | **Noyer Durand** | P3 | av. de la Pte Chaumont | limite Pré-St Gervais | *Pte de Pantin* |
| 16 | **Nungesser-Coli** | A10 | bd d'Auteuil, 40 | Claude Farrère | *M.-Ange-Molitor* |

# O

| Ar. | Rues | Plan | Commençant | Finissant | Métro |
|---|---|---|---|---|---|
| 11 | **Oberkampf** | M7 | bd Filles du Calvaire, 26 | bd Ménilmontant, 143 | *Filles Calvaire* |
| | **10-11** | M7 | | | *Oberkampf* |
| | **66-67** | N6 | | | *Parmentier* |
| | **159-160** | N6 | | | *Ménilmontant* |
| 5-6 | **Observatoire (av. de l')** | J10 | Auguste Comte, 7 | de l'Observatoire | *Port-Royal* |
| 14 | **de 49 et 22 à la fin** | | de 27 à 47, 5ème, | de 1 à 25 et 2 à 10, 6ème. | |
| 20 | **Octave Chanute (pl.)** | Q6 | du Capitaine Ferber | Etienne Marey | *Pte de Bagnolet* |
| 16 | **Octave Feuillet** | C7 | bd Jules Sandeau | av. Henri Martin | *La Muette* |
| 7 | **Octave Gérard (av.)** | E8 | Thomy Thierry | av. de Suffren | *Bir-Hakeim* |

| Ar. | Rues | Plan | Commençant | Finissant | Métro |
|---|---|---|---|---|---|
| 6 | **Odéon (carr. de l')** | J9 | bd St Germain, 105 | Monsieur-le-Prince | *Odéon* |
| 6 | **Odéon (pl. de l')** | J9 | de l'Odéon, 22 | Racine | *Odéon* |
| 6 | **Odéon (de l')** | J9 | Monsieur-le-Prince, 2 | pl. de l'Odéon, 2 | *Odéon* |
| 14 | **Odessa (d')** | H10 | du Départ, 5 | bd Edgard Quinet, 60 | *Montparnasse* |
| 8 | **Odiot (cité)** | F5 | Washington, 26 | Washington, 34 | *George-V* |
| 19 | **Oise (quai de l')** | O2 | de Crimée | quai de la Gironde, 1 | *Crimée* |
| 19 | **Oise (de l')** | N2 | quai de l'Oise, 11 | de l'Ourcq, 49 | *Corentin-Cariou* |
| 3 | **Oiseaux (des)** | L7 | de Beauce, 18 | | *Arts-et-Métiers* |
| 15 | **Olier** | E11 | Desnouettes, 25 | de Vaugirard, 362 | *Pte de Versailles* |
| 18 | **Olive (l')** | L2 | Riquet, 90 | Torcy, 39 | *Marx Dormoy* |
| 7 | **Olivet (d')** | H9 | Vaneau, 66 | P. Leroux, 13 | *Vanneau* |
| 15 | **Olivier de Serres (pass.)** | E11 | de Vaugirard, 365 | Olivier de Serres, 30 | *Convention* |
| 15 | **Olivier de Serres** | F11 | Victor Duruy, 10 | bd Lefebvre, 61 | *Pte de Versailles* |
| 20 | **Olivier Métra** | P5 | Pixérécourt, 25 | Belleville, 168 | *Place des Fêtes* |
| 20 | **Olivier Metra (villa)** | P5 | Olivier Metra, 28 | en impasse | *Place des Fêtes* |
| 14 | **Olivier Noyer** | H12 | imp. des Plantes, 10 | Didot, 43 | *Alésia* |
| 11 | **Omer Talon** | O7 | Servan, 32 | Merlin, 5 | *Père-Lachaise* |
| 13 | **Onfroy (imp.)** | L13 | Damesme, 13 | | *Tolbiac* |
| 10 | **Onze-Novembre 1918** | L5 | du Huit-Mai 45 | bd de Strasbourg | *Gare de l'Est* |
| 1-2 | **Opéra (av. de l')** | I6 | pl. A. Malraux, 5 | pl. de l'Opéra, 2 | *Palais-Royal* |
| | **19-24** | | | | *Pyramides* |
| | **38-49** | | 1 à 29 et 2 à 26, 1er | 33 et 28 à la fin, 2ème | *Opéra* |
| 9 | **Opéra (pl. de)** | I6 | av. de l'Opéra | bd des Capucines | *Opéra* |
| | **1, 2, 3 et 4, 2ème** | | 5, 6 et 8, 9ème | | |
| 9 | **Opéra L.-Jouvet (sq. de l')** | I5 | Boudreau, 9 | Caumartin, 22 | *Opéra* |
| 15 | **Oradour-sur-Glane** | D12 | de la Pte d'Issy | av. Ernest Renan | *Pte de Versailles* |
| 18 | **Oran (d')** | K-L3 | Ernestine, 5 | des Poissonniers, 48 | *Marcadet-Poiss.* |
| 1 | **Oratoire (de l')** | J7 | de Rivoli, 160 | St Honoré, 143 | *Louvre* |
| 18 | **Orchampt (d')** | J3 | Ravignan, 15 | Lepic, 100 | *Abbesses* |
| 13 | **Orchidées (des)** | K13 | Brillat Savarin | Auguste Lançon, 27 | *Cité Universit.* |
| 18 | **Ordener** | L2 | de la Chapelle, 75 | Championnet, 187 | *Marx Dormoy* |
| | **28-55** | K2 | | | *Marcadet-Poiss.* |
| | **80-115** | J2 | | | *Jules Joffrin* |
| 18 | **Ordener (villa)** | J2 | Ordener, 106 | en impasse | *Jules Joffrin* |
| 1 | **Orfèvres (quai des)** | J8 | pt St Michel | Pont Neuf | *Châtelet* |
| 1 | **Orfèvres (des)** | K8 | St Germ. l'Auxerrois, 8 | Jean Lantier, 17 | *Châtelet* |
| 20 | **Orfila (imp.)** | P6 | Orfila, 28 | | *Gambetta* |
| 20 | **Orfila** | P6 | pl. Martin Nadeau | Pelleport, 69 | *Gambetta* |
| | **60-61** | | | | *Pelleport* |
| 3 | **Orgues (pass. des)** | L6 | Meslay, 36 | bd St Martin, 29 | *République* |
| 19 | **Orgues de Flandres (all.)** | N3 | Flandre | Riquet | *Riquet* |
| 11 | **Orillon (de l')** | N6 | St Maur, 160 | bd de Belleville, 73 | *Belleville* |
| 1 | **Orléans (gal. d')** | J5 | péristyle Valois | gal. Montpensier | *Palais-Royal* |
| 14 | **Orléans (portiques d')** | I12 | av. du Gal Leclerc | sq. H. Delorme | *Mouton-Duvernet* |
| 4 | **Orléans (quai d')** | L9 | pt Tournelle | pt St Louis | *Pont-Marie* |
| 9 | **Orléans (sq. d')** | J5 | Taitbout, 80 | | *Trinité* |

| Ar. | Rues | Plan | Commençant | Finissant | Métro |
|---|---|---|---|---|---|
| 14 | Orléans (villa d') | I12 | av. du Gal Leclerc, 67 | pass. Montbrun | *Alésia* |
| 19 | Orme (de l') | P4 | Romainville, 27 | bd Sérurier, 85 | *Pré-St-Gervais* |
| 20 | Ormeaux (des) | P9 | bd de Charonne, 34 | d'Avron, 24 | *Avron* |
| 20 | Ormeaux (sq.) | P9 | Ormeaux, 24 | des Grands-Champs, 9 | *Avron* |
| 4 | Ormesson (d') | L8 | de Turenne, 5 | de Sévigné, 8 | *St-Paul* |
| 18 | Ornano (bd) | K2 | Ordener, 44b | bd Ney, 39 | *Simplon* |
| | 77-82 | K1 | | | *Pte Clignancourt* |
| 18 | Ornano (sq.) | K2 | bd Ornano, 12 | | *Marcadet-Poiss.* |
| 18 | Ornano (villa) | K2 | bd Ornano, 61 | en impasse | *Pte Clignancourt* |
| 7 | Orsay (quai d') | G7 | pt de la Concorde | pt de l'Alma | *Invalides* |
| 18 | Orsel (cité) | J3 | Orsel, 32 | pl. St Pierre, 19 | *Anvers* |
| 18 | Orsel (d') | K3 | Clignancourt, 5 | des Martyrs, 90 | *Anvers* |
| 20 | Orteaux (imp.) | P8 | imp. Ile-de-France | Orteaux, 16 | *Alexandre Dumas* |
| 20 | Orteaux (des) | O-Q8 | de Bagnolet, 44 | bd Davout | *Alexandre Dumas* |
| | 68-71 | | | | *Pte de Montreuil* |
| 5 | Ortolan | K10 | Gracieuse, 29 | Mouffetard, 59 | *Monge* |
| 5 | Ortolan (sq.) | K10 | St Médard | Ortolan | *Monge* |
| 15 | Oscar Roty | E10 | de Lourmel, 107 | av. Félix Faure | *Boucicaut* |
| 18 | Oslo (d') | I2 | Lamarck, 156 | Marcadet, 243 | *Guy Môquet* |
| 16 | Oswaldo-Cruz | C8 | bd Beauséjour, 31 | Ranelagh, 88 | *Ranelagh* |
| 16 | Oswaldo-Cruz (villa) | C8 | Oswaldo Cruz | en impasse | *Ranelagh* |
| 20 | Otages (villa des) | P5 | Haxo, 85 | | *St-Fargeau* |
| 20 | Ottoz (villa) | O5 | Piat, 43 | | *Pyrénées* |
| 7 | Oudinot (imp.) | H9 | Vaneau, 55 | | *Vanneau* |
| 7 | Oudinot | H9 | Vaneau, 58 | bd des Invalides, 49 | *Duroc* |
| 13 | Oudry | L11 | du Banquier, 10 | Lebrun, 5 | *Campo-Formio* |
| 15 | Ouessant (d') | F9 | Pondichéry, 9 | La Motte-Picquet, 66 | *La Motte-Picquet* |
| 14 | Ouest (de l') | H11 | av. du Maine, 94 | d'Alésia, 184 | *Gaîté* |
| 19 | Ourcq (gal. de l') | O2 | quai de la Marne | | *Corentin-Cariou* |
| 19 | Ourcq (de l') | N2 | Jean Jaurès, 145 | d'Aubervilliers, 168 | *Ourcq* |
| | 28-134 | | | | *Crimée* |
| 11 | Ours (cour de l') | N9 | Fg St Antoine, 95 | | *Ledru-Rollin* |
| 3 | Ours (aux) | K7 | St Martin, 189 | bd Sébastopol, 60 | *Etienne Marcel* |
| 6 | Ozanam (pl.) | I10 | Stanislas | de Cicé | *N.-D. des Champs* |

# P

| Ar. | Rues | Plan | Commençant | Finissant | Métro |
|---|---|---|---|---|---|
| 6-14 | Pablo Picasso (pl.) | I10 | bd Raspail | Delambre | *Vavin* |
| 11 | Pache | N7 | de la Roquette, 121 | St Maur, 11b | *Voltaire* |
| 16 | Padirac (sq.) | B9 | bd Suchet | av. du Mal Lyautey | *Pte d'Auteuil* |
| 20 | Paganini | Q-R9 | bd Davout, 50 | Maryse Hilsz | *Pte de Montreuil* |
| 5 | Paillet | J9 | Soufflot, 11 | Malebranche, 6 | *Luxembourg* |
| 2 | Paix (de la) | I6 | des Capucines, 2 | pl. de l'Opéra, 3 | *Opéra* |
| 18 | Pajol | L3 | pl. de la Chapelle, 10 | pl. Hébert | *Pte la Chapelle* |
| | 40-41 | L-M2 | | | *Marx Dormoy* |

| Ar. | Rues | Plan | Commençant | Finissant | Métro |
|---|---|---|---|---|---|
| 16 | Pajou | C8 | des Vignes, 77 | Gal Aubé | *La Muette* |
| 1-4 | Palais (bd du) | K8 | quai de l'Horloge | quai des Orfèvres, 2 | *Cité* |
| | | | Pairs, 1er | Impairs, 4ème | *Cité* |
| 7 | Palais Bourbon (pl. du) | H7 | de l'Univers, 87 | de Bourgogne | *Ass. Nationale* |
| 1 | Palais-Royal (jard. du) | J6-7 | Palais-Royal | | *Palais-Royal* |
| 1 | Palais-Royal (pl. du) | J7 | de Rivoli, 166 | St Honoré, 155 | *Palais-Royal* |
| 19 | P.-Ral-de-Belleville (cité) | O5 | Belleville | Solitaires | *Place des Fêtes* |
| 6 | Palatine | J9 | Garancière, 4 | pl. St Sulpice, 1 | *St-Sulpice* |
| 2 | Palestro (de) | K6 | Turbigo, 31 | du Caire, 9 | *Réaumur-Sébast.* |
| 20 | Pali-Kao (de) | N6 | bd de Belleville, 76 | Julien Lacroix, 75 | *Couronnes* |
| 18 | Panama (de) | K3 | Léon, 15 | Poissonniers, 34 | *Château-Rouge* |
| 11 | Panier Fleuri (cour) | N8 | de Charonne, 17 | | *Ledru-Rollin* |
| 2 | Panoramas (pass.) | J6 | St Marc, 10 | bd Montmartre, 11 | *Rue Montmartre* |
| 2 | Panoramas (des) | J6 | Feydeau, 16 | St Marc, 11 | *Bourse* |
| 20 | Panoyaux (imp. de) | O6 | Panoyaux, 6 | | *Ménilmontant* |
| 20 | Panoyaux (des) | O6 | bd Ménilmontant, 132 | Plâtrières | *Ménilmontant* |
| 5 | Panthéon (pl. du) | K9 | Soufflot, 2 | Clovis | *Luxembourg* |
| 6 | Pape-Carpentier | I9 | Madame, 20 | Cassette, 3 | *St-Sulpice* |
| 9 | Papillon | K5 | Bleue, 2 | Montholon, 17 | *Cadet* |
| 3 | Papin | K6 | St Martin, 259 | bd Sébastopol, 98 | *Réaumur-Sébast.* |
| 10 | Paradis (cité) | K5 | Paradis, 43 | d'Hauteville, 55 | *Poissonnière* |
| 10 | Paradis (de) | L5 | Fg St Denis, 97 | Fg Poissonnière, 66 | *Château-d'Eau* |
| | 59-60 | K5 | | | *Poissonnière* |
| 16 | Paraguay (pl. du) | C5 | av. Foch | | *Pte Dauphine* |
| 19 | Parc (villa du) | N5 | Pradier, 21 | Botzaris, 10 | *Buttes-Chaumont* |
| 11 | Parchappe (cité) | M8 | Fg St Antoine, 21 | pass. Cheval Blanc | *Bastille* |
| 20 | Parc de Charonne (ch.) | Q7 | des Prairies, 5 | Stendhal, 2 | *Gambetta* |
| 13 | Parc de Choisy (allée) | L13 | av. de Choisy, 123 | en impasse | *Tolbiac* |
| 14 | Parc Montsouris (du) | I13 | Emile Deutsch, 4 | Nansouty, 18 | *Cité Universit.* |
| 14 | Parc Montsouris (villa) | I13 | Emile Deutsch, 10 | en impasse | *Cité Universit.* |
| 16 | Parc de Passy (av. du) | D8 | av. du Président Kennedy. | Raynouard | *Passy* |
| 16 | Parc des Princes (av. du) | A11 | Lecomte de Nouy | av. de la Pte de St Cloud | *Pte de St Cloud* |
| 3 | Parc Royal (du) | M8 | Turenne, 51 | pl. Thorigny, 4 | *Chemin Vert* |
| 11 | Parchappe (cité) | M8 | Fg St Antoine | pass. Ch. Blanc | *Bastille* |
| 5 | Parcheminerie (de la) | K9 | St Jacques, 26 | de la Harpe, 43 | *Maubert-Mutualité* |
| 16 | Parent-de-Rosan | B11 | Boileau, 98 | Michel-Ange, 85 | *Exelmans* |
| 9 | Parme (de) | I4 | Clichy, 61 | Amsterdam, 80 | *Place Clichy* |
| 10 | Parmentier (av.) | N6-7 | pl. Léon Blum, 10 | Alibert, 24 | *Parmentier* |
| 11 | de 1 à 135 et 2 à 150 | | de 137 à 152 à fin, 10e | | *Goncourt* |
| 14 | Parnassiens (gal. des) | I10 | Delambre | bd Montparnasse | *Vavin* |
| 12 | Parrot | N9 | de Lyon, 4b | av. Daumesnil, 26 | *Gare de Lyon* |
| 20 | Partants (des) | O6 | des Amandiers, 56 | Sorbier, 42 | *Gambetta* |
| 4 | Parvis Notre-Dame (pl. du) | K8 | Pont-au-Double | de la Cité, 6 | *Cité* |
| 18 | Parv. Sacré Cœur (pl. du) | K8 | Sacré-Cœur | Cardinal Guibert | *Abbesses* |
| 5 | Pascal | K11 | Mouffetard, 148 | Corvisart, 27 | *Censier-Daubenton* |
| 13 | 21-26 | | de 1 à 25 et 2 à 30, 5ème | le reste 13ème | *Gobelins* |

| Ar. | Rues | Plan | Commençant | Finissant | Métro |
|---|---|---|---|---|---|
| 3 | **Pas-de-la-Mule (du)** | **M8** | bd Beaumarchais, 33 | pl. des Vosges, 122 | *Chemin Vert* |
| 4 | **Impairs, 4ème** | | Pairs, 3ème | | |
| 11 | **PasdeLoup (pl.)** | **M7** | bd du Temple, 2 | bd des Filles du Calvaire | *Filles Calvaire* |
| 8 | **Pasquier** | **H5** | bd Malesherbes, 8 | du Rocher, 1 | *St-Lazare* |
| 18 | **Passage Léon (sq.)** | **K3** | pass. Léon | Polonceau | *Château-Rouge* |
| 16 | **Passy (pl. de)** | **D8** | Passy, 69 | Duban | *La Muette* |
| 16 | **Passy (port de)** | **E8** | pont d'Iéna | pont de Grenelle | *Passy* |
| 16 | **Passy (de)** | **C-D8** | Raynouard, 2 | Boulainvilliers, 60 | *La Muette* |
| 15 | **Pasteur (bd)** | **G10** | Sèvres, 167 | bd Vaugirard | *Pasteur* |
| 11 | **Pasteur** | **N7** | de la Folie-Méricourt, 10 | av. Parmentier | *St-Ambroise* |
| 16 | **Pasteur Marc Boegner** | **D7** | Cortambert | av. Georges Mandel | *Rue de la Pompe* |
| 11 | **Pasteur Wagner (du)** | **M8** | bd Beaumarchais, 26 | bd Richard-Lenoir, 9 | *Bréguet-Sabin* |
| 3 | **Pastourelle** | **L7** | Charlot, 19 | du Temple, 126 | *St-Séb.-Froissard* |
| 13 | **Patay (de)** | **N13** | bd Masséna | Domremy, 51 | *Pte d'Ivry* |
| 20 | **Patenne (sq.)** | **Q9** | Frédéric Loliée, 3 | Plaine, 68 | *Pte de Vincennes* |
| 5 | **Patriarches (pass.)** | **K10** | Patriarches, 8 | Mouffetard, 99 | *Censier-Daubenton* |
| 5 | **Patriarches (des)** | **K10** | Epée de Bois, 11 | Daubenton, 44 | *Censier-Daubenton* |
| 16 | **Patrice Boudart (villa)** | **C9** | La Fontaine, 25 | en impasse | *Jasmin* |
| 16 | **Pâtures (des)** | **C9** | av. de Versailles, 42 | Félicien David, 19 | *Mirabeau* |
| 14 | **Paturle** | **G12** | Raymond Losserand, 198 | Vercingétorix, 235 | *Pte de Vanves* |
| 17 | **Paul Adam (av.)** | **F3** | bd Berthier | av. E. et A. Massart | *Pte de Champerret* |
| 18 | **Paul Albert** | **K3** | André de Sarte, 22 | Chevalier de la Barre, 25 | *Château-Rouge* |
| 14 | **Paul Appell (av.)** | **I14** | Emile Faguet | pl. du 25-Août-1944 | *Pte d'Orléans* |
| 15 | **Paul Barruel** | **G11** | de Vaugirard | pl. d'Alleray | *Vaugirard* |
| 8 | **Paul Baudry** | **G5** | Ponthieu, 56 | Artois, 11 | *St-Ph.-du-Roule* |
| 16 | **Paul Beauregard (pl.)** | **C9** | George Sand | de Rémusat | *Eglise d'Auteuil* |
| 11 | **Paul-Bert** | **O9** | Faidherbe, 12 | Chanzy, 24 | *Faidherbe-Chal.* |
| 12 | **Paul Blanchet (sq.)** | **Q11** | av. du Gal Dodds | Marcel Dubois | *Pte Dorée* |
| 17 | **Paul Bodin** | **H2** | av. de Clichy | Ernest Gouin | *Pte de Clichy* |
| 17 | **Paul Borel** | **G3** | Malesherbes, 126 | Daubigny, 9 | *Malesherbes* |
| 13 | **Paul Bourget** | **L14** | Dr. Bourneville, 5 | bd Périphérique | *Pte d'Italie* |
| 8 | **Paul Cézanne** | **G5** | Fg St Honoré, 168 | de Courcelles, 27 | *St-Ph.-du-Roule* |
| 15 | **Paul Chautard** | **F10** | Cambronne, 26 | en impasse | *Cambronne* |
| 6 | **Paul Claudel (pl.)** | **J9** | Vaugirard | de Médicis | *Odéon* |
| 12 | **Paul Crampel** | **Q10** | du Sahel, 43 | Rambervilliers, 6 | *Bel-Air* |
| 19 | **Paul de Kock** | **P5** | Emise Desvaux | des Bois | *Télégraphe* |
| 16 | **Paul Delaroche** | **D7** | Vital, 42 | pl. Possoz, 3 | *La Muette* |
| 15 | **Paul Delmet** | **E11** | Vaugelas, 13 | Olivier de Serres, 64 | *Convention* |
| 15 | **Paul Déroulède (av.)** | **F9** | Champaubert | La Motte-Picquet | *La Motte-Picquet* |
| 7 | **Paul Deschanel (all.)** | **F7** | quai Branly | av. Sylvie de Sacy | *Bir-Hakeim* |
| 16 | **Paul Doumer (av.)** | **D7** | pl. du Trocadéro | de Passy, 84 | *La Muette* |
| 3 | **Paul Dubois** | **L6** | Perrée, 12 | Dupetit-Thouars, 15 | *République* |
| 16 | **Paul Dupuy** | **C8** | Félicien David, 20 | en impasse | *Eglise d'Auteuil* |
| 18 | **Paul Eluard (pl.)** | **L2** | Ordener | Riquet | *Marx Dormoy* |
| 9 | **Paul Escudier** | **I4** | Blanche, 58 | Henner, 11 | *Blanche* |
| 18 | **Paul Féval** | **J3** | Mont-Cenis, 39 | Gaston-Coute | *Lamarck-Caulainc.* |

| Ar. | Rues | Plan | Commençant | Finissant | Métro |
|---|---|---|---|---|---|
| 14 | Paul Fort | I13 | de la Tombe-Issoire, 142 | du Père-Corentin | *Pte d'Orléans* |
| 13 | Paul Gervais | K12 | Corvisart, 44 | bd Auguste Blanqui, 74 | *Corvisart* |
| 15 | Paul Gilot (sq.) | D10 | Sébastien Mercier | Convention | *Javel* |
| 15 | Paul Hervieu | D10 | av. Emile Zola, 16 | du Capitaine Ménard | *Javel* |
| 20 | Pauline Kergomard | Q8 | Mouraud | | *Maraîchers* |
| 13 | Paul Enfert | L14 | bd Masséna | av. Léon Bollée | *Pte d'Italie* |
| 13 | Paulin Méry | K12 | Bobillot, 8 | du Moulin-des-Prés, 7 | *Pte d'Italie* |
| 20 | Paul-Jean Toulet | Q8 | du Clos | | *Maraîchers* |
| 17 | Paul Leautaud (pl.) | F3 | bd Berthier | | *Pereire* |
| 5 | Paul Langevin (sq.) | K9 | des Ecoles, 14 | Monge, 22 | *Cardinal Lemoine* |
| 2 | Paul Lelong | J6 | Montmartre, 89 | la Banque, 16 | *Bourse* |
| 7 | Paul-Louis Courier | H8 | bd St Germain, 207 | St Simon, 5 | *Rue du Bac* |
| 7 | Paul-Louis Courier (imp.) | H8 | pl. Louis | | *Rue du Bac* |
| 20 | Paul Meurice | Q5 | av. du Dr. Gley | Léon Frapié | *Pte des Lilas* |
| 5 | Paul Painlevé (sq.-pl.) | K9 | Sorbonne | des Ecoles | *Maubert-Mutualité* |
| 17 | Paul Paray (sq.) | G3 | de Saussure | en impasse | *Pte de Clichy* |
| 16 | Paul Reynaud (pl.) | B11 | av. de Versailles | Le Marois | *Pte de St Cloud* |
| 16 | Paul Saunière | D7 | Eugène-Manuel, 13 | Nicolo, 22 | *Passy* |
| 6 | Paul Séjourné | I10 | N.-D. des Champs, 84 | bd Montparnasse, 129 | *Vavin* |
| 20 | Paul Signac (pl.) | P6 | av. Gambetta | Pelleport | *Pelleport* |
| 20 | Paul Strauss | Q6 | Irénée Blanc | Pierre Mouillard | *Pte de Bagnolet* |
| 14 | Paul-Vaillant Couturier | J14 | av. Lucien Descaves | av. de Mazagran | *Gentilly* |
| 16 | Paul Valéry | E6 | av. Kléber, 52 | av. Foch, 29 | *Victor-Hugo* |
| 13 | Paul Verlaine (pl.) | K13 | Bobillot, 32 | Moulin-des-Prés, 39 | *Place d'Italie* |
| 19 | Paul Verlaine (villa) | O4 | Miguel Hidalgo | | *Danube* |
| 14 | Pauly | G12 | Raymond Losserand, 157 | des Suisses, 10 | *Plaisance* |
| 4 | Pavée | L8 | Rivoli, 12 | des Francs-Bourgeois, 27 | *St-Paul* |
| 17 | Pavillons (av. des) | E4 | av. Verzy | av. de Peterhof | *Pte Maillot* |
| 18 | Pavillons (imp. des) | J1 | Leibniz, 4 | | *Pte de St Ouen* |
| 20 | Pavillons (des) | P5 | Pixérécourt, 42 | Pelleport, 129 | *Télégraphe* |
| 3 | Payenne | L8 | des Francs-Bourgeois, 18 | Parc Royal | *St-Paul* |
| 13 | Péan | M13 | bd Masséna | av. Boutroux | *Pte d'Ivry* |
| 15 | Péclet | F10 | Mademoiselle, 42 | Blomet, 100 | *Vaugirard* |
| 4 | Pecquay | L7 | des Blancs-Manteaux, 36 | Rambuteau, 7 | *Hôtel de Ville* |
| 15 | Pégoud | B11 | quai d'Issy | Issy-les-Moulineaux | *Balard* |
| 6 | Péguy | I10 | Stanislas, 13 | bd Montparnasse, 95 | *Vavin* |
| 2 | Peintres (imp. des) | K7 | St Denis, 112 | | *Etienne Marcel* |
| 20 | Pékin (pass. de) | O5 | Julien Lacroix, 58 | Julien Lacroix, 62 | *Couronnes* |
| 11 | Pelée | M7 | St Sabin, 64 | bd Richard-Lenoir | *Richard Lenoir* |
| 17 | Pélerin (imp. du) | H2 | de la Jonquière, 97 | | *Guy Môquet* |
| 1 | Pélican (du) | J7 | J.-J. Rousseau, 13 | Croix-des-Petits-Champs | *Palais-Royal* |
| 20 | Pelleport | P5-Q7 | de Bagnolet, 145 | de Belleville, 236 | *Pelleport* |
| 20 | Pelleport (villa) | P5 | Pelleport, 155 | en impasse | *Télégraphe* |
| 8 | Pelouze | H4 | Andrieux, 11 | Constantin, 36 | *Villiers* |
| 18 | Penel (pass.) | J2 | Championnet, 84 | du Ruisseau, 92 | *Pte Clignancourt* |
| 12 | Pensionnat (du) | P9 | av. du Bel-Air, 18 | des Colonnes-du-Trône | *Nation* |

| Ar. | Rues | Plan | Commençant | Finissant | Métro |
|---|---|---|---|---|---|
| 8 | **Penthièvre (de)** | H5 | Cambacérès, 23 | Fg St Honoré, 126 | *Miromesnil* |
| 8 | **Pépinière (de la)** | H5 | de Rome, 13 | bd Haussmann, 114 | *St-Lazare* |
| 16 | **Perchamps** | C9 | d'Auteuil, 18 | La Fontaine, 63 | *M.-Ange-Auteuil* |
| 3 | **Perche (du)** | L7 | Vieille-du-Temple, 109 | Charlot, 8 | *St-Séb.-Froissard* |
| 8 | **Percier (av.)** | G5 | La Boétie, 40 | bd Haussmann, 121 | *Miromesnil* |
| 10 | **Perdonnet** | L4 | Fg St Denis, 214 | bd de la Chapelle, 21 | *Pte la Chapelle* |
| 16 | **Père Brottier (du)** | C9 | La Fontaine | Théophile Gautier | *Eglise d'Auteuil* |
| 0 | **Père Chaillet (pl. du)** | N8 | inters. de la Roquette | et av. Ledru-Rollin | *Voltaire* |
| 14 | **Père Corentin (du)** | I13 | rue de la Tombe-Issoire | bd Jourdan | *Pte d'Orléans* |
| 13 | **Père Guérin (du)** | L12 | Bobillot | Moulin-des-Prés (du) | *Place d'Italie* |
| 20 | **Père J. Dhuit** | O5 | Envierges | Piat | *Pyrénées* |
| 16 | **P.-M. Champagnat (pl.)** | D8 | de l'Annonciation | | *La Muette* |
| 5 | **P.-Teilhard de Chardin** | K10 | Patriarches | de l'Epée de Bois | *Censier-Daubenton* |
| 4 | **P.-Teilhard de Chardin (pl.)** | L-M9 | bd Morland | | *Sully-Morland* |
| 17 | **Pereire (bd)** | F-G3 | Saussure, 111 | av. de la Grande-Armée, 80 | *Pereire* |
| | **236-279** | E4 | | | *Pte Maillot* |
| 20 | **Père Lachaise (av. du)** | P7 | des Rondeaux, 52 | pl. Gambetta, 3 | *Gambetta* |
| 16 | **Pergolèse** | D5 | av. de la Grande-Armée, 63 | av. Foch, 66 | *Argentine* |
| 15 | **Périchaux (des)** | F12 | bd Lefebvre, 161 | en impasse | *Pte de Vanves* |
| 15 | **Périchaux (sq. des)** | F12 | des Périchaux | bd Lefebvre | *Pte de Vanves* |
| 7 | **Pérignon** | G9 | av. de Saxe, 48 | bd Garibaldi, 37 | *Ségur* |
| 15 | **Impairs et 30 à 34, 15e** | | 2 à 20, 7ème | | |
| 20 | **Périgord (sq. du)** | Q8 | sq. de la Gascogne | sq. la Guyenne | *Pte de Montreuil* |
| 19 | **Périgueux (de)** | P3 | bd Sérurier | Indochine | *Danube* |
| 3 | **Perle (de la)** | L7 | de Thorigny, 1 | Vieille-du-Temple, 80 | *St-Séb.-Froissard* |
| 4 | **Pernelle** | K8 | St Bon, 9 | bd Sébastopol, 4 | *Châtelet* |
| 19 | **Per. du Guillet (allée)** | N5 | de l'Atlas | | *Belleville* |
| 14 | **Pernety** | H12 | Didot, 26 | Vercingétorix, 73 | *Pernety* |
| 8 | **Pérou (pl. du)** | G5 | de Courcelles | de Monceau | *Courcelles* |
| 1 | **Perrault** | J7 | pl. du Louvre, 6 | de Rivoli, 83 | *Louvre* |
| 3 | **Perrée** | L7 | de Picardie, 21 | du Temple, 160 | *République* |
| 20 | **Perreur (pass.)** | Q6 | du Capitaine Marchal, 42 | Dhuys, 23 | *Pelleport* |
| 20 | **Perreur (villa)** | Q6 | de la Dhuys | en impasse | *Pelleport* |
| 16 | **Perrichont (av.)** | C9 | Théophile Gautier | Félicien David, 26 | *Eglise d'Auteuil* |
| 7 | **Perronet** | I8 | des Sts Pères, 34 | St Guillaume, 7 | *St-Germ.-des-Prés* |
| 18 | **Pers (imp.)** | K3 | Ramey, 49 | | *Marcadet-Poiss.* |
| 17 | **Pershing (bd)** | D4 | pl. de la Pte des Ternes | pl. de Verdun | *Pte Maillot* |
| 5 | **Pestalozzi** | K10 | Monge, 80 | de l'Epée-de-Bois, 8 | *Monge* |
| 15 | **Pétel** | F10 | Péclet, 5 | Blomet, 108 | *Vaugirard* |
| 17 | **Peterhof (av. de)** | E4 | av. des Pavillons, 14 | Guersant, 45 | *Pte de Champerret* |
| 17 | **Pétiet** | I2 | av. de St Ouen, 99 | Maria Deraismes, 10 | *Guy Môquet* |
| 19 | **Pétin (imp.)** | P4 | des Bois, 26 | | *Pré-St-Gervais* |
| 11 | **Petion** | N7 | de la Roquette, 119 | du Chemin Vert, 86 | *Voltaire* |
| 19 | **Petit** | N-O3 | de Meaux, 92 | bd Sérurier, 153 | *Laumière* |
| | **98-124** | O3 | | | *Pte de Pantin* |
| 17 | **Petit-Cerf (pass.)** | H2 | av. de Clichy, 186 | Boulay, 19 | *Pte de Clichy* |

| Ar. | Rues | Plan | Commençant | Finissant | Métro |
|---|---|---|---|---|---|
| 13 | **Petit-Modèle (imp. du)** | L12 | av. St Pichon, 19 | | *Place d'Italie* |
| 5 | **Petit-Moine (du)** | K11 | la Collégiale, 23 | av. des Gobelins, 9 | *Censier-Daubenton* |
| 4 | **Petit-Musc (du)** | M8 | quai Célestins, 2 | St Antoine, 23 | *Sully-Morland* |
| | **23-26** | | | | *Bastille* |
| 4-5 | **Petit-Pont (pont)** | K8 | quai St Michel | quai Marché-Neuf | *Cité* |
| 5 | **Petit-Pont (pl. du)** | K8 | quai St Michel, 1 | de la Huchette, 2 | *St-Michel* |
| 5 | **Petit-Pont (du)** | K8-9 | de la Huchette, 1 | St Séverin, 2 | *St-Michel* |
| 19 | **Petits-Ponts (rte des)** | P2 | av. de la Pte de Pantin | de la Clôture | *Pte de Pantin* |
| 16 | **Petite-Arche** | B11 | quai St Exupéry | Abel Ferry | *Pte de St Cloud* |
| 6 | **Petite-Boucherie (pass.)** | J8 | de l'Abbaye, 3 | St Germain, 168 | *St-Germ.-des-Prés* |
| 11 | **Petite-Pierre (de la)** | O8 | Neuve-des-Boulets, 1 | Charonne, 152 | *Charonne* |
| 1 | **Petite-Truanderie (de la)** | K7 | Mondétour, 18 | Pierre-Lescot, 11 | *Etienne Marcel* |
| 10 | **Petites-Ecuries (cour des)** | K5 | Fg St Denis, 63 | pass. Petites-Ecuries, 13 | *Château-d'Eau* |
| 10 | **Petites-Ecuries (pass. des)** | K5 | d'Enghien, 20 | Petites-Ecuries, 17 | *Château-d'Eau* |
| 10 | **Petites-Ecuries (des)** | K5 | Fg St Denis, 73 | Fg Poissonnière, 44 | *Château-d'Eau* |
| 2 | **Petits-Carreaux (des)** | K6 | St Sauveur, 38 | Cléry, 46 | *Sentier* |
| 1-2 | **Petits-Champs (des)** | J6 | Radziwill, 37 | av. de l'Opéra | *Bourse* |
| | **44-57** | | Pairs, 2ème | Impairs, 1er | *Pyramides* |
| 10 | **Petits-Hôtels (des)** | K4 | bd Magenta, 2ème | pl. Franz Listz | *Poissonnière* |
| 2 | **Petits-Pères (pass.)** | J6 | pl. des Petits-Pères | de la Banque, 6 | *Bourse* |
| 2 | **Petits-Pères (pl.)** | J6 | Petits-Pères, 5 | Notre-Dame des Victoires | *Bourse* |
| 2 | **Petits-Pères (des)** | J6 | de la Banque, 2 | pl. des Petits-Pères | *Bourse* |
| 19 | **Petitot** | P5 | Pré St Gervais, 15 | pl. des Fêtes, 14 | *Place des Fêtes* |
| 16 | **Pétrarque** | D7 | av. Paul Doumer | Scheffer, 32 | *Trocadéro* |
| 16 | **Pétrarque (sq.)** | D7 | Scheffer, 29 | | *Trocadéro* |
| 9 | **Pétrelle** | K4 | Fg Poissonnière, 155 | Rochechouart, 62 | *Barbès-Rochech.* |
| 9 | **Pétrelle (sq.)** | K4 | Pétrelle, 2 | | *Barbès-Rochech.* |
| 16 | **Peupliers (av. des)** | B9 | Poussin, 12 | bd Montmorency, 93 | *Pte d'Auteuil* |
| 13 | **Peupliers (des)** | K-L13 | du Moulin-des-Prés | bd Kellermann, 48 | *Tolbiac* |
| | **22-37** | | | | *Maison Blanche* |
| 13 | **Peupliers (sq. des)** | K-L13 | du Moulin-des-Prés, 74 | | *Tolbiac* |
| 11 | **Phalsbourg (cité)** | O8 | bd Voltaire, 151 | | *Charonne* |
| 17 | **Phalsbourg (de)** | G4 | de Logelbach, 2 | pl. Malesherbes | *Monceau* |
| 17 | **Philibert Delorme** | F3 | bd Pereire, 76 | bd Malesherbes, 203 | *Pereire* |
| 13 | **Philibert Lucot** | L13 | av. de Choisy, 49 | Gandon, 9 | *Maison Blanche* |
| 20 | **Philidor** | Q9 | Maraîchers, 36 | pass. de Lagny, 17 | *Maraîchers* |
| 11 | **Philippe-Auguste (av.)** | P9 | pl. de la Nation, 7 | bd de Charonne, 49 | *Nation* |
| | **115-116** | O8 | | | *Alexandre Dumas* |
| 11 | **Philippe-Auguste (pass.)** | P9 | pass. Turquetil, 10 | av. Philippe-Auguste, 47 | *Boulets-Montreuil* |
| 13 | **Philippe de Champagne** | L11 | bd de l'Hôpital, 146 | av. des Gobelins | *Place d'Italie* |
| 10-18 | **Philippe de Girard** | L4 | Lafayette, 193 | Marx Dormoy | *Pte la Chapelle* |
| 19 | **Philippe Hech** | N4 | Barrelet-de-Ricou | Georges Lardennois | *Bolivar* |
| 20 | **Piat** | O5 | Botha, 2 | de Belleville, 66 | *Pyrénées* |
| 3 | **Picardie** | L7 | de Bretagne, 50 | Franche-Comté | *Filles Calvaire* |
| 16 | **Piccini** | D5 | av. Foch, 36 | av. Malakoff, 134 | *Pte Maillot* |
| 15 | **Pic de Barette (du)** | D10 | Mont. de l'Espérou | Balard | *Javel* |

| Ar. | Rues | Plan | Commençant | Finissant | Métro |
|---|---|---|---|---|---|
| 16 | **Picot** | D5 | av. Bugeaud, 26 | av. Foch, 51 | *Victor-Hugo* |
| 12 | **Picpus (bd de)** | P10 | de Picpus, 93 | cours de Vincennes, 2 | *Bel-Air* |
| | **89-106** | | | | *Nation* |
| 12 | **Picpus (de)** | P9 | Fg St Antoine, 254 | bd Poniatowski | *Nation* |
| | **83-87** | P10 | | | *Bel-Air* |
| | **103-106** | P11 | | | *Michel Bizot* |
| | **147-150** | Q11 | | | *Pte Dorée* |
| 18 | **Piémontési** | J3 | Houdon, 17 | André Antoine, 10 | *Pigalle* |
| 4 | **Pierre-au-Lard** | K7 | du Renard | Brise-Miche, 22 | *Hôtel de Ville* |
| 20 | **Pierre Bayle** | O7 | bd de Charonne, 212 | Repos, 13 | *Philippe Auguste* |
| 20 | **Pierre Bonnard** | Q7 | Galleron | Florian | *Pte de Bagnolet* |
| 12 | **Pierre Bourdan** | O9 | bd Diderot | av. Dorian | *Nation* |
| 5 | **Pierre Brossolette** | K10 | Lhomond, 44 | Rataud | *Monge* |
| 16 | **Pierre Brisson (pl.)** | F6 | av. Marceau | Georges Bizet | *Alma-Marceau* |
| 18 | **Pierre Budin** | K3 | Poissonniers, 54 | Léon, 51 | *Marcadet-Poiss.* |
| 10 | **Pierre Bullet** | L5 | Château d'Eau, 52 | Hittorf | *Château-d'Eau* |
| 8 | **Pierre Charron** | F6 | av. George-V | av. des Champs-Elysées | *F.-D.-Roosevelt* |
| 10 | **Pierre Chausson** | L6 | Château d'Eau, 26 | bd Magenta, 21 | *J. Bonsergent* |
| 5 | **Pierre-et-Marie Curie** | J10 | d'Ulm, 14 | St Jacques, 191 | *Luxembourg* |
| 16 | **Pierre de Coubertin (pl.)** | B11 | av. Marcel Doret | du Général Clavery | *Pte de St Cloud* |
| 17 | **Pierre Demours** | F4 | av. des Ternes, 64 | av. de Villiers, 93 | *Wagram* |
| 10 | **Pierre Dupont** | M4 | Eugène Varlin | Alexandre Parodi, 11 | *Louis Blanc* |
| 20 | **Pierre Foncin** | Q5 | bd Mortier | Fougères | *St-Fargeau* |
| 18 | **Pierre Ginier** | I3 | av. de Clichy, 52 | Hégésippe Moreau, prol. | *La Fourche* |
| 18 | **Pierre Ginier (villa)** | I3 | E. Jodelle | Pierre Ginier | *La Fourche* |
| 19 | **Pierre Girard** | N3 | Jean Jaurès, 95 | Tandou, 8b | *Laumière* |
| 13 | **Pierre Gourdault** | M12 | du Chevaleret, 143 | Dunois, 24 | *Chevaleret* |
| 16 | **Pierre Guérin** | B9 | d'Auteuil, 34 | en impasse | *M.-Ange-Auteuil* |
| 9 | **Pierre Haret** | I4 | de Douai, 56 | bd de Clichy, 75b | *Blanche* |
| 6 | **Pierre Lafue (pl.)** | I10 | bd Raspail | N. D. des Champs | *N.-D. des Champs* |
| 5 | **Pierre Lampué (pl.)** | J10 | Claude Bernard | Feuillantines | *Censier-Daubenton* |
| 14 | **Pierre Larousse** | G12 | Didot, 90 | Raymond Losserand, 161 | *Plaisance* |
| 2 | **Pierre Lazareff (pl.)** | K6 | des Petits-Carreaux | St Denis | *Réaumur-Sébast.* |
| 8 | **Pierre le Grand** | F4 | Daru, 11 | bd Courcelles, 73 | *Ternes* |
| 18 | **Pierre l'Ermite** | L3 | Polonceau, 2 | St Bruno, 11 | *Pte la Chapelle* |
| 7 | **Pierre Leroux** | H9 | Oudinot, 9 | de Sèvres, 62 | *Vanneau* |
| 14 | **Pierre Le Roy** | G13 | bd Brune | Maurice Bouchor | *Pte de Vanves* |
| 1 | **Pierre Lescot** | K7 | des Innocents, 2 | Etienne Marcel, 19 | *Etienne Marcel* |
| 11 | **Pierre-Levée (de la)** | M6 | des Trois-Bornes, 7 | de la Fontaine-au-Roi, 14 | *Parmentier* |
| 7 | **Pierre Loti (av.)** | F8 | quai Branly | pl. Joffre | *Ecole Militaire* |
| 16 | **Pierre Louys** | C9 | Félicien David | av. de Versailles | *Eglise d'Auteuil* |
| 18 | **Pierre-Marc Orlan (pl.)** | L2 | Jean Cottin | Tristan Tzara | *Pte la Chapelle* |
| 14 | **Pierre Massé** | I14 | Paul-Vaillant Couturier | Louis Descaves | *Cité Universit.* |
| 15 | **Pierre Mille** | E12 | Vaugelas | Olivier de Serres | *Pte de Versailles* |
| 20 | **Pierre Mouillard** | Q6 | du Capitaine Ferber | bd Mortier | *Pte de Bagnolet* |
| 5 | **Pierre Nicole** | J10 | Feuillantines | bd Port-Royal, 90 | *Port-Royal* |

| Ar. | Rues | Plan | Commençant | Finissant | Métro |
|---|---|---|---|---|---|
| 12 | Pierre Pasquier (sq.) | Q11 | pl. Edouard Renard | | *Pte Dorée* |
| 18 | Pierre Picard | K3 | Clignancourt, 15 | Charles Nodier | *Anvers* |
| 20 | Pierre Quillard | Q6 | Oulaure | Victor Dejeante | *Pte de Bagnolet* |
| 17 | Pierre Rebière | H1 | bd Bois-le-Prêtre | St Just | *Pte de Clichy* |
| 19 | Pierre Reverdy | N3 | de la Moselle | Euryale Denaynin | *Laumière* |
| 6 | Pierre Sarrazin | J9 | bd St Michel, 26 | Hautefeuille | *Odéon* |
| 9 | Pierre Sémard | K4 | Lafayette | Maubeuge | *Poissonnière* |
| 20 | Pierre Soulié | R5 | Hoche (à Bagnolet) | de Noisy-le-Sec | *Pte des Lilas* |
| 8 | Pierre-Ier de Serbie (av.) | F6 | pont d'Iéna, 4 | av. George V, 27 | *Iéna* |
| 16 | de 1 à 33 et 2 à 28, 16ème | | le rete, 8ème | | |
| 7 | Pierre Villey | F7 | St Dominique | en impasse | *Ecole Militaire* |
| 15 | Piet Mondrian | E12 | Sébastien Mercier | | *Javel* |
| 9 | Pigalle (cité) | I4 | Pigalle, 45 | en impasse | *Pigalle* |
| 9 | Pigalle (pl.) | J4 | bd de Clichy, 17 | Pigalle, 1 | *Pigalle* |
| 9 | Pigalle | J4 | Blanche, 18 | pl. Pigalle, 9 | *Pigalle* |
| 11 | Pihet | N7 | pass. Beslay | du Marché Popincourt, 8 | *Parmentier* |
| 16 | Pilâtre-de-Rozier (all.) | C7 | Chaussée de la Muette | bd Suchet | *La Muette* |
| 9 | Pillet Will | J5 | Laffite, 15b | Lafayette, 20 | *Chaussée-d'Antin* |
| 18 | Pilleux (cité) | I3 | av. de St Ouen, 30 | Ganneron, 43 | *La Fourche* |
| 13 | Pinel (pl.) | L12 | bd Vincent Auriol, 130 | Esquirol | *Nationale* |
| 13 | Pinel | L11 | pl. Pinel, 7 | bd de l'Hôpital, 137 | *Nationale* |
| 13 | Pirandello | L11 | Duméril | Le Brun | *Campo-Formio* |
| 17 | Pissarro | F2 | de St Marceaux | Jean-Louis Forain | *Péreire* |
| 11 | Piver (imp.) | N6 | pass. Piver, 5 | | *Belleville* |
| 11 | Piver (pass.) | N6 | de l'Orillon, 17 | Fg du Temple, 92 | *Belleville* |
| 20 | Pixérécourt (imp.) | P5 | Charles Friedel | | *Place des Fêtes* |
| 20 | Pixérécourt | P5 | Ménilmontant, 135 | Belleville, 210 | *Place des Fêtes* |
| 20 | Plaine (de la) | P9 | bd de Charonne, 20 | des Maraîchers, 31 | *Buzenval* |
| | 85 | Q9 | | | *Maraîchers* |
| 14 | Plaisance (de) | H12 | Didot, 28 | Raymond Losserand, 85 | *Pernety* |
| 20 | Planchard (pass.) | P6 | St Fargeau, 18b | Henri Poincaré, 16 | *St-Fargeau* |
| 20 | Planchat (de) | P8 | d'Avron, 17 | de Bagnolet, 18 | *Avron* |
| 3 | Planchette (imp. de la) | L6 | St Martin, 326 | | *Strasb.-St-Denis* |
| 12 | Planchette (ruelle) | O11 | du Charolais, 2 | Charenton, 236 | *Dugommier* |
| 5 | Plantes (jard. des) | L10 | quai St Bernard | Geoffroy St Hilaire | *Gare d'Austerlitz* |
| 14 | Plantes (des) | H12 | av. du Maine, 178 | bd Brune, 85 | *Alésia* |
| 14 | Plantes (villa des) | H12 | des Plantes, 32 | en impasse | *Alésia* |
| 20 | Plantin (pass.) | O5 | du Transvaal, 16 | Couronnes, 83 | *Jourdain* |
| 18 | Platanes (vil. des) | J3 | bd de Clichy, 58 | en impasse | *Blanche* |
| 1 | Plat-d'Etain (du) | K7 | Lavandière-Ste Opportune | des Déchargeurs, 6 | *Châtelet* |
| 19 | Plateau (pass.) | O4 | du Plateau, 12 | du Tunnel, 13 | *Buttes-Chaumont* |
| 19 | Plateau (du) | O4 | des Alouettes, 33 | Botzaris, 36 | *Buttes-Chaumont* |
| 15 | Platon | G11 | Falguière | Mathurin Régnier, 61 | *Volontaires* |
| 4 | Plâtre (du) | L7 | des Archives, 25 | du Temple, 34 | *Hôtel de Ville* |
| 20 | Plâtrières (des) | O6 | des Amandiers, 106 | Champlain, 17 | *Ménilmontant* |
| 15 | Plélo (de) | E10 | Convention, 114 | Duranton, 11 | *Boucicaut* |

| Ar. | Rues | Plan | Commençant | Finissant | Métro |
|---|---|---|---|---|---|
| 12 | Pleyel | O11 | Dubrunfaut, 12 | Dugommier, 17 | *Dugommier* |
| 11 | Plichon | O7 | du Chemin Vert, 141 | av. de la République, 116. | *Père-Lachaise* |
| 15 | Plumet | G11 | Volontaires, 52 | Procession, 21 | *Volontaires* |
| 16 | Poètes (jard. des) | A9 | av. de la Pte d'Auteuil | av. Gordon Bennett | *Pte d'Auteuil* |
| 14 | Poinsot | H10 | bd Edgard Quinet, 25 | du Maine, 10 | *Edgar-Quinet* |
| 16 | Point du Jour (quai du) | A12 | bd Murat | Boulogne | *Pte de St Cloud* |
| 20 | Pointe (sentier de la) | P8 | des Vignoles, 71 | pl. de la Réunion, 68 | *Buzenval* |
| 13 | Pointe d'Ivry (de la) | M13 | av. d'Ivry, 51 | av. de Choisy, 32 | *Pte de Choisy* |
| 8 | Point Show (gal.) | G5 | av. des Champs-Elysées. | de Ponthieu | *George-V* |
| 15 | Poirier (villa) | F10 | Lecourbe, 90 | en impasse | *Volontaires* |
| 14 | Poirier-de-Narçay | H13 | av. du Gal Leclerc, 132 | Friant, 25b | *Pte d'Orléans* |
| 4 | Poissonnerie (imp.) | L8 | de Jarente, 4 | | *St-Paul* |
| 2-9 | Poissonnière (bd) | K5-6 | Poissonnière, 37 | Montmartre, 178 | *Bonne Nouvelle* |
| | 9-14 | | Impairs, 2ème | Pairs, 9ème | *Rue Montmartre* |
| 9-10 | Poissonnière (Fg) | K5 | bd Poissonnière, 2 | bd Magenta, 153 | *Bonne Nouvelle* |
| | 97-98 | K5 | | | *Poissonnière* |
| | 172-195 | K4 | Impairs, 9ème | Pairs, 10ème | *Barbès-Rochech.* |
| 2 | Poissonnière | K6 | de Cléry, 31 | bd Bonne Nouvelle, 39 | *Sentier* |
| | 7-12 | | | | *Bonne Nouvelle* |
| 18 | Poissonnière (villa) | K3 | Goutte-d'Or, 42 | Polonceau, 41 | *Barbès-Rochech.* |
| 18 | Poissonniers (des) | K3 | bd Barbès, 24 | bd Ney | *Château-Rouge* |
| | 107-111 | K2 | | | *Marcadet-Poiss.* |
| 5 | Poissy (de) | K9 | quai Tournelle, 31 | St Victor, 2 | *Cardinal Lemoine* |
| 6 | Poitevins (des) | J8 | Hautefeuille, 8 | Danton, 3 | *St-Michel* |
| 7 | Poitiers (de) | I7 | de Lille, 67 | l'Université, 66 | *Solférino* |
| 3 | Poitou (de) | L7 | de Turenne, 97 | Charlot, 16 | *Filles Calvaire* |
| 18 | Pôle-Nord (du) | J2 | Montcalm, 39 | Vincent Compoint, 1 | *Jules Joffrin* |
| 5 | Poliveau | L10 | bd de l'Hôpital, 40 | Geoffroy St Hilaire, 18 | *St-Marcel* |
| 16 | Pologne (av. de) | C6 | bd Lannes | av. Mal Fayolle | *Pte Dauphine* |
| 18 | Polonceau | K-L3 | Goutte-d'Or, 2 | Poissonniers, 12 | *Barbès-Rochech.* |
| 12 | Pommard (de) | O11 | de Dijon, 1 | de Bercy, 41 | *Bercy* |
| 16 | Pomereu (de) | D6 | Longchamp, 134 | Emile Ménier, 2 | *Rue de la Pompe* |
| 16 | Pompe (de la) | C7 | av. Mozart | av. Foch, 41 | *La Muette* |
| | 76-82 | D7 | | | *Rue de la Pompe* |
| | 130-141 | D6 | | | *Victor-Hugo* |
| 2 | Ponceau (pass. du) | K6 | bd Sébastopol, 119 | St Denis, 212 | *Réaumur-Sébast.* |
| 2 | Ponceau (du) | K6 | de Palestro, 37 | St Denis, 190 | *Réaumur-Sébast.* |
| 17 | Poncelet (pass.) | F4 | Poncelet, 27 | Laugier, 14 | *Ternes* |
| 17 | Poncelet | F4 | av. des Ternes, 12 | av. de Wagram, 83 | *Ternes* |
| 15 | Pondichéry (de) | F9 | Dupleix, 39 | av. de la Motte-Picquet, 68 | *La Motte-Picquet* |
| 12 | Poniatowski (bd) | P12 | quai de Bercy | av. Daumesnil, 282 | *Pte de Charenton* |
| | 65 | Q11 | | | *Pte Dorée* |
| 13 | Ponscarme | M13 | Château-des-Rentiers, 83 | Nationale | *Pte d'Ivry* |
| 17 | Pont-à-Mousson (de) | H1 | bd Bessières | André Brechet | *Pte de St Ouen* |
| 3 | Pont-aux-Biches (pass. du) | L6 | N.-D. de Nazareth, 32 | Meslay, 39 | *République* |
| 3 | Pont-aux-Choux | M7 | bd Beaumarchais, 113 | de Turenne, 88 | *St-Séb.-Froissard* |

| Ar. | Rues | Plan | Commençant | Finissant | Métro |
|---|---|---|---|---|---|
| 6 | **Pont-de-Lodi (du)** | J8 | des Grands-Augustins, 8 | Dauphine, 19 | *Odéon* |
| 8 | **Ponthieu (de)** | G6 | av. Matignon, 9 | de Berri, 12 | *F.-D.-Roosevelt* |
| 4 | **Pont Louis-Philippe (du)** | L8 | quai l'Hôtel de Ville, 64 | de Rivoli, 23 | *Pont-Marie* |
| 15 | **Pont Mirabeau (rd. pt.)** | C10 | quai André Citroën | Convention, 1 | *Javel* |
| 6 | **Pont Neuf (pont)** | J8 | quai de la Mégisserie | quai des Grands-Augustins | *Pont-Neuf* |
| 1 | **Pont Neuf (pl. du)** | J8 | quai de l'Horloge, 41 | quai des Orfèvres, 76 | *Châtelet* |
| 1 | **Pont Neuf (du)** | J-K7 | quai de la Mégisserie, 22 | des Halles, 23 | *Pont-Neuf* |
| | **24-35** | | | | *Les Halles* |
| 5 | **Pontoise (de)** | K9 | quai Tournelle, 43 | St Victor, 20 | *Maubert-Mutualité* |
| 11 | **Popincourt (cité)** | N7 | de la Folie-Méricourt, 14 | | *St-Ambroise* |
| 11 | **Popincourt (imp.)** | N7 | Popincourt, 36 | | *St-Ambroise* |
| 11 | **Popincourt** | N8 | La Roquette, 81 | bd Voltaire, 90 | *St-Ambroise* |
| 8 | **Portalis** | H4 | La Bienfaisance, 16 | du Rocher, 53 | *St-Augustin* |
| 13 | **Port-au-Prince (pl.)** | M14 | av. de la Pte de Choisy | Léon Bollée | *Pte de Choisy* |
| 17 | **Pte d'Asnières (av.)** | F2 | bd Berthier, 94 | Levallois-Perret | *Pte de Clichy* |
| 19 | **Pte d'Aubervilliers (av.)** | M1 | bds Ney/Macdonald | Aubervilliers | *Pte la Chapelle* |
| 16 | **Pte d'Auteuil (av.)** | A9 | pl. de la Pte d'Auteuil | Pte de Boulogne | *Pte d'Auteuil* |
| 16 | **Pte d'Auteuil (pl.)** | B9 | bd Murat | bd Suchet | *Pte d'Auteuil* |
| 20 | **Pte de Bagnolet (av.)** | Q7 | pl. de la Pte Bagnolet | Bagnolet | *Pte de Bagnolet* |
| 20 | **Pte de Bagnolet (pl. de la)** | Q7 | bds Mortier/Davout | av. de la Pte de Bagnolet | *Pte de Bagnolet* |
| 15 | **Pte Brancion (av. de la)** | F13 | Vanves | bd Lefebvre | *Pte de Vanves* |
| 19 | **Pte Brunet (av. de la)** | P4 | bd Sérurier | av. du Belvédère | *Danube* |
| 17 | **Pte Champerret (av. de la)** | E3 | bd Yser | Levallois-Perret | *Pte de Champerret* |
| 17 | **Pte Champerret (pl. de la)** | E3 | Gouvion-St Cyr | av. de Villiers | *Pte de Champerret* |
| 18 | **Pte de la Chapelle (av.)** | L1 | bd Ney | St Denis | *Pte la Chapelle* |
| 12 | **Pte Charenton (av. de la)** | P12 | bd Poniatowski | Charenton | *Pte de Charenton* |
| 14 | **Pte Châtillon (av. de la)** | H13 | bd Brune | bd Romain Rolland | *Pte d'Orléans* |
| 14 | **Pte Châtillon (pl. de la)** | H13 | bd Brune | av. de la Pte Châtillon | *Pte d'Orléans* |
| 19 | **Pte Chaumont (av. de la)** | P3 | bd Sérurier | Pré-St Gervais | *Pte de Pantin* |
| 13 | **Pte de Choisy (av. de la)** | M14 | bd Masséna | Charles Leroy | *Pte de Choisy* |
| 17 | **Pte de Clichy (av. de la)** | G2 | bd Berthier Bessières | Clichy | *Pte de Clichy* |
| 18 | **Pte Clignancourt (av. de la)** | J1 | bd Ney | St Ouen | *Pte Clignancourt* |
| 13 | **Pte de Gentilly (av. de la)** | K14 | Gentilly | bd Jourdan | *Gentilly* |
| 13 | **Pte d'Issy (de la)** | D12 | bd Victor | Issy-les-Moulineaux | *Pte de Versailles* |
| 13 | **Pte d'Italie (av. de la)** | L14 | bd Kellermann | Kremlin-Bicêtre | *Pte d'Italie* |
| 13 | **Pte d'Ivry (av. de la)** | M14 | pl. du Dr. Yersin | bd Masséna | *Pte d'Ivry* |
| 20 | **Pte des Lilas (av. de la)** | Q4 | bds Sérurier/Mortier | Les Lilas | *Pte des Lilas* |
| 19 | **Côté impair** | | Côté Pair, 20ème | | |
| 17 | **Pte Maillot (pl. de la)** | D4 | av. de la Grande-Armée | bd Pershing | *Pte Maillot* |
| 20 | **Pte Ménilmontant (av. de la)** | Q6 | bd Mortier | route de Noisy-le-Sec | *St-Fargeau* |
| 16 | **Pte Molitor (av. de la)** | A10 | pl. de la Pte Molitor | lim. de Boulogne | *M.-Ange-Molitor* |
| 16 | **Pte Molitor (pl. de la)** | A10 | bd Murat | av. du Gal Serrail | *Pte d'Auteuil* |
| 18 | **Pte Montmartre (av. de la)** | J1 | bd Ney | St Ouen | *Pte Clignancourt* |
| 20 | **Pte de Montreuil (av. de la)** | Q8 | bd Davout | Montreuil | *Pte de Montreuil* |
| 20 | **Pte de Montreuil (pl. de la)** | R8 | av. Girardot | d'Orgemont | *Pte de Montreuil* |
| 14 | **Pte Montrouge (av. de la)** | H13 | bd Brune | Montrouge | *Pte d'Orléans* |

| Ar. | Rues | Plan | Commençant | Finissant | Métro |
|---|---|---|---|---|---|
| 14 | **Pte d'Orléans (av. de la)** . . . | I14 | pl. du 25-Août-1944 . . . . . | St Albin . . . . . . . . . . . . . | *Pte d'Orléans* |
| 19 | **Pte de Pantin (av. de la)** . . . | P2 | pl. de la Pte de Pantin . . . | Pantin. . . . . . . . . . . . . . | *Pte de Pantin* |
| 19 | **Pte de Pantin (pl. de la)**. . . . | P3 | av. de la Pte de Pantin . . . | bd Sérurier . . . . . . . . . . . | *Danube* |
| 16 | **Pte de Passy (pl. de la)** . . . . | B8 | bd Suchet . . . . . . . . . . . | av. du Mal Maunoury. . . . | *Ranelagh* |
| 15 | **Pte la Plaine (av. de la)** . . . . | E12 | Vanves . . . . . . . . . . . . . | bd Lefebvre . . . . . . . . . . | *Pte de Versailles* |
| 15 | **Pte la Plaine (sq. de la)** . . . . | E12 | du Général Guillaumat . . . | av. de la Pte de la Plaine . | *Pte de Versailles* |
| 15 | **Pte Plaisance (av. de la)** . . . | E12 | bd Lefebvre. . . . . . . . . . . | . . . . . . . . . . . . . . . . . . . | *Pte de Versailles* |
| 18 | **Pte Poissonniers (av. de la).** | K1 | bd Ney . . . . . . . . . . . . . | St Ouen . . . . . . . . . . . . . | *Pte la Chapelle* |
| 17 | **Pte Pouchet (av. de la)** . . . . | H1 | bd Bessières . . . . . . . . . . | bd Bois-le-Prêtre . . . . . . . | *Pte de St Ouen* |
| 19 | **Pte du Pré-St Gervais (av.)** . | P4 | pl. de la Pte de Pantin . . . | Pré-St Gervais. . . . . . . . . | *Pré-St-Gervais* |
| 16 | **Pte de St Cloud (av. de la)**. . | A11 | pl. de la Pte de St Cloud. . | Boulogne . . . . . . . . . . . . | *Pte de St Cloud* |
| 16 | **Pte de St Cloud (pl. de la)** . . | A11 | bd Murat. . . . . . . . . . . . | av. de la Pte de St Cloud . | *Pte de St Cloud* |
| 18 | **Pte de St Ouen (av. de la)** . . | I1 | bds Bessières/Ney. . . . . . | St Ouen . . . . . . . . . . . . . | *Pte de St Ouen* |
| 17 | **Pairs, 18ème** . . . . . . . . . . |  | Impairs, 17ème. . . . . . . | . . . . . . . . . . . . . . . . . . . |  |
| 15 | **Pte de Sèvres (av. de la)** . . . | D11 | bd Victor. . . . . . . . . . . . | Héliport . . . . . . . . . . . . . | *Balard* |
| 17 | **Pte des Ternes (av. de la)** . . | D4 | pl. de la Pte des Ternes, 16 . | Neuilly . . . . . . . . . . . . . . | *Pte Maillot* |
| 14 | **Pte de Vanves (pl. de la)** . . . | F13 | bd Brune. . . . . . . . . . . . | . . . . . . . . . . . . . . . . . . . | *Pte de Vanves* |
| 14 | **Pte de Vanves (sq. de la)**. . . | F13 | av. de la Pte de Vanves, 16 . | en impasse. . . . . . . . . . . | *Pte de Vanves* |
| 14 | **Pte de Vanves (av. de la)**. . . | F13 | pl. de la Pte de Vanves . . | bd Adolphe Pinard. . . . . . | *Pte de Vanves* |
| 15 | **Pte Versailles (pl. de la)** . . . | E12 | bd Victor. . . . . . . . . . . . | bd Lefebvre . . . . . . . . . . | *Pte de Versailles* |
| 19 | **Pte La Vilette (av. de la)** . . . | O1 | bd Macdonald . . . . . . . . . | Aubervilliers/Pantin. . . . . | *Pte la Villette* |
| 17 | **Pte de Villiers (av. de la)**. . . | D3 | bd Gouvion-St Cyr. . . . . . | Neuilly/Levallois . . . . . . . | *Pte de Champerret* |
| 12 | **Pte Vincennes (av. de la)** . . | R9 | bd Davout. . . . . . . . . . . . | à St Mandé. . . . . . . . . . . | *Pte de Vincennes* |
| 13 | **Pte de Vitry (av. de la)** . . . . | N13 | bd Masséna . . . . . . . . . . | Ivry . . . . . . . . . . . . . . . . | *Pte d'Ivry* |
| 3 | **Portefoin**. . . . . . . . . . . . . | L7 | des Archives, 83 . . . . . . . | du Temple, 148. . . . . . . . | *Arts-et-Métiers* |
| 18 | **Ptes Blanches (des)** . . . . . . | K2 | Poissonniers, 73 . . . . . . . | bd Ornano, 4. . . . . . . . . . | *Marcadet-Poiss.* |
| 2 | **Port Mahon (de)**. . . . . . . . . | I6 | de la Michodière, 1 . . . . . | du 4-Septembre, 31. . . . . | *4-Septembre* |
| 13-14 | **Port-Royal (bd)**. . . . . . . . . . | K11 | bd Arago, 2. . . . . . . . . . . | av. de l'Observatoire, 47 . | *Gobelins* |
| 5 | **50-57**. . . . . . . . . . . . . . . | K11 | Pairs, 5ème . . . . . . . . . | . . . . . . . . . . . . . . . . . . . | *Censier-Daubenton* |
|  | **84-113**. . . . . . . . . . . . . . . | J11 | 1 à 93, 13ème,. . . . . . . . . | 95 à la fin des imp., 14e . . . . | *Port-Royal* |
| 13 | **Port-Royal (cité)**. . . . . . . . . | K11 | bd Port-Royal, 49. . . . . . . | . . . . . . . . . . . . . . . . . . . | *Gobelins* |
| 13 | **Port-Royal (sq.)** . . . . . . . . . | J11 | de la Santé, 15 . . . . . . . . | . . . . . . . . . . . . . . . . . . . | *Glacière* |
| 16 | **Portugais (av. des)**. . . . . . . | E6 | La Pérousse, 23. . . . . . . . | av. Kléber, 17 . . . . . . . . . | *Kléber* |
| 16 | **Possoz (pl.)** . . . . . . . . . . . . | D7 | Cortambert, 72 . . . . . . . . | av. Paul Doumer . . . . . . . | *La Muette* |
| 5 | **Postes (pass. des)** . . . . . . . | K10 | Mouffetard, 104. . . . . . . . | Lhomond, 57. . . . . . . . . . | *Censier-Daubenton* |
| 5 | **Pot-de-Fer (du)**. . . . . . . . . . | K10 | Mouffetard, 58. . . . . . . . . | Lhomond, 35. . . . . . . . . . | *Monge* |
| 18 | **Poteau (pass. du)** . . . . . . . . | J1 | du Poteau, 97 . . . . . . . . . | bd Ney, 107 . . . . . . . . . . | *Pte Clignancourt* |
| 18 | **Poteau (du)** . . . . . . . . . . . . | J2 | Ordener, 82. . . . . . . . . . . | bd Ney. . . . . . . . . . . . . . | *Jules Joffrin* |
| 13 | **Poterne des Peupliers** . . . . | K14 | bd Kellermann. . . . . . . . . | Gentilly. . . . . . . . . . . . . . | *Pte d'Italie* |
| 1 | **Potier (pass.)** . . . . . . . . . . . | J6 | Montpensier, 23 . . . . . . . | Richelieu, 26. . . . . . . . . . | *Palais-Royal* |
| 19 | **Pottier (cité)** . . . . . . . . . . . | N2 | Curial, 46 . . . . . . . . . . . . | . . . . . . . . . . . . . . . . . . . | *Crimée* |
| 17 | **Pouchet (pass.)** . . . . . . . . . | H1 | des Epinettes, 41. . . . . . . | . . . . . . . . . . . . . . . . . . . | *Pte de St Ouen* |
| 17 | **Pouchet** . . . . . . . . . . . . . . | H1 | av. de Clichy, 164 . . . . . . | bd Vessières. . . . . . . . . . | *Pte de St Ouen* |
| 18 | **Poulbot**. . . . . . . . . . . . . . . | J3 | Norvins, 9. . . . . . . . . . . . | en impasse. . . . . . . . . . . | *Abbesses* |
| 20 | **Poule (imp.)**. . . . . . . . . . . . | P8 | des Vignoles, 24 . . . . . . . | . . . . . . . . . . . . . . . . . . . | *Avron* |
| 18 | **Poulet**. . . . . . . . . . . . . . . . | K3 | Clignancourt, 36 . . . . . . . | Doudeauville, 65 . . . . . . . | *Château-Rouge* |

| Ar. | Rues | Plan | Commençant | Finissant | Métro |
|---|---|---|---|---|---|
| 4 | Poulletier | L9 | quai de Béthune, 24 | quai d'Anjou, 21 | *Pont-Marie* |
| 16 | Poussin | B9 | La Fontaine, 112 | Montmorency, 101 | *M.-Ange-Auteuil* |
| 13 | Pouy (de) | K13 | de la Butte-aux-Cailles, 9 | Martin Bernard, 6 | *Corvisart* |
| 19 | Pradier | N5 | Rébeval, 69 | Fessart, 51 | *Bolivar* |
| 10 | Prado (pass. du) | L6 | bd St Denis, 16 | Fg St Denis, 12 | *Strasb.-St-Denis* |
| 12 | Prague | N9 | de Charenton, 89 | Traversière, 64 | *Ledru-Rollin* |
| 20 | Prairies (des) | Q7 | Bagnolet, 125 | pl. Emile Landrin | *Gambetta* |
| 18 | Pré (du) | L1 | Chapelle, 170 | Chemin de Fer | *Pte la Chapelle* |
| 19 | Préault | N4 | Fessart, 54 | Plateau, 33 | *Buttes-Chaumont* |
| 7 | Pré-aux-Clercs (du) | I8 | Université, 9 | Perronet, 12 | *Rue du Bac* |
| 1 | Prêcheurs (des) | K7 | St Denis, 85 | Pierre Lescot, 16 | *Les Halles* |
| 19 | Pré-St Gervais (du) | P4 | de Belleville, 171 | bd Sérurier, 91 | *Place des Fêtes* |
| | 63-86 | | | | *Pré-St-Gervais* |
| 8 | Presbourg (de) | E-F5 | av. Champs-Elysées, 133 | av. de la Grande-Armée, 1 | *Ch. de Gaulle-Et.* |
| 16 | 1 et 2, 8ème | | reste, 16ème | | |
| 11 | Présentation (de la) | M6 | de l'Orillon, 43 | Fg du Temple, 114 | *Belleville* |
| 7 | Prés. Edouard Herriot (pl.) | H7 | de l'Université, 110 | Palais Bourbon | *Ass. Nationale* |
| 16 | Président Kennedy (av. du) | E8 | Beethoven, 1 | Boulainvilliers, 2 | *Passy* |
| 7 | Pdt Mithouard (pl. du) | G9 | bd des Invalides | av. de Breteuil | *St-Fr.-Xavier* |
| 8 | Président Wilson (av. du) | F6-7 | pl. de l'Alma | pl. du Trocadéro | *Iéna* |
| 16 | Impairs et de 8 à la | | fin des Pairs, 16ème | de 2 à 6, 8ème | |
| 15 | Presles (imp.) | E-F9 | de Presles, 20 | en impasse | *Dupleix* |
| 15 | Presles (de) | F8-9 | av. de Suffren, 62 | pl. Dupleix, 6 | *Dupleix* |
| 20 | Pressoir (imp. du) | O6 | du Pressoir, 22 | | *Couronnes* |
| 20 | Pressoir | O6 | Maronites, 19 | Couronnes, 26 | *Couronnes* |
| 16 | Prêtres (imp. des) | D7 | av. d'Eylau, 35 | | *Trocadéro* |
| 1 | Pr. St Germain l'Auxerrois | J7 | pl. de l'Ecole | pl. du Louvre | *Pont-Neuf* |
| 5 | Prêtres St Séverin | K9 | St Séverin, 7 | de la Parcheminerie, 18 | *St-Michel* |
| 14 | Prévost-Paradol | G13 | bd Brune | en impasse | *Pte de Vanves* |
| 4 | Prévôt (du) | L8 | Charlemagne, 18 | St Antoine, 129 | *St-Paul* |
| 19 | Prévoyance (de la) | P4 | David d'Angers, 23 | bd Sérurier, 133 | *Danube* |
| 13 | Primatice | L12 | Rubens, 12 | Philippe de Champagne, 6 | *Place d'Italie* |
| 11 | Primevère (imp.) | M7 | St Sabin, 50 | | *Chemin Vert* |
| 2 | Princes (pass. des) | J5 | bd des Italiens, 5 | Richelieu, 97 | *Richelieu-Drouot* |
| 6 | Princesse | J9 | du Four, 21 | Guisarde, 8 | *Mabillon* |
| 17 | Printemps (du) | G3 | de Tocqueville, 100 | bd Péreire, 27 | *Malesherbes* |
| 14 | Prisse-d'Avennes | I13 | du Père Corentin, 52 | Sarrette, 43 | *Alésia* |
| 15 | Procession (de la) | G11 | Vaugirard, 245 | de Gergovie | *Volontaires* |
| 20 | Prof. André Lemierre (av.) | R8 | av. de la Pte de Montreuil | av. Galliéni | *Pte de Montreuil* |
| 18 | Prof. Gosset (du) | K1 | av. Pte de Clignancourt | av. Pte des Poissonniers | *Pte Clignancourt* |
| 14 | Prof. Hyacinte Vincent | I14 | av. Paul Appell | bd Romain Rolland | *Pte d'Orléans* |
| 13 | Prof. Louis Renault (du) | L14 | bd Kellermann, 35 | av. Caffieri | *Pte d'Italie* |
| 19 | Progrès (villa du) | P4 | Mouzaïa, 37 | de l'Egalité | *Danube* |
| 17 | Prony (de) | G4 | bd Courcelles, 10 | av. de Villiers, 105 | *Monceau* |
| 8-17 | Prospère Gaubaux (pl.) | H4 | av. de Villiers | bd des Batignolles | *Villiers* |
| 11 | Prost (cité) | D9 | Chanzy, 28 | | *Charonne* |

| Ar. | Rues | Plan | Commençant | Finissant | Métro |
|---|---|---|---|---|---|
| 12 | **Proudhon** | O11 | pl. Lachambaudie | Charenton, 260 | *Dugommier* |
| 1 | **Prouvaires (des)** | K7 | St Honoré, 52 | Berger, 31 | *Les Halles* |
| 9 | **Provence (av. de)** | I5 | de Provence, 56 | | *Chaussée-d'Antin* |
| 8-9 | **Provence (de)** | J5 | Fg Montmartre, 35 | de Rome, 4 | *Le Peletier* |
| | **69-70** | J5 | | | *Chaussée-d'Antin* |
| | **118-127** | I5 | 1 à 127 et 2 à 118, 9ème | 129-120, 8ème | *Havre-Caumartin* |
| 20 | **Providence (imp. de la)** | Q8 | Haies, 70 | | *Buzenval* |
| 13 | **Providence (de la)** | | Bobillot, 70 | Barrault, 49 | *Corvisart* |
| 16 | **Prudhon (av.)** | C7 | av. du Ranelagh | av. Raphaël | *La Muette* |
| 20 | **Pruniers (des)** | O7 | av. Gambetta, 25 | pass. des Mûriers, 10 | *Père-Lachaise* |
| 18 | **Puget** | I3 | bd de Clichy, 80 | Coustou, 11 | *Blanche* |
| 14 | **Puits (all. du)** | J13 | Parc Montsouris | | *Cité Universit.* |
| 5 | **Puits-de-l'Ermite (pl.)** | L10 | Quatrefages, 1 | Puits-de-l'Ermite | *Monge* |
| 5 | **Puits-de-l'Ermite** | K10 | Larrey, 9 | Monge, 87 | *Monge* |
| 17 | **Pusy (cité de)** | G3 | bd Péreire, 23 | | *Péreire* |
| 8 | **Puteaux (pass.)** | H5 | de l'Arcade, 33 | Pasquier, 28 | *St-Lazare* |
| 17 | **Puteaux** | H4 | bd des Batignolles, 52 | des Dames, 59 | *Rome* |
| 4 | **Putigneux (imp.)** | L8 | G. l'Asnier, 17 | | *Pont-Marie* |
| 17 | **Puvis-Chavannes** | F3 | Ampère, 38 | bd Péreire, 101 | *Wagram* |
| 20 | **Py (de la)** | Q6 | de Bagnolet, 171 | Le Bua, 6 | *Pte de Bagnolet* |
| 1 | **Pyramides (pl. des)** | I7 | de Rivoli, 194 | des Pyramides | *Tuileries* |
| 1 | **Pyramides (des)** | I6 | pl. des Pyramides | av. de l'Opéra, 21 | *Pyramides* |
| 20 | **Pyrénées (des)** | Q9 | cours de Vincennes, 71 | de Belleville, 96 | *Pte de Vincennes* |
| | **62-67** | Q8 | | | *Maraîchers* |
| | **142-155** | P7 | | | *Alexandre Dumas* |
| | **208-241** | P6 | | | *Gambetta* |
| | **360-401** | O5 | | | *Pyrénées* |
| 20 | **Pyrénées (villa des)** | Q8 | des Pyrénées, 77 | | *Maraîchers* |

# Q

| Ar. | Rues | Plan | Commençant | Finissant | Métro |
|---|---|---|---|---|---|
| 5 | **Quatrefages** | L10 | Georges Desplas | Lacépède, 3 | *Monge* |
| 3 | **Quatre-Fils (des)** | L7 | Vieille-du-Temple, 89 | des Archives, 60 | *Rambuteau* |
| 18 | **Quat.-Frères Casadesus (pl.)** | J3 | Simon Dereure | | *Lamarck-Caulainc.* |
| 15 | **4-Frères Peignot** | D9 | Linois | Javel | *Charles Michels* |
| 2 | **4-Septembre** | J6 | Vivienne, 27 | pl. de l'Opéra, 4 | *4-Septembre* |
| 6 | **Quatre-Vents (des)** | J9 | de Condé, 2 | de Seine, 97 | *Odéon* |
| 6 | **Québec (pl. du)** | I8 | de Rennes | bd St Germain | *St-Germ.-des-Prés* |
| 11 | **Quellard (cour)** | N8 | pass. Thiéré, 9 | rue de Lappe, 41 | *Ledru-Rollin* |
| 8 | **Quentin Bauchart** | F6 | av. Marceau, 44 | av. des Champs-Elysées | *F.-D.-Roosevelt* |
| 20 | **Quercy (sq. du)** | Q8 | Charles et Robert | av. de la Pte de Montreuil | *Pte de Montreuil* |
| 11 | **Questre (imp.)** | Q6 | bd de Belleville, 25 | | *Couronnes* |
| 15 | **Quinault** | F10 | Auguste Dorchin | Mademoiselle, 55 | *Cambronne* |
| 3 | **Quincampoix** | K7 | des Lombards, 8 | aux Ours, 19 | *Rambuteau* |
| 4 | **de 1 à 63 et 2 à 64, 4ème** | | de 65 et 66 à la fin, 3ème | | |

| Ar. | Rues | Plan | Commençant | Finissant | Métro |
|---|---|---|---|---|---|

# R

| Ar. | Rues | Plan | Commençant | Finissant | Métro |
|---|---|---|---|---|---|
| 8 | **Rabelais** | G5-6 | av. Matignon, 17 | Jean Mermoz | *F.-D.-Roosevelt* |
| 16 | **Racan (sq.)** | B9 | bd Suchet | av. du Mal Lyautey | *Pte d'Auteuil* |
| 18 | **Rachel (av.)** | I3 | bd Clichy, 116 | Cimetière de Montmartre | *Blanche* |
| 16 | **Racine (imp.)** | B10 | av. Molière | | *M.-Ange-Molitor* |
| 6 | **Racine** | J9 | bd St Michel, 30 | pl. de l'Odéon, 5 | *Odéon* |
| 1 | **Radziwill** | J6 | des Petits-Champs, 5 | | *Bourse* |
| 16 | **Raffaelli** | A10 | bd Murat | av. du Gal Sarrail | *Exelmans* |
| 16 | **Raffet (imp.)** | B9 | Raffet, 13 | | *Jasmin* |
| 16 | **Raffet** | B9 | de la Source, 36 | bd Montmorency, 45 | *Jasmin* |
| 12 | **Raguinot** | N10 | de Chalon, 22 | av. Daumesnil, 58 | *Gare de Lyon* |
| 12 | **Rambervillers** | Q10 | du Sahel | du Dr. Arnold Netter | *Bel-Air* |
| 12 | **Rambouillet** | N10 | de Bercy, 146 | Charenton, 162b | *Reuilly-Diderot* |
| 1 | **Rambutau** | L7 | des Archives, 41 | Vauvilliers, 49 | *Rambuteau* |
| 3 | **de 1 à 71, 4ème,** | | de 2 à 66, 3ème, | de 77 et 72 à la fin, 1er | *Rambuteau* |
| 4 | **88-124** | K7 | | | *Les Halles* |
| 2 | **Rameau** | J6 | de Richelieu, 69 | Ste Anne, 58 | *4-Septembre* |
| 18 | **Ramey (pass.)** | K2 | Ramey, 40 | Marcadet, 73 | *Marcadet-Poiss.* |
| 18 | **Ramey** | K2-3 | de Clignancourt, 51 | Hermel, 20 | *Jules Joffrin* |
| 19 | **Rampal** | N5 | de Belleville, 37 | Rébeval, 50 | *Belleville* |
| 11 | **Rampon** | M6 | bd Voltaire, 11 | de la Folie-Méricourt, 33 | *République* |
| 20 | **Ramponeau** | N5 | bd de Belleville, 108 | Julien Lacroix | *Belleville* |
| 20 | **Ramus** | P7 | Charles Renouvier | av. du Père-Lachaise | *Gambetta* |
| 20 | **Rançon (imp.)** | Q8 | des Vignoles, 84 | en impasse | *Maraîchers* |
| 16 | **Ranelagh (av. du)** | C8 | av. Ingres | av. Raphaël | *La Muette* |
| 16 | **Ranelagh (jard.)** | C7 | av. Raphaël | Chemin de la Muette | *Ranelagh* |
| 16 | **Ranelagh (du)** | C-D8 | av. du Prés. Kennedy, 106 | bd Beauséjour | *Ranelagh* |
| 16 | **Ranelagh (sq.)** | C8 | du Ranelagh, 117 | | *Ranelagh* |
| 12 | **Raoul** | P11 | Claude Decaen, 94 | av. Daumesnil, 178 | *Daumesnil* |
| 15 | **Raoul Dautry (pl.)** | H10 | av. du Maine, 34 | Gare Montparnasse | *Montparnasse* |
| 20 | **Raoul Dufy** | O6 | des Partants | | *Père-Lachaise* |
| 10 | **Raoul Follereau (pl.)** | M5 | quai de Valmy | av. de Verdun | *Gare de l'Est* |
| 11 | **Raoul Nordling (sq.)** | N9 | Eglise Ste Marguerite | | *Charonne* |
| 12 | **Rapée (port de la)** | M10 | pl. d'Austerlitz | pont de Bercy | *Bercy* |
| 12 | **Rapée (quai de la)** | N10 | bd de Bercy, 1 | bd de la Bastille, 2 | *Bercy* |
| | **102** | M10 | | | *Quai de La Rapée* |
| 16 | **Raphaël (av.)** | C7 | bd Suchet, 1 | av. Ingres, 2 | *La Muette* |
| 7 | **Rapp (av.)** | F7 | quai d'Orsay, 95 | av. La Bourdonnais, 45 | *Alma-Marceau* |
| 7 | **Rapp (sq.)** | F8 | av. Rapp, 35 | | *Ecole Militaire* |
| 7 | **Raspail (bd)** | I8 | bd St Germain, 207 | Denfert-Rochereau, 110 | *Rue du Bac* |
| 6 | **41-46** | I9 | | | *Sèvres-Babylone* |
| | **89-94** | I9 | | | *Rennes* |
| 14 | **201-202** | I10 | | | *N.-D. des Champs* |

| Ar. | Rues | Plan | Commençant | Finissant | Métro |
|---|---|---|---|---|---|
| | | | de 1 à 41 et de | 2 à 46, 7ème | |
| | 232-240 | I11 | de 43 à 147 et | de 48 à 136, 6ème | *Raspail* |
| | 284-297 | I11 | de 203 et 202 à | la fin, 14ème | *Denfert-Rochereau* |
| 20 | **Rasselins (des)** | Q8 | d'Avron, 139 | des Orteaux, 84 | *Pte de Montreuil* |
| 5 | **Rataud** | K10 | Lhomond, 30 | Claude Bernard, 80 | *Censier-Daubenton* |
| 11 | **Rauch (pass.)** | N8 | pass. Charles Dallery, 10 | Basfroi, 11 | *Voltaire* |
| 18 | **Ravignan** | J3 | des Abbesses, 28 | pl. J.-B. Clément | *Abbesses* |
| 13 | **Raymond (pass.)** | L14 | Gandon, 28 | av. d'Italie, 141 | *Pte d'Italie* |
| 14 | **Raymond Losserand** | G12 | av. du Maine, 108 | bd Brune, 9 | *Pernety* |
| 17 | **Raymond Pitet** | F2-3 | bd de Reims | Curnonsky, 21 | *Pte de Champerret* |
| 16 | **Raymond Poincaré (av.)** | E7 | pl. du Trocadéro | av. Foch | *Victor-Hugo* |
| 18 | **Raymond Queneau** | L2 | rd. pt. Pte de la Chapelle | | *Pte la Chapelle* |
| 18 | **Raymond Souplex (sq.)** | J2 | Marcadet | Montcalm | *Guy Môquet* |
| 16 | **Raynouard** | D8 | de Passy, 1 | Boulainvilliers, 10 | *Passy* |
| 16 | **Raynouard (sq.)** | O8 | Raynouard, 16 | | *Passy* |
| 2-3 | **Réaumur** | L6 | du Temple, 165 | N.-D. des Victoires, 36 | *Arts-et-Métiers* |
| | 66-76 | K6 | du Temple, 165 | N.-D. des Victoires, 36 | *Réaumur-Sébast.* |
| | 117-132 | J-K6 | | | *Sentier* |
| | de 1 à 49 et 2 à 72, 3ème | | de 51 à 87 et 74 | à 106 à la fin, 2ème | |
| 19 | **Rébeval** | N5 | bd de la Villette, 44 | de Belleville, 71 | *Belleville* |
| 19 | **Rébeval (sq.)** | N5 | pl. Marcel Achard | pl. Jean Rostand | *Belleville* |
| 7 | **Récamier** | I9 | de Sèvres, 14 | en impasse | *Sèvres-Babylone* |
| 10 | **Récollets (des)** | L5 | quai de Valmy, 99 | Fg St Martin, 148 | *Gare de l'Est* |
| 10 | **Récollets (pass.)** | L5 | Fg St Martin, 12 | Récollets, 19 | *Gare de l'Est* |
| 16 | **Rect. Poincaré (av.)** | C8-9 | La Fontaine, 22 | pl. Rodin | *Jasmin* |
| 13 | **Réculettes (des)** | K12 | Abel Hovelacq, 22 | Croulebarde, 47 | *Place d'Italie* |
| 17 | **Redon** | F2 | St Marceau, 10 | Sisley, 7 | *Pte de Champerret* |
| 7 | **Refuzniks (allée des)** | E8 | quai Branly | av. Octave Gréard | *Champ de Mars* |
| 6 | **Regard (du)** | I9 | du Cherche-Midi, 39 | de Rennes, 118 | *St-Placide* |
| 19 | **Regard de la Lanterne** | | | | |
| | **(jardin du)** | P5 | Augustin Thierry | Compans | *Place des Fêtes* |
| 6 | **Régis** | H9 | de l'Abbé Grégoire, 24 | Bérite, 3 | *St-Placide* |
| 20 | **Réglisses (des)** | Q8 | bd Davout, 89 | de la Croix-St Simon, 36 | *Pte de Montreuil* |
| 6 | **Regnard** | J9 | pl. de l'Odéon, 4 | de Condé, 25 | *Odéon* |
| 13 | **Regnault** | N13 | en impasse | av. d'Ivry | *Pte d'Ivry* |
| 10 | **Reilhac (pass.)** | L5 | Fg St Denis, 54 | bd de Strasbourg, 39 | *Château-d'Eau* |
| 14 | **Reille (av.)** | J13 | d'Alésia, 1 | de la Tombe-Issoire, 115 | *Glacière* |
| 14 | **Reille (imp.)** | J13 | av. Reille, 6 | | *Glacière* |
| 17 | **Reims (bd de)** | F2 | av. de la Pte d'Asnières | de Courcelles | *Pte de Champerret* |
| 13 | **Reims (de)** | M12 | du Dessous-des-Berges, 105 | de Patay, 114 | *Nationale* |
| 8 | **Reine (cours la)** | H6 | pl. de la Concorde | pl. du Canada | *Concorde* |
| 8 | **Reine Astrid (pl.)** | F6 | av. Montaigne | cours Albert-Ier | *Alma-Marceau* |
| 13 | **Reine Blanche (de la)** | L11 | Le Brun, 6 | av. des Gobelins, 33 | *Gobelins* |
| 1 | **Reine de Hongrie (pass.)** | K7 | Montorgueil, 17 | Montmartre, 16 | *Les Halles* |
| 20 | **Réjane (sq.)** | Q8 | cours de Vincennes, 59 | Lagny, 50 | *Pte de Vincennes* |
| 8 | **Rembrandt** | G4 | Courcelles, 48 | parc Monceau | *Monceau* |

| Ar. | Rues | Plan | Commençant | Finissant | Métro |
|---|---|---|---|---|---|
| 19 | **Rémi Belleau (villa)** | N3 | av. Jean Jaurès | en impasse | *Laumière* |
| 16 | **Rémusat (de)** | C9 | av. de Versailles, 62 | Théophile Gautier, 55 | *Mirabeau* |
| 14 | **Rémy Dumoncel** | I12 | av. René Coty | av. du Gal Leclerc, 53 | *Alésia* |
| 19 | **Rémy de Gourmont** | N5 | Barrelet-de-Ricou | G. Lardennois | *Buttes-Chaumont* |
| 8 | **Renaissance (de la)** | F6 | La Trémoille, 11 | Marbœuf, 10 | *Alma-Marceau* |
| 19 | **Renaissance (villa)** | P4 | de Mouzaïa, 45 | de l'Egalité, 8 | *Danube* |
| 4 | **Renard (du)** | K7 | de Rivoli, 74 | Simon-le-Franc, 17 | *Hôtel de Ville* |
| 17 | **Renaudes (des)** | F4 | bd de Courcelles | av. Niel | *Ternes* |
| 12 | **Rendez-Vous (cité du)** | Q10 | Rendez-Vous, 22 | | *Picpus* |
| 12 | **Rendez-Vous (du)** | Q10 | av. de St Mandé, 6 | bd de Picpus, 100 | *Picpus* |
| 16 | **René Bazin** | B8 | Henri Heine | Yvette | *Jasmin* |
| 18 | **René Binet (jard.)** | J1 | René Binet | | *Pte Clignancourt* |
| 18 | **René Binet** | J1 | av. Pte de Montreuil, 14 | av. Pte Clignancourt, 15 | *Pte Clignancourt* |
| 10 | **René Boulanger** | L6 | pl. de la République | pte St Martin | *République* |
| 16 | **René Boylesve (av.)** | D8 | av. du Prés. Kennedy | en impasse | *Passy* |
| 1 | **René Cassin (pl.)** | K7 | St Eustache | | *Les Halles* |
| 14 | **René Coty (av.)** | J13 | pl. Denfert-Rochereau, 19 | av. Reille, 58 | *Denfert-Rochereau* |
| 19 | **René Fonk** | Q4 | av. de la Pte des Lilas | av. du Belvédère | *Pte des Lilas* |
| 13 | **René Panhard** | L11 | bd St Marcel, 17 | des Wallons, 14 | *St-Marcel* |
| 11 | **René Villermé** | O7 | de la Folie-Regnault, 72 | Chemin Vert, 140 | *Père-Lachaise* |
| 5 | **René Viviani (sq.)** | K9 | quai Montebello, 25 | St Julien-le-Pauvre | *Cité* |
| 17 | **Rennequin** | F4 | Poncelet, 55 | Guillaume-Tell, 24 | *Ternes* |
| 6 | **Rennes (de)** | I9 | l'Abbaye, 17 | pl. du 18-Juin, 2 | *St-Germ.-des-Prés* |
| | **112-119** | I9 | | | *Rennes* |
| | **152-171** | I10 | | | *Montparnasse* |
| 20 | **Repos (du)** | O8 | bd de Charonne, 194 | bd Ménilmontant, 28 | *Philippe Auguste* |
| 11 | **République (av. de la)** | M6 | pl. de la République | bd Ménilmontant, 69 | *République* |
| | **40-41** | N6 | | | *Parmentier* |
| | **63-74** | N7 | | | *St-Maur* |
| | **107-142** | O7 | | | *Père-Lachaise* |
| 10 | **République (pl. de la)** | L-M6 | bd du Temple, 54 | bd St Martin, 1 | *République* |
| 11-3 | **de 1 à 23, 3ème,** | | de 2 à 10, 11ème, | de 12 à 16, 10ème | |
| 8-17 | **Répub. de l'Equateur (pl.)** | F4 | bd de Courcelles | de Chazelle | *Courcelles* |
| 8-17 | **Rép. Dominicaine (pl.)** | G4 | bd de Courcelles | de Prony | *Monceau* |
| 13 | **Résal** | N13 | Cantagrel, 21 | du Dessous-des-Berges, 44 | *Pte d'Ivry* |
| 7 | **Résistance (pl. de la)** | F7 | av. Rapp, 1 | quai d'Orsay | *Alma-Marceau* |
| 8 | **Retiro (cité du)** | H6 | Fg St Honoré, 30 | Boissy d'Anglas, 35 | *Madeleine* |
| 20 | **Retrait (pass.)** | P6 | Retrait, 34 | Pyrénées, 293 | *Gambetta* |
| 20 | **Retrait (du)** | P6 | des Pyrénées, 271 | Ménilmontant, 108 | *Gambetta* |
| 12 | **Reuilly (bd de)** | O11 | Charenton, 213 | de Picpus, 94 | *Dugommier* |
| | **48-51** | P11 | | | *Daumesnil* |
| 12 | **Reuilly (de)** | O9 | Fg St Antoine, 202 | pl. Félix Eboué, 1 | *Faidherbe-Chal.* |
| | **7-18** | O9 | | | *Reuilly-Diderot* |
| | **89** | O10 | | | *Montgallet* |
| | **98-105** | P10 | | | *Daumesnil* |
| 20 | **Réunion (pl. de la)** | P8 | de la Réunion, 62 | Vitruve | *Alexandre Dumas* |

| Ar. | Rues | Plan | Commençant | Finissant | Métro |
|---|---|---|---|---|---|
| 20 | **Réunion (de la)** | Q8 | d'Avron, 75 | cimetière du Père-Lachaise | *Maraîchers* |
| | **115-120** | P8 | | | *Alexandre Dumas* |
| 16 | **Réunion (villa de la)** | B10 | av. de Versailles, 122 | Chardon-Lagache, 49 | *Chardon-Lagache* |
| 20 | **Reynaldo-Hahn** | R9 | de Lagny, 111 | Paganini | *Pte de Montreuil* |
| 17 | **Rhône (sq. du)** | F3 | bd Berthier, 120 | | *Pte de Champerret* |
| 19 | **Rhin (du)** | N4 | de Meaux, 106 | Meynadier, 1 | *Laumière* |
| 19 | **Rhin et Danube (pl.)** | P4 | David d'Angers, 37 | du Général Brunet, 45 | *Danube* |
| 16 | **Ribéra** | C9 | La Fontaine, 68 | Mozart, 85 | *Jasmin* |
| 20 | **Ribérolle (villa)** | P8 | de Bagnolet, 35 | | *Alexandre Dumas* |
| 15 | **Ribet (imp.)** | F9 | de la Croix-Nivert, 31 | | *Cambronne* |
| 20 | **Riblette** | Q7 | St Blaise, 15 | des Balkans, 3 | *Pte de Bagnolet* |
| 11 | **Ribot (cité)** | N6 | Oberkampf, 137 | Jean-Pierre Timbaud, 110 | *Couronnes* |
| 9 | **Riboutté** | K5 | Bleue, 12 | Lafayette, 82 | *Cadet* |
| 13 | **Ricaut** | L12 | Château-des-Rentiers, 169 | Albert Bayet | *Place d'Italie* |
| 15 | **Richard (imp.)** | G12 | de Vouillé, 40 | | *Convention* |
| 17 | **Richard Barret (pl.)** | H3 | des Batignolles | | *Rome* |
| 16 | **Richard de Coudenhoye-** | | | | |
| | **Kalergi (pl.)** | F5 | Jean Giraudoux | Auguste Vaquerie | *Kléber* |
| 11 | **Richard Lenoir (bd)** | M8 | pl. de la Bastille, 14 | av. de la République, 22 | *Bastille* |
| | **17-32** | M8 | | | *Bréguet-Sabin* |
| | **64-66** | M7 | | | *Richard Lenoir* |
| 11 | **Richard Lenoir** | N8 | de Charonne, 93 | bd Voltaire, 134 | *Voltaire* |
| 11 | **Richard Lenoir (sq.)** | M7 | bd Richard Lenoir | du Chemin Vert | *Bréguet-Sabin* |
| 1 | **Richelieu (pass.)** | J7 | de Montpensier, 15 | de Richelieu, 18 | *Palais-Royal* |
| 1-2 | **Richelieu (de)** | J6 | pl. A. Malraux, 2 | bd Montmartre, 21 | *Palais-Royal* |
| | **70-79** | | | | *Bourse* |
| | **87-90** | | | | *Richelieu-Drouot* |
| | **de 1 à 53 et 2 à 56, 1er** | | de 55 à 58 à la fin, 2ème | | |
| 13 | **Richemont (de)** | M12 | de Domremy, 55 | de Tolbiac, 58 | *Pte d'Ivry* |
| 1-8 | **Richepanse** | I6 | St Honoré, 408 | Duphot, 23 | *Concorde* |
| | | | Pairs, 1er | Impairs, 8ème | |
| 9 | **Richer** | K5 | Fg Poissonnière, 45 | Fg Montmartre, 32 | *Cadet* |
| 10 | **Richerand (av.)** | M5 | quai de Jemmapes, 76 | pl. Alain Fournier | *Goncourt* |
| 18 | **Richomme** | K3 | des Gardes, 27 | Poissonniers, 20 | *Barbès-Rochech.* |
| 14 | **Ridder (de)** | G12 | Raymond Losserand, 152 | Vercingétorix, 167 | *Plaisance* |
| 8 | **Rigny (de)** | H5 | bd Malesherbes, 53 | Roy, 8 | *St-Lazare* |
| 20 | **Rigoles (des)** | P5 | Pixérécourt, 25 | Jourdain, 20 | *Jourdain* |
| 19 | **Rimbaud (villa)** | O4 | Miguel Hidalgo | | *Danube* |
| 14 | **Rimbaut (pass.)** | I12 | av. du Gal Leclerc, 74 | av. du Maine, 19 | *Alésia* |
| 8 | **Rio-de-Janeiro (pl. de)** | G4 | de Monceau | de Lisbonne | *Monceau* |
| 19-18 | **Riquet** | N3 | quai de la Seine, 69 | La Chapelle, 78 | *Riquet* |
| | **81-100** | M3 | de 1 à 63 et 2 à 64, 19ème | le reste, 18ème | *Marx Dormoy* |
| 18 | **Rivarol** | M2 | pl. P. Mac-Orlan | | *Marx Dormoy* |
| 10 | **Riverin (cité)** | L6 | René Boulanger, 74 | Château d'Eau, 29b | *Strasb.-St-Denis* |
| 1-4 | **Rivoli (de)** | L8 | de Sévigné, 1 | St Florentin, 2 | *St-Paul* |
| | **27-56** | K8 | | | *Hôtel de Ville* |

| Ar. | Rues | Plan | Commençant | Finissant | Métro |
|---|---|---|---|---|---|
| | 53-110 | K7 | | | *Châtelet* |
| | 91-150 | J7 | | | *Louvre* |
| | 170 | J7 | | | *Palais-Royal* |
| | 208 | I7 | | | *Tuileries* |
| | 268 | I6 | de 1 à 39 et 2 à 96, 4ème | le reste, 1er | *Concorde* |
| 18 | **Robert (imp.)** | J2 | Championnet, 115 | | *Pte Clignancourt* |
| 13 | **Robert Bajac (sq.)** | L14 | bd Kellermann | av. de la Pte d'Italie | *Pte d'Italie* |
| 10 | **Robert Blache** | M4 | Terrage, 4 | Eugène Varlin, 7ème | *Château-Landon* |
| 6 | **Robert Cavelier de La Salle (jardin)** | J10 | Michelet | pl. André Honorat | *Port-Royal* |
| 10 | **Robert Desnos (pl.)** | M4 | A. Camus | | *Colonel Fabien* |
| 15 | **Robert de Flers** | D9 | Rouelle | Linois | *Charles Michels* |
| 7 | **Robert Esnault-Pelterie** | G7 | quai d'Orsay | de l'Université | *Invalides* |
| 8 | **Robert Estienne** | F6 | Marbeuf, 28 | en impasse | *F.-D.-Roosevelt* |
| 12 | **Robert Etlin** | O12 | bd Poniatowski | quai de Bercy | *Pte de Charenton* |
| 15 | **Robert Fleury** | F10 | de Cambronne, 6 | Mademoiselle, 87 | *Cambronne* |
| 11 | **Robert Houdin** | N6 | de l'Orillon, 31 | Fg du Temple, 106 | *Belleville* |
| 16 | **Robert Le Coin** | C8 | du Ranelagh, 62 | en impasse | *Ranelagh* |
| 15 | **Robert Lindet** | F12 | de Dantzig, 50 | Olivier de Serres, 55 | *Convention* |
| 15 | **Robert Lindet (villa)** | F12 | des Morillons | Robert Lindet, 13 | *Convention* |
| 5 | **Robert Montagne (sq.)** | L10 | pl. du Puits-de-l'Ermite | | *Monge* |
| 18 | **Robert Planquette** | J3 | Lepic, 24 | en impasse | *Blanche* |
| 7 | **Robert Schuman (av.)** | G7 | Surcouf, 4 | Jean Nicot, 5 | *Latour-Maubourg* |
| 16 | **Robert Turquan** | B8 | de l'Yvette, 13 | en impasse | *Jasmin* |
| 17 | **Roberval** | H2 | Epinettes | Baron | *Guy Môquet* |
| 7 | **Robiac (sq. de)** | F8 | de Grenelle, 192 | | *Latour-Maubourg* |
| 20 | **Robineau** | P7 | Désirée, 4 | pl. Martin Nadaud, 3 | *Gambetta* |
| 6 | **Robiquet (imp.)** | I10 | bd Montparnasse, 81 | av. du Mal Lyautey | *Montparnasse* |
| 16 | **Rocamadour (sq.)** | B9 | bd Suchet | | *Pte d'Auteuil* |
| 16 | **Rochambeau (pl.)** | E6 | av. Pierre-Ier de Serbie | Freycinet | *Alma-Marceau* |
| 9 | **Rochambeau** | K4 | Pierre Sémard, 1 | Mayran, 2 | *Cadet* |
| 11 | **Rochebrune (pass.)** | N7 | Rochebrune, 11 | en impasse | *St-Ambroise* |
| 11 | **Rochebrune** | N7 | av. Parmentier, 30 | St Maur, 41 | *St-Ambroise* |
| 9-18 | **Rochechouart (bd)** | K4 | bd Magenta, 157 | des Martyrs, 74 | *Barbès-Rochech.* |
| | 41-68 | J4 | | | *Anvers* |
| | 63-114 | J4 | Pairs, 18ème | Impairs, 9ème | *Pigalle* |
| 9 | **Rochechouart (de)** | K4 | Lamartine, 2 | bd Rochechouart, 19 | *Cadet* |
| | 70-81 | | | | *Anvers* |
| 8 | **Rocher (du)** | H5 | de Rome, 15 | bd de Courcelles, 1 | *St-Lazare* |
| | 93-109 | H4 | | | *Villiers* |
| 10 | **Rocroy (de)** | K4 | d'Abbeville, 6 | bd Magenta, 135 | *Poissonnière* |
| 14 | **Rodenbach (allée)** | J12 | Jean Dolent, 25 | | *St-Jacques* |
| 9 | **Rodier** | J4 | de Maubeuge, 9 | av. de Trudaine, 19 | *Anvers* |
| 16 | **Rodin (av.)** | C7 | Mignard | de la Tour | *Rue de la Pompe* |
| 16 | **Rodin (pl.)** | C8 | av. du Recteur Poincaré | av. Lépopold-II | *Jasmin* |
| 14 | **Roger** | I11 | Froideveaux, 47 | Daguerre, 66 | *Denfert-Rochereau* |

| Ar. | Rues | Plan | Commençant | Finissant | Métro |
|---|---|---|---|---|---|
| 17 | **Roger Bacon** | E4 | Guersant, 38 | Bayen, 65 | *Pte Maillot* |
| 20 | **Roger Bissière** | Q8 | sq. La Salamandre | | *Maraîchers* |
| 3 | **Roger Verlomme** | L8 | des Tournelles, 33 | du Béarn | *Chemin Vert* |
| 6 | **Rohan (cour de)** | J8 | du Jardinet, 4 | | *Odéon* |
| 1 | **Rohan (de)** | J7 | de Rivoli, 174 | St Honoré, 159 | *Palais-Royal* |
| 18 | **Roi d'Alger (pass. du)** | K2 | du Roi d'Alger, 17 | Championnet, 5 | *Pte Clignancourt* |
| 18 | **Roi d'Alger (du)** | K2 | bd Ornano, 56 | Neuve de la Chardonnière | *Pte Clignancourt* |
| 4 | **Roi de Sicile (du)** | L8 | Malher, 3 | Bourg-Tibourg | *St-Paul* |
| 3 | **Roi Doré (du)** | M7 | de Turenne, 79 | de Thorigny, 22 | *St-Séb.-Froissard* |
| 2 | **Roi François (cour du)** | K6 | St Denis, 194 | | *Réaumur-Sébast.* |
| 18 | **Roland Dorgelès (carr.)** | J3 | St Vincent | Saules | *Lamarck-Caulainc.* |
| 20 | **Roland Garros (sq.)** | Q6 | du Capitaine Ferber | en impasse | *Pelleport* |
| 14 | **Roli** | J14 | d'Arcueil, 16 | de la Cité Universitaire | *Cité Universit.* |
| 20 | **Rolleboise (imp.)** | P8 | des Vignoles, 20 | | *Avron* |
| 5 | **Rollin** | K10 | Monge, 58 | Cardinal Lemoine, 81 | *Monge* |
| 14 | **Romain Rolland (bd)** | H14 | Emile Faguet | av. de la Pte Châtillon | *Pte d'Orléans* |
| 19 | **Romainville (de)** | Q5 | de Belleville, 265 | de Belleville, 339 | *Télégraphe* |
| 3 | **Rome (cour de)** | L7 | des Gravilliers, 24 | des Vertus, 9 | *Arts-et-Métiers* |
| 8 | **Rome (cour de)** | H5 | Gare St Lazare | | *St-Lazare* |
| 8 | **Rome (de)** | H-I5 | bd Haussmann, 80 | Cardinet, 144 | *St-Lazare* |
| 17 | **50-51** | H4 | | | *Europe* |
| | **75-86** | H3 | de 1 à 73 et 2 à 82, 8ème | le reste, 17ème | *Rome* |
| 20 | **Rondeaux (pass. des)** | P7 | des Rondeaux, 90 | | *Gambetta* |
| 20 | **Rondeaux (des)** | P7 | Charles Renouvier | av. Gambetta, 24 | *Gambetta* |
| 12 | **Rondelet** | O9 | Erard, 23 | bd Diderot, 100 | *Reuilly-Diderot* |
| 20 | **Rondonneaux (des)** | P7 | des Pyrénées, 22 | Malte-Brun | *Gambetta* |
| 18 | **Ronsard** | K3 | pl. St Pierre | Charles Nodier | *Anvers* |
| 15 | **Ronsin (imp.)** | G10 | de Vaugirard, 152 | | *Pasteur* |
| 8 | **Roquépine** | H5 | bd Malesherbes, 41 | Cambacérès, 20 | *St-Augustin* |
| 11 | **Roquette (cité de la)** | N8 | de la Roquette, 60 | | *Bastille* |
| 11 | **Roquette (de la)** | N8 | pl. de la Bastille, 8 | bd Ménilmontant, 21 | *Bastille* |
| | **121-200** | O7 | | | *Philippe Auguste* |
| 11 | **Roquette (sq. de la)** | O7 | Servan | de la Roquette | *Philippe Auguste* |
| 15 | **Rosa-Bonheur** | G9 | av. Breteuil, 78 | av. de Suffren, 157 | *Sèvres-Lecourbe* |
| 15 | **Rosenwald** | G12 | de Vouillé, 18 | des Morillons, 101 | *Plaisance* |
| 18 | **Roses (des)** | L2 | pl. Hébert, 5 | La Chapelle, 42 | *Marx Dormoy* |
| 18 | **Roses (villa des)** | L2 | La Chapelle, 44 | | *Pte la Chapelle* |
| 15 | **Rosière (de la)** | E10 | des Entrepreneurs, 70 | de l'Eglise, 53 | *Charles Michels* |
| 4 | **Rosiers (des)** | L8 | Malher, 13 | Vieille-du-Temple, 42 | *St-Paul* |
| 13 | **Rosny-Aîné (sq.)** | L14 | du Dr. Bourneville, 1 | en impasse | *Pte d'Italie* |
| 9 | **Rossini** | J5 | de la Grange-Batelière | Laffite, 30 | *Richelieu-Drouot* |
| 18 | **Rothschild (imp.)** | I3 | av. de St Ouen, 18 | | *La Fourche* |
| 6 | **Rotrou** | J9 | pl. de l'Odéon, 8 | Vaugirard, 20 | *Odéon* |
| 12 | **Rottembourg** | Q11 | du Gal Michel Bizot, 96 | bd Soult, 49 | *Michel Bizot* |
| 10 | **Roubaix (pl. de)** | K4 | bd Magenta | de Maubeuge | *Gare du Nord* |
| 11 | **Roubo** | O9 | Fg St Antoine, 263 | de Montreuil, 42 | *Faidherbe-Chal.* |

| Ar. | Rues | Plan | Commençant | Finissant | Métro |
|---|---|---|---|---|---|
| 15 | **Rouelle** | **E9** | quai de Grenelle, 45 | de Lourmel, 28 | *Dupleix* |
| 19 | **Rouen (de)** | **N3** | quai de Seine, 55 | de Flandre, 56 | *Riquet* |
| 14 | **Rouet (imp. du)** | **I12** | av. Jean Moulin, 4b | | *Alésia* |
| 9 | **Rougemont (cité)** | **K5** | Rougemont, 5 | Bergère, 19 | *Rue Montmartre* |
| 9 | **Rougemont** | **K5** | bd Poissonnière, 18 | Bergère, 15 | *Rue Montmartre* |
| 1 | **Rouget-de-Lisle** | **I6** | de Rivoli, 240 | du Mont-Thabor, 21 | *Concorde* |
| 1 | **Roule (du)** | **J7** | de Rivoli, 138 | St Honoré, 79 | *Louvre* |
| 8 | **Roule (sq.)** | **F5** | Fg St Honoré, 223 | | *Ternes* |
| 7 | **Rousselet** | **H9** | Oudinot, 19 | Sèvres, 70 | *Vanneau* |
| 12 | **Roussillon (du)** | **O11** | Bercy | | *Bercy* |
| 19 | **Rouvet** | **O2** | quai de la Gironde, 7 | av. Corentin Cariou | *Corentin-Cariou* |
| 16 | **Rouvray (av. de)** | **B10** | Boileau | en impasse | *M.-Ange-Molitor* |
| 17 | **Roux (imp.)** | **F4** | Rennequin, 21 | | *Ternes* |
| 8 | **Roy** | **H5** | La Boétie, 6 | de Laborde, 41 | *St-Augustin* |
| 1 | **Royal (pont)** | **I7** | quai des Tuileries | quai Voltaire | *Rue du Bac* |
| 8 | **Royale** | **H6** | pl. Concorde, 4 | pl. Madeleine, 2 | *Concorde* |
| | **24-27** | | | | *Madeleine* |
| 5 | **Royer Collard (imp.)** | **J10** | Guay-Lussac, 8 | Royer Collard, 15 | *Luxembourg* |
| 5 | **Royer Collard** | **J10** | St Jacques, 204b | bd St Michel, 73 | *Luxembourg* |
| 13 | **Rubens** | **L11** | des Banquiers, 33b | bd de l'Hôpital, 140 | *Place d'Italie* |
| 16 | **Rude** | **E5** | av. Foch, 13 | av. de la Grande-Armée, 1 | *Ch. de Gaulle-Et.* |
| 18 | **Ruelle (pass.)** | **L3** | Marx Dormoy, 29 | imp. de Jessaint | *Pte la Chapelle* |
| 17 | **Ruhmkorff** | **E4** | bd Gouvion-St Cyr, 74 | bd Gouvion-St Cyr, 57 | *Pte Maillot* |
| 18 | **Ruisseau (du)** | **J2** | Marcadet, 134 | bd Ney, 41 | *Lamarck-Caulainc.* |
| | **103-114** | **J1** | | | *Pte Clignancourt* |
| 13 | **Rungis (pl. de)** | **K13** | Brillat-Savarin | de Rungis | *Cité Universit.* |
| 13 | **Rungis (de)** | **K13** | pl. de Rungis | de l'Amiral Mouchez | *Cité Universit.* |
| 12 | **Rutebœuf (pl.)** | **N10** | pass. Raguinot | Maurice Denis | *Gare de Lyon* |
| 8 | **Ruysdaël (av.)** | **G4** | de Monceau, 41 | parc Monceau | *Monceau* |

# S

| Ar. | Rues | Plan | Commençant | Finissant | Métro |
|---|---|---|---|---|---|
| 14 | **Sablière (de la)** | **H12** | av. du Maine, 186 | Didot, 35 | *Mouton-Duvernet* |
| 16 | **Sablons (des)** | **D6** | St Didier, 39 | av. Georges Mandel, 36 | *Trocadéro* |
| 17 | **Sablonville (de)** | **D4** | pl. Pte des Ternes, 15 | Neuilly | *Pte Maillot* |
| 6 | **Sabot (du)** | **J8** | Bern. Palissy, 13 | de Rennes, 64 | *St-Sulpice* |
| 18 | **Sacré-Cœur (cité)** | **J3** | Chevalier de la Barre, 40 | en impasse | *Abbesses* |
| 19 | **Sadi Carnot (villa)** | **P4** | de Mouzaïa, 40 | Bellevue, 25 | *Danube* |
| 19 | **Sadi Lecointe** | **N4** | de Meaux, 42 | av. Simon Bolivar, 121 | *Bolivar* |
| 12 | **Sahel (du)** | **Q10** | bd de Picpus, 28 | bd Soult, 69 | *Bel-Air* |
| 12 | **Sahel (villa du)** | **Q10** | du Sahel, 45b | | *Bel-Air* |
| 16 | **Saïd (villa)** | **D5** | Pergolèse, 70 | | *Pte Dauphine* |
| 15 | **Saïda (de la)** | **E12** | Olivier de Serres, 77 | Dantzig, 62 | *Pte de Versailles* |
| 16 | **Saïgon (de)** | **E5** | Rude, 3 | d'Argentine, 16 | *Argentine* |
| 14 | **Saillard** | **I12** | Charles Divry | Brézin, 30 | *Mouton-Duvernet* |

| Ar. | Rues | Plan | Commençant | Finissant | Métro |
|---|---|---|---|---|---|
| 14 | St Alphonse (imp.) | I13 | Père Corentin, 77 | | *Pte d'Orléans* |
| 15 | St Amand | G11 | pl. d'Alleray, 10 | Castagnary, 34 | *Plaisance* |
| 11 | St Ambroise (pass.) | N7 | St Ambroise, 29 | en impasse | *St-Ambroise* |
| 11 | St Ambroise | N7 | Folie Méricourt, 2 | St Maur, 69 | *St-Ambroise* |
| 6 | St André-des-Arts (pl.) | J8 | St André-des-Arts, 21 | Suger, 2 | *St-Michel* |
| 6 | St André-des-Arts | J8 | pl. St A.-des-Arts, 15 | Dauphine, 63 | *St-Michel* |
| | 67-72 | | | | *Odéon* |
| 17 | St Ange (pass.) | I1 | av. de St Ouen, 131 | J. Leclaire, 20 | *Pte de St Ouen* |
| 17 | St Ange (villa) | I1 | imp. St Ange | | *Pte de St Ouen* |
| 11 | St Antoine (pass.) | N8 | pass. Josset, 8 | de Charonne, 36 | *Ledru-Rollin* |
| 4 | St Antoine | M8 | pl. de la Bastille, 3 | de Fourcy, 16 | *Bastille* |
| | 120-129 | L8 | | | *St-Paul* |
| 11-12 | St Antoine (du faubourg) | M-N9 | de la Roquette, 2 | pl. de la Nation, 1 | *Bastille* |
| | 47-50 | N9 | | | *Ledru-Rollin* |
| | 144-167 | N9 | | | *Faidherbe-Chal.* |
| | 246-285 | O9 | pairs, 12e | impairs, 11e | *Nation* |
| 8 | St Augustin (pl.) | H5 | bd Haussmann, 116 | de Laborde | *St-Lazare* |
| 2 | St Augustin | J6 | de Richelieu, 77 | av. de l'Opéra, 34 | *4-Septembre* |
| 6 | St Benoît | J8 | Jacob, 33 | bd St Germain, 172 | *St-Germ.-des-Prés* |
| 11 | St Bernard (pass.) | N9 | Fg St Antoine, 159 | Charles Delescluze | *Ledru-Rollin* |
| 11 | St Bernard | N8-9 | Fg St Antoine, 185 | de Charonne, 80 | *Faidherbe-Chal.* |
| 5 | St Bernard (port) | M10 | pont d'Austerlitz | pont de Sully | *Gare d'Austerlitz* |
| 5 | St Bernard (quai) | L9-10 | pont d'Austerlitz | pont de Sully | *Gare d'Austerlitz* |
| 18 | St Bernard (sq.) | L3 | Stephenson, 16 | | *Pte la Chapelle* |
| 20 | St Blaise (pl.) | Q7 | de Bagnolet, 121 | | *Gambetta* |
| 20 | St Blaise | Q7-8 | de Bagnolet, 122 | bd Davout, 113 | *Pte de Montreuil* |
| 4 | St Bon | K8 | de Rivoli, 82 | de la Verrerie, 93 | *Hôtel de Ville* |
| 18 | St Bruno | L3 | Stephenson, 13 | St Luc, 6 | *Pte la Chapelle* |
| 12 | St Charles (sq.) | O9 | de Reuilly, 55 | | *Reuilly-Diderot* |
| 15 | St Charles (imp.) | D10 | St Charles, 100 | | *Charles Michels* |
| 15 | St Charles (pl.) | E9 | St Charles, 47 | du Théâtre, 41 | *Charles Michels* |
| 15 | St Charles (rd-pt) | D10 | St Charles, 159 | des Cévennes, 60 | *Charles Michels* |
| 15 | St Charles | E9 | bd de Grenelle, 34 | Leblanc, 77 | *Bir-Hakeim* |
| | 84-86 | D10 | | | *Charles Michels* |
| | 134-137 | D11 | | | *Lourmel* |
| 19 | St Chaumont (cité) | N5 | de la Villette, 50 | Simon Bolivar, 73 | *Belleville* |
| 15 | St Christophe | D10 | Sébastien Mercier, 31 | Convention, 28 | *Javel* |
| 3 | St Claude (imp.) | M7 | St Claude, 16 | | *St-Séb.-Froissard* |
| 3 | St Claude | M7 | bd Beaumarchais, 101 | de Turenne, 70 | *St-Séb.-Froissard* |
| 3 | St Denis (bd) | L6 | St Martin, 361 | Fg St Denis, 2 | *Strasb.-St-Denis* |
| 10 | de 1 à 9, 3e | | de 11 à fin impairs, 2e | pairs, 10e | |
| 2 | St Denis (galerie) | K6 | pass. du Caire | | *Réaumur-Sébast.* |
| 2 | St Denis (imp.) | K6 | St Denis, 117 | | *Réaumur-Sébast.* |
| 1-2 | St Denis | K7 | av. Victoria, 12 | bd Bonne-Nouvelle, 1 | *Châtelet* |
| | 82-91 | K7 | | | *Les Halles* |
| | 108-135 | K7 | | | *Etienne Marcel* |

| Ar. | Rues | Plan | Commençant | Finissant | Métro |
|---|---|---|---|---|---|
| | 184-201 | K6 | | | *Réaumur-Sébast.* |
| | 252-291 | K6 | de 1 à 133 et 2 à 104, 1er. | le reste, 2e | *Strasb.-St-Denis* |
| 10 | **St Denis (du faubourg)** | L5 | bd St Denis, 30 | bd de la Chapelle, 37 | *Strasb.-St-Denis* |
| | 70-73 | L5 | | | *Château-d'Eau* |
| | 115-122 | L5 | | | *Gare de l'Est* |
| | 166-171 | L4 | | | *Gare du Nord* |
| | 200-232 | L4 | | | *Pte la Chapelle* |
| 16 | **St Didier** | E6 | av. Kléber, 94 | av. Victor Hugo, 131 | *Victor-Hugo* |
| 7 | **St Dominique** | H7 | bd St Germain, 223 | av. La Bourdonnais, 37 | *Solférino* |
| | 36-61 | G7 | | | *Invalides* |
| | 104-119 | F8 | | | *Ecole Militaire* |
| 18 | **St Eleuthère** | J3 | Foyatier | pl. du Tertre | *Abbesses* |
| 12 | **St Eloi (cour)** | O9 | de Reuilly, 39 | bd Diderot, 136 | *Reuilly-Diderot* |
| 12 | **St Emilion (cour)** | O12 | Petit Bercy, 58 | de la Garonne | *Dugommier* |
| 11 | **St Esprit (cour du)** | N9 | Fg St Antoine, 127 | | *Ledru-Rollin* |
| 12 | **St Estèphe** | O12 | Petit Bercy, 68 | Abel Laurent | *Bercy* |
| 5 | **St Etienne du Mont** | K9 | Descartes, 24 | Mont. Ste Geneviève, 51 | *Cardinal Lemoine* |
| 1 | **St Eustache (imp.)** | K7 | Montmartre, 3 | | *Les Halles* |
| 16 | **St Exupéry (quai)** | B11 | bd Murat | Boulogne | *Pte de St Cloud* |
| 20 | **St Fargeau** | Q5 | Pelleport, 132 | bd Mortier | *St-Fargeau* |
| 20 | **St Fargeau (pl.)** | Q5 | av. Gambetta, 108 | | *St-Fargeau* |
| 17 | **St Ferdinand (pl.)** | E4 | St Ferdinand, 34 | | *Argentine* |
| 17 | **St Ferdinand** | E4 | av. des Ternes, 65 | av. Gde Armée, 66 | *Argentine* |
| 4 | **St Fiacre (imp.)** | K7 | St Martin, 81 | | *Châtelet* |
| 2 | **St Fiacre** | K6 | Jeûneurs, 30 | bd Poissonnière, 11 | *Rue Montmartre* |
| 8 | **St Florentin** | H6 | de Rivoli, 258 | St Honoré, 273 | *Concorde* |
| 1 | pairs, 1er | | | impairs, 8e | |
| 18 | **St François (imp.)** | K1 | Letort, 51 | | *Pte Clignancourt* |
| 9 | **St Georges (pl.)** | J4 | Notre-Dame de Lorette, 30 | | *St-Georges* |
| 9 | **St Georges** | J5 | Lafayette, 31 | pl. St Georges, 27 | *St-Georges* |
| 5 | **St Germain (bd)** | K-L9 | quai de la Tournelle, 1 | quai d'Orsay, 27 | *Cardinal Lemoine* |
| | 13-14 | L9 | | | *Maubert-Mutualité* |
| 6 | 83-110 | J8-9 | | | *Odéon* |
| | 149-170 | I8 | | | *St-Germ.-des-Prés* |
| 7 | 205-238 | I8 | de 1 à 73 et de 2 0 100, 5e | | *Rue du Bac* |
| | 229-260 | H7 | 75-175 et de 102-184, 6e. | | *Solférino* |
| | 239-280 | H7 | de 177 à 186 à la fin, 7e | | *Ass. Nationale* |
| 1 | **St Germain-l'Auxerrois** | K8 | Lav. St Opportune, 1 | Bourbonnais, 6 | *Pont-Neuf* |
| 6 | **St Germain-des-Prés (pl.)** | I8 | bd St Germain, 170 | | *St-Germ.-des-Prés* |
| 4 | **St Gervais (pl.)** | L8 | de Lobau | François Miron | *Hôtel de Ville* |
| 3 | **St Gilles** | M8 | bd Beaumarchais, 67 | de Turenne, 50 | *Chemin Vert* |
| 14 | **St Gothard (du)** | J12 | Dareau, 45 | d'Alésia, 6 | *St-Jacques* |
| 7 | **St Guillaume** | J8 | Pré-aux-Clercs, 18 | Grenelle, 34 | *Rue du Bac* |
| 13 | **St Hippolyte** | K11 | Pascal, 44 | de la Glacière, 9 | *Gobelins* |
| 1 | **St Honoré** | J7 | Bourdonnais, 43 | Royale, 16 | *Louvre* |
| 8 | 155-202 | J7 | | | *Palais-Royal* |

| Ar. | Rues | Plan | Commençant | Finissant | Métro |
|---|---|---|---|---|---|
| | 213-312 | IG-7 | | | Tuileries |
| | 271-422 | I6 | de 273 et 406 à la fin, 8e | | Concorde |
| 8 | St Honoré (du faubourg) | H6 | Royale, 21 | pl. des Ternes, 2 | Concorde |
| | 81-100 | H6 | | | Ch.-Elysées-Clem. |
| | 150-151 | G5 | | | St-Ph.-du-Roule |
| | 241-272 | F5 | | | Ternes |
| 16 | St Honoré d'Eyliau (av.) | E6 | av. Raymond Poincaré | en impasse | Victor-Hugo |
| 11 | St Hubert | N7 | av. de la République | St Maur | St-Maur |
| 1 | St Hyacinthe | I6 | Sourdière, 15 | Marché St Honoré, 10 | Pyramides |
| 11 | St Irénée (sq.) | N7 | Lacharrière, 10 | | St-Ambroise |
| 14 | St Jacques (bd) | J12 | de la Santé, 52 | pl. Denfert-Rochereau, 3 | Glacière |
| | 45-69 | | | | St-Jacques |
| | 60-73 | | | | Denfert-Rochereau |
| 14 | St Jacques (pl.) | J12 | Fg St Jacques, 83 | bd St Jacques | St-Jacques |
| 5 | St Jacques | K9 | St Séverin, 3 | bd Port-Royal, 86 | Maubert-Mutualité |
| | 219-238 | J10 | | | Luxembourg |
| 14 | St Jacques (du faubourg) | J11 | bd Port-Royal, 119 | bd St Jacques, 48 | St-Jacques |
| 14 | St Jacques (villa) | J12 | bd St Jacques, 67 | de la Tombe-Issoire, 20 | St-Jacques |
| 17 | St Jean | I3 | av. de Clichy, 82 | Dautancourt, 6 | La Fourche |
| 6 | St J.-Baptiste de la Salle | H9 | de Sèvres, 117 | du Cherche-Midi, 112 | Vanneau |
| 18 | St Jérôme | L3 | St Mathieu, 6 | Cavé, 11 | Pte la Chapelle |
| 1 | St John Perse (allée) | K7 | pl. René Cassin | Berger | Les Halles |
| 11 | St Joseph (cour) | N9 | de Charonne, 5 | | Ledru-Rollin |
| 2 | St Joseph | K6 | du Sentier, 9 | Montmartre, 141 | Sentier |
| 18 | St Jules (pass.) | J1 | Leibniz, 18 | A. Compoint, 2 | Pte Clignancourt |
| 5 | St Julien-le-Pauvre | K9 | de la Bûcherie, 35 | Galande, 56 | St-Michel |
| 17 | St Just | G1 | cimetière des Batignolles | limite de Clichy | Pte de Clichy |
| 15 | St Lambert | E11 | Lecourbe, 261 | Desnouettes, 6 | Convention |
| 15 | St Lambert (sq.) | F10 | Léon Lhermite | J. Formigé | Commerce |
| 10 | St Laurent | L5 | Fg St Martin, 129 | bd Magenta, 74 | Gare de l'Est |
| 10 | St Laurent (sq.) | L5 | bd Magenta, 68 | | Gare de l'Est |
| 8-9 | St Lazare | I-J5 | Notre-Dame de Lorette, 1 | de Rome, 14 | N.-D. de Lorette |
| | 66-73 | | | | Trinité |
| | 104-109 | | de 1 à 109 et 2 à 106, 9e | de 111 à fin des impairs, 8e | St-Lazare |
| 11 | St Louis (cour) | M8 | Fg St Antoine, 45 | de Lappe, 26 | Bastille |
| 4 | St Louis (pont) | J8 | quai d'Orléans | quai aux Fleurs | Pont-Marie |
| 4 | St Louis-en-l'Ile | L9 | quai d'Anjou, 1 | Jean-du-Bellay, 6 | Sully-Morland |
| | 9-12 | | | | Pont-Marie |
| 18 | St Luc | L3 | Polonceau, 12 | Cavé | Barbès-Rochech. |
| 12 | St Mandé (av.) | Q10 | de Picpus, 33 | bd Soult, 117 | Picpus |
| 12 | St Mandé (villa) | P10 | av. de St Mandé, 29 | bd de Picpus, 63 | Picpus |
| 2 | St Marc (galerie) | J6 | St Marc, 8 | galerie des Variétés, 23 | Bourse |
| 2 | St Marc | J6 | Montmartre, 147 | Favart, 12 | Rue Montmartre |
| | 9-10 | | | | Richelieu-Drouot |
| 17 | St Marceaux (de) | F2 | bd Berthier, 108 | bd de Reims | Péreire |
| 5-13 | St Marcel (bd) | L11 | bd de l'Hôpital, 48 | av. des Gobelins, 25 | St-Marcel |

| Ar. | Rues | Plan | Commençant | Finissant | Métro |
|---|---|---|---|---|---|
| | 49-54 | | pairs, 5e | impairs, 13e | *Gobelins* |
| 3-10 | St Martin (bd) | L6 | pl. République, 23 | St Martin, 334 | *République* |
| | | | impairs, 3e | pairs, 10e | |
| 10 | St Martin (cité) | L5 | Fg St Martin, 96 | en impasse | *Château-d'Eau* |
| 3-4 | St Martin | K7 | quai de Gesvres, 12 | bd St Denis, 1 | *Châtelet* |
| | 245-254 | K7 | | | *Réaumur-Sébast.* |
| | 334-359 | K7 | de 145 et 154 à la fin, 3e | | *Strasb.-St-Denis* |
| 10 | St Martin (du faubourg) | L6 | bd St Denis, 2 | bd de la Villette, 145 | *Strasb.-St-Denis* |
| | 131-158 | L5 | | | *Gare de l'Est* |
| | 183 | L4 | | | *Château-Landon* |
| | 225 | M4 | | | *Louis Blanc* |
| 18 | St Mathieu | L3 | Stephenson, 21 | St Luc, 8 | *Pte la Chapelle* |
| 11 | St Maur (pass.) | N7 | St Maur, 81 | imp. St Ambroise, 6 | *St-Maur* |
| 11 | St Maur | N-O7 | de la Roquette, 133 | Claude Vellefaux, 22 | *Voltaire* |
| 10 | 78-91 | N7 | | | *St-Maur* |
| | 175-176 | N6 | 1 à 175 et 2 à 176, 11e | le reste, 10e | *Goncourt* |
| 5 | St Médard | K10 | Gracieuse, 37 | Mouffetard, 39 | *Monge* |
| 5 | St Médard (sq.) | K11 | Censier, 53 | Mouffetard, 141 | *Censier-Daubenton* |
| 4 | St Merri | K7 | du Temple, 25 | St Martin, 102 | *Hôtel de Ville* |
| 5 | St Michel (bd) | J9 | pl. St Michel, 7 | av. de l'Observatoire | *St-Michel* |
| 6 | 12-13 | J9 | | | *Odéon* |
| | 64-105 | J10 | impairs, 5e | pairs, 6e | *Port-Royal* |
| 17 | St Michel (pass.) | I3 | av. St Ouen, 17 | St Jean, 10 | *La Fourche* |
| 5-6 | St Michel (pl.) | K8 | quai St Michel, 29 | bd St Michel | *St-Michel* |
| 6 | | | de 1 à 7, 5e | de 9 et 11 et pairs, 6e | |
| 4-5 | St Michel (pont) | K8 | quai des Orfèvres | quai des Gds-Augustins | *St-Michel* |
| 5 | St Michel (quai) | K8 | Petit-Pont | pt St Michel | *St-Michel* |
| 18 | St Michel (villa) | I3 | av. St Ouen, 48 | Ganneron, 63 | *La Fourche* |
| 11 | St Nicolas (cour) | O9 | de Montreuil, 45 | | *Faidherbe-Chal.* |
| 12 | St Nicolas | N9 | Charenton, 69 | Fg St Antoine, 82 | *Ledru-Rollin* |
| 17 | St Ouen (av.) | I2 | av. de Clichy, 64 | bd Bessières, 1 | *La Fourche* |
| 18 | 153-156 | | impairs, 17e | pairs, 18e | *Pte de St Ouen* |
| 17 | St Ouen (imp.) | I2 | Petiet, 3 | | *Guy Môquet* |
| 20 | St Paul (imp.) | Q8 | pass. Dieu, 5 | | *Maraîchers* |
| 4 | St Paul (pass.) | L8 | St Paul, 43 | | *St-Paul* |
| 4 | St Paul | L8 | quai des Célestins, 22 | St Antoine, 87 | *St-Paul* |
| 2 | St Philippe | K6 | d'Aboukir, 115 | de Cléry, 72 | *Sentier* |
| 8 | St Philippe-du-Roule (pass.) | G5 | Fg St Honoré, 154 | Courcelles, 9 | *St-Ph.-du-Roule* |
| 8 | St Philippe-du-Roule | G5 | Fg St Honoré, 31 | d'Artois, 14 | *St-Ph.-du-Roule* |
| 20 | St Pierre (imp.) | P8 | des Vignoles, 47 | | *Buzenval* |
| 18 | St Pierre (pl.) | J3 | Charles Nodier | Foyatier | *Anvers* |
| 17 | St Pierre (cité) | I3 | av. de Clichy | en impasse | *La Fourche* |
| 11 | St Pierre Amelot (pass.) | M7 | Amelot, 98 | bd Voltaire, 52 | *Oberkampf* |
| | 5-6 | | | | *Filles Calvaire* |
| 6 | St Placide | I9 | de Sèvres, 59 | Vaugirard, 88 | *St-Placide* |
| 10 | St Quentin (de) | L4 | bd Magenta, 94 | Dunkerque, 19 | *Gare du Nord* |

| Ar. | Rues | Plan | Commençant | Finissant | Métro |
|---|---|---|---|---|---|
| 1 | St Roch (pass.) | I6 | St Honoré, 284 | Pyramides, 17 | *Pyramides* |
| 1 | St Roch | I6 | de Rivoli, 194 | av. de l'Opéra, 31 | *Pyramides* |
| 6 | St Romain | H9 | de Sèvres, 111 | du Cherche-Midi, 104 | *Vanneau* |
| 6 | St Romain (sq.) | H9 | St Romain, 9 | | *Vanneau* |
| 18 | St Rustique | J3 | du Mont Cenis, 7 | Norvins, 20 | *Abbesses* |
| 11 | St Sabin (pass.) | M8 | de la Roquette, 31 | St Sabin, 12 | *Bréguet-Sabin* |
| 11 | St Sabin | M8 | de la Roquette, 17 | Beaumarchais, 88 | *Bréguet-Sabin* |
| | 29-30 | | | | *Chemin Vert* |
| | 52-53 | | | | *St-Séb.-Froissard* |
| 15 | St Saëns | E8 | Fédération, 30 | bd de Grenelle, 27 | *Bir-Hakeim* |
| 2 | St Sauveur | K6 | St Denis, 183 | Petits-Carreaux | *Réaumur-Sébast.* |
| 11 | St Sébastien (imp.) | M7 | St Sébastien, 32 | | *St-Séb.-Froissard* |
| 11 | St Sébastien (pass.) | M7 | Amelot, 86 | Richard Lenoir, 93 | *St-Séb.-Froissard* |
| 11 | St Sébastien | M7 | bd Beaumarchais, 102 | Folie Méricourt, 19 | *St-Séb.-Froissard* |
| 17 | St Senoch | E4 | Bayen, 34 | Laugier, 47 | *Ternes* |
| 5 | St Séverin | K8 | St Jacques, 12 | bd St Michel | *St-Michel* |
| 7 | St Simon (de) | H8 | bd St Germain, 215 | Grenelle, 92 | *Rue du Bac* |
| 20 | Sts Simoniens (pass.) | P6 | de la Duée, 18 | en impasse | *Télégraphe* |
| 2 | St Spire | K6 | d'Alexandre, 14 | Ste Foy, 8 | *Réaumur-Sébast.* |
| 6 | St Sulpice (pl.) | I9 | Bonaparte, 63ter | | *St-Sulpice* |
| 6 | St Sulpice | J9 | de Condé, 4 | pl. St Sulpice, 2 | *Odéon* |
| 7 | St Thomas d'Aquin (pl.) | I8 | de Gribeauval | St Thomas d'Aquin | *Rue du Bac* |
| 7 | St Thomas d'Aquin | I8 | pl. St Th. d'Aquin, 5 | bd St Germain, 228 | *Rue du Bac* |
| 5 | St Victor | K9 | de Poissy, 32 | Monge, 11 | *Cardinal Lemoine* |
| 19 | St Vincent (imp.) | O5 | du Plateau, 7 | | *Botzaris* |
| 18 | St Vincent | J3 | de la Bonne | pl. C. Pecqueur | *Lamarck-Caulainc.* |
| 10 | St Vincent-de-Paul | K4 | Belzunce, 12 | Ambroise Paré, 7 | *Gare du Nord* |
| 10 | St Vincent-de-Paul (sq.) | K4 | Bossuet | pl. La Fayette | *Poissonnière* |
| 14 | St Yves | J13 | av. Reille | de la Tombe-Issoire, 107 | *Alésia* |
| 3 | Ste Anastase | M7 | Turenne, 71 | Thorigny, 14 | *St-Séb.-Froissard* |
| 2 | Ste Anne (pass.) | J6 | Ste Anne, 59 | pass. Choiseul, 52 | *4-Septembre* |
| 1 | Ste Anne | J6 | av. de l'Opéra, 14 | St Augustin, 15 | *4-Septembre* |
| 2 | | | de 49 à la fin des impairs | | |
| 11 | Ste Anne Popincourt (pass.) | M8 | St Sabin, 42b | Richard Lenoir, 43 | *Bréguet-Sabin* |
| 2-3 | Sainte Apolline | L6 | St Martin, 359 | St Denis, 250 | *Strasb.-St-Denis* |
| | | | de 13 et 10 à la fin, 2e | | |
| 3 | Ste Avoie (pass.) | L7 | Rambuteau, 8 | du Temple, 62 | *Rambuteau* |
| 6 | Ste Beuve | I10 | N.-D. des Champs, 46b | bd Raspail, 133 | *Vavin* |
| 9 | Ste Cécile | K5 | Fg Poissonnière | de Trévise, 6 | *Rue Montmartre* |
| 12 | Ste Claire Deville | O10 | pass. Montgallet, 11 | Ebelmen, 8 | *Montgallet* |
| 17 | Ste Croix (imp.) | H2 | Jonquière, 46 | | *Guy Môquet* |
| 4 | Ste Cx de la Bretonn. (sq.) | L8 | des Archives, 15 | Ste Cx de la Bretonnerie, 37 | *Hôtel de Ville* |
| 4 | Ste Croix de la Bretonnerie | L8 | Vieille-du-Temple, 33 | du Temple, 26 | *Hôtel de Ville* |
| 3 | Ste Elisabeth (pass.) | L6 | Temple, 197 | Turbigo, 72 | *République* |
| 3 | Ste Elisabeth | L6 | des Fontaines, 10 | de Turbigo, 70 | *République* |
| 15 | Ste Eugénie (av.) | F11 | Dombasle, 30 | en impasse | *Convention* |

| Ar. | Rues | Plan | Commençant | Finissant | Métro |
|---|---|---|---|---|---|
| 15 | Ste Félicité | F11 | de la Procession, 14. | | *Vaugirard* |
| 2 | Ste Foy (galerie) | K6 | du Caire, 34 | pass. du Caire | *Réaumur-Sébast.* |
| 2 | Ste Foy (pass.) | K6 | St Denis, 263. | Ste Foy, 14 | *Strasb.-St-Denis* |
| 2 | Ste Foy | K6 | d'Alexandrie | St Denis, 281 | *Strasb.-St-Denis* |
| 5 | Ste Geneviève (pl.) | K9 | pl. du Panthéon | St Etienne du Mont | *Cardinal Lemoine* |
| 13 | Ste Hélène (de) | K14 | Poterne des Peupliers | en impasse | *Pte d'Italie* |
| 18 | Ste Henriette | J1 | Letort | en impasse | *Pte Clignancourt* |
| 18 | Ste Isaure | K2 | du Poteau, 4 | Versigny, 7 | *Simplon* |
| 14 | Ste Léonie (imp.) | H12 | Pernety, 24 | | *Pernety* |
| 15 | Ste Lucie | D10 | de l'Eglise, 22 | de Javel, 95 | *Charles Michels* |
| 20 | Ste Marie (villa) | Q5 | pl. Adj. Vincenot | en impasse | *St-Fargeau* |
| 12 | Ste Marie (av.) | R11 | bd Carnot, 81 | | *Pte Dorée* |
| 10 | Ste Marthe (imp.) | M5 | Ste Marthe, 22. | | *Belleville* |
| 10 | Ste Marthe | M5 | St Maur, 216 | Sambre et Meuse, 40. | *Belleville* |
| 18 | Ste Monique (imp.) | I2 | des Tennis, 18. | | *Guy Môquet* |
| 17 | Ste Odile (sq.) | E3 | Courcelles | | *Pte de Champerret* |
| 1 | Ste Opportune (pl.) | K7 | des Halles, 10 | | *Châtelet* |
| 1 | Ste Opportune | K7 | des Halles, 10 | Ferronnerie, 21 | *Châtelet* |
| 6 | Sts Pères (port) | I7 | pont des Arts | pont Royal | *Palais-Royal* |
| G7 | Sts Pères (des) (pairs, 7e) | I8 | quai Malaquais, 23. | Sèvres, 8 | *Sèvres-Babylone* |
| 3 | Saintonge (de) | M7 | du Perche, 10 | bd du Temple, 21 | *Filles Calvaire* |
| 20 | Salamandre (sq.) | Q8 | Courot | P. Jean Toulet | *Maraîchers* |
| 11 | Salarnier (pass.) | N8 | Froment, 6 | Sedaine, 37. | *Bréguet-Sabin* |
| 5 | Salembrière (imp.) | K8 | St Séverin, 4 | | *St-Michel* |
| 17 | Salneuve | G3 | Legendre, 31 | de Saussure, 67 | *Villiers* |
| 3 | Salomon de Caus | L6 | St Martin, 319 | bd de Sébastopol, 100 | *Strasb.-St-Denis* |
| 17 | Salonique (av.) | D4 | A. de Paladines | bd Dixmude | *Pte Maillot* |
| 10 | Sambre et Meuse | M5 | J. Dodu, 12 | bd de la Villette, 35 | *Belleville* |
| 13 | Samson | K12 | Gérard, 62. | Butte-aux-Cailles, 22 | *Corvisart* |
| 20 | Samuel de Champlain (sq.) | P5 | av. Gambetta | Cim. du Père Lachaise | *Père-Lachaise* |
| 12 | Sancerrois (sq. du) | P12 | bd Poniatowski | | *Pte de Charenton* |
| 9 | Sandrié (imp.) | I5 | Auber, 3 | | *Opéra* |
| 13 | Santé (imp.) | J11 | de la Santé, 19 | | *Glacière* |
| 13 | Santé (de la) | J11 | Pt Royal, 95. | Alésia, 2 | *Glacière* |
| 14 | | J12 | pairs, 14e | impairs, 13e | |
| 12 | Santerre | P10 | de Picpus, 57. | bd Picpus, 27 | *Bel-Air* |
| 5 | Santeuil | L11 | Fer-à-Moulin, 10 | Censier, 17 | *Censier-Daubenton* |
| 7 | Santiago du Chili (pl.) | G8 | bd Latour-Maubourg | av. de la Motte-Picquet | *Latour-Maubourg* |
| 7 | Santiago du Chili (sq.) | G8 | av. de la Motte-Picquet | bd Latour-Maubourg | *Latour-Maubourg* |
| 15 | Santos Dumont | F12 | de Vouillé, 32 | des Morillons, 77. | *Plaisance* |
| 15 | Santos Dumont (villa) | I12 | Santos Dumont | | *Plaisance* |
| 14 | Saône (de la) | I12 | d'Alésia, 32. | Commandeur | *Alésia* |
| 20 | Sarah Bernhardt (sq.) | Q9 | Lagny | Buzenval | *Pte de Vincennes* |
| 15 | Sarasate | E10 | Convention, 93 | pass. Lourmel | *Boucicaut* |
| 14 | Sarrette | I13 | d'Alésia, 39. | av. Gal Leclerc, 109 | *Alésia* |
| 20 | Satan (imp.) | Q8 | des Vignoles, 92 | | *Maraîchers* |

| Ar. | Rues | Plan | Commençant | Finissant | Métro |
|---|---|---|---|---|---|
| 17 | **Sauffroy** | H2 | av. de Clichy, 134 | La Jonquière, 51 | *Guy Môquet* |
| 18 | **Saules (des)** | I2 | Norvins, 20 | Marcadet, 135 | *Lamarck-Caulainc.* |
| 9 | **Saulnier** | K5 | Richer, 36 | Lafayette, 72 | *Cadet* |
| 8 | **Saussaies (pl. des)** | H5 | des Saussaies | Cambacérès | *Miromesnil* |
| 8 | **Saussaies (des)** | H5 | Fg St Honoré, 92 | Cambacérès, 8 | *Ch.-Elysées-Clem.* |
| 17 | **Saussier-Leroy** | F4 | Poncelet, 17 | av. Niel, 22 | *Ternes* |
| 17 | **Saussure (de)** | G3 | des Dames, 96 | bd Berthier | *Villiers* |
| 1 | **Sauval** | J7 | St Honoré, 98 | de Viarmes, 2 | *Louvre* |
| 20 | **Savart (pass.)** | Q8 | des Haies, 77 | des Vignoles, 82 | *Buzenval* |
| 20 | **Savies (de)** | O5 | de la Mare, 58 | des Cascades, 57 | *Jourdain* |
| 6 | **Savoie (de)** | J8 | Séguier, 8 | Gds-Augustins, 13 | *St-Michel* |
| 7 | **Savorgnan de Brazza** | F8 | av. La Bourdonnais | Ad. Lecouvreur | *Ecole Militaire* |
| 7 | **Saxe (av. de)** | G9 | pl. Fontenoy, 3 | de Sèvres, 100 | *Sèvres-Lecourbe* |
| 15 | **impairs et 2 à 48, 7e** | | de 50 à fin des pairs, 15e | | |
| 7 | **Saxe (villa de)** | G9 | av. de Saxe, 21 | | *Ségur* |
| 9 | **Say** | J4 | Bochart-de-Saron, 3 | Lallier, 4 | *Anvers* |
| 11 | **Scarron** | M8 | bd Beaumarchais, 72 | Amelot, 61 | *Bastille* |
| 16 | **Scheffer** | D7 | Franklin, 19 | av. Georges Mandel | *Rue de la Pompe* |
| 16 | **Scheffer (villa)** | D7 | Scheffer, 51 | | *Rue de la Pompe* |
| 14 | **Schoelcher** | I11 | bd Raspail, 272 | Froidevaux, 12 | *Denfert-Rochereau* |
| 4 | **Schomberg (de)** | L9 | quai Henri-IV, 30 | Sully, 1 | *Sully-Morland* |
| 20 | **Schubert** | Q9 | Paganini | Ch. et Robert | *Pte de Montreuil* |
| 15 | **Schutzenberger** | E9 | Emeriau | Sextius Michel, 20 | *Bir-Hakeim* |
| 5 | **Scipion** | L11 | bd St Marcel, 70 | Fer-à-Moulin, 19 | *Gobelins* |
| 5 | **Scipion (sq.)** | L11 | Scipion | Fer-à-Moulin | *Censier-Daubenton* |
| 9 | **Scribe** | I5 | bd des Capucines, 14 | bd Haussmann, 31 | *Opéra* |
| 7 | **Sébastien Bottin** | I8 | de l'Université, 19 | en impasse | *Rue du Bac* |
| 15 | **Sébastien Mercier** | D10 | quai André Citroën, 69 | St Charles, 146 | *Javel* |
| 1 | **Sébastopol (bd)** | K7 | av. Victoria, 12 | bd St Denis, 9 | *Châtelet* |
| 2 | | | de 1 à 65, 1er | 67 à fin des Impairs, 2e | |
| 3 | | | de 2 à 40, 4e | de 42 à fin des Pairs, 3e | |
| 4 | **92-105** | K6 | | | *Réaumur-Sébast.* |
| | **114-141** | K6 | | | *Strasb.-St-Denis* |
| 19 | **Secrétan (av.)** | N4 | bd de la Villette, 202 | Manin, 29 | *Jaurès* |
| 15 | **Sécurité (pass.)** | F9 | bd de Grenelle | Tiphaine | *La Motte-Picquet* |
| 11 | **Sedaine (cour)** | N8 | Sedaine, 40 | | *Bréguet-Sabin* |
| 11 | **Sedaine** | N8 | bd Richard Lenoir, 20 | av. Parmentier, 3 | *Bréguet-Sabin* |
| 7 | **Sedillot** | F7 | av. Rapp, 25 | St Dominique, 114 | *Ecole Militaire* |
| 7 | **Sedillot (sq.)** | F8 | St Dominique, 133 | | *Ecole Militaire* |
| 6 | **Séguier** | J8 | quai des Gds-Augustins, 35 | St André-des-Arts, 40 | *St-Michel* |
| 7 | **Ségur (av. de)** | G8 | pl. Vauban | bd Garibaldi, 31 | *St-Fr.-Xavier* |
| 15 | **70-71** | G9 | de 1 à 73 et 2 à 36, 7e | le reste, 15e | *Ségur* |
| 7 | **Ségur (villa de)** | G9 | av. de Ségur, 39 | | *Ségur* |
| 6 | **Seine (de)** | J8-9 | quai Malaquais, 1 | St Sulpice, 18 | *Odéon* |
| 19 | **Seine (quai de la)** | N3 | bd de la Villette, 206 | de Crimée, 161 | *Riquet* |
| | **83** | | | | *Crimée* |

| Ar. | Rues | Plan | Commençant | Finissant | Métro |
|---|---|---|---|---|---|
| 8 | **Selves (av. de)** | G6 | av. Gal Eisenhower | av. des Ch.-Elysées | *Ch.-Elysées-Clem.* |
| 6 | **Séminaire (allée)** | I9 | Bonaparte | Vaugirard | *St-Sulpice* |
| 20 | **Sénégal (du)** | N5 | Bisson, 41 | Julien Lacroix, 77 | *Couronnes* |
| 17 | **Senlis (de)** | F3 | bd Berthier, 146 | E. Massard, 10 | *Pte de Champerret* |
| 2 | **Sentier (du)** | K6 | Réaumur, 116 | bd Poissonnière, 9 | *Sentier* |
| | **16-27** | | | | *Bonne Nouvelle* |
| 14 | **Séoul (pl. de)** | H11 | du Château | | *Pernety* |
| 19 | **Sept-Arpents (des)** | P3 | av. Pte de Pantin | Pantin-Pré St Gervais | *Pte de Pantin* |
| 12 | **Sergent Bauchat (du)** | P10 | de Reuilly, 95 | de Picpus, 22 | *Montgallet* |
| 17 | **Sergent Hoff (du)** | E4 | P. Demours, 27 | St Sénoch, 10 | *Ternes* |
| 16 | **Sergent Maginot (du)** | A10 | p. de G. Stéfanik | av. Parc-des-Princes | *Pte de St Cloud* |
| 16 | **Serge Prokofiev (pl.)** | C8 | av. Mozart | de l'Assomption | *Ranelagh* |
| 6 | **Serpente** | J9 | bd St Michel, 20 | de l'Eperon, 11 | *St-Michel* |
| 20 | **Serpollet** | R7 | bd Davout, 132 | bd Périphérique | *Pte de Bagnolet* |
| 16 | **Serres d'Auteuil (jard.)** | A10 | bd d'Auteuil | G. Bennett | *Pte d'Auteuil* |
| 15 | **Serret** | E10 | av. Félix Faure, 39 | H. Bocquillon | *Boucicaut* |
| 19 | **Sérurier (bd)** | P2 | de Belleville, 353 | canal de l'Ourcq | *Pte de Pantin* |
| | **140** | P4 | | | *Pré-St-Gervais* |
| 11 | **Servan** | O7 | de la Roquette, 141 | av. République, 92 | *St-Maur* |
| 11 | **Servan (sq.)** | N7 | Servan | | *Père-Lachaise* |
| 6 | **Servandoni** | J9 | Palatine, 9 | de Vaugirard, 42 | *St-Sulpice* |
| 14 | **Seurat (villa)** | I13 | de la Tombe-Issoire, 101 | | *Alésia* |
| 20 | **Séverine (sq.)** | Q6 | av. Pte de Bagnolet | Dulaure | *Pte de Bagnolet* |
| 14 | **Severo** | H12 | des Plantes, 6 | H. Maindron, 15 | *Mouton-Duvernet* |
| 18 | **Seveste** | K3 | bd Rochechouart, 58 | pl. St Pierre, 7 | *Anvers* |
| 3-4 | **Sévigné (de)** | L-M8 | de Rivoli, 2 | du Parc-Royal, 5 | *St-Paul* |
| | **de 1 à 21 et 2 à 34, 4e** | | de 23 et 36 à la fin, 3e | | |
| 6-7 | **Sèvres (de)** | H-I9 | carrefour Cx-Rouge | bd Pasteur, 1 | *Sèvres-Babylone* |
| 15 | **de 1 à 143 et 2 à 8, 6e** | | de 10 à 98, 7e | de 100 à la fin, 15e | |
| | **83-143** | H9 | | | *Duroc* |
| 6 | **Sévrien (galerie le)** | H9 | de Sèvres | du Cherche-Midi | *Vanneau* |
| 15 | **Sextius Michel** | E9 | Dr Finlay | St Charles, 35 | *Bir-Hakeim* |
| 8 | **Sèze (de)** | I6 | bd de la Madeleine | pl. de la Madeleine | *Madeleine* |
| 9 | **de 1 à 11 et 2 à 18, 9e -** | | 13 et 20, 8e | | |
| 16 | **Sfax (de)** | D6 | av. Raymond Poincaré, 97 | de la Pompe, 176 | *Victor-Hugo* |
| 16 | **Siam (de)** | C7 | de la Pompe, 45 | Mignard, 13 | *Rue de la Pompe* |
| 10 | **Sibour** | L5 | Fg St Martin, 121 | bd Strasbourg, 70 | *Gare de l'Est* |
| 12 | **Sibuet** | Q10 | du Sahel | bd de Picpus, 60 | *Picpus* |
| 12 | **Sidi-Brahim** | P11 | av. Daumesnil, 221 | de Picpus, 98 | *Daumesnil* |
| 13 | **Sigaud (pass.)** | K12 | Alphand, 15 | Barrault, 19 | *Corvisart* |
| 19 | **Sigmund Freud** | P4 | av. Pte Chaumont | av. Pte Pré-St Gervais | *Pré-St-Gervais* |
| 7 | **Silvestre de Sacy (av.)** | F7 | av. La Bourdonnais, 18 | Adr. Lecouvreur, 18 | *Ecole Militaire* |
| 18 | **Simart** | K2 | bd Barbès, 61 | Ordener, 99 | *Marcadet-Poiss.* |
| 19 | **Simon Bolivar (av.)** | N5 | de Belleville, 93 | av. Secrétan, 42 | *Buttes-Chaumont* |
| | **126-136** | N4 | | | *Bolivar* |
| 18 | **Simon Dereure** | J3 | av. Junot | | *Lamarck-Caulainc.* |

| Ar. | Rues | Plan | Commençant | Finissant | Métro |
|---|---|---|---|---|---|
| 13 | Simone Weil | M13 | av. d'Ivry | | *Tolbiac* |
| 13 | Simonet | K12 | M. des Prés, 26 | Gérard, 53 | *Corvisart* |
| 4 | Simon Le Franc | L7 | du Temple, 47 | Renard, 33 | *Hôtel de Ville* |
| 18 | Simplon (du) | K2 | Poissonniers, 107 | Mont Cenis, 98 | *Simplon* |
| 16 | Singer (pass.) | C8 | Singer, 29 | en impasse | *La Muette* |
| 16 | Singer | D8 | Raynouard, 66 | des Vignes, 68 | *La Muette* |
| 4 | Singes (pass. des) | L8 | Vieille-du-Temple, 43 | des Guillemites, 6 | *Hôtel de Ville* |
| 17 | Sisley | F2 | bd Berthier, 106 | av. Pte d'Asnières, 9 | *Péreire* |
| 14 | Sivel | I12 | Liancourt, 19 | Charles Divry, 14 | *Denfert-Rochereau* |
| 19 | Skanderberg (pl.) | M1 | av. Pte d'Aubervilliers | Haie-Coq | *Pte la Chapelle* |
| 13 | Sœur Catherine-Marie | J12 | de la Glacière | de la Glacière | *Glacière* |
| 13 | Sœur Rosalie (av.) | L12 | pl. d'Italie, 8 | Ab. Hovelacq, 13 | *Place d'Italie* |
| 18 | Sofia (de) | K3 | bd Barbès, 7 | Clignancourt, 18 | *Barbès-Rochech.* |
| 19 | Soissons (de) | M3 | quai de Seine, 27 | de Flandre, 28 | *Stalingrad* |
| 20 | Soleil (du) | P5 | de Belleville, 192 | Pixérécourt, 71 | *Place des Fêtes* |
| 15 | Soleil d'Or (cour du) | F10 | Blomet, 61 | Vaugirard | *Volontaires* |
| 20 | Soleillet | O6 | Sorbier, 40 | Elisa Borey, 14 | *Gambetta* |
| 1-7 | Solférino (pont) | I7 | quai des Tuileries | quai d'Orsay | *Solférino* |
| 7 | Solférino (port) | I7 | pont Royal | pont Concorde | *Solférino* |
| 7 | Solférino (de) | H7 | quai Anatole France, 11 | St Dominique, 8 | *Solférino* |
| 19 | Solidarité | P3 | David d'Angers, 9 | bd Sérurier, 137 | *Danube* |
| 19 | Solitaires (des) | O5 | de la Villette, 52 | des Fêtes, 21 | *Place des Fêtes* |
| 17 | Somme (bd de la) | E3 | de Courcelles | pl. Pte de Champerret | *Pte de Champerret* |
| 16 | Sommeiller (villa) | B11 | bd Murat, 149 | Claude Terrasse, 45 | *Pte de St Cloud* |
| 5 | Sommerard (du) | K9 | des Carmes, 8 | bd St Michel, 25 | *Maubert-Mutualité* |
| 15 | Sommet des Alpes | F12 | Fizeau, 20 | Castagnary, 136 | *Pte de Vanves* |
| 16 | Sontay (de) | D6 | pl. Victor Hugo, 8 | de la Pompe | *Victor-Hugo* |
| 14 | Sophie Germain | I12 | Hallé, 48 | av. Gal Leclerc, 25 | *Mouton-Duvernet* |
| 20 | Sorbier | P6 | Ménilmontant, 70 | pl. M. Nadaud, 8 | *Gambetta* |
| 5 | Sorbonne (pl. de la) | J9 | bd St Michel | Sorbonne | *Odéon* |
| 5 | Sorbonne (de la) | J9 | des Ecoles, 51 | pl. de la Sorbonne, 2 | *Odéon* |
| 20 | Souchet (villa) | P6 | av. Gambetta, 105 | Orfila, 98 | *Pelleport* |
| 16 | Souchier (villa) | D7 | Eugène Delacroix, 5 | en impasse | *Rue de la Pompe* |
| 15 | Soudan (du) | F9 | Pondichéry, 16 | bd Grenelle, 97 | *Dupleix* |
| 5 | Soufflot | J9 | pl. du Panthéon, 10 | bd St Michel, 65 | *Luxembourg* |
| 20 | Souhaits (imp. des) | P8 | des Vignoles, 31 | | *Avron* |
| 13 | Souham (pl.) | M12 | Château des Rentiers | Jean Colly, 30 | *Nationale* |
| 12 | Soult (bd) | Q11 | av. Daumesnil, 227 | cours de Vincennes | *Pte Dorée* |
| | 49 | Q10 | | | *Pte de Vincennes* |
| 20 | Soupirs (pass. des) | P6 | des Pyrénées, 242 | de la Chine, 47 | *Gambetta* |
| 16 | Source (de la) | C9 | Ribera, 31 | P. Guérin, 34 | *M.-Ange-Auteuil* |
| 1 | Sourdière (de la) | I6 | St Honoré, 308 | Gomboust, 3 | *Tuileries* |
| 3 | Sourdis (ruelle) | L7 | Charlot, 5 | Pastourelle, 17 | *St-Séb.-Froissard* |
| 7 | Souvenir Français (espl.) | F9 | pl. Vauban | d'Estrées | *St-Fr.-Xavier* |
| 11 | Souzy (cité) | O9 | des Boulets, 41 | en impasse | *Boulets-Montreuil* |
| 11 | Spinoza | O7 | av. République, 103 | bd Ménilmontant, 83 | *Père-Lachaise* |

| Ar. | Rues | Plan | Commençant | Finissant | Métro |
|---|---|---|---|---|---|
| 16 | Spontini | D6 | av. Foch, 75 | av. Victor Hugo, 182 | *Pte Dauphine* |
| 16 | Spontini (villa) | D6 | Spontini, 39 | en impasse | *Pte Dauphine* |
| 16 | Square (av. du) | B9 | P. Guérin, 27 | bd Montmorency | *M.-Ange-Auteuil* |
| 18 | Square Carpeaux | I2 | Eugène Carrière, 53 | Marcadet, 228 | *Guy Môquet* |
| 15 | Staël (de) | G10 | Lecourbe, 17 | de Vaugirard, 174 | *Pasteur* |
| 19 | Stalingrad (pl.) | M4 | bd de la Villette | entoure la Rotonde | *Stalingrad* |
| 6 | Stanislas | I10 | N.-D. des Champs, 42 | bd Montparnasse, 95 | *N.-D. des Champs* |
| 20 | Stanislas Meunier | Q6 | Vidal de la Blache | Maurice Berteaux | *Pte de Bagnolet* |
| 19 | Station (sentier de la) | N2 | av. Corentin Cariou | | *Corentin-Cariou* |
| 18 | Steinkerque (du) | J4 | bd Rochechouart, 72 | pl. St Pierre, 13 | *Anvers* |
| 18 | Steinlen | I3 | Damrémont, 19 | Eugène Carrière, 8 | *Blanche* |
| 19 | Stemler (cité) | N5 | bd de la Villette, 56 | en impasse | *Belleville* |
| 20 | Stendhal (pass.) | P7 | Stendhal, 19 | des Pyrénées, 178 | *Gambetta* |
| 20 | Stendhal | P-Q7 | pl. St Blaise | des Pyrénées, 192 | *Gambetta* |
| 20 | Stendhal (villa) | P7 | Stendhal, 28 | en impasse | *Gambetta* |
| 17 | Stéphane Mallarmé (av.) | E3 | bd de la Somme, 1 | pl. des Petits-Champs | *Pte de Champerret* |
| 13 | Stéphen Pichon (av.) | L12 | Pinel, 13 | pl. des Alpes, 4 | *Place d'Italie* |
| 18 | Stéphenson | L3 | Jessaint, 12 | Ordener, 23 | *Pte la Chapelle* |
| 13 | Sthrau | M13 | de Tolbiac, 70 | Nationale, 100 | *Pte d'Ivry* |
| 12 | Stinville (pass.) | O10 | Montgallet | en impasse | *Montgallet* |
| 8 | Stockholm (de) | G5 | de Rome, 35 | de Vienne, 12 | *St-Lazare* |
| 10 | Strasbourg (bd de) | L5 | bd St Denis, 14 | du 8-Mai-1945 | *Strasb.-St-Denis* |
| | 36-51 | | | | *Château-d'Eau* |
| | 79-83 | | | | *Gare de l'Est* |
| 17 | Stuart Merril (pl.) | E3 | av. St Mallarmé | bd Berthier | *Pte de Champerret* |
| 16 | Suchet (bd) | B7-8 | pl. de la Colombie | pl. de la Pte d'Auteuil | *Ranelagh* |
| | 144 | B9 | | | *Pte d'Auteuil* |
| 19 | Sud (pass. du) | N3 | Petit, 30 | en impasse | *Laumière* |
| 20 | Suez (imp. de) | P8 | de Bagnolet, 75 | | *Alexandre Dumas* |
| 18 | Suez (de) | K3 | de Panama, 3 | Poissonniers, 26 | *Château-Rouge* |
| 7 | Suffren (av. de) | F8 | quai Branly | bd Garibaldi, 59 | *Sèvres-Lecourbe* |
| 15 | | G9 | Pairs, 15ème | Impairs, 7ème | |
| 7-15 | Suffren (port de) | E8 | pont d'Iéna | pt de Bir-Hakeim | *Bir-Hakeim* |
| 6 | Suger | J8 | pl. St André-des-Arts, 15 | de l'Eperon, 5 | *St-Michel* |
| 14 | Suisses (des) | G12 | d'Alésia, 199 | Pierre Larousse, 48 | *Plaisance* |
| 4-5 | Sully (pont de) | L9 | quai Henri-IV | quai St Bernard | *Sully-Morland* |
| 4 | Sully (de) | M9 | de Mornay, 6 | bd Henri-IV, 12 | *Sully-Morland* |
| 7 | Sully Prudhomme (av.) | G7 | quai d'Orsay, 55 | Université, 154 | *Invalides* |
| 7 | Surcouf | G7 | quai d'Orsay, 51 | St Dominique, 54 | *Latour-Maubourg* |
| 8 | Surène (de) | H6 | Boissy d'Anglas, 47 | des Saussaies, 18 | *Madeleine* |
| 20 | Surmelin (pass.) | Q6 | de Surmelin, 47 | Haxo, 12 | *St-Fargeau* |
| 20 | Surmelin (du) | Q6 | Pelleport, 92 | bd Mortier | *St-Fargeau* |
| 18 | Suzanne Buisson (sq.) | J3 | av. Junot | Simon Dereure | *Lamarck-Caulainc.* |
| 15 | Suzanne Lenglen (parc) | C12 | bd Galliéni | | *Issy-Plaine* |
| 16 | Suzanne Lenglen | A9 | av. La Tourelle | rd. pt. Victor Hugo | *Pte d'Auteuil* |
| 18 | Suzanne Valadon (pl.) | J3 | pl. St Pierre | St Eleuthère | *Anvers* |

| Ar. | Rues | Plan | Commençant | Finissant | Métro |
|---|---|---|---|---|---|
| 16 | Sycomores (av.)......... | B9 | av. des Peupliers, 14 .... | av. des Tilleuls, 11...... | M.-Ange-Auteuil |

# T

| Ar. | Rues | Plan | Commençant | Finissant | Métro |
|---|---|---|---|---|---|
| 4 | Tacherie (de la) ......... | K8 | quai de Gesvres, 8...... | de Rivoli, 37 .......... | Hôtel de Ville |
| 20 | Taclet ................ | P5 | de la Duée, 28......... | Pelleport, 123 ......... | Pelleport |
| 13 | Tage (du).............. | L13 | av. d'Italie, 154 ........ | Damesme, 67 ......... | Maison Blanche |
| 20 | Taillade (av.) ........... | P5 | Frédéric Lemaître ...... | en impasse........... | Jourdain |
| 11 | Taillandiers (pass. des).... | N8 | pass. Thiéré, 8......... | des Taillandiers, 9...... | Ledru-Rollin |
| 11 | Taillandiers (des)........ | N8 | de Charonne, 31 ....... | de la Roquette, 68...... | Ledru-Rollin |
| 11 | Taillebourg (av.)......... | P9 | pl. de la Nation, 11...... | bd de Charonne, 25..... | Nation |
| 12 | Taine................. | P11 | de Charenton, 239...... | bd de Reuilly, 46....... | Daumesnil |
| 9 | Taitbout .............. | J5 | bd des Italiens, 22...... | d'Aumale, 19 ......... | Chaussée-d'Antin |
| | 82-95................ | | .................... | .................. | St-Georges |
| 12 | Taïti (de) .............. | P10 | bd de Picpus, 5 ........ | de Picpus, 83 ......... | Bel-Air |
| 7 | Talleyrand............ | H8 | de Constantine ........ | de Grenelle, 142 ....... | Varenne |
| 16 | Talma ................ | C8 | Bois-le-Vent, 11........ | Singer, 42............ | La Muette |
| 18 | Talus (cité du) .......... | I2 | Belliard, 155 .......... | en impasse........... | Pte de St Ouen |
| 18 | Talus (imp. du).......... | I2 | Leibniz, 56............ | .................. | Pte de St Ouen |
| 19 | Tandou ............... | N3 | E. Dehaynin........... | de Crimée, 137 ........ | Laumière |
| 19 | Tanger (de) ........... | M3 | bd de la Villette, 224 .... | Riquet, 45............ | Stalingrad |
| 13 | Tanneries (des) ......... | K12 | L.-M. Normann ........ | Ch. l'Alouette, 6 ....... | Glacière |
| 6 | Taras-Chevtchenko (sq.)... | J8 | bd St Germain......... | des St Pères.......... | St-Germ.-des-Prés |
| 17 | Tarbé ................ | G3 | Saussure, 76........... | Cardinet, 142 ......... | Villiers |
| 18 | Tardieu............... | J3 | pl. St Pierre........... | des Trois-Frères, 6 ..... | Anvers |
| 17 | Tarn (sq. du)........... | F3 | Jules Bourdais......... | en impasse........... | Pte de Champerret |
| 16 | Tattegrain (pl.).......... | C7 | av. Henri Martin........ | bd Flandrin........... | Rue de la Pompe |
| 10 | Taylor ................ | L6 | René Boulanger, 62 ..... | du Château d'Eau, 25b... | République |
| 8 | Téhéran (de) .......... | G5 | bd Haussmann, 144..... | de Monceau, 60 ....... | Miromesnil |
| 20 | Télégraphe ............ | P5 | St Fargeau, 15......... | de Belleville, 246....... | Télégraphe |
| 20 | Télégraphe (pass.) ...... | P5 | Télégraphe, 39 ........ | Pelleport, 178 ......... | Télégraphe |
| 3 | Temple (bd du).......... | M7 | des Filles du Calvaire, 25 . | pl. de la République, 2... | Filles Calvaire |
| 11 | 33-40................ | M6 | Pairs, 11ème ........ | Impairs, 3ème ....... | République |
| 3-4 | Temple (du)........... | L7 | de Rivoli, 66 .......... | av. de la République, 15.. | Hôtel de Ville |
| | 170-197.............. | L6 | .................... | .................. | République |
| | de 1 à 63 et 2 à 58, 4ème .. | | de 60 et 65 à la fin, 3ème. | .................. | |
| 10-11 | Temple (Fg du).......... | M6 | pl. de la République, 10 .. | bd de la Villette, 1...... | République |
| | 124-137.............. | N5 | Pairs, 11ème ........ | Impairs, 10ème....... | Belleville |
| 3 | Temple (sq. du) ........ | L6 | du Temple, 152........ | Eugène Spuller ........ | République |
| 14 | Tenaille (pass.)......... | I11 | av. du Maine, 147 ...... | Gassendi, 38b......... | Mouton-Duvernet |
| 18 | Tennis (des)........... | I2 | Lagille, 15............ | Belliard, 181 .......... | Pte de St Ouen |
| 11 | Ternaux............... | N7 | de la Folie-Méricourt, 50.. | du Marché Popincourt, 16 . | Parmentier |
| 17 | Ternes (av. des) ........ | E4 | av. de Wagram, 49 ..... | bd Gouvion-St Cyr, 67 ... | Ternes |
| | 103-108.............. | | .................... | .................. | Pte Maillot |
| 17 | Ternes (pl. des) ........ | F4 | av. de Wagram, 46 ..... | .................. | Ternes |

| Ar. | Rues | Plan | Commençant | Finissant | Métro |
|---|---|---|---|---|---|
| 17 | Ternes (des) | E4 | bd Péreire, 202 | Guersant, 27 | *Ternes* |
| 17 | Ternes (villa des) | E4 | av. des Ternes, 96 | Guersant, 39 | *Pte Maillot* |
| 10 | Terrage (du) | L4-M5 | quai de Valmy, 139 | Fg St Martin, 178 | *Château-Landon* |
| 17 | Terrasse (villa) | G4 | Terrasse, 19 | | *Villiers* |
| 17 | Terrasse (de la) | G4 | bd Malesherbes, 96 | de Lévis, 33 | *Villiers* |
| 20 | Terre-Neuve (de) | P8 | bd de Charonne, 108 | Alexandre Dumas, 104 | *Alexandre Dumas* |
| 13 | Terres-au-Curé (des) | M13 | Regnault, 74 | Albert, 43 | *Pte d'Ivry* |
| 18 | Tertre (imp. du) | J3 | Norvins, 5 | | *Abbesses* |
| 18 | Tertre (pl. du) | J3 | Norvins, 2 | | *Abbesses* |
| 15 | Tessier | G11 | Bargue, 16 | de la Procession, 11b. | *Volontaires* |
| 10 | Tesson | M6 | av. Parmentier, 162 | St Maur, 189 | *Goncourt* |
| 14 | Texel (du) | H11 | Vercingétorix, 25 | Raymond Losserand, 24 | *Gaîté* |
| 17 | Thann (de) | G4 | de Phalsbourg, 2 | pl. Malesherbes, 3 | *Monceau* |
| 15 | Théâtre (du) | E9 | quai de Grenelle, 57 | de la Croix-Nivert, 60 | *Emile Zola* |
| | 111-118 | F10 | | | *Commerce* |
| 5 | Thénard | K9 | bd St Germain, 63 | des Ecoles, 46 | *Maubert-Mutualité* |
| 17 | Théodore de Banville | F4 | av. de Wagram, 89 | Demours, 82 | *Courcelles* |
| 15 | Théodore Deck | E11 | St Lambert, 14 | de la Croix-Nivert, 195 | *Convention* |
| 15 | Théodore Deck (prol.) | E11 | de la Croix-Nivert, 208 | | *Convention* |
| 15 | Théodore Deck (villa) | E11 | Théodore Deck, 10 | | *Convention* |
| 12 | Théodore Hamont | P12 | de Charenton, 329 | des Meuniers, 11 | *Pte de Charenton* |
| 15 | Théodore Judlin (sq.) | F9 | du Laos, 32 | | *Cambronne* |
| 16 | Théodore Rivière (pl.) | C9 | Chardon-Lagache | du Buis | *Eglise d'Auteuil* |
| 16 | Théodore Rousseau (av.) | C8 | pl. Rodin | de l'Assomption, 37 | *Jasmin* |
| 17 | Théodule Ribot | F4 | bd de Courcelles, 108 | av. de Wagram, 174 | *Courcelles* |
| 16 | Théophile Gautier (av.) | C9 | Gros, 33 | d'Auteuil, 2 | *Mirabeau* |
| 16 | Théophile Gautier (sq.) | C9 | av. Théophile Gautier, 5 | | *Eglise d'Auteuil* |
| 12 | Théophile Roussel | N9 | de Cotte, 19 | de Prague | *Ledru-Rollin* |
| 15 | Théophile Renaudot | F10 | Léon Lhermitte | Lecourbe | *Commerce* |
| 1 | Thérèse | J6 | de Richelieu, 39 | av. de l'Opéra, 24 | *Pyramides* |
| 14 | Thermopyles (des) | H12 | Didot, 34 | Raymond Losserand, 89 | *Pernety* |
| 14 | Thibaud | I12 | av. du Gal Leclerc, 68 | av. du Maine, 193 | *Alésia* |
| 15 | Thiboumery | F11 | d'Alleray, 58 | de Vouillé, 7 | *Vaugirard* |
| 11 | Thiéré (pass. du) | N8 | de Charonne, 25 | de la Roquette, 48 | *Ledru-Rollin* |
| 16 | Thiers | D6 | Victor Hugo, 166 | Spontini, 57 | *Victor-Hugo* |
| 16 | Thiers (sq.) | O6 | av. Victor Hugo, 161 | | *Victor-Hugo* |
| 17 | Thimerais (sq. du) | F3 | de Senlis | de Courcelles | *Pte de Champerret* |
| 9 | Thimonnier | K4 | Lentonnet, 5 | Rochechouart, 52 | *Anvers* |
| 19 | Thionville (imp. de) | N3 | Léon Giraud | de Thionville, 14 | *Ourcq* |
| 19 | Thionville (de) | O2 | de Crimée, 152 | quai de Metz | *Ourcq* |
| 18 | Tholozé | J3 | Lepic, 36 | Lepic, 88 | *Abbesses* |
| 13 | Thomire | K14 | bd Kellermann | av. Gaffieri | *Cité Universit.* |
| 7 | Thomy Thierry (allée) | F8 | Octave Gréard | av. de La Motte Picquet | *La Motte-Picquet* |
| 2 | Thorel | K6 | de Beauregard, 11 | bd Bonne Nouvele, 31 | *Bonne Nouvelle* |
| 15 | Thoréton (villa) | D11 | Lecourbe, 324 | | *Lourmel* |
| 3 | Thorigny (pl. de) | L7 | de Thorigny, 2 | | *St-Séb.-Froissard* |

| Ar. | Rues | Plan | Commençant | Finissant | Métro |
|---|---|---|---|---|---|
| 3 | Thorigny (de) | L7 | de la Perle | Debelleyme, 5 | *St-Séb.-Froissard* |
| 12 | Thorins (de) | O12 | Petit-Bercy | Neuve-la-Garonne | *Dugommier* |
| 5 | Thouin | K10 | Cardinal Lemoine, 70 | de l'Estrapade, 7 | *Cardinal Lemoine* |
| 15 | Thuré (cité) | F10 | du Théâtre, 132 | | *Commerce* |
| 15 | Thureau Dangin | E12 | bd Lefebvre | av. Albert Bartholomée | *Pte de Versailles* |
| 13 | Tibre (du) | L13 | du Moulin-de-la-Pointe, 58 | Damesne, 73 | *Maison Blanche* |
| 16 | Tilleuls (av.) | B9 | av. du Square, 2 | bd Montmorency, 53 | *M.-Ange-Molitor* |
| 8-17 | Tilsitt (de) | F5 | av. des Ch.-Elysées, 156 | av. de la Grande-Armée, 2 | *Ch. de Gaulle-Et.* |
| | de 1 à 5 et 2 à 14, 8ème | | de 7 à 16 à la fin, 17ème | | |
| 5 | Tino Rossi (sq.) | L9 | pont d'Austerlitz | pont Sully | *Gare d'Austerlitz* |
| 15 | Tiphaine | F9 | Violet, 13 | du Commerce, 8 | *La Motte-Picquet* |
| 2 | Tiquetonne | K7 | St Denis, 139 | Etienne Marcel, 32 | *Etienne Marcel* |
| 4 | Tiron | L8 | François Miron, 29 | de Rivoli, 15 | *St-Paul* |
| 15 | Tisserand | D10 | de Lourmel, 143 | av. Félix Faure, 70 | *Lourmel* |
| 13 | Titien | L11 | bd de l'Hôpital, 104 | du Banquier, 1 | *Campo-Formio* |
| 11 | Titon | O9 | de Montreuil, 35 | de Chanzy, 36 | *Faidherbe-Chal.* |
| 20 | Tlemcen | O6-7 | bd Ménilmontant, 78 | des Amandiers, 61 | *Père-Lachaise* |
| 17 | Tocqueville (jard. de) | G3 | de Tocqueville | | *Wagram* |
| 17 | Tocqueville (sq.) | G3 | Tocqueville, 122 | | *Wagram* |
| 17 | Tocqueville (de) | G4 | av. de Villiers, 14 | bd Berthier | *Malesherbes* |
| 20 | Tolain | Q9 | des Grands-Champs, 29 | d'Avron, 70 | *Maraîchers* |
| 12-13 | Tolbiac (pt de) | N12 | quai de Bercy | quai de la Gare | *Quai de la Gare* |
| 13 | Tolbiac (port de) | O12 | pt de Tolbiac | pt National | *Quai de la Gare* |
| 13 | Tolbiac (de) | N12 | quai de la Gare, 9 | de la Santé | *Pte d'Ivry* |
| | 48-53 | M13 | | | *Pte d'Ivry* |
| | 90-97 | L13 | | | *Tolbiac* |
| | 184-193 | K13 | | | *Corvisart* |
| | 229-234 | K13 | | | *Glacière* |
| 16 | Tolstoï (sq.) | B8 | bd Suchet, 92 | av. du Mal Lyautey | *Jasmin* |
| 14 | Tombe-Issoire | J12 | bd St Jacques, 61 | bd Jourdan, 50 | *St-Jacques* |
| | 117-162 | I13 | | | *Pte d'Orléans* |
| 18 | Tombouctou (de) | L3 | bd de la Chapelle, 52 | Jessaint, 20 | *Pte la Chapelle* |
| 18 | Torcy (pl. de) | L2 | de Torcy, 31 | | *Marx Dormoy* |
| 18 | Torcy (de) | M2 | Cugnot, 3 | de la Chapelle, 10 | *Marx Dormoy* |
| 17 | Torricelli | E4 | Guersant, 12 | Bayen, 41 | *Ternes* |
| 12 | Toul (de) | Q10 | av. Daumesnil, 253 | bd de Picpus, 22 | *Michel Bizot* |
| 5 | Toullier | J9 | Cujas, 1 | Soufflot, 16 | *Luxembourg* |
| 19 | Toulouse (de) | P3 | bd Sérurier, 112 | bd de l'Indochine | *Pte de Pantin* |
| 17 | Toulouse Lautrec | I1 | Emile Zola | av. de la Pte de St Ouen | *Pte de St Ouen* |
| 16 | Tour (de la) | D7 | de Passy, 2 | av. Henri Martin, 97 | *Passy* |
| | 112-113 | C7 | | | *Rue de la Pompe* |
| 16 | Tour (villa de la) | D7 | de la Tour, 96b | Eugène Delacroix | *Rue de la Pompe* |
| 9 | Tour des Dames | I4 | La Rochefoucault, 11 | Blanche, 16 | *Trinité* |
| 20 | Tour du Pin (de la) | Q9 | Henri Tomasi | bd Davout | *Pte de Montreuil* |
| 4 | Tour St Jacques (sq.) | K8 | de Rivoli | av. Victoria | *Châtelet* |
| 14 | Tour de Vanves (pass.) | H11 | av. du Maine, 146 | Asseline, 7 | *Gaîté* |

| Ar. | Rues | Plan | Commençant | Finissant | Métro |
|---|---|---|---|---|---|
| 20 | **Tourelles (pass. des)** | **Q5** | des Tourelles, 15 | des Tourelles, 13 | *Pte des Lilas* |
| 20 | **Tourelles (des)** | **Q5** | Haxo, 88 | bd Mortier | *Pte des Lilas* |
| 18 | **Tourlaque** | **I3** | Lepic, 49 | de Maistre, 42 | *Blanche* |
| 5 | **Tournefort** | **K10** | de l'Estrapade, 1 | Lhomond, 45 | *Monge* |
| 4-5 | **Tournelle (pont)** | **L9** | quai de la Tournelle | de Béthune | *Pont-Marie* |
| 5 | **Tournelle (port de la)** | **L9** | pont Sully | pont de l'Archevêché | *Maubert-Mutualité* |
| 5 | **Tournelle (quai)** | **K9** | pont Sully | pont Archevêché | *Maubert-Mutualité* |
| 3-4 | **Tournelles (des)** | **M8** | St Antoine, 10 | bd Beaumarchais, 79 | *Bastille* |
| | **21-24** | | de 1 à 29 et 2 à 44, 4e | de 31 à 46 à la fin, 3e | *Chemin Vert* |
| 12 | **Tourneux (imp.)** | **P11** | Tourneux, 4 | | *Daumesnil* |
| 12 | **Tourneux** | **P11** | Claude Decaen, 68 | av. Daumesnil, 200 | *Daumesnil* |
| 6 | **Tournon (de)** | **J9** | St Sulpice, 21 | de Vaugirard, 24 | *Odéon* |
| 15 | **Tournus** | **E9** | Fondary, 40 | du Théâtre, 103 | *Emile Zola* |
| 20 | **Tourtille (de)** | **N6** | Bisson | de Belleville, 34 | *Belleville* |
| 7 | **Tourville (av. de)** | **G8** | bd des Invalides, 8 | av. de La Motte-Picquet | *St-Fr.-Xavier* |
| 13 | **Toussaint-Féron** | **L13** | av. de Choisy, 141 | av. d'Italie, 53 | *Tolbiac* |
| 6 | **Toustain** | **J9** | de Seine, 76 | Félibien, 3 | *Odéon* |
| 2 | **Tracy (de)** | **K6** | bd Sébastopol, 129 | St Denis, 24 | *Réaumur-Sébast.* |
| 18 | **Traëger (cité)** | **K2** | Boinod, 17 | | *Marcadet-Poiss.* |
| 16 | **Traktir (de)** | **E5** | av. Victor Hugo, 16 | av. Foch, 11 | *Ch. de Gaulle-Et.* |
| 20 | **Transvaal** | **O5** | Piat, 12 | Couronnes, 95 | *Couronnes* |
| 12 | **Traversière** | **M-N9** | quai de la Rapée, 86 | Fg St Antoine, 100 | *Ledru-Rollin* |
| 8 | **Treilhard** | **G5** | Miromesnil, 67 | de Téhéran, 14 | *Villiers* |
| 4 | **Trésor (du)** | **L8** | Vieille-du-Temple, 28 | des Ecouffes, 9 | *St-Paul* |
| 18 | **Trétaigne (de)** | **J2** | Marcadet, 112 | Ordener, 117t | *Jules Joffrin* |
| 9 | **Trévise (cité de)** | **K5** | Richer, 18 | Bleue, 7 | *Poissonnière* |
| 9 | **Trévise (de)** | **K5** | Bergère, 22 | Lafayette, 78 | *Rue Montmartre* |
| | **20-21** | | | | *Cadet* |
| 2 | **Trinité (pass.)** | **K6** | St Denis, 164 | de Palestro, 19 | *Réaumur-Sébast.* |
| 9 | **Trinité (de la)** | **I4** | Blanche, 7 | de Clichy, 10 | *Trinité* |
| 9 | **Trinité (sq. de la)** | **I5** | de Clichy | Blanche | *Trinité* |
| 17 | **Tristan-Bernard (pl.)** | **E4** | av. des Ternes, 67 | d'Armaillé | *Ternes* |
| 16 | **Trocadéro (jard. du)** | **E7** | New York | pl. du Trocadéro | *Trocadéro* |
| 16 | **Trocad. et 11-Nov. (pl.)** | **E7** | av. Kléber | av. Georges Mandel | *Trocadéro* |
| 16 | **Trocadéro (sq. du)** | **D7** | Schefer, 38 | | *Trocadéro* |
| 11 | **Trois-Bornes (cité des)** | **M6** | des Trois-Bornes, 15 | | *Parmentier* |
| 11 | **Trois-Bornes (des)** | **N6** | av. de la République, 21 | St Maur, 141 | *Parmentier* |
| 11 | **Trois-Couronnes (des)** | **N6** | St Maur, 122 | Morand, 1 | *Parmentier* |
| 11 | **Trois-Frères (cour des)** | **N9** | Fg St Antoine, 83 | | *Ledru-Rollin* |
| 18 | **Trois-Frères (des)** | **J3** | d'Orsel, 50 | Ravignan, 12 | *Abbesses* |
| 5 | **Trois-Portes (des)** | **K9** | Frédéric Sauton, 12 | Hôtel Colbert, 13 | *Maubert-Mutualité* |
| 11 | **Trois-Sœurs (imp.)** | **N8** | Popincourt, 28 | pass. Lisa | *Voltaire* |
| 8-9 | **Tronchet** | **I5** | pl. Madel, 35 | bd Haussmann, 55 | *Havre-Caumartin* |
| | **Impairs et de 2 à 26, 8e** | | de 28 à fin des pairs, 9e | | |
| 11-12 | **Trône (av. du)** | **P9** | pl. Nation, 30 | bd Picpus, 89 | *Nation* |
| 11 | **Trône (pass. du)** | **P9** | bd de Charonne, 5 | av. de Taillebourg | *Nation* |

| Ar. | Rues | Plan | Commençant | Finissant | Métro |
|---|---|---|---|---|---|
| 8 | **Tronson du Coudray** | H5 | Pasquier, 27 | d'Anjou, 56 | *St-Lazare* |
| 11 | **Trousseau** | N9 | Fg St Antoine, 147 | de Charonne, 70 | *Ledru-Rollin* |
| 12 | **Trousseau (sq.)** | N9 | Fg St Antoine | Théophile Roussel | *Ledru-Rollin* |
| 17 | **Troyon** | E5 | av. de Wagram, 11 | av. Mac-Mahon | *Ch. de Gaulle-Et.* |
| 13 | **Truber Bellier (pass.)** | K13 | Charles Fourier, 25 | de la Colonie, 67 | *Tolbiac* |
| 9 | **Trudaine (av.)** | K4 | Rochechouart, 77 | des Martyrs, 64 | *Anvers* |
| 9 | **Trudaine (sq.)** | J4 | Martyrs, 52 | | *St-Georges* |
| 17 | **Truffaut** | H3 | des Dames, 36 | Cardinet, 156 | *Brochant* |
| 11 | **Truillot (imp.)** | N7 | bd Voltaire, 88 | | *St-Ambroise* |
| 1 | **Tuileries (jard. des)** | I7 | pl. de la Concorde | de Rivoli | *Concorde* |
| 1 | **Tuileries (port des)** | I7 | pont Royal | pont de la Concorde | *Concorde* |
| 1 | **Tuileries (quai des)** | I7 | pt du Carrousel | pont de la Concorde | *Concorde* |
| 18 | **Tulipes (villa des)** | J1 | du Ruisseau, 103 | en impasse | *Pte Clignancourt* |
| 11 | **Tunis (de)** | P9 | pl. de la Nation, 9 | de Montreuil, 94 | *Nation* |
| 14 | **Tunisie (av. de la)** | J14 | Parc Montsouris | | *Cité Universit.* |
| 19 | **Tunnel (du)** | O4 | des Alouettes, 45 | Botzaris, 54 | *Buttes-Chaumont* |
| 1-2 | **Turbigo (de)** | L6 | Montorgueil, 10 | du Temple, 201 | *Etienne Marcel* |
| 3 | **de 1 à 11 et 2 à 14, 1er** | K7 | de 13 à 21 et 16 à 24, 2e | de 26 et 33 à la fin, 3e | |
| 3-4 | **Turenne (de)** | M8 | St Antoine, 72 | Charlot, 72 | *St-Paul* |
| | **22-29** | M8 | | | *Chemin Vert* |
| | **50-51** | M7 | | | *St-Séb.-Froissard* |
| | **90-97** | M7 | de 1 à 27 et 2 à 22, 4ème. | de 29 et 24 à la fin, 3ème. | *Filles Calvaire* |
| 9 | **Turgot** | K4 | Rochechouart, 51 | av. Trudaine, 17 | *Anvers* |
| 8 | **Turin (de)** | I4 | de Liège, 34 | bd Batignolles, 27 | *Europe* |
| 18 | **Turlure (parc de la)** | J3 | de la Bonne | du Chevalier de la Barre | *Abbesses* |
| 11 | **Turquetil (pass.)** | P9 | de Montreuil, 93 | Philippe-Auguste, 45 | *Boulets-Montreuil* |

# U

| Ar. | Rues | Plan | Commençant | Finissant | Métro |
|---|---|---|---|---|---|
| 5 | **Ulm (d')** | K10 | pl. du Phanthéon, 5 | Gay-Lussac, 51 | *Luxembourg* |
| | **13-14** | | | | *Monge* |
| | **42-43** | | | | *Censier-Daubenton* |
| 13 | **Ulysse Trélat** | N12 | de Tolbiac | du Chevaleret, 105 | *Chevaleret* |
| 7 | **Union (pass. de l')** | F8 | de Grenelle, 175 | Champs-de-Mars, 14 | *Ecole Militaire* |
| 16 | **Union (sq. de l')** | E6 | Lauriston, 84 | | *Boissière* |
| 7 | **Université (de l')** | I8 | des Sts Pères, 22 | allée Paul Deschanel | *Rue du Bac* |
| | **69-94** | H7 | | | *Ass. Nationale* |
| | **81-106** | G7 | | | *Invalides* |
| | **103 à la fin** | F7 | | | *Pont de l'Alma* |
| 16 | **Urfé (sq. d')** | B9 | bd Suchet | av. du Mal Lyautey | *Pte d'Auteuil* |
| 4 | **Ursins (des)** | K8 | quai aux Fleurs, 11 | de la Colombe, 1 | *Cité* |
| 5 | **Ursulines (des)** | J10 | Gay-Lussac, 56 | St Jacques, 245 | *Luxembourg* |
| 16 | **Uruguay (pl. de l')** | E6 | av. d'léna | Jean Giraudoux | *Kléber* |
| 2 | **Uzès (d')** | J-K6 | St Fiacre, 11 | Montmartre, 176 | *Rue Montmartre* |

# V

| Ar. | Rues | Plan | Commençant | Finissant | Métro |
|---|---|---|---|---|---|
| 7 | **Valadon** | G8 | de Grenelle, 169 | Champ-de-Mars, 12 | *Ecole Militaire* |
| 5 | **Val-de-Grâce (du)** | J10 | St Jacques, 304 | bd St Michel, 139 | *Port-Royal* |
| 5 | **Valence (de)** | K11 | av. des Gobelins, 2 | Pascal, 21 | *Censier-Daubenton* |
| 10 | **Valenciennes (pl. de)** | L4 | bd Magenta | bd Denain | *Gare du Nord* |
| 10 | **Valenciennes (de)** | L4 | Fg St Denis, 143 | bd Magenta, 112 | *Gare du Nord* |
| 15 | **Valentin Haüy** | G9 | pl. de Breteuil, 6 | Bellart, 7 | *Sèvres-Lecourbe* |
| 5 | **Valette** | K9 | Ecole Polytechnique, 19 | pl. du Panthéon | *Maubert-Mutualité* |
| 5-13 | **Valhubert (pl.)** | M10 | quai d'Austerlitz, 57 | bd de l'Hôpital | *Gare d'Austerlitz* |
| | | | 1 et 2, 13e | 3 et 4, 5e | |
| 12 | **Valée de Fécamp** | P11 | de Fécamp, 14 | | *Pte de Charenton* |
| 13 | **Val de Marne** | K14 | Av. Galliéni | | *Pte d'Italie* |
| 13 | **Vallet (pass.)** | L12 | Pinel, 13 | St Pichon | *Nationale* |
| 7 | **Valmy (imp. de)** | I7 | du Bac, 40 | | *Rue du Bac* |
| 10 | **Valmy (quai de)** | M6 | Fg du Temple, 27 | Lafayette, 230 | *J. Bonsergent* |
| | **177** | M4 | | | *Louis Blanc* |
| 8 | **Valois (av. de)** | G4 | bd Malesherbes, 117 | en impasse | *Monceau* |
| 1 | **Valois (galerie de)** | J6 | Périst. de Valois | Périst. Beaujolais | *Palais-Royal* |
| 1 | **Valois (pl. de)** | J7 | de Valois, 6 | des Bons-Enfants | *Palais-Royal* |
| 1 | **Valois (de)** | J6-7 | St Honoré, 202 | de Beaujolais, 2 | *Palais-Royal* |
| 14 | **Vandamme** | H11 | de la Gaîté, 22 | av. du Maine | *Gaîté* |
| 13 | **Vandrezanne (pass.)** | L13 | Vandrezanne, 37 | Moulin des Prés, 59 | *Tolbiac* |
| 13 | **Vandrezanne** | L12 | av. d'Italie, 44 | Moulin des Prés, 39 | *Tolbiac* |
| 8 | **Van Dyck (av.)** | G4 | de Courcelles, 78 | parc Monceau | *Courcelles* |
| 12 | **Van Gogh** | M10 | quai de la Rapée, 62 | Bercy, 197 | *Gare de Lyon* |
| 7 | **Vaneau (cité)** | H8 | de Varenne, 63 | Vaneau, 10 | *Varenne* |
| 7 | **Vaneau** | H8 | de Varenne, 61 | de Sèvres, 46 | *Vanneau* |
| 16 | **Van Loo** | C10 | quai Louis Blériot | av. de Versailles, 159 | *Chardon-Lagache* |
| 12 | **Van Volenhoven (sq.)** | Q11 | pl. Ed. Renard | | *Pte Dorée* |
| 14 | **Vanne (allée de la)** | J13 | allée du Lac | al. de Montsouris | *Cité Universit.* |
| 14 | **Vanves (pass.)** | H11 | de l'Ouest, 47 | Raymond Losserand, 28 | *Pernety* |
| 20 | **Var (sq. du)** | R9 | Noël Ballay | Lipmann | *Pte de Vincennes* |
| 7 | **Varenne (cité de)** | H8 | de Varennes, 51 | | *Sèvres-Babylone* |
| 7 | **Varenne (de)** | H8 | de la Chaise, 16 | bd des Invalides, 17 | *Varenne* |
| 15 | **Varet** | D10 | St Charles, 197b | Lourmel, 164 | *Lourmel* |
| 2 | **Variétés (galerie des)** | J6 | Vivienne, 38 | galerie St Marc, 28 | *Rue Montmartre* |
| 16 | **Varize (de)** | D10 | Michel-Ange, 104 | bd Murat, 63 | *Exelmans* |
| 16 | **Varsovie (pl.)** | E7 | pont d'léna | av. de New York | *Trocadéro* |
| 15 | **Vasco de Gama** | D11 | av. Félix Faure, 121 | Desnouettes, 76 | *Lourmel* |
| 12 | **Vassou (imp.)** | Q9 | de la Voûte, 37 | | *Pte de Vincennes* |
| 7 | **Vauban (pl.)** | G8 | av. de Tourville | av. Ségur | *Ecole Militaire* |
| 3 | **Vaucanson** | L6 | Réaumur, 44 | du Vertbois, 29 | *Arts-et-Métiers* |
| 17 | **Vaucluse (sq. du)** | F3 | av. Brunetière | en impasse | *Pte de Champerret* |

| Ar. | Rues | Plan | Commençant | Finissant | Métro |
|---|---|---|---|---|---|
| 11 | **Vaucouleurs** | **N6** | J.P. Timbaud, 85 | de l'Orillon, 30 | *Couronnes* |
| 19 | **Vaudremer** | **O3** | Hautpoul, 46 | Goubet | *Danube* |
| 15 | **Vaugelas** | **E11** | Olivier de Serres, 60 | Lacretelle, 10 | *Convention* |
| 15 | **Vaugirard (bd de)** | **H10** | av. du Maine, 34 | bd Pasteur, 67 | *Montparnasse* |
| 6 | **Vaugirard (de)** | **J9** | bd St Michel, 44 | bd Victor, 73 | *Luxembourg* |
| 6 | **59-84** | **I9** | | | *St-Placide* |
| 15 | **113-142** | **H10** | | | *Falguière* |
| 15 | **164-181** | **G10** | | | *Pasteur* |
| 15 | **194-227** | **G10** | | | *Volontaires* |
| 15 | **225-260** | **F11** | | | *Vaugirard* |
| 15 | **330-345** | **F11** | de 1 à 111 et 2 à 132, 6e | | *Convention* |
| 15 | **386-407** | **E11** | de 113 et 124 à la fin, 15e | | *Pte de Versailles* |
| 15 | **Vaugirard (gal.)** | **H10** | bd Vaugirard | Falguière | *Falguière* |
| 5 | **Vauquelin** | **K10** | Lhomond, 44 | Claude Bernard, 72 | *Censier-Daubenton* |
| 18 | **Vauvenargues** | **I2** | Marcadet, 204 | bd Ney, 153 | *Pte de St Ouen* |
| 18 | **Vauvenargues (villa)** | **I1** | Leibniz | en impasse | *Pte de St Ouen* |
| 1 | **Vauvilliers** | **J7** | St Honoré, 76 | Berger | *Les Halles* |
| 6 | **Vavin (av.)** | **I10** | d'Assas, 84 | en impasse | *Vavin* |
| 6 | **Vavin** | **I10** | d'Assas, 78 | bd Montparnasse, 105 | *Vavin* |
| 12 | **Véga (de la)** | **Q11** | av. Daumenil, 259 | du Gal Michel Bizot, 118 | *Michel Bizot* |
| 8 | **Velasquez (av.)** | **G4** | bd Malesherbes, 113 | parc Monceau | *Monceau* |
| 13 | **Vélay (sq. du)** | **N13** | bd Masséna | av. Boutrou | *Pte d'Ivry* |
| 7 | **Velpeau** | **I9** | de Babylone, 1 | de Sèvres, 18 | *Sèvres-Babylone* |
| 12 | **Vendée (sq. de la)** | **P12** | bd Poniatowski | | *Pte de Charenton* |
| 1 | **Vendôme (cour)** | **I6** | St Honoré | pl. Vendôme | *Opéra* |
| 1 | **Vendôme (pl.)** | **I6** | St Honoré, 358 | de Castiglione | *Opéra* |
| 3 | **Vendôme (pass.)** | **M6** | Béranger, 18 | pl. de la République, 3 | *République* |
| 13 | **Vénétie (pl. de)** | **M14** | av. de Choisy, 18 | | *Pte de Choisy* |
| 16 | **Venezuela (pl. du)** | **E5** | Leroux | Léonard de Vinci | *Victor-Hugo* |
| 4 | **Venise (de)** | **K7** | St Martin | Quincampoix, 56 | *Les Halles* |
| 1 | **Ventadour (de)** | **J6** | av. de l'Opéra, 26 | des Petits-Champs, 59 | *Pyramides* |
| 20 | **Véran (imp.)** | **P8** | des Vignoles, 15 | | *Avron* |
| 14 | **Vercingétorix** | **G12** | av. du Maine, 84 | Paturle, 8 | *Pernety* |
| 9 | **Verdeau (pass.)** | **J5** | de la Grange-Batelière, 6 | Fg Montmartre, 31b | *Richelieu-Drouot* |
| 16 | **Verderet** | **C9** | d'Auteuil, 1 | du Buis, 2 | *Eglise d'Auteuil* |
| 16 | **Verdi** | **C7** | Octave Feuillet, 1 | Franqueville, 2 | *La Muette* |
| 10 | **Verdun (av. de)** | **L5** | Fg St Martin, 159 | en impasse | *Gare de l'Est* |
| 19 | **Verdun (pass. de)** | **N3** | de Thionville, 8 | Léon Giraud | *Crimée* |
| 17 | **Verdun (pl. de)** | **D4** | av. de Neuilly | bd Pershing | *Pte Maillot* |
| 10 | **Verdun (sq. de)** | **L5** | av. de Verdun, 14 | en impasse | *Gare de l'Est* |
| 15 | **Vergennes (sq.)** | **F11** | Vaugirard, 279 | en impasse | *Vaugirard* |
| 13 | **Vergniaud** | **K12** | bd Auguste Blanqui, 101 | Brillat-Savarin, 44 | *Glacière* |
| 14 | **Verhaeren (all.)** | **J12** | allée Rodenbach | | *St-Jacques* |
| 1 | **Vérité (pass. de la)** | **J7** | des Bons-Enfants, 11 | pl. de Valois, 7 | *Palais-Royal* |
| 19 | **Vermandois (sq. de)** | **P4** | bd Sérurier | en impasse | *Pré-St-Gervais* |
| 5 | **Vermenouze (sq.)** | **K10** | Lhomond | Mouffetard | *Monge* |

| Ar. | Rues | Plan | Commençant | Finissant | Métro |
|---|---|---|---|---|---|
| 8 | Vernet | F6 | Quentin Bauchart, 1 | av. Marceau, 82 | *George-V* |
| 7 | Verneuil (de) | I8 | des Sts Pères, 10 | de Poitiers, 11 | *Rue du Bac* |
| | 55-56 | | | | *Solférino* |
| 17 | Vernier | E3 | Bayen, 60 | bd Gouvion-St Cyr, 9 | *Pte de Champerret* |
| 17 | Verniquet | F3 | bd Péreire, 86 | bd Berthier, 15 | *Péreire* |
| 1 | Vérot-Dodat (gal.) | J7 | J.-J. Rousseau, 19 | du Bouloi, 2 | *Louvre* |
| 18 | Véron (cité) | I3 | bd Clichy, 94 | en impasse | *Blanche* |
| 18 | Véron | J3 | A. Piemontési | Lepic, 28 | *Blanche* |
| 13 | Véronèse | L11 | Rubens, 10 | av. des Gobelins, 69 | *Place d'Italie* |
| 4 | Verrerie (de la) | L8 | du Bourg-Tibourg, 11 | St Martin, 78 | *Hôtel de Ville* |
| 16 | Versailles (av. de) | C9 | pont de Grenelle | bd Murat, 113 | *Mirabeau* |
| | 130-131 | C9 | | | *Exelmans* |
| | 221-226 | B11 | | | *Pte de St Cloud* |
| 18 | Versigny (de) | K2 | du Mont-Cenis, 105 | Letort, 24 | *Simplon* |
| 3 | Verthois (du) | L6 | de Turbigo, 77 | St Martin, 306 | *Temple* |
| | 17-32 | | | | *Arts-et-Métiers* |
| 1 | Vert-Galant (sq.) | J8 | pl. du Pont-Neuf | | *Pont-Neuf* |
| 11 | Verte (allée) | M7 | bd Richard-Lenoir, 59 | St Sabin, 58 | *Richard Lenoir* |
| 3 | Vertus (des) | L7 | des Gravilliers, 16 | Réaumur, 15 | *Arts-et-Métiers* |
| 17 | Verzy (av. de) | E4 | av. des Ternes, 90 | Guersant, 43 | *Pte Maillot* |
| 5 | Vésale | K11 | Scipion, 13 | de la Collégiale, 12 | *Gobelins* |
| 19 | Vexin (sq. du) | P4 | av. Debidour, 3 | | *Danube* |
| 8 | Vézelay (de) | G4 | de Lisbonne, 22 | de Monceau, 66 | *Villiers* |
| 15 | Viala | E9 | Lourmel, 2 | St Charles, 35 | *Dupleix* |
| 11 | Viallet (pass.) | N8 | bd Voltaire, 142 | Richard-Lenoir, 46 | *Voltaire* |
| 1 | Viarmes (de) | J7 | Sauval, 18 | Clément Royer | *Louvre* |
| 15 | Vichy (de) | E12 | Paul Delmet | Malassis | *Convention* |
| 10 | Vicq-d'Azir | M5 | de la Grange-aux-Belles, 22 | bd de la Villette, 65 | *Colonel Fabien* |
| 9 | Victoire (de la) | I-J15 | Lafayette, 45 | Joubert, 20 | *Le Peletier* |
| | 93-98 | | | | *Trinité* |
| 1 | Victoires (pl. des) | J6 | Etienne Marcel, 51 | Croix-des-Petits-Champs | *Bourse* |
| 2 | de 1 à 7 et 2 à 4, 1er | | 9 & 4b à fin des pairs, 2e | | |
| 15 | Victor (bd) | D11 | bd du Gal Martial Valin | pte de Versailles | *Balard* |
| 15 | Victor (sq.) | C11 | bd Victor, 25 | quai André Citroën | *Balard* |
| 14 | Victor Basch (pl.) | I12 | av. du Maine | av. du Gal Leclerc | *Alésia* |
| 12 | Victor Chevreuil | Q10 | Dr. Arnold Netter | Sibuet, 14 | *Bel-Air* |
| 14 | Victor Considérant | I11 | bd Raspail, 286 | Schoelcher | *Denfert-Rochereau* |
| 5 | Victor Cousin | J9 | pl. de la Sorbonne, 1 | Soufflot, 22 | *Luxembourg* |
| 20 | Victor Dejeante | Q6 | bd Mortier | en impasse | *Pte de Bagnolet* |
| 15 | Victor Duruy | F11 | de Vaugirard, 329 | Marmontel, 18 | *Convention* |
| 15 | Victor Galland | F12 | Fizeau, 24 | Castagnary, 130 | *Pte de Vanves* |
| 11 | Victor Gelez | O7 | des Nanettes, 9 | pass. Ménilmontant, 10 | *Ménilmontant* |
| 16 | Victor Hugo (av.) | D6 | pl. Charles de Gaulle | Henri Martin, 76 | *Victor-Hugo* |
| | 190-191 | | | | *Rue de la Pompe* |
| 16 | Victor Hugo (pl.) | D6 | av. Victor Hugo, 91 | av. Raymond Poincaré | *Victor-Hugo* |
| 16 | Victor Hugo (villa) | D6 | av. Victor Hugo, 136 | en impasse | *Rue de la Pompe* |

| Ar. | Rues | Plan | Commençant | Finissant | Métro |
|---|---|---|---|---|---|
| 20 | Victor Letalle | O6 | Ménilmontant, 22 | Panoyaux, 15 | *Ménilmontant* |
| 13 | Victor Marchand (pass.) | J12 | de la Glacière, 112 | de la Santé, 115 | *Glacière* |
| 9 | Victor Massé | J4 | des Martyrs, 57 | Pigalle, 58 | *Pigalle* |
| 11 | Victoria (av.) | K8 | pl. de l'Hôtel de Ville, 7 | Lav. Ste Opportune, 4 | *Châtelet* |
| 4 | de 1 à 15 et 2 à 10, 4ème | | de 12 à 17 à la fin, 1er | | |
| 16 | Victorien Sardou | C10 | av. de Versailles, 122 | en impasse | *Chardon-Lagache* |
| 16 | Victorien Sardou (sq.) | C10 | Victorien Sardou, 14 | en impasse | *Chardon-Lagache* |
| 16 | Victorien Sardou (villa) | C10 | Victorien Sardou | en impasse | *Chardon-Lagache* |
| 20 | Victor Segalen | Q7 | des Balkans | Riblette | *Pte de Bagnolet* |
| 20 | Vidal-de-la-Blache | Q6 | bd Mortier | en impasse | *Pelleport* |
| 2 | Vide-Gousset | J6 | pl. des Victoires, 12 | des Petits-Pères, 10 | *Bourse* |
| 3 | Vieille-du-Temple | L8 | de Rivoli, 36 | de Turenne, 103 | *Hôtel de Ville* |
| 4 | de 1 à 69 et 2 à 52, 4ème | | de 71 à 54 à la fin, 3ème | | |
| | 72-87 | L7 | | | *St-Séb.-Froissard* |
| | 112-125 | L7 | | | *Filles Calvaire* |
| 8 | Vienne (de) | H4 | pl. Henri Bergson | pl. de l'Europe | *Europe* |
| 7 | Vierge (pass. de la) | G8 | Cler | av. Bosquet, 5 | *Ecole Militaire* |
| 17 | Viète | G3 | av. de Villiers, 66 | Malesherbes, 147 | *Malesherbes* |
| 6 | Vieux Colombier | I9 | Bonaparte, 72b | du Cherche-Midi, 1 | *St-Sulpice* |
| 15 | Vigé Lebrun | G11 | du Dr. Roux | Falguière, 108 | *Volontaires* |
| 16 | Vignes (des) | D8 | Raynouard, 74 | Mozart, 15 | *La Muette* |
| 20 | Vignoles (imp. des) | Q8 | des Vignoles, 78 | | *Buzenval* |
| 20 | Vignoles (des) | Q8 | bd de Charonne, 84 | des Orteaux, 46 | *Buzenval* |
| 8-9 | Vignon | I5-6 | bd de la Madeleine, 14 | Tronchet, 28 | *Madeleine* |
| | 33-42 | | Impairs, 8ème | Pairs, 9ème | *Havre-Caumartin* |
| 11 | Viguiès (cour) | N9 | Fg St Antoine, 59 | | *Ledru-Rollin* |
| 20 | Vilin | O6 | des Couronnes, 29 | Piat, 19 | *Couronnes* |
| 16 | Villa-la-Réunion (Gde av.) | B10 | av. de Versailles, 124 | Chardon-Lagache, 47 | *Chardon-Lagache* |
| 15 | Villafranca | F12 | des Morillons, 54 | Fizeau, 3 | *Pte de Vanves* |
| 15 | Village Suisse | F9 | av. de Suffren | | *La Motte-Picquet* |
| 17 | Villaret-de-Joyeuse | E5 | Acacias, 1 | Acacias, 7 | *Argentine* |
| 17 | Villaret-de-Joyeuse (sq.) | E5 | Villaret-de-Joyeuse, 7 | en impasse | *Argentine* |
| 7 | Villars (av. de) | G9 | pl. Vauban, 3 | d'Estrées, 2 | *St-Fr.-Xavier* |
| 17 | Villebois-Mareuil | E4 | av. des Ternes, 42 | Bayen, 29 | *Ternes* |
| 1 | Villedo | J6 | de Richel, 43 | Ste Anne, 32b | *Pyramides* |
| 3 | Villehardouin | M8 | St Gilles, 27 | de Turenne, 58 | *Chemin Vert* |
| 8 | Ville l'Evêque | H5 | bd Malesherbes, 11 | pl. Saussaies, 4 | *Madeleine* |
| 14 | Villemain (av.) | H12 | Raymond Losserand, 149 | d'Alésia, 138 | *Plaisance* |
| 10 | Villemin (jard.) | L5 | des Récollets | | *Gare de l'Est* |
| 2 | Ville Neuve (la) | K6 | Beauregard, 7 | bd Bonne Nouvelle, 35 | *Bonne Nouvelle* |
| 7 | Villersexel | H8 | de l'Université, 53 | bd St Germain, 254 | *Solférino* |
| 10 | Villette (bd de la) | N5 | Fg du Temple, 137 | Château Landon, 60 | *Belleville* |
| 19 | 129-194 | M4 | | | *Colonel Fabien* |
| | 145-208 | M3 | Impairs, 10ème | Pairs, 19ème | *Jaurès* |
| 19 | Villette (gal. de la) | O2 | av. Jean Jaurès | av. Corentin Carriou | *Pte la Villette* |
| 19 | Villette (parc de la) | O2 | gal. de la Villette | | *Pte la Villette* |

| Ar. | Rues | Plan | Commençant | Finissant | Métro |
|---|---|---|---|---|---|
| 19 | Villette (de la) | O4 | de Belleville, 117 | Botzaris, 74 | *Botzaris* |
| 17 | Villiers (av. de) | G4 | bd de Courcelles, 2 | bd Gouvion-St Cyr | *Villiers* |
| | 33-40 | G4 | | | *Malesherbes* |
| | 35-82 | F3 | | | *Wagram* |
| | 107-114 | F3 | | | *Péreire* |
| | 142-147 | E3 | | | *Pte de Champerret* |
| 20 | Villiers-l'Isle-Adam | P6 | Sorbier, 21 | Pelleport, 83 | *Gambetta* |
| 20 | Villiers-l'Isle-Adam (imp.) | P6 | Villiers-l'Isle-Adam, 99 | | *Pelleport* |
| 12 | Villiot | N10 | quai de la Rapée, 30 | de Bercy, 157 | *Bercy* |
| 13 | Vimoutiers (de) | M12 | Duchefdelaville | Charcot | *Chevaleret* |
| 10 | Vinaigriers (des) | L5 | quai de Valmy | Fg St Martin, 102 | *J. Bonsergent* |
| 20 | Vincennes (cours de) | P-Q9 | bd de Picpus, 100 | bd Soult, 151 | *Nation* |
| 12 | | | Impairs, 20ème | Pairs, 12ème | |
| 13 | Vincent Auriol (bd) | M11 | quai d'Austerlitz, 1 | pl. d'Italie, 11 | *Chevaleret* |
| | 130-151 | M11 | | | *Nationale* |
| | 179-182 | L12 | | | *Place d'Italie* |
| 18 | Vincent Compoint | J2 | du Pôle Nord | du Poteau, 79 | *Pte Clignancourt* |
| 12 | Vincent d'Indy (av.) | Q10 | av. Courteline | Jules Lemaître | *Pte de Vincennes* |
| 19 | Vincent Scotto | N3 | Pierre Reverdy | quai de la Loire | *Laumière* |
| 16 | Vineuse | D7 | de la Tour, 2 | Franklin, 35 | *Passy* |
| 14 | Vingt-Cinq-Août-1944 (pl.) | I13 | bd Brune | av. Ernest Reyer | *Pte d'Orléans* |
| 1 | Vingt-Neuf-Juillet | I6 | de Rivoli, 210 | St Honoré, 215 | *Tuileries* |
| 9 | Vintimille (de) | I4 | de Clichy, 66 | pl. Adolphe Max | *Place Clichy* |
| 15 | Violet (pl.) | E10 | Violet, 7 | des Entrepreneurs | *Charles Michels* |
| 15 | Violet | E9 | bd de Grenelle, 94 | des Entrepreneurs, 67 | *Dupleix* |
| | 28-33 | E10 | | | *Commerce* |
| 15 | Violet (sq.) | E10 | pl. Violet, 4 | de l'Eglise, 73 | *Félix Faure* |
| 15 | Violet (villa) | E10 | Entrepreneurs, 80 | | *Commerce* |
| 9 | Viollet-le-Duc | J4 | Lallier, 3 | bd Rochechouart, 59 | *Pigalle* |
| 16 | Vion Whitcomb (av.) | C8 | Ranelagh, 86 | bd Beauséjour, 21 | *Ranelagh* |
| 14 | Virginie (villa) | I13 | du Père Corentin | av. du Gal Leclerc, 117 | *Pte d'Orléans* |
| 15 | Viroflay (de) | F10 | de l'Amiral Roussin, 66 | Péclet, 27 | *Vaugirard* |
| 6 | Visconti | I8 | de Seine, 26 | Bonaparte, 21 | *St-Germ.-des-Prés* |
| 7 | Visitation (pass. de la) | H8 | St Simon, 8 | en impasse | *Rue du Bac* |
| 13 | Vistule (de la) | L13 | av. de Choisy, 75 | av. d'Italie, 103 | *Maison Blanche* |
| 16 | Vital | D7 | de la Tour, 53 | de Passy, 68 | *Passy* |
| 20 | Vitruve | Q7 | pl. de la Réunion, 68 | bd Davout, 169 | *Pte de Montreuil* |
| 20 | Vitruve (sq.) | Q7 | Vitruve, 76 | bd Davout, 145 | *Pte de Bagnolet* |
| 17 | Vivarais (sq. du) | E3 | bd Gouvion-St Cyr | sq. Graisivaudan | *Pte de Champerret* |
| 2 | Vivienne (gal.) | J6 | des Petits-Champs, 4 | Vivienne, 6 | *Bourse* |
| 1-2 | Vivienne | J6 | de Beaujolais, 16 | bd Montmartre, 15 | *Bourse* |
| | 32-39 | | 1 et 2, 1er, | de 3 et 2b à la fin, 2ème | *Richelieu-Drouot* |
| 20 | Volga (du) | Q8 | d'Avron, 72 | bd Davout, 63 | *Maraîchers* |
| 2 | Volney | I6 | des Capucines, 12 | Daunou, 21 | *Opéra* |
| 15 | Volontaires (des) | G10 | Lecourbe, 59 | Dutot, 4 | *Volontaires* |
| 3 | Volta | L6 | Au-Maire, 6 | N.-D. de Nazareth, 33 | *Arts-et-Métiers* |

| Ar. | Rues | Plan | Commençant | Finissant | Métro |
|---|---|---|---|---|---|
| 11 | Voltaire (bd) | M6-7 | pl. de la République, 60 | pl. de la Nation, 3 | *République* |
| | 8-11 | M6 | | | *République* |
| | 25-26 | M7 | | | *Oberkampf* |
| | 55-60 | N7 | | | *St-Ambroise* |
| | 167-174 | O8 | | | *Charonne* |
| | 197-228 | O-P9 | | | *Boulets-Montreuil* |
| 11 | Voltaire (cité) | O8 | bd Voltaire, 207 | pl. de la Nation, 3 | *Boulets-Montreuil* |
| 11 | Voltaire | O8 | bd Voltaire, 212 | Philippe-Auguste, 57 | *Boulets-Montreuil* |
| 16 | Voltaire (imp.) | B10 | imp. Racine | av. Despréaux | *M.-Ange-Auteuil* |
| 7 | Voltaire (quai) | I7 | des Sts Pères, 2 | du Bac, 1 | *Rue du Bac* |
| 13 | Volubilis (des) | K13 | des Iris | des Glycines | *Corvisart* |
| 3 | Vosges (pl. des) | M8 | de Birague, 16 | des Francs-Bourgeois | *Chemin Vert* |
| 4 | de 1 à 19 et 2 à 22, 4ème | | de 21 et 24 à la fin, 3ème | | |
| 15 | Vouillé (de) | F-G11 | Constadt | Chemin de Fer | *Plaisance* |
| 20 | Voulzie (de la) | P6 | Westermann | Villiers-de-l'Isle-Adam | *Gambetta* |
| 12 | Voûte (pass. de la) | Q9 | de la Voûte | cours de Vincennes, 102 | *Pte de Vincennes* |
| 12 | Voûte (de la) | Q9 | Dr. Arnold Netter | bd Soult, 151 | *Pte de Vincennes* |
| 13 | Vulpian | K12 | Corvisart, 28 | Auguste Blanqui, 88 | *Glacière* |

# W

| Ar. | Rues | Plan | Commençant | Finissant | Métro |
|---|---|---|---|---|---|
| 8-17 | Wagram (av. de) | F5 | pl. Charles de Gaulle | pl. Wagram | *Ch. de Gaulle-Et.* |
| 17 | 50-59 | F4 | 2 à 46, 8ème, | de 1 et 50 à la fin, 17ème. | *Ternes* |
| 17 | 156-171 | F3 | | | *Wagram* |
| 17 | Wagram (pl. de) | F3 | av. de Wagram, 16 | bd Malesherbes | *Wagram* |
| 8 | Wagram St Honoré (villa) | F5 | Fg St Honoré, 233 | | *Ternes* |
| 17 | Waldeck Rousseau | E4 | bd Pereire, 212 | av. des Ternes, 93 | *Pte Maillot* |
| 13 | Wallons (des) | L11 | bd de l'Hôpital, 50 | Jules Breton | *St-Marcel* |
| 8 | Washington | F5 | av. des Champs-Elysées, 114 | bd Haussmann, 179 | *George-V* |
| 15 | Wassili Kandinsky (pl.) | G11 | Platon | | *Volontaires* |
| 13 | Watt | O12 | quai de la Gare, 33 | du Chevaleret, 10 | *Pte d'Ivry* |
| 13 | Watteau | L11 | bd de l'Hôpital, 126 | | *Campo-Formio* |
| 19 | Wattieaux (pass.) | N2 | de l'Ourcq, 74 | Curial, 80 | *Crimée* |
| 12 | Wattignies (imp.) | P11 | Wattignies | | *Pte de Charenton* |
| 12 | Wattignies (de) | P11 | de Charenton, 245 | du Gal Michel Bizot, 43 | *Dugommier* |
| | 42-55 | | | | *Michel Bizot* |
| 10 | Wauxhall (cité) | L6 | bd Magenta, 6 | des Marais, 31 | *République* |
| 16 | Weber | D5 | Pergolèse, 28 | bd de l'Amiral Bruix | *Pte Maillot* |
| 20 | Westermann | P6 | de la Cloche, 7 | de la Voulzie, 4 | *Gambetta* |
| 14 | Wilfrid Laurier | G13 | bd Brune | en impasse | *Pte de Vanves* |
| 16 | Wilhem | C10 | quai Louis Blériot | Chardon-Lagache, 1 | *Mirabeau* |
| 18 | Willette (sq.) | J3 | pl. St Pierre | | *Anvers* |
| 8 | Winston Churchill (av.) | G6 | Cours-la-Reine | av. des Champs-Elysées | *Ch.-Elysées-Clem.* |
| 13 | Wurtz | K13 | Daviel, 13-15 | Boussingault | *Glacière* |

| Ar. | Rues | Plan | Commençant | Finissant | Métro |
|---|---|---|---|---|---|

# X

| Ar. | Rues | Plan | Commençant | Finissant | Métro |
|---|---|---|---|---|---|
| 13 | Xaintrailles | M12 | de Domrémy, 34 | pl. Jeanne d'Arc, 22 | *Nationale* |
| 5 | Xavier Privas | K8 | quai St Michel, 15 | St Séverin, 26 | *St-Michel* |

# Y

| Ar. | Rues | Plan | Commençant | Finissant | Métro |
|---|---|---|---|---|---|
| 13 | Yéo Thomas | L12 | Nationale | du Château-des-Rentiers | *Nationale* |
| 16 | Yorktown (sq.) | E7 | Franklin | av. Paul Doumer | *Trocadéro* |
| 17 | Yser (bd de l') | E3 | pl. de la Pte Champerret | av. de la Pte Villiers | *Pte de Champerret* |
| 15 | Yvart | F11 | d'Alleray, 16 | d'Allerey, 34 | *Vaugirard* |
| 17 | Yves-du-Manoir (av.) | E4 | av. de Verzy, 13 | av. des Pavillons | *Pte Maillot* |
| 10 | Yves Toudic | M6 | Fg du Temple, 9 | Lancry, 42 | *République* |
| 16 | Yvette (de l') | C8 | Jasmin | du Dr. Blanche, 29 | *Jasmin* |
| 17 | Yvon et Cl. Morandat (pl.) | E5 | Vil. de Joyeuse | Acacias | *Argentine* |
| 16 | Yvon Villarceau | E6 | Copernic, 39 | Boissière, 66 | *Victor-Hugo* |
| 18 | Yvonne-Le-Tac | J3 | des Trois-Frères, 9 | pl. des Abbesses | *Abbesses* |

# Z

| Ar. | Rues | Plan | Commençant | Finissant | Métro |
|---|---|---|---|---|---|
| 10 | Zet (pass.) | L5 | Fg St Martin, 49 | | *Château-d'Eau* |

# Renseignements utiles

# BOIS DE BOULOGNE (16e)

## (Voir plan général en fin d'ouvrage)

| Plan | Renseignements divers | Plan | Renseignements divers |
|---|---|---|---|
| A5 | **Ancien Château de Madrid** | B5 | **Mare St James** |
| A9 | **Butte Mortemart** | HP | **Moulin de Longchamp** |
| HP | **Camping du Touring Club de France** | C4 | **Musée des Arts et Traditions** |
| HP | **Châlet de la Grande Cascade** | A5 | **Parc de Bagatelle** |
| A6 | **Châlet du Pré Catelan** | C5 | **Pavillon d'Armenonville** |
| HP | **Château de Longchamp** | C5 | **Pavillon Dauphine** |
| B8 | **Hippodrome d'Auteuil** | C6 | **Pavillon Royal** |
| HP | **Hippodrome de Longchamp** | HP | **Polo de Paris** |
| HP | **Hôpital Ambroise Paré** | A7 | **Racing Club de France** |
| B4 | **Jardin d'Acclimatation** | HP | **Restaurant de l'Ermitage** |
| B7 | **Lac Inférieur** | A7 | **Services Municipaux** |
| A8 | **Lac Supérieur** | A9 | **Stade Roland Garros** |
| B8 | **Les Cascades** | | |

| Plan | Rues | Plan | Rues |
|---|---|---|---|
| HP | **Anatole France** (Boulevard) | B6 | **Longchamp au bout des lacs** (Route de) |
| A9 | **Auteuil aux lacs** (Route d') | A5 | **Longue Queue** (Route de la) |
| A6 | **Bagatelle aux lacs** (Route de) | B6 | **Madrid aux Lacs** (Route de) |
| C4 | **Barres** (Boulevard du M.) | B4 | **Madrid à Neuilly** (Route de) |
| HP | **Bord de l'eau** (Allée du) | B5 | **Mahatma-Gandhi** (Route du) |
| C5 | **Bouleaux** (Route des) | C5 | **Maréchal de Lattre de Tassigny** (Place du) |
| HP | **Boulogne** (Porte de) | B7 | **Maréchal Maunoury** (Avenue du) |
| A9 | **Boulogne** (Route de) | B9 | **Maréchal Lyautey** (Avenue du) |
| B6 | **Ceinture du Lac Inférieur** (Chemin de) | C4 | **Maillot** (Boulevard) |
| A5 | **Champ d'Entraînement** (Route du) | HP | **Moulins** (Route) |
| C7 | **Colombie** (Place de) | B7 | **Muette** (Porte de la) |
| B4 | **Commandant Charcot** (Boulevard du) | B4 | **Neuilly** (Porte de) |
| B7 | **Dames** (Allée des) | B5 | **Neuilly à la Muette** (Route de) |
| C4 | **Erables** (Chemin des) | A7 | **Point du jour** (Route du) |
| C5 | **Etoile** (Route de l') | A9 | **Porte d'Auteuil** (Avenue de la) |
| B7 | **Fortune** (Route de la) | B9 | **Porte d'Auteuil** (Place de la) |
| B8 | **Fortifications** (Allée des) | D4 | **Porte Maillot** (Place de la) |
| A7 | **Grande Cascade** (Route de la) | C5 | **Pte des Sablons à la Pte Maillot** (Route de la) |
| A8 | **Hippodrome** (Avenue de l') | C5 | **Porte des Sablons à Dauphine** (Route de la) |
| HP | **Hippodrome** (Porte de l') | B8 | **Porte de Passy** (Place de la) |
| C6 | **Lacs** (Route des) | B5 | **Porte St James** (Route de la) |
| A8 | **Lac Supérieur** (Route du) | C5 | **Pôteaux** (Route des) |
| HP | **Longchamp** (Carrefour de) | B6 | **Pré Catelan** (Route du) |

| Plan | Rues | Plan | Rues |
|---|---|---|---|
| A5 | **Richard Wallace** (Boulevard) | A5 | **Sèvres à Neuilly** (Route de) |
| C4 | **Sablons** (Porte des) | B6 | **Suresnes** (Route de) |
| A8 | **St Cloud** (Avenue de) | HP | **Tribunes** (Carrefour des) |
| C5 | **St Denis** (Route de) | HP | **Tribunes** (Route des) |
| A8 | **Seine à la Butte Mortemart** (Route de la) | A7 | **Vierge** (Route de la) |
| A5 | **Seine à la Reine Marguerite** (Route de la) | | |

# BOIS DE VINCENNES (12e)

## (Voir plan général en fin d'ouvrage)

| Plan | Renseignements divers | Plan | Renseignements divers |
|---|---|---|---|
| HP | **Château de Vincennes** | R12 | **Lac Daumesnil** |
| HP | **Centre Universitaire** | HP | **Lac de Gravelle** |
| HP | **Ecole Nouvelle d'Education Physique** | HP | **Lac des Minimes** |
| HP | **Ecole d'Horticulture du Beuil** | R10 | **Lac de St Mandé** |
| HP | **Hippodrome de Vincennes** | Q11 | **Musée des Arts Africains et Océaniens** |
| HP | **Institut National des Sports** | HP | **Parc Floral** |
| HP | **Institut de Recherches Agronomiques Tropicales** | R12 | **Parc Zoologique** |
| Q12 | **Ile de Bercy** | HP | **Théâtre du Soleil** |
| HP | **Ile de la Porte Jaune** | R13 | **Vélodrome Municipal** |
| R12 | **Ile de Reuilly** | | |

| Plan | Rues | Plan | Rues |
|---|---|---|---|
| HP | **Aimable** | HP | **Ecole de Joinville** (Avenue de l') |
| HP | **Asile National** (Route de l') | HP | **Epine** (Route de l') |
| HP | **Batteries** (Route des) | HP | **Esplanade** (Route de l') |
| R13 | **Bac** (Route du) | HP | **Ferme** (Route de la) |
| HP | **Bourbon** (Route de) | HP | **Fontenay** (Avenue de) |
| HP | **Brûlée** (Route) | Q13 | **Glacières** (Route des) |
| HP | **Buttes** (Route des) | HP | **Gravelle** (Avenue de) |
| R12 | **Ceinture du Lac Daumesnil** (Route de la) | R10 | **Lac de St Mandé** (Route du) |
| HP | **Champ de Manœuvre** (Route du) | HP | **Maréchaux** (Cours des) |
| HP | **Circulaire** (Route) | HP | **Minimes** (Avenue des) |
| HP | **Dame Blanche** (Route de la) | HP | **Nogent** (Avenue de) |
| HP | **Dauphine** (Route) | HP | **Pesage** (Route du) |
| R11 | **Daumesnil** (Avenue) | R13 | **Plaine** (Route de la) |
| HP | **Demi-Lune** (Route de la) | HP | **Pyramide** (Route de la) |
| HP | **Donjon** (Route du) | HP | **Pyramide** (Rond Point de la) |

| Plan | Rues | Plan | Rues |
|---|---|---|---|
| HP | **Royale** (Allée) | R13 | **St Maurice** (Avenue de) |
| HP | **Royale de Beauté** | HP | **Tourelle** (Route de la) |
| HP | **Sabotiers** (Route des) | HP | **Tremblay** (Avenue du) |
| HP | **St Hubert** (Route de) | HP | **Tribunes** (Avenue des) |
| HP | **St Louis** (Route) | | |

# ENTREPOTS DE BERCY (12e)

## GRAND-BERCY

### (Voies situées au nord-ouest de la rue de Dijon).

| Rues | Plan | Commençant | Finissant |
|---|---|---|---|
| **Blaye** (de) | O11 | du Port de Bercy, 2 | de Pommard |
| **Gallois** (de) | N11 | du Port de Bercy, 14 | lim. des Entrepôts |
| **Labourmène** (cour) | O11 | de Gallois, 10 | en impasse |
| **Laroche** | O11 | de Blaye, face 36 | Gallois |
| **Louis Proust** (cour) | N11 | du Port de Bercy, 4 | Laroche |

## PETIT-BERCY

### (Voies situées au sud-est de la rue de Dijon).

| Rues | Plan | Commençant | Finissant |
|---|---|---|---|
| **Abel Laurent** | O11 | St Estèphe, 46 | Vieille -de-la-Garonne |
| **Beaudoin** (cour) | O11 | St Estèphe | Neuve-de-la-Garonne |
| **Chamonard** (cour) | O12 | St Estèphe | Vieille-de-la-Garonne, 25 |
| **Crépier** (cour) | O11 | St Estèphe | Neuve-de-la-Garonne |
| **Mâconnais** (des) | O12 | Nicolaï | Neuve-de-la-Garonne |
| **Neuve-de-la-Garonne** | O12 | Abel Laurent | Minervois |
| **Roussillon** (du) | O11 | Abel Laurent, 12 | Abel Laurent, 24 |
| **St Emilion** (cour) | O12 | du Petit Bercy | Neuve-de-la-Garonne |
| **St Estèphe** | O12 | du Petit Bercy | Abel Laurent, 2 |
| **Soulage** (de) | O11 | du Petit Bercy | Neuve-de-la-Garonne |
| **Thorins** (de) | O12 | du Petit Bercy | Neuve-de-la-Garonne |
| **Vieille-de-la-Garonne** | O12 | de l'Yonne (fin) | Abel Laurent, 60 |
| **Yonne** (de l') | O12 | du Petit Bercy | Neuve-de-la-Garonne |

# THEATRES - SPECTACLES ET SALLES DIVERSES

| Plan | Théâtres | Adresses |
|---|---|---|
| I10 | **Alliance Française** | 101, bd Raspail (6e) |
| O6 | **Amandiers de Paris** | 110, rue des Amandiers (20e) |
| L6 | **Antoine** (Simone Berriau) | 14, bd de Strasbourg (10e) |
| J4 | **Atelier** | 1, place Ch. Dullin (18e) |
| I5 | **Athénée** (Th. Louis Jouvet) | Square de l'Opéra Louis Jouvet (9e) |
| L12 | **Audit. du Conservatoire XIII** | 21, rue Albert Bayet (13e) |
| N8 | **Bastille** | 76, rue de la Roquette (11e) |
| M7 | **Bataclan** | 50, bd Voltaire (11e) |
| H11 | **Bobino** | 20, rue de la Gaîté (14e) |
| L3 | **Bouffes du Nord** | 37 bis, bd de la Chapelle (18e) |
| J6 | **Bouffes Parisiens** | 4, rue Monsigny (2e) |
| L7 | **Café de la Gare** | 41, rue du Temple (4e) |
| F12 | **Carré Sylvia Montfort** | 106, rue Brancion (15e) |
| L7 | **Carré Thorigny** | 8, rue de Thorigny (3e) |
| | **Cartoucherie** | Av. de la Pyramide, Vincennes |
| I4 | **Casino de Paris** | 6, rue de Clichy (9e) |
| L6 | **Caveau de la République** | 1, bd St Martin (3e) |
| K8 | **Châtelet** | 1, Place du Châtelet (1er) |
| M7 | **Cirque d'Hiver** (Bouglione) | Place Pasdeloup (11e) |
| O2 | **Cité des Sciences et Industries** | 30, avenue Corentin Cariou (19e) |
| I5 | **Comédie Caumartin** | 25, rue Caumartin (9e) |
| I4 | **Comédie de Paris** | 42, rue Fontaine (9e) |
| F6 | **Comédie des Champs-Elysées** | 15, avenue Montaigne (8e) |
| J7 | **Comédie Française** | Pl. du Théâtre Français (1er) |
| H10 | **Comédie Italienne** | 17, rue de la Gaîté (14e) |
| G3 | **Cortot** | 78, rue Cardinet (17e) |
| I6 | **Daunou** | 7, rue Daunou (2e) |
| I5 | **Edouard-VII** | 10, rue Edouard-VII (9e) |
| M8 | **Espace Marais** | 22, rue Beautreillis (4e) |
| H6 | **Espace Pierre Cardin** | 1, avenue Gabriel (8e) |
| K7 | **Essaïon** | 6, rue Pierre au Lard (4e) |
| K5 | **Folies Bergères** | 32, rue Richer (9e) |
| J4 | **Fontaine** | 10, rue Fontaine (9e) |
| H11 | **Gaîté Montparnasse** | 24, rue de la Gaîté (14e) |
| G5 | **Gaveau** | 45, rue de la Boetie (8e) |
| O2 | **Géode** | Parc de la Villette (19e) |
| H10 | **Grand Edgar** | 6, rue de la Gaîté (14e) |
| K5 | **Gymnase** | 38, bd Bonne-Nouvelle (10e) |
| H4 | **Hébertot** | 78 bis, bd des Batignolles |
| K8 | **Huchette** (de la) | 23, rue de la Huchette (5e) |

| Plan | Théâtres | Adresses |
|---|---|---|
| J4 | **La Bruyère** | 5, rue de La Bruyère (9ᵉ) |
| I10 | **Lucernaire Forum** | 53, rue Notre-Dame des Champs (6ᵉ) |
| H6 | **Madeleine** (de la) | 19, rue de Surène (8ᵉ) |
| L6 | **Marais** | 37, rue Volta (3ᵉ) |
| G5 | **Marigny** | Avenue de Marigny (8ᵉ) |
| J9 | **Marionnettes** | Jardin du Luxembourg (6ᵉ) |
| I5 | **Mathurins** | 36, rue des Mathurins (8ᵉ) |
| I5 | **Michel** | 38, rue des Mathurins (8ᵉ) |
| J6 | **Michodière** (de la) | 4, rue de la Michodière (2ᵉ) |
| I5 | **Mogador** | 25, rue Mogador (9ᵉ) |
| H11 | **Montparnasse** (Gaston Baty) | 31, rue de la Gaîté (14ᵉ) |
| K5 | **New Morning** | 7, rue des Petites Ecuries (10ᵉ) |
| K5 | **Nouveautés** | 24, boulevard Poissonnière (9ᵉ) |
| K10 | **Nouveau Théâtre Mouffetard** | 73, rue Mouffetard (5ᵉ) |
| I4 | **Œuvre** | 55, rue de Clichy (9ᵉ) |
| I6 | **Olympia** | 28, bd des Capucines (9ᵉ) |
| I5 | **Opéra Garnier** | 1, place de l'Opéra (9ᵉ) |
| M9 | **Opéra Bastille** | 120, rue de Lyon (12ᵉ) |
| J6 | **Opéra Comique** | 5, rue Favard (2ᵉ) |
| D4 | **Palais des Congrès** | Porte Maillot (17ᵉ) |
| M6 | **Palais des Glaces** | 37, rue du Faubourg du Temple (10ᵉ) |
| N11 | **Palais Omnisports** (Paris Bercy) | 8, boulevard de Bercy (12ᵉ) |
| J6 | **Palais-Royal** | 38, rue de Montpensier (1ᵉʳ) |
| D12 | **Palais des Sports** | Place de la Porte de Versaille (15ᵉ) |
| O2 | **Paris Villette** | 211, avenue Jean Jaurès (19ᵉ) |
| I4 | **Paris** (théâtre de) | 15, rue Blanche (9ᵉ) |
| E10 | **Plaine** | 13, rue du Gen. Guillaumat (15ᵉ) |
| F5 | **Pleyel** | 252, rue du Faubourg St Honoré (8ᵉ) |
| I6 | **Porte St Martin** | 18, boulevard St Martin (10ᵉ) |
| L6 | **Potinière** | 7, rue Louis Le Grand (2ᵉ) |
| N12 | **Quai de la Gare** | 91, Quai de la Gare (13ᵉ) |
| L6 | **Renaissance** | 19, rue René Boulanger (10ᵉ) |
| G6 | **Renaud Barrault** | Av. Fr. D. Roosevelt (8ᵉ) |
| J4 | **St Georges** | 51, rue St Georges (9ᵉ) |
| J3 | **Tertre** | 81, rue Lepic (18ᵉ) |
| D8 | **Théâtre 102** | 116, av. du Président Kennedy (16ᵉ) |
| Q6 | **Théâtre de l'Est-Parisien** (T.E.P.) | 159, avenue Gambetta (20ᵉ) |
| K7 | **Théâtre du Forum des Halles** | 15, rue de l'Equ. d'Argent (niv. 3) (1ᵉʳ) |
| J9 | **Théâtre de France** (Odéon) | Place de l'Odéon (6ᵉ) |
| K6 | **Théâtre de la Musique** (T.M.P.) | 5, rue Papin (3ᵉ) |
| I10 | **Théâtre de Poche** | 75, boulevard Montparnasse (6ᵉ) |
| J5 | **Théâtre des Variétés** | 7, boulevard Montmartre (2ᵉ) |
| K8 | **Théâtre de la Ville** (Sarah Bernhardt) | Place du Châtelet (4ᵉ) |
| K7 | **Tintamarre** | 10, rue des Lombards (1ᵉʳ) |
| M6 | **T.L.P. Déjazet** | 41, boulevard du Temple (3ᵉ) |
| E7 | **T.N.P. (Chaillot)** | 1, place du Trocadéro (16ᵉ) |

| Plan | Théâtres | Adresses |
|---|---|---|
| H4 | **Tristan Bernard** | 64, rue du Rocher (8e) |
| P2 | **Zénith** | Parc de la Vilette (19e) |

# AGENCES DE THEATRES

## (Location des places)

| Plan | Adresses |
|---|---|
| E9 | **Acte 3,** 14, rue Violet (15e) Tél. : 45 77 41 13 |
| F5 | **Ag. Théâtres des Champs-Elysées,** 76, avenue des Champs-Elysées (8e) Tél. : 43 59 24 60 |
| K7 | **Ag. Marais,** 15, rue aux Ours (3e) Tél. : 42 71 04 40 |
| J6 | **Ag. Marivaux,** 7, rue Marivaux (2e) Tél. : 42 97 46 70 |
| K5 | **Amis du Spectacle,** 11, rue Martel (10e) Tél. : 48 24 51 45 |
| K7 | **Billetel,** 6, boulevard Sébastopol (4e) Tél. : 48 04 75 13 |
| J5 | **Chèque Théâtre,** 33, rue Le Pelletier (9e) Tél. : 42 46 72 40 |
| I5 | **Entrées Spectacles,** 25, rue Mogador (9e) Tél. : 48 78 11 74 |
| I5 | **France Tourisme,** 1, rue Auber (9e) Tél. : 47 42 85 84 |
| H6 | **Perrossier,** 6, place de la Madeleine (8e) Tél. : 42 60 58 31 |
| F6 | **S.O.S. Théâtres,** 73, avenue des Champs-Elysées (8e) Tél. : 42 25 67 07 |
| I7 | **Spectateurs Service,** 252, rue du Faubourg St Honoré (8e) Tél. : 45 63 79 18 |

# CABARETS ARTISTIQUES

| Plan | Cabarets | Adresses |
|---|---|---|
| J8 | **Alcazar de Paris** (l') | 62, rue Mazarine (6e) |
| L6 | **Caveau de la République** (Chansonniers) | 1, boulevard St Martin (3e) |
| J3 | **Chez ma Cousine** | 12, rue de Norvins (18e) |
| F6 | **Club des Champs-Elysées** | 15, avenue Montaigne (8e) |
| I8 | **Club St Germain-des-Prés** | 13, rue St Benoît (6e) |
| F6 | **Crazy Horse Saloon** | 12, avenue Georges-V (8e) |
| I3 | **Deux Anes** (Chansonniers) | 100, boulevard de Clichy (18e) |
| J4 | **Dix heures** | 36, boulevard de Clichy (18e) |
| I8 | **Don Camillo** | 10, rue des Sts Pères (7e) |
| G6 | **Eléphant Bleu** (l') | 49, rue de Ponthieu (8e) |
| J4 | **Elysée Montmartre** | 72, boulevard Rochechouart (18e) |
| F5 | **Etoile de Moscou** | 6, rue Arsène Houssaye (8e) |

| Plan | Cabarets | Adresses |
|---|---|---|
| K5 | **Folies Bergères** | 32, rue Richer (9e) |
| J2 | **Lapin Agile** | 4, rue des Saules (18e) |
| F5 | **Le Lido** | 78, avenue des Champs-Elysées (8e) |
| H6 | **Maxims'** | 3, rue Royale (8e) |
| J4 | **Michou** (chez) | 8, rue des Martyrs (9e) |
| F6 | **Mimi Pinson** | 79, avenue des Champs-Elysées (8e) |
| I3 | **Moulin Rouge** (Bal du) | Place Blanche (18e) |
| I4 | **Nouvelle Eve** (la) | 25, rue Fontaine (9e) |
| C7 | **Novy** | 6, rue Faustin Hélie (16e) |
| D5 | **Orée du Bois** | Porte Maillot (16e) |
| K9 | **Paradis Latin** | 28, rue du Cardinal Lemoine (5e) |
| F5 | **Raspoutine** | 58, rue Bassano (8e) |
| F6 | **Sexy** (le) | 68, rue Pierre Charron (8e) |
| I4 | **Shéhérazade** | 3, rue de Liège (9e) |
| E4 | **Tsarevitch** | 1, rue des Colonels Renard (17e) |
| F5 | **Villa d'Este** | 4, rue Arsène Houssaye (8e) |

# ATTRACTIONS

| Plan | Attractions | Adresses |
|---|---|---|
| C12 | **Aquaboulevard** | Rue du Colonel Pierre Avia (15e) |
| M7 | **Cirque d'Hiver** | 110, rue Amelot (11e) |
| F4 | **Espace Wagram** | 39, avenue Wagram (16e) |
| B4 | **Jardin d'Acclimatation** | Bois de Boulogne (16e) |
| J5 | **Musée Grévin** | 10, boulevard Montmartre (9e) |
| M6 | **Palais des Glaces** | 37, rue du Faubourg du Temple (10e) |
| E8 | **Tour Eiffel** | Champ de Mars (7e) |
| A12 | **Zoo** | Bois de Vincennes (12e) |

# PRINCIPAUX CINEMAS

| Plan | Cinémas | Adresses |
|---|---|---|
| J9 | **Accatone** | 20, rue Cujas (5e) |
| K9 | **Action Rive Gauche** | 5, rue des Ecoles (5e) |
| F6 | **Biarritz UGC** | 79, avenue des Champs-Elysées (8e) |
| K9 | **Champo** | 51, rue des Ecoles 5e) |
| K7 | **Ciné Beaubourg - Les Halles** | 50, rue Rambuteau (1er) |
| J9 | **Cinoche** | 1, rue de Condé (6e) |
| F5 | **City Triomphe** | 92, avenue des Champs-Elysées (8e) |

| Plan | Cinémas | Adresses |
|---|---|---|
| G6 | **Colisée** | 38, avenue des Champs-Elysées (8e) |
| I9 | **Cosmos** | 76, rue de Rennes (6e) |
| J9 | **Danton UGC** | 99, boulevard St Germain (6e) |
| I11 | **Denfert** | 24, place Denfert-Rochereau (14e) |
| F6 | **Elysée Lincoln** | 14, rue Lincoln (8e) |
| H11 | **Entrepôt** | 7-9, rue Francis de Pressensé (14e) |
| K10 | **Epée de Bois** | 100, rue Mouffetard (5e) |
| G6 | **Ermitage UGC** | 72, avenue des Champs-Elysées (8e) |
| K11 | **Escurial Panorama** | 11, boulevard du Port-Royal (13e) |
| L12 | **Fauvettes** | 58, 73, avenues des Gobelins (13e) |
| K7 | **Forum Arc-en-Ciel** | Rue de l'Arc-en-Ciel (Forum des Halles, niv. 3) (1er) |
| K7 | **Forum Orient Express** | Rue de l'Orient (Forum des Halles, niv. 4) (1er) |
| J5 | **Français Pathé** | 38, boulevard des Italiens (9e) |
| L12 | **Galaxie** | 12, rue Vandrezanne (Centre Commercial Galaxie) (13e) |
| P7 | **Gambetta** | 6, rue Belgrand (20e) |
| G6 | **Gaumont Ambassade** | 50, avenue des Champs-Elysées (8e) |
| G6 | **Gaumont Champs-Elysées** | 66, avenue des Champs-Elysées (8e) |
| F11 | **Gaumont Convention** | 27, rue Alain Chartier (15e) |
| K7 | **Gaumont Les Halles** | Porte Rambuteau (Forum des Halles, niv. 3) (1er) |
| J5 | **Gaumont Opéra** | 31, boulevard des Italiens (1er) |
| I10 | **Gaumont Parnasse** | 82, boulevard du Montparnasse (14e) |
| O2 | **Géode** | 26, avenue Corentin Cariou (19e) |
| F5 | **Georges V** | 146, avenue des Champs-Elysées (8e) |
| J5 | **Hollywood Boulevard** | 4, rue du Faubourg Montmartre (9e) |
| F9 | **Kinopanorama** (Ecran géant) | 60, avenue de la Motte-Piquet (15e) |
| M8 | **La Bastille** | 5, rue du Faubourg St Antoine (11e) |
| K8 | **Latina** | 20, rue du Temple (4e) |
| P9 | **Les Nations** | 133, boulevard Diderot (12e) |
| I10 | **Les 7 Parnassiens** | 98, boulevard du Montparnasse (14e) |
| E5 | **Mac-Mahon** | 5, avenue Mac-Mahon (17e) |
| D4 | **Maillot** | Porte Maillot, Palais des Congrès (17e) |
| F6 | **Marbœuf UGC** | 34, rue Marbœuf (8e) |
| G6 | **Marignan Concorde Pathé** | 24, avenue des Champs-Elysées (8e) |
| J5 | **Marivaux** | 15, boulevard des Italiens (2e) |
| K5 | **Max Linder Panorama** | 24, boulevard Poissonnière (9e) |
| H10 | **Miramar** | 3, rue du Départ (14e) |
| I12 | **Mistral** | 70, avenue du Général Leclerc (14e) |
| I10 | **Montparnasse Pathé** | 74, boulevard du Montparnasse (14e) |
| H10 | **Montparnos** | 16, rue d'Odessa (14e) |
| E5 | **Napoléon** | 4, avenue de la Grande-Armée (17e) |
| I8 | **Odéon UGC** | 124, boulevard St Germain (6e) |
| H9 | **Pagode** | 57 bis, rue de Babylone (7e) |

| Plan | Cinémas | Adresses |
|---|---|---|
| I3 | **Pathé Clichy** | 7-8, avenue de Clichy (18e) |
| I6 | **Paramount Opéra** | 2, boulevard des Capucines (9e) |
| D9 | **14 Juillet Beaugrenelle** | 16, rue Linois (Ctre Beaugrenelle) (15e) |
| J8 | **14 Juillet Odéon** | 113, boulevard St Germain (6e) |
| I8 | **14 Juillet Parnasse** | 11, rue Jules Chaplain (6e) |
| D8 | **Ranelagh** | 5, rue des Vignes (16e) |
| M7 | **République Cinémas** | 118, rue du Faubourg du Temple (11e) |
| K5 | **Rex** | 1, boulevard Poissonnière (2e) |
| J8 | **St André-des-Arts** | 30, rue St André-des-Arts (6e) |
| F11 | **St Lambert** | 6, rue Péclet (15e) |
| H5 | **St Lazare Pasquier** | 44, rue Pasquier (8e) |
| K7 | **Salle Garance** | Centre Georges Pompidou (4e) |
| L6 | **Scala** | 13, boulevard de Strasbourg (10e) |
| J10 | **Studio des Ursulines** | 10, rue des Ursulines (5e) |
| K9 | **Studio Galande** | 42, rue Galande (5e) |
| J3 | **Studio 28** | 10, avenue de Tholozé (18e) |
| F5 | **3 Balzac** | 1, rue Balzac (8e) |
| J9 | **3 Luxembourg** | 67, rue Monsieur le Prince (6e) |
| M4 | **3 Secretan** | 1, avenue Secretan (19e) |
| J5 | **UGC Boulevard** | 34, boulevard des Italiens (9e) |
| F6 | **UGC Champs-Elysées** | 65, avenue des Champs-Elysées (8e) |
| F11 | **UGC Convention** | 204, rue de la Convention (15e) |
| M9 | **UGC Gare de Lyon** | 12, rue de Lyon (12e) |
| L12 | **UGC Gobelins** | 66 bis, avenue des Gobelins (13e) |
| F5 | **UGC Normandie** | 116-118, av. des Champs-Elysées (8e) |
| I10 | **UGC Montparnasse** | 83, boulevard du Montparnasse (6e) |
| J9 | **Utopia Champollion** | 9, rue Champollion (5e) |
| K7 | **Vidéothèque de Paris** | Forum des Halles, Porte St Eustache (1er) |

# BIBLIOTHEQUES

| Plan | Bibliothèques | Adresses |
|---|---|---|
| M9 | **Arsenal** (de l') | 1 et 3, rue de Sully (4e) |
| K7 | **Centre Georges Pompidou** | Plateau Beaubourg (4e) |
| L8 | **Forney** | 1, rue du Figuier (4e) |
| L8 | **Historique de la Ville de Paris** | 29, rue de Sévigné (3e) |
| L9 | **Institut du Monde Arabe** | Rue des Fossés St Bernard (5e) |
| J8 | **Mazarine** | 23, quai de Conti (6e) |
| J6 | **Nationale** | 58, rue de Richelieu (2e) |
| K9 | **Ste Geneviève** | 10, place du Panthéon (5e) |
| J4 | **Thiers** | 27, place St Georges (9e) |
| K7 | **Vidéothèque de Paris** | Forum des Halles, Porte St Eustache (er) |

# MONUMENTS

| Plan | Monuments | Adresses |
|---|---|---|
| J7 | **Arc de Triomphe du Carrousel** | Place du Carrousel (1er) |
| E5 | **Arc de Triomphe de l'Etoile** | Place Charles-de-Gaulle (8e, 16e, 17e) |
| L7 | **Archives Nationales** | 60, rue des Francs-Bourgeois (3e) |
| J7 | **Banque de France** | 1 et 5, rue La Vrillière (1er) |
| J6 | **Bibliothèque Nationale** | 58, rue Richelieu (2e) |
| J6 | **Bourse** | Place de la Bourse (2e) |
| K7 | **Centre Georges Pompidou** | Plateau Beaubourg (4e) |
| H5 | **Chapelle expiatoire de Louis XVI** | Square Louis XVI (8e) |
| M8 | **Colonne de Juillet** | Place de la Bastille (4e, 11e, 12e) |
| I6 | **Colonne Vendôme** | Place Vendôme (1er) |
| F9 | **Ecole Militaire** | 1 à 23, place Joffre (7e) |
| K7 | **Forum des Halles** | Pierre Lescot (1er) |
| O2 | **Géode** | Parc de la Villette (19e) |
|  | **Grande Arche** | La Défense |
| K8 | **Hôtel-de-Ville** | Place de l'Hôtel-de-Ville (4e) |
| G8 | **Hôtel des Invalides** | 2, avenue de Tourville (7e) |
| J8 | **Hôtel des Monnaies** | 11, quai Conti (6e) |
| D8 | **Institut** | 23, quai Conti (6e) |
| D8 | **Maison de la Radio** | Avenue du Président Kennedy (16e) |
| H6 | **Obélisque** | Place de la Concorde (8e) |
| J11 | **Observatoire** | 61, avenue de l'Observatoire (14e) |
| I5 | **Opéra** | Place de l'Opéra (9e) |
| M9 | **Opéra Bastille** | 120, rue de Lyon (12e) |
| H7 | **Palais Bourbon** | 29 à 35, quai d'Orsay (7e) |
| J-K8 | **Palais de Justice** (Conciergerie, Ste Chapelle) | 1, boulevard du Palais (1er) |
| G7 | **Petit Palais, Grand Palais** | avenue Winston Churchill (8e) |
| H6 | **Palais de l'Elysée** | 55 et 57, rue du Fg St Honoré (8e) |
| J7 | **Palais du Louvre** | Rue de Rivoli et place du Louvre (1er) |
| J9 | **Palais du Luxembourg** | 15 à 19, rue de Vaugirard (6e) |
| J7 | **Palais Royal** | Place du Palais-Royal (1er) |
| K10 | **Panthéon** | Place du Panthéon (5e) |
| J7 | **Pyramide du Louvre** | Rue de Rivoli (1er) |
| J-K9 | **Sorbonne** | 47, rue des Ecoles (5e) |
| E8 | **Tour Eiffel** | Champ de Mars (7e) |
| H10 | **Tour Montparnasse** | Avenue du Maine (14e) |
| K8 | **Tour St Jacques** | Square de la Tour St Jacques (4e) |
| J11 | **Val-de-Grâce** | 277 bis, rue St Jacques (5e) |

# MUSEES

| Plan | Musées | Adresses |
|---|---|---|
| E7 | **Aquarium du Trocadéro** | Avenue Albert de Mun (16e) |
| L7 | **Archives Nationales** | 56, rue des Francs-Bourgeois (3e) |
| G8 | **Armée** | Hôtel des Invalides (7e) |
| Q11 | **Arts Africains et Océaniens** | 293, avenue Daumesnil (12e) |
| J7 | **Arts décoratifs** (Palais du Louvre, Pavillon de Marsan) | 107, rue de Rivoli (1er) |
| B-C4 | **Arts et Traditions Populaires** | Rte du Mahatma-Gandhi (B. de Boul.) |
| F7 | **Art Moderne** | 11, avenue du Président Wilson (16e) |
| L6 | **Arts et Métiers** | 292, rue St Martin (3e) |
| K9 | **Artistique et Historique** | 47, quai de la Tournelle (5e) |
| J11 | **Astronomique** | Observatoire (14e) |
| D8 | **Balzac** | 47, rue Raynouard (16e) |
| H10 | **Bourdelle** | 16, avenue Antoine Bourdelle (15e) |
| I9 | **Branly** | 21, rue d'Assas (6e) |
| L-M8 | **Carnavalet** | 23, rue de Sévigné (3e) |
| K7 | **Centre Georges Pompidou** | Plateau Beaubourg (4e) |
| G4 | **Cernuschi** | 7, avenue Velasquez (8e) |
| L7 | **Chasse** | 60, rue des Archives (3e) |
| D7 | **Clémenceau** | 8, rue Franklin (16e) |
| J9 | **Cluny** | 23, boulevard St Michel (5e) |
| L8 | **Cognacq-Jay** | 25, boulevard des Capucines (2e) |
| H4 | **Conservatoire de Musique** | 14, rue de Madrid (8e) |
| K8 | **Conciergerie** | Quai de l'Horloge (1er) |
| I8 | **Copies et Plâtres** | Ecole des Beaux-Arts (6e) |
| J9 | **Dupuytren** | 15, rue l'Ecole de Médecine (6e) |
| D5 | **D'Ennery** | 59, avenue Foch (16e) |
| I7 | **D'Orsay** | 1, rue de Bellechasse (7e) |
| J8 | **Eugène Delacroix** | 6, rue Furstenberg (6e) |
| L8 | **Forney** | 1, rue du Figuier (4e) |
| F6 | **Galliera** | 10, avenue Pierre Ier de Serbie (16e) |
| K11 | **Gobelins** | 42, avenue des Gobelins (13e) |
| J5 | **Grévin** | 10, boulevard Montmartre (9e) |
| K7 | **Grévin** (nouveau) | Forum des Halles, niv. 1 (1er) |
| E6 | **Guimet** | 6, place d'Iéna (16e) |
| J4 | **Gustave Moreau** | 14, rue La Rochefoucauld (9e) |
| G4 | **Henner** | 43, avenue de Villiers (17e) |
| G8 | **Invalides** (Hôtel des) | 2, avenue de Tourville (7e) |
| G5 | **Jacquemart André** | 158, boulevard Haussmann (8e) |
| H6 | **Jeu de Paume** | Jardin des Tuileries (1er) |
| J7 | **Louvre** | Palais du Louvre (1er) |
| E7 | **Marine** | Place du Trocadéro (16e) |
| C7 | **Marmottan** | 2, rue Louis Boilly (16e) |
| J8 | **Monnaie** | 11, quai de Conti (6e) |
| E7 | **Monuments Français** | Palais de Chaillot (16e) |

| Plan | Musées | Adresses |
|---|---|---|
| L10 | **Muséum** (d'Histoire Naturelle) | Jardin des plantes (5e) |
| K8 | **Musée Notre-Dame** | 10, rue du Cloître Notre-Dame (4e) |
| K10 | **Musée pédagogique** | 29, rue d'Ulm (5e) |
| E7 | **Musée de l'Homme** | Place du Trocadéro (16e) |
| G4 | **Nissim de Camondo** | 63, rue de Monceau (8e) |
| I5 | **Opéra** | Place Charles Garnier (9e) |
| H7 | **Orangerie** | Place de la Concorde (1er) |
| E7 | **Palais de Chaillot** | Place du Trocadéro (16e) |
| G7 | **Palais de la Découverte** | Avenue Fr. D. Roosevelt (8e) |
| H7 | **Palais de la Légion d'honneur** (Hôtel de Salm) | 2, rue de Bellechasse (7e) |
| G7 | **Petit Palais, Grand Palais** | Avenue Winston Churchill (8e) |
| L7 | **Picasso** | 5, rue de Thorigny (3e) |
| H10 | **Postal** | 34, boulevard de Vaugirard (15e) |
| H8 | **Rodin** | 77, rue de Varenne (7e) |
| O2 | **Sciences Techniques et Industries** | Parc de la Villette (19e) |
| G9 | **Valentin Hauy** | 9, rue Duroc (7e) |
| I8 | **Victor Hugo** | 6 bis, place des Vosges (4e) |

# MAGASINS

| Plan | Magasins | Adresses |
|---|---|---|
| K8 | **Bazar Hôtel-de-Ville** (Rivoli) | 52, rue de Rivoli (4e) |
| N2 | **B.H.V.** (Flandre) | 119, rue de Flandre (19e) |
| D9 | **Beaugrenelle** | 36, rue Linois (15e) |
| H9 | **Bon-Marché** | 38, rue de Sèvres (7e) |
| L7 | **Carreau du Temple** | 1, rue du Petit Thouars (3e) |
| L8 | **F.N.A.C. Châtelet** | 122, rue de Rivoli (4e) |
| F3 | **F.N.A.C. Etoile-Wagram** | 26, avenue de Wagram (16e) |
| I9 | **F.N.A.C. Montparnasse** | 136, rue de Rennes (6e) |
| K7 | **Forum des Halles** | 1, rue Pierre Lescot (1er) |
| J5 | **Galerie Lafayette Haussmann** | 40, boulevard Haussmann (9e) |
| H10 | **Galerie Lafayette Montparnasse** | 22, rue du Départ (15e) |
| H10 | **Inno Montparnasse** | 35, rue du Départ (14e) |
| P9 | **Inno Nation** | 20, boulevard de Charonne (20e) |
| D8 | **Inno Passy** | 53, rue de Passy (16e) |
| J7 | **Louvre des Antiquaires** | 2, place du Palais-Royal (1e) |
| I10 | **Maine-Montparnasse** | 66, boulevard du Montparnasse (15e) |
| K8 | **Marché aux Fleurs** | Quai de la Corse (4e) |
| J-K1 | **Marché aux Puces** | Av. de la Porte de Clignancourt (18e) |
| J5 | **Marks & Spencer** | 34-41, boulevard Haussmann (9e) |
| J5 | **Printemps Hausmann** | 64, boulevard Haussmann (9e) |
| L13 | **Printemps Italie** | 30, avenue d'Italie (13e) |

| Plan | Magasins | Adresses |
|---|---|---|
| Q9 | **Printemps Nation** | 25, cours Vincennes (20e) |
| M6 | **Printemps République** | Place de la République (11e) |
| E4 | **Printemps Ternes** | 30, avenue des Ternes (17e) |
| J7 | **Samaritaine** | 19, rue de la Monnaie (1er) |
| I6 | **Trois-Quartiers** (aux) | 10, place de la Madeleine (1er) |

# SALONS, FOIRES, EXPOSITIONS

| Plan | Salons, Foires, Expositions | Adresses |
|---|---|---|
| M10 | **Espace Austerlitz** | 24, quai d'Austerlitz (13e) |
| E3 | **Espace Champerret** | Rue Jean Ostreicher (17e) |
| O2 | **Grande Halle de la Villette** | 211, avenue Jean Jaurès (19e) |
| J5 | **Hôtel des Ventes** | 9, rue Drouot (9e) |
| D4 | **Palais des Congrès** | 2, place de la Porte Maillot (17e) |
| D-E12 | **Parc des Expositions** | Porte de Versailles (15e) |
| | **Parc des Expositions de Paris-Nord** | Villepinte - ZAC Paris-Nord II |

# PROMENADES ET JARDINS

| Plan | Promenades, Jardins | Plan | Promenades, Jardins |
|---|---|---|---|
| B4 | **Jardin d'Acclimatation** (16e) | N4 | **Parc des Buttes Chaumont** (19e) |
| I7 | **Jardin du Carrousel** (1er) | F8 | **Parc du Champ de Mars** (7e) |
| G8 | **Jardin de l'Intendant** (7e) | F12 | **Parc Georges Brassens** |
| J9 | **Jardin du Luxembourg** (6e) | G4 | **Parc Monceau** (8e) |
| J6-7 | **Jardin du Palais-Royal** (1er) | J13 | **Parc Montsouris** (14e) |
| L10 | **Jardin des Plantes** (5e) | O2 | **Parc de la Villette** |
| E7 | **Jardins du Trocadéro et Aquarium** (16e) | H3 | **Square des Batignolles** |
| I7 | **Jardin des Tuileries** (1er) | K12 | **Square René Le Gall** (13e) |
| O6 | **Parc de Belleville** | | |

# CIMETIERES

| Plan | Cimetières | Adresses |
|---|---|---|
| B10 | **Auteuil** | 57, rue Claude-Lorrain (16e) |
| | **Bagneux** | Avenue Marx-Dormoy, à Bagneux |
| H1 | **Batignolles** | 8 et 10, rue St Just (17e) |
| P5 | **Belleville** | 40, rue du Télégraphe (20e) |

| Plan | Cimetières | Adresses |
|---|---|---|
| P12 | **Bercy** | 329, rue de Charenton (12e) |
| R13 | **Charenton** | Avenue de Grenelle (12e) |
| Q7 | **Charonne** | Rue de Bagnolet (place St Blaise) (20e) |
| K14 | **Gentilly** | Avenue Caffieri (13e) |
| D10 | **Grenelle** | 174, rue St Charles (15e) |
| | **Ivry** | 44, route de Choisy, à Ivry |
| L1 | **La Chapelle** | 38, avenue du Président Wilson (La Plaine St Denis) |
| O3 | **La Villette** | 46, rue d'Hautpoul (19e) |
| I3 | **Montmartre** (Nord) | Boulevard de CLicly (av. Rachel) (18e) |
| J3 | **Montmartre-Calvaire** | Place du Tertre (18e) |
| I11 | **Montparnasse** (Sud) | 3, boulevard Edgar Quinet (14e) |
| H13 | **Montrouge** | 18 et 20, av. Pte de Montrouge (14e) |
| R3 | **Pantin** | 164, avenue Jean Jaurès, à Pantin |
| D7 | **Passy** | Rue du Cdt Schlœsing et av. G. Mandel (16e) |
| P7 | **Père Lachaise** (Est) | Boulevard Ménilmontant (20e) |
| P10 | **Picpus** | Rue de Picpus (12e) |
| Q11 | **St Mandé** (Sud) | Rue du Général Archinard (12e) |
| | **St Ouen** | Avenue Michelet, à St Ouen |
| J3 | **St Pierre** (Cim. du Calvaire) | 2, rue Mont-Cenis (18e) |
| J13 | **St Vincent** | 6, rue Lucien Gaulard (18e) |
| P12 | **Valmy** | Avenue de la Porte de Charenton (12e) |
| D11 | **Vaugirard** | 320, rue Lecourbe (15e) |
| | **Thiais** | Route de Fontainebleau, à Thiais |

# SOCIETE NATIONALE DES CHEMINS DE FER FRANÇAIS

| Plan | Réseaux | Adresses |
|---|---|---|
| L4 | **Réseau de l'Est,** Direction de l'Exploitation | 21-23, rue d'Alsace (10e) |
| L4 | **Réseau du Nord,** Direction de l'Exploitation | 18, rue de Dunkerque (10e) |
| H5 | **Réseau de l'Ouest** Direction de l'Exploitation | 20, rue de Rome (8e) |
| N9 | **Réseau du Sud-Est,** Direction de l'Exploitation | 20, boulevard Diderot (12e) |
| M10 | **Réseau du Sud-Ouest,** Direction de l'Exploitation | 1, place Valhubert (13e) |
| I5 | **Siège social** | 88, rue St Lazare (9e) |

# GARES DE LA S.N.C.F.

## (Toutes gares: Renseignements: 45 82 50 50 - Réservations: 45 65 60 60)

| Plan | Gares | Plan | Gares |
|---|---|---|---|
| M10 | **Gare d'Austerlitz** (13e)<br>Tél.: 45 65 60 60 | H10 | **Gare Montparnasse** (15e)<br>Tél.: 45 38 52 19 |
| L5 | **Gare de l'Est**, Réseau Est (10e)<br>Tél.: 42 03 24 50 | L4 | **Gare du Nord**, Réseau Nord (10e)<br>Tél.: 48 78 87 50 |
| N10 | **Gare de Lyon**, Réseau Sud-Est (12e)<br>Tél.: 43 45 92 22 | I5 | **Gare St Lazare**, Réseau Ouest (8e)<br>Tél.: 42 85 88 00 |

# COMPAGNIES DE NAVIGATION

| Plan | Compagnies | Adresses |
|---|---|---|
| H5 | **Compagnie des Chargeurs Réunis** | 3, boulevard Malesherbes (8e) |
| | **Compagnie Générale Maritime** (siège) | La Défense, Tour Winterthur |
| | **Compagnie Générale Transatlantique** | 102, quartier Boieldieu, Puteaux |
| I5 | **Société Nationale Maritime Corse-Méditerranée** | 12, rue Godot de Mauroy (9e) |
| G7 | **Office National de Navigation** | 2, boulevard de la Tour Maubourg (7e) |

# COMPAGNIES AERIENNES

| Plan | Compagnies | Adresses |
|---|---|---|
| G7 | **Aérogare des Invalides** | Esplanade des Invalides (7e) |
| | **Aéroport** (Charles-de-Gaulle) | Roissy (Val-d'Oise 95) |
| | **Aéroport** (Le Bourget) | Le Bourget (Seine St Denis 93) |
| | **Aéroport** (Orly) | Orly (Val-de-Marne 94) |
| G6 | **Air-France** | 119, avenue des Champs-Elysées (8e) |
| K12 | **Air-France** (billets-renseignements) | 74, Boulevard Auguste Blanqui (13e) |
| I13 | **Air-Inter** | 54, rue du Père Corentin (14e) |
| I6 | **Alitalia** | 43, avenue de l'Opéra (2e) |
| G5 | **American Airlines** | 109, Faubourg St Honoré (8e) |
| I6 | **Austrian Airlines** | 47, avenue de l'Opéra (2e) |
| I6 | **British Airways** | 12, rue Castiglione (1er) |
| D11 | **Héliport de Paris** | Avenue de la Porte de Sèvres (15e) |
| I6 | **K.L.M.** | 36 bis, avenue de l'Opéra (2e) |
| I5 | **M.E.A.** | 6, rue du Scribe (9e) |

| Plan | Compagnies | Adresses |
|---|---|---|
| G6 | **Pan American** | 138, Champs-Elysées (8e) |
| I6 | **Sabena** | 19, rue de la Paix (2e) |
| I6 | **S.A.S.** | 30, boulevard des Capucines (9e) |
| G6 | **T.W.A.** | 101, avenue des Champs-Elysées (8e) |
| H5 | **U.T.A** | 3, boulevard Malesherbes (8e) |
| F6 | **Varig** (lignes aériennes brésiliennes) | 20, rue Quentin Bauchart (8e) |

# TOURISME

## (Office de Tourisme de Paris - Tél.: 47 23 61 72)

| Plan | Organismes | Adresses |
|---|---|---|
| I6 | **Agence Havas Voyages** | 26, avenue de l'Opéra (1er) |
| Q7 | **Auberge de Jeunesse** | 82, rue Vitruve (20e) |
| K5 | **Auto - Camping, Caravaning - Club de France** | 37, rue d'Hauteville (10e) |
| H6 | **Automobile - Club de France** | 8, place de la Concorde (8e) |
| E5 | **Automobile - Club de l'Ile-de-France** | 14, avenue de la Grande-Armée (17e) |
| K7 | **Camping - Club Int. de France** | 14, rue des Bourdonnais (1er) |
| N4 | **Club Alpin-Français** | 24, avenue Laumière (19e) |
| K7 | **Fédération Unies des Auberges de Jeunesse** | 9, rue Brantôme (3e) |
| I6 | **Intourist** (Office National du Tourisme URSS) | 7, boulevard des Capucines (2e) |
| L13 | **Logis de France** | 83, avenue d'Italie (13e) |
| I6 | **Maison de la France** | 8, avenue de l'Opéra (1er) |
| I6 | **Office du Tourisme des Etats-Unis** | 23, place Vendôme (2e) |
| I6 | **Office du Tourisme Polonais** (ORBIS) | 49, avenue de l'Opéra (2e) |
| J5 | **Office du Tourisme Yougoslave** | 31, boulevard des Italiens (2e) |
| J6 | **Office International du Tourisme Japonais** | 4, rue Ste Anne (1er) |
| I6 | **Office National Allemand du Tourisme** | 9, boulevard de la Madeleine (1er) |
| I6 | **Office National Autrichien du Tourisme** | 47, avenue de l'Opéra (2e) |
| I6 | **Office National Belge du Tourisme** | 21, boulevard des Capucines (2e) |
| I5 | **Office National de Finlande** | 13, rue Auber (9e) |
| F6 | **Office National du Tourisme de Grande-Bretagne** | 63, rue Pierre Charron (8e) |
| H5 | **Office National de Tourisme Irlandais** | 33, rue de Miromesnil (8e) |
| G6 | **Office National du Tourisme du Danemark** | 142, avenue des champs-Elysées (8e) |
| I5 | **Office National du Tourisme Portugais** | 7, rue Scribe (9e) |
| F5 | **Office National du Tourisme Suédois** | 146, avenue des Champs-Elysées (8e) |
| I6 | **Office National Indien du Tourisme** | 8, boulevard de la Madeleine |
| I6 | **Office National Israélien du Tourisme** | 14, rue de la Paix (2e) |
| I6 | **Office National Italien du Tourisme** | 23, rue de la Paix (2e) |
| G6 | **Office National Néerlandais du Tourisme** | 31-33, av. des Champs-Elysées (8e) |
| I5 | **Office National Suisse du Tourisme** | 11 bis, rue Scribe (9e) |

| Plan | Organismes | Adresses |
|---|---|---|
| J10 | **Organisation du Tourisme Universitaire O.T.U.-Voyage** | 39, avenue G. Bernanos (5e) |
| I5 | **Stations Françaises de Sports d'Hiver** (association des Maires) | 61, boulevard Haussmann (8e) |
| G6 | **Syndicat d'Initiative de Paris** | 127, avenue des Champs-Elysées (8e) |
| G7 | **Touring Club de France** | Port Champs-Elysées (8e) |
| I10-11 | **Villages-Vacances-Familles** | 38, boulevard Edgar-Quinet (14e) |
| J6 | **Wagons-lits Tourismes** (Agence) | 32, rue du 4-Septembre (2e) |

# STADES

| Plan | Stades | Adresses |
|---|---|---|
| J1 | **Bertrand Dauvin** | 12, rue René Binet (18e) |
| M14 | **Carpentier** | 81, boulevard Masséna (13e) |
| K14 | **Charléty** | 83, boulevard Kellermann (13e) |
| G13 | **Didot** | 18, avenue Marc Sangnier (14e) |
| I14 | **Elisabeth** | Avenue Porte d'Orléans (14e) |
| E8 | **Emile Anthoine** | 9, rue Jean Rey (15e) |
| B11 | **Fronton Chiquito de Cambo** | 2, quai St Exupéry (16e) |
| A11 | **Géo André** (Stade Français) | 10, rue du Commandant Guilbaud (16e) |
| Q5 | **Henry Pathé** | 206, avenue Gambetta (20e) |
| A10 | **Jean Bouin** | Avenue du Général Sarrail (16e) |
| C5 | **J.-P. Wimille** | 243, boulevard Amiral Bruix (16e) |
| P2 | **Jules Ladoumègue** | Place de la Porte de Pantin (19e) |
| G13 | **Jules Noël** | Avenue Maurice d'Ocagne (14e) |
| P12 | **Léo Lagrange** | 68, boulevard Poniatowski (12e) |
| R7 | **Louis Lumière** | 30, rue Louis Lumière (20e) |
| | **Manège de l'Etrier** | Route du Mahatma-Gandhi<br>Allée Fortunée, Bois de Boulogne |
| I1 | **Max Rousie** | 28, rue André Bréchet (17e) |
| D12 | **Palais des Sports** | Porte de Versailles (15e) |
| N11 | **Parc mnisports de Paris-Bercy** | Quai de Bercy (12e) |
| A10 | **Parc des Princes** | 24, rue du Commandant Guilbaud (16e) |
| | **Paris** (de) | 92, rue du Docteur Bauer, St Ouen |
| D3 | **Paul Faber** | 17-19, av. de la Pte de Villiers (17e) |
| | **Pershing** | Route du Bosquet-Mortemart (12e) |
| A11 | **Pierre de Coubertin** | 82, avenue Georges Lafont (16e) |
| C12 | **Plaine de Vaugirard** | 2, rue Louis-Armand (15e) |
| K1 | **Poissonniers** (des) | 2, rue Jean-Cocteau (18e) |
| L1 | **Porte de la Chapelle** | 56, boulevard Ney (18e) |
| F13 | **Porte de la Plaine** | 13, rue du Général Guillaumat (15e) |
| A9 | **Roland Garros** | 2, avenue Gordon Bennett (16e) |
| R13 | **Vélodrome J. Anquetil** | Av. de Gravelle, Bois de Vincennes (12e) |

# TENNIS

| Plan | Tennis | Adresses |
|---|---|---|
| H3 | **Racing Club de France** | 154, rue Saussure (17e) |
| A9 | **Roland Garros** | Avenue de la Porte d'Auteuil (16e) |
| | **Tennis Club de Joinville** | Route de la Pyramide (12e) |
| A11 | **Tennis Club de Paris** | 15, avenue Félix d'Hérelle (16e) |
| L6 | **Tennis Club du 10e** | 21, boulevard Magenta (10e) |
| B11 | **Tennis Club du 16e** | 15, avenue du Général Clavery (16e) |

# PISCINES

| Plan | Piscines | Adresses |
|---|---|---|
| K2 | **Amiraux** | 6, rue Hermann Lachapelle (18e) |
| H10 | **Armand Massard** | 66, boulevard du Montparnasse (15e) |
| I12 | **Aspirant Dunand** | 20, rue Saillard (14e) |
| | **Auteuil** | Pelouse Nord de l'Hippodrome |
| H2 | **Bernard Lafay** | 79, rue de la Jonquière (17e) |
| J1 | **Bertrand Dauvin** | 12, rue René Binet (18e) |
| G10 | **Blomet** | 17, rue Blomet (15e) |
| K13 | **Buttes-aux-Cailles** | 5, place Paul Verlaine (13e) |
| F3 | **Champerret** | 36, boulevard de Reims (17e) |
| L12 | **Château des Rentiers** | 184, rue Château des Rentiers (13e) |
| M4 | **Château Landon** | 31, rue Château Landon (10e) |
| M7 | **Cour des Lions** | 11, rue Alphonse Baudin (11e) |
| I7 | **Deligny** | Face 25, quai Anatole France (7e) |
| G13 | **Didot** | Avenue Georges Lafenestre (14e) |
| M12 | **Dunois** | 62, rue Dunois (13e) |
| G9 | **Emile Anthoine** | 2, avenue de Suffren (15e) |
| E5 | **Etoile** (de l') | 32, rue de Tilsitt (17e) |
| J4 | **Georges Drigny** | Bochart-de-Saron (9e) |
| O4 | **Georges Hermant** | 4, rue David d'Angers (19e) |
| P9 | **Georges Rigal** | 119, boulevard de Charonne (11e) |
| O5 | **Georges Vallerey** | 148, avenue Gambetta (20e) |
| L2 | **Hébert** | 2, rue des Fillettes (18e) |
| C6 | **Henry de Montherland** | 32, boulevard Lannes (16e) |
| N2 | **Ilot Riquet** | 15, rue Mathis (19e) |
| K10 | **Jean Taris** | 16, rue Thouin (5e) |
| D9 | **Keller** | 14, rue de l'Ingénieur Keller (15e) |
| A10 | **Molitor** | 1, avenue de la Porte Maillot (16e) |
| N6 | **Oberkampf** | 160, rue Oberkampf (11e) |
| N4 | **Pailleron** | 30, rue Edouard Pailleron (19e) |
| K9 | **Pontoise** | 19, rue de Pontoise (5e) |

| Plan | Piscines | Adresses |
|---|---|---|
| E12 | **Porte de la Plaine** | 13, rue du Général Guillaumat (15e) |
| D9 | **René et André Mourlon** | 19, rue Gaston de Caillavet (15e) |
| R10 | **Roger Le Gall** | 34, boulevard Carnot (12e) |
| O2 | **Rouvet** | 1, rue Rouvet (19e) |
| K7 | **St Merri** | 18, rue du Renard (4e) |
| K4 | **Valeyre** | 22, rue Rochechouart (9e) |

# HIPPODROMES

| Plan | Hippodromes | Adresses |
|---|---|---|
| | **Auteuil** | Bois de Boulogne (16e) |
| | **Chantilly** | à Chantilly (Oise) |
| | **Enghien** | Avenue Kellermann, Soisy-s.-Montmorency - Val-d'Oise (95) |
| | **Evry** | Ris-Orangis - Essonne (91) |
| | **Longchamp** | Bois de Boulogne (16e) |
| | **Maisons Laffitte** | Avenue Molière à Maisons Laffitte Yvelines (78) |
| | **Pari Mutuel Urbain** | 22, rue de Penthièvre (8e) (Tél.: 42 25 32 14) |
| | **St Cloud** | Rue de Buzenval à St Cloud Hauts-de-Seine (92) |
| Q12 | **Vincennes** | Bois de Vincennes (12e) |

# VELODROMES

| Plan | Vélodromes | Adresses |
|---|---|---|
| | **Croix-de-Berny** (de la) | 200, avenue Aristide Briand, Antony |
| N11 | **Parc Omnisports de Paris** | Quai de Bercy (12e) |
| | **St Denis** (de) | 43, route de Gonesse, St Denis |
| R13 | **Vélodrome de Vincennes** | Avenue de Gravelle, Bois de Vincennes |

# CULTES

## EGLISES CATHOLIQUES

| Plan | Eglises | Adresses |
|---|---|---|
| F5 | **Annonciation** (église Dominicaine) | 222, rue du Faubourg St Honoré (8e) |
| O8 | **Bon-Pasteur** | 181, rue de Charonne (11e) |
| Q6 | **Cœur Eucharistique de Jésus** | 22, rue du Lieutenant Chauré (20e) |

| Plan | Eglises | Adresses |
|---|---|---|
| G10 | **Evêché Catholique Gallican** (Eglise Ste Rita) | 27, rue François Bonvin (15e) |
| Q9 | **Immaculée Conception** | 34, rue du Rendez-vous (12e) |
| K8 | **Notre-Dame** | Place du Parvis Notre-Dame (4e) |
| I9 | **Notre-Dame des Anges** (Chapelle) | 102 bis, rue de Vaugirard (6e) |
| C9 | **Notre-Dame d'Auteuil** | 2, place d'Auteuil (16e) |
| O11 | **Notre-Dame de Bercy** (la Nativité) | Place Lachambeaudie (12e) |
| L7 | **Notre-Dame des Blancs–Manteaux** | 12, rue des Blancs-Manteaux (4e) |
| K2 | **Notre-Dame du Bon Conseil** | 140, rue de Clignancourt (18e) |
| K6 | **Notre-Dame de Bonne-Nouvelle** | 25 bis, rue de la Lune (2e) |
| N4 | **Notre-Dame des Buttes Chaumont** | 80, rue de Meaux (19e) |
| O7 | **Notre-Dame du Perpétuel Secours** | 6, passage René (11e) |
| I10 | **Notre-Dame des Champs** | 91, boulevard du Montparnasse (6e) |
| K2 | **Notre-Dame de Clignancourt** | 2, place Jules Joffrin (18e) |
| O6 | **Notre-Dame de la Croix** | 2 bis, rue Julien Lacroix (20e) |
| N8 | **Notre-Dame de l'Espérance** | 2-4, rue du Commandant Lamy (11e) |
| M12 | **Notre-Dame de la Gare** | Place Jeanne d'Arc (13e) |
| D8 | **Notre-Dame de Grâce de Passy** | 10, rue de l'Annonciation (16e) |
| J5 | **Notre-Dame de Lorette** | 1, rue Fléchier (9e) |
| P6 | **Notre-Dame de Lourdes** | 128, rue Pelleport (20e) |
| L4 | **Notre-Dame des Malades** | 15, rue Philippe de Girard (10e) |
| D11 | **Notre-Dame de Nazareth** | 349, rue Lecourbe (15e) |
| B8 | **Notre-Dame de l'Assomption de Passy** | 88, rue de l'Assomption (16e) |
| Q5 | **Notre-Dame des Otages** | 81, rue Haxo (20e) |
| G12 | **Notre-Dame du Rosaire de Plaisance** | 174, rue Raymond Losserand (14e) |
| F11 | **Notre-Dame de la Salette** | 27, rue de Dantzig (15e) |
| H11 | **Notre-Dame du Travail de Plaisance** | 59, rue Vercingétorix (14e) |
| J6 | **Notre-Dame des Victoires** | Place des Petits Pères (2e) |
| J3 | **Sacré-Cœur** | 37, rue du Cheval de la Barre (18e) |
| J12 | **St Albert Le Grand** | 122, rue de la Glacière (13e) |
| N7 | **St Ambroise** | 71 bis, boulevard Voltaire (11e) |
| K13 | **Ste Anne de la Maison-Blanche** | 186, rue de Tolbiac (13e) |
| I4 | **St André de l'Europe** | 24 bis, rue de Leningrad (8e) |
| E12 | **St Antoine de Padoue** | 52, boulevard Lefebvre (15e) |
| N9 | **St Antoine de Quinze-Vingts** | 66, avenue Ledru-Rollin (12e) |
| H5 | **St Augustin** | 46, boulevard Malesherbes (8e) |
| L3 | **St Bernard de la Chapelle** | 11, rue Affre (18e) |
| K8 | **Ste Chapelle** | Boulevard du Palais (1er) |
| Q8 | **St Charles de la Croix St Simon** | 16 bis, de la Croix St Simon (20e) |
| G4 | **St Charles de Monceau** | 22 bis, rue Legendre (17e) |
| D10 | **St Christophe de Javel** | 28, rue de la Convention (15e) |
| P3 | **Ste Claire** (Chapelle) | 179, boulevard Sérurier (19e) |
| H8 | **Ste Clotilde** | 23 bis, rue Las-Cases (7e) |
| L2 | **St Denys de la Chapelle** | 16, rue de la Chapelle (18e) |
| M7 | **St Denys du St Sacrement** | 68 bis, rue de Turenne (3e) |
| J12 | **St Dominique** | 18, rue de la Tombe-Issoire (14e) |
| L6 | **Ste Elisabeth** | 195, rue du Temple (3e) |

| Plan | Eglises | Adresses |
|---|---|---|
| O10 | **St Eloi** | 36, rue de Reuilly (12e) |
| P11 | **St Esprit** | 7, rue Canebière (12e) |
| K9 | **St Etienne du Mont** | 1, place Ste Geneviève (5e) |
| K5 | **St Eugène, Ste Cécile** | 4 bis, rue Ste Cécile (9e) |
| K7 | **Ste Eustache** | 2, rue du Jour (1er) |
| O4 | **St François d'Assise** | 7, rue de la Mouzaïa (19e) |
| E4 | **St Ferdinand, Ste Thérèse** | 27, rue d'Armaillé (17e) |
| F3 | **St François de Sales** | 6, rue Brémontier (17e) |
| F3 | **St François de Sales** (église n.) | 15, rue Ampère (17e) |
| G9 | **St François Xavier des Missions Etrangères** | Place du Président Mithouard (7e) |
| Q9 | **St Gabriel** | 5, rue des Pyrénées (20e) |
| I2 | **Ste Geneviève des Grandes Carrières** | 174, rue Championnet (18e) |
| N4 | **St Georges** | 114, avenue Simon Bolivar (19e) |
| J7 | **St Germain l'Auxerrois** | 2, place du Louvre (1er) |
| Q7 | **St Germain de Charonne** | 4, place St Blaise (20e) |
| I8 | **St Germain-des-Prés** | 3, place St Germain-des-Prés (6e) |
| L8 | **St Gervais, St Protais** | 2, rue François Miron (4e) |
| J1 | **Ste Hélène** | 102, rue du Ruisseau (18e) |
| L14 | **St Hippolyte** | 27, avenue de Choisy (13e) |
| E6 | **St Honoré d'Eylau** | 9, place Victor Hugo (16e) |
| I9 | **St Ignace** | 33, rue de Sèvres (6e) |
| J10 | **St Jacques du Haut-Pas** | 252 bis, rue St Jacques (5e) |
| N3 | **St Jacques, St Christophe de la Villette** | 158 bis, rue de Crimée (19e) |
| O5 | **St Jean Baptiste de Belleville** | 139, rue de Belleville (19e) |
| E10 | **St Jean Baptiste de Grenelle** | Place Etienne Pernet (15e) |
| G10 | **St Jean Baptiste de la Salle** | 9, rue du Docteur Roux (15e) |
| P8 | **St Jean Bosco** | 75, rue Alexandre Dumas (20e) |
| J3 | **St Jean de Montmartre** | 19, rue des Abbesses (18e) |
| L7 | **St Jean, St François** | 6 bis, rue Charlot (3e) |
| J13 | **Ste Jeanne d'Arc** | 32, av. du Reille (14e) |
| A11 | **Ste Jeanne de Chantal** | Rue du Lieut. Colonnel Deport (16e) |
| N6 | **St Joseph** | 161, rue St Maur (11e) |
| M4 | **St Joseph Artisan** | 214, rue la Fayette (10e) |
| I9 | **St Joseph des Carmes** | 70, rue de Vaugirard (6e) |
| H2 | **St Joseph des Epinettes** | 40, rue Pouchet (17e) |
| F11 | **St Lambert de Vaugirard** | 1, rue Gerbert (15e) |
| L5 | **St Laurent** | 68 bis, boulevard de Strasbourg (10e) |
| F9 | **St Léon** | Place Cardinal Amette (15e) |
| K7 | **St Leu, St Gilles** | 92, rue St Denis (1er) |
| I5 | **St Louis d'Antin** | 63, rue Caumartin (9e) |
| L9 | **St Louis en l'Ile** | 19 bis, rue St Louis en l'Ile (4e) |
| G8 | **St Louis des Invalides** (Hôtel des Invalides) | 2, avenue de Tourville (7e) |
| H6 | **Ste Marie Madeleine** | Place de la Madeleine (8e) |
| L11 | **St Marcel de la Salpêtrière** | 82, boulevard de l'Hôpital (13e) |
| N8 | **Ste Marguerite** | 30, rue St Bernard (11e) |
| C9 | **Ste Marie** | 3, rue de La Source (16e) |

| Plan | Eglises | Adresses |
| --- | --- | --- |
| H3 | **Ste Marie des Batignolles** | 63, rue Legendre (17e) |
| L6 | **St Martin des Champs** | 36, rue Albert Thomas (10e) |
| K11 | **St Médard** | 141, rue Mouffetard (5e) |
| K7 | **St Merri** | 78, rue St Martin (4e) |
| I3 | **St Michel des Batignolles** | 12 bis, rue St Jean (17e) |
| L6 | **St Nicolas des Champs** | 254, rue St Martin (3e) |
| K9 | **St Nicolas du Chardonnet** | 23, rue des Bernardins (5e) |
| E3 | **Ste Odile** | 2, avenue Stéphane Mallarmé (17e) |
| L8 | **St Paul, St Louis** | 99, rue St Antoine (4e) |
| G5 | **St Philippe du Roule** | 154, Faubourg St Honoré (8e) |
| F6 | **St Pierre de Chaillot** | 33, avenue Marceau (16e) |
| F7 | **St Pierre du Gros Caillou** | 92, rue St Dominique (7e) |
| J3 | **St Pierre de Montmartre** | 2, rue du Mont-Cenis (18e) |
| I12 | **St Pierre de Montrouge** | 88, avenue du Général Leclerc (14e) |
| K12 | **Ste Rosalie** | 50, boulevard Auguste Blanqui (13e) |
| I6 | **St Roch** | 296, rue St Honoré (1er) |
| K9 | **St Séverin** | 1, rue des Prêtres St Séverin (5e) |
| J9 | **St Sulpice** | Place St Sulpice (6e) |
| I8 | **St Thomas d'Aquin** | Place St Thomas d'Aquin (7e) |
| K4 | **St Vincent de Paul** | Place Franz Liszt (10e) |
| I4 | **Trinité** | Sq. de la Trinité, 66, rue St Lazare (9e) |
| J10 | **Val de Grâce** | 277 bis, rue St Jacques (5e) |

# CHAPELLES CATHOLIQUES ETRANGERES

| Plan | Nationalités | Chapelles | Adresses |
| --- | --- | --- | --- |
| D6 | Allemands | **Mission St Albert Le Grand** | 38, rue de Spontini (16e) |
| F5 | Anglais | **Eglise St Joseph's Church** | 50, avenue Hoche (8e) |
| M4 | Belge | **Mission Belge** | 228, rue La Fayette (10e) |
| C7 | Espagnols | **Mission Cœur Immaculé de Marie** | 51 bis, rue de la Pompe (16e) |
| F5 | Espagnols | **Chapelle Espagnole, Corpus Christi** | 23, avenue de Friedland (8e) |
| H9 | Etrangère | **Eglise diocésaine des Etrangers** | 33, rue de Sèvres (6e) |
| H2 | Hollandais | **Mission Hollandaise** | 39, rue du Docteur Heulin (17e) |
| L6 | Hongroise | **Chapelle Hongroise** | 42, rue Albert Thomas (10e) |
| O9 | Italiens | **Chapelle Ste Famille** | 46, rue de Montreuil (11e) |
| G6 | Italiens | **Notre-Dame de Consolation** | 23, rue Jean-Goujon (8e) |
| M4 | Luxembourgeois | **Eglise St Joseph et Notre-Dame de Luxembourg** | 214, rue La Fayette (10e) |
| I7 | Polonais | **Chapelle Notre-Dame de l'Assomption** | 263 bis, rue St Honoré (1er) |
| Q4 | Portugais | **Sanctuaire Notre-Dame de Fatima Médiatrice** | 48, boulevard Serrurier (19e) |

# RITE ORIENTAL

| Plan | Nationalités | Chapelles | Adresses |
|---|---|---|---|
| | Rite Grec (byzantin) : | | |
| K9 | Melkite | **St Julien le Pauvre** | 1, rue St Julien le Pauvre (5e) |
| C9 | Roumain | **St Georges** | 38, rue Ribéra (16e). |
| C9 | Russe | **Ste Trinité** | 39, rue François Gérard (16e) |
| I8 | Ukrainien | **St Wladimir Le Grand** | 51, rue des Sts Pères (6e) |
| K10 | Rite Arménien | **Ste Croix St Jean** | 10 bis, rue Thouin (5e) |
| O7 | Rite Chaldéen | **Notre-Dame de Chaldée** | 4, rue Greuze (16e) |
| K10 | Rite Maronite | **Notre-Dame du Liban** | 17, rue d'Ulm (5e) |
| K9 | Rite Syriaque | **St Ephrem** | 15, re des Carmes (5e) |

# CULTE PROTESTANT

## Eglises luthériennes

| Plan | Temples | Adresses |
|---|---|---|
| G4 | **Eglise Evangélique** | 4, villa de la Terrasse (17e) |
| F11 | **Eglise Protestante Evangélique Luthérienne** | 105, rue de l'Abbé Groult (15e) |
| H3 | **Temple de l'Ascension** | 47, rue Dulong (17e) |
| L8 | **Temple des Billettes** | 24, rue des Archives (4e) |
| O9 | **Temple du Bon-Secours** | 20, rue Titon (11e) |
| J5 | **Temple de la Rédemp. et Suéd.** | 16, rue Chauchat (9e) |
| F10 | **Temple de la Résurrection** | 8, rue Quinault (15e) |
| G8 | **Temple St Jean** | 147, rue de Grenelle (7e) |
| J10 | **Temple St Marcel** | 24, rue Pierre-Nicole (5e) |
| K2 | **Temple St Paul** | 90, boulevard Barbès (18e) |
| L12 | **Temple de la Trinité** | 172, boulevard Vincent Auriol (13e) |
| N4 | **Temple de la Villette** | 55, rue Manin (19e) |

# ARMÉE DU SALUT

| Plan | Quartier | Adresse |
|---|---|---|
| H4 | **Quartier général national** | 76, rue de Rome (8e) |

# POSTES D'EVANGELISATION

| Plan | Postes | Adresses |
|---|---|---|
| M8 | **Paris-Bastille** | 12, rue du Chemin-Vert (12e) |
| I5 | **Paris-Central** | 42, rue de Provence(9e) |
| M4 | **Paris-La Villette** | 32, rue Bouret (19e) |
| L3 | **Paris-Montmartre** | 106, boulevard de la Chapelle (18e) |
| H10 | **Paris-Montparnasse** | 15, rue du Maine (14e) |

# EGLISES REFORMEES DE FRANCE

| Plan | Eglises | Adresses |
|---|---|---|
| K4 | **Chapelle du Nord** | 17, rue des Petits-Hôtels (10e) |
| L12 | **Eglise Réformée Néerlandaise** | 172, boulevard Vincent Auriol (13e) |
| J2 | **Maison Verte** (Montmartre) | 127, rue Marcadet (18e) |
| G6 | **Mission Réformée Hongroise** | 17, rue Bayard (8e) |
| B10 | **Temple d'Auteuil** | 53, rue Erlanger (16e) |
| H4 | **Temple des Batignolles** | 44, boulevard des Batignolles (17e) |
| N5 | **Temple de Belleville** | 97, rue Julien-Lacroix (20e) |
| P11 | **Temple de Bercy** | 5, rue de la Lancette (12e) |
| P7 | **Temple de Béthanie** | 185-187, rue des Pyrénées (20e) |
| E5 | **Temple de l'Etoile** | 54-56, av. de la Grande-Armée (17e) |
| M8 | **Temple du Foyer de l'Ame** | 7 bis, rue du Pasteur Wagner (11e) |
| N8 | **Temple du Foyer Evangélique** | 153, avenue Ledru-Rollin (11e) |
| F9 | **Temple du Foyer de Grenelle** | 17, rue de l'Avre (15e) |
| I9 | **Temple du Luxembourg** | 58, rue Madame (6e) |
| K10 | **Temple de la Maison-Fraternelle** | 37, rue Tournefort (5e) |
| K2 | **Temple de Montmartre** | 23, rue du Simplon (18e) |
| J7 | **Temple de l'Oratoire** | 145, rue St Honoré (1er) |
| D7 | **Temple de Passy-Annonciation** | 19, rue Cortambert (16e) |
| H8 | **Temple de Pentémont** | 106, rue de Grenelle (7e) |
| H11 | **Temple de Plaisance** | 95, rue de l'Ouest (14e) |
| K11 | **Temple de Port-Royal** | 18, boulevard Arago (13e) |
| H5 | **Temple du St Esprit** | 5, rue Roquépine (8e) |
| M8 | **Temple Ste Marie** | 17, rue St Antoine (4e) |

# EGLISES PROTESTANTES ETRANGERES

| Plan | Eglises | Adresses |
|---|---|---|
| G7 | **American Church** | 65, quai d'Orsay (7e) |
| F6 | **Church of the Holy Trinity** | 23, avenue Georges V (8e) |
| G6 | **Church of Scotland** | 17, rue Bayard (8e) |
| I4 | **Deutche Evangéliste Cristus-Kirche** | 25, rue Blanche (9e) |
| F5 | **Frederikskirchen** | 17, rue Lord-Byron (8e) |

| Plan | Eglises | Adresses |
|---|---|---|
| H10 | **Quakers** (Société Religieuse des Amis) | 114, rue Vaugirard (6e) |
| F6 | **St Georges English Church** | 7, rue Auguste Vacquerie (16e) |
| H6 | **St Michael's English Church** | 5, rue d'Aguesseau (8e) |
| F4 | **Svenska Kirkan** | 9, rue Médéric (17e) |
| H5 | **Wesleyan Methodist** | 4, rue Roquépine (8e) |

# SCIENCE CHRETIENNE

| Plan | Eglises | Adresses |
|---|---|---|
| J13 | **Première Eglise du Christ Scientiste** | 36, boulevard St Jacques (14e) |
| C6 | **Deuxième Eglise du Christ Scientiste** | 58, boulevard Flandrin (16e) |
| G5 | **Troisième Eglise du Christ Scientiste** (Maison Gaveau) | 45, rue La Boétie (8e) |

# EGLISES ADVENTISTES

| Plan | Temples | Adresses |
|---|---|---|
| L11 | **Temple des Adventistes du 7e Jour** | 130, boulevard de l'Hôpital (13e) |
| K5 | **Temple des Adventistes du 7e Jour** | 63, rue du Faubourg Poissonnière (9e) |

# EGLISES BAPTISTES

| Plan | Eglises | Adresses |
|---|---|---|
| I7 | **Eglise Baptiste** (Roumaine) | 48, rue de Lille (7e) |
| I9 | **Eglise du Centre** | 13, rue du Vieux-Colombier (6e) |
| H9 | **Eglise Evangélique** | 72, rue de Sèvres (7e) |
| H11 | **Eglise du Maine** | 123, avenue du Maine (14e) |
| I2 | **Eglise du Tabernacle** | 163 bis, rue Belliard (18e) |

# EGLISES ORTHODOXES

| Plan | Eglises | Adresses |
|---|---|---|
| G6 | **Eglise Arménienne** (St Jean Baptiste | 15, rue Jean Goujon (8e) |
| F10 | **Eglise Française** (Les Trois Sts Hiérarques) | 5, rue Pétel (5e) |
| K9 | **Eglise Française** (Notre-Dame des Affligés) | 4, rue St Victor (5e) |
| K12 | **Eglise Française** (Ste Irène) | 96, boulevard Auguste Blanqui (13e) |
| J4 | **Eglise Grecque** (St Constantin) | 28, rue La Ferrière (9e) |
| F6 | **Eglise Grecque** (St Etienne) | 7, rue Georges Bizet (16e) |
| K9 | **Eglise Roumaine** (Sts Archanges) | 9 bis, rue Jean de Beauvais (5e) |

| Plan | Eglises | Adresses |
|---|---|---|
| B10 | **Eglise Russe** (Apparition de la Ste Vierge) | 87, boulevard Exelman (16e) |
| E12 | **Eglise Russe** (Présentation de la Ste Vierge) | 91, rue Olivier de Serres (15e) |
| F4 | **Eglise Russe** (St Alexandre Newsk) | 12, rue Daru (8e) |
| 04 | **Eglise Russe** (St Serge) | 93, rue de Crimée (19e) |
| F10 | **Eglise Russe** (Ste Séraphine de Savoie) | 91, rue Lecourbe (15e) |
| K2 | **Eglise Serbe** (St Saval) | 23, rue du Simplon (18e) |
| 05 | **Eglise Ukrainienne** (St Simon) | 6, rue de Palestine (19e) |

# CULTE ISRAELITE

## Synagogues

| Plan | Oratoires, Synagogues, Temples | Adresses |
|---|---|---|
| K6 | **Centre Communautaire** | 19, boulevard Poissonnière (2e) |
| L6 | **Temple Nazareth** | 15, rue Notre-Dame de Nazareth (3e) |
| L8 | **Synagogue Agoudas Hakehilos** | 10, rue Pavée (4e) |
| L8 | **Synagogue Adath Yechouroum** | 25, rue des Rosiers (4e) |
| L8 | **Oratoire Fleisham** | 18, rue des Eccouffes (4e) |
| M8 | **Temple des Tournelles** | 24 bis, rue des Tournelles (4e) |
| K10 | **Oratoires Vauquelin** | 9, rue Vauquelin (5e) |
| J5 | **Temple Victoire** | 44, rue de la Victoire (9e) |
| K5 | **Synagogue** | 4, rue Saulnier (9e) |
| J5 | **Synagogue Adath Vereim** | 10, rue Cadet (9e) |
| K5 | **Synagogue Beth Israël** | 3, rue Saulnier (9e) |
| J5 | **Synagogue Portugaise** | Rue Buffaut (9e) |
| K5 | **Synagogue Rachi** | 6, rue Ambroise Thomas (9e) |
| I5 | **Temple Berith Shalom** | 18, rue St Lazare (9e) |
| J5 | **Temple Buffault** | 28, rue Buffault (9e) |
| N8 | **Synagogue** | 36, rue Basfroi (11e) |
| N8 | **Temple Don Isaac Abravanel** | 84, rue de la Roquette (11e) |
| E9 | **Oratoire** | 13, rue Fondarie (15e) |
| E9 | **Temple Chasseloup-Laubat** | 14, rue Chasseloup-Laubat (15e) |
| C6 | **Synagogue Ohel Abraham** | 31, rue Montévidéo (16e) |
| E6 | **Temple de l'Union Liberal Israél** | 24, rue Copernic (16e) |
| J2 | **Synagogue** | 11-13 rue Curial (18e) |
| J2 | **Temple de Montmartre** | 13, rue Ste Isaure (18e) |
| N4 | **Oratoire** | 70, avenue Sécrétan (19e) |
| 05 | **Oratoire** | 75, rue Julien Lacroix (20e) |
| N5 | **Oratoire** | 120, boulevard de Belleville (20e) |
| N6 | **Synagogue Temple Guez** | 19, rue de Tourville (20e) |

# CULTE ISLAMIQUE

| Plan | Mosquées | Adresses |
|---|---|---|
| M3 | **Mosquée Al-Dawat** | 39, rue de Tanger (19e) |
| N6 | **Mosquée Omar Ibn Al Khattab** | 79, rue J.-P. Timbaud (11e) |
| L10 | **Mosquée de Paris Institut Musulman** | Place du Puits de l'Hermite (5e) |

# CULTE BOUDDHIQUE

| Plan | | Adresses |
|---|---|---|
| R12 | **Centre Culturel et Cult. Bouddhique** | 40 bis, route du Lac Daumesnil (12e) |
| O10 | **Institut International Bouddhique** | 20 cité Myonet (12e) |

# AUTRE CULTE

| Plan | | Adresse |
|---|---|---|
| Q5 | **Eglise de Jésus Christ des Saints des derniers jours** (Mormons) | 66, rue de Romainville (19e) |

# GRANDES ECOLES

| Plan | Ecoles | Adresses |
|---|---|---|
| I8 | **Administration** (Ecole Nationale) E.N.A. | 13, rue de l'Université (7e) |
| I9 | **Alliance Française** (Ecole) | 101, boulevard Raspail (6e) |
| I11 | **Architecture** (Ecole Spéciale) | 254, boulevard Raspail (14e) |
| K5 | **Art Dramatique** (Conservatoire National Supérieur) | 2 bis, rue du Conservatoire |
| O9 | **Arts Appliqués** (Ecole Supérieure) Boulle | 9, rue Pierre Bourdan (12e) |
| E12 | **Arts Appliqués et Métiers d'Art** (Ecole Nationale Supérieure) | 63, rue Olivier de Serre (15e) |
| K10 | **Arts Décoratifs** (Ecole Nationale Supérieure) | 31, rue d'Ulm (5e) |
| K12 | **Arts et Industries Graphiques** (Ecole Supérieure) Estienne | 18, boulevard Auguste Blanqui (13e) |
| | **Arts et Manufactures** (Ecole Centrale) | Châtenay Malabry, Gde Voie des Vignes |
| L6 | **Arts et Métiers** (Conservatoire National) | 292, rue St Martin (3e) |
| L12 | **Arts et Métiers** (Ecole Nationale Supérieure) | 151, boulevard de l'Hôpital (13e) |
| I4 | **Arts et Techniques du Théâtre** (Ecole Nationale Supérieure) | 21, rue Blanche (9e) |
| J9 | **Beaux-Arts** (Ecole Nationale Supérieure) | 14, rue Bonaparte (6e) |
| J9 | **Chartres** (Ecole Nationale) | 19, rue de la Sorbonne (5e) |
| J10 | **Chimie** (Ecole Nationale Supérieure) | 11, rue Pierre et Marie Curie (5e) |
| L11 | **Chimie Physique Biologie** (Ecole Nationale) | 11, rue Pirandello (13e) |
| N7 | **Commerce de Paris** (Ecole Supérieure) E.S.C.P. | 79, avenue de la République (11e) |

| Plan | Ecoles | Adresses |
|---|---|---|
| G3 | **Ecole Européenne des Affaire** EAP | 108, boulevard Malesherbes (17e) |
| I13 | **Ecole Normale Supérieure** (Jeunes filles) | 48, boulevard Jourdan (14e) |
| K10 | **Ecole Normale Supérieure** (Mixte) | 45, rue d'Ulm (5e) |
| | **Electricité** (Ecole Supérieure) SUPELEC | Gif sur Yvette, Plateau du Mourlon |
| H10 | **Génie Rural des Eaux et Forêts** (Ecole Nationale) | 19, avenue du Maine (15e) |
| F8 | **Guerre** (Ecole Supérieure) Militaire | 1, place Joffre (7e) |
| | **Hautes Etudes Commerciales** (H.E.C.) | Jouy-en-Josas (78) |
| J10 | **Institut d'Administration Publique** | 2, avenue de l'Observatoire (6e) |
| K10 | **Institut Agronomique** | 11, rue de l'Arbalète (5e) |
| J10 | **Institut des Arts et Archéologie** | 3, rue Michelet (6e) |
| L12 | **Institut Dentaire et Stomatologie** | Rue G. Eastman (13e) |
| I8 | **Institut d'Etudes Politiques** | 27, rue St Guillaume (7e) |
| J10 | **Institut de Géographie** | 191, rue St Jacques (5e) |
| D6 | **Institut de Gestion** | 8, rue de Lota (18e) |
| I8 | **Institut des Langues et Civilisations Orientales** | 2, rue de Lille (7e) |
| C9 | **Institut Privé des Sciences et Techniques Humaines** | 6, avenue Léon Heuzey (16e) |
| H13 | **Institut de Puériculture** | 26, boulevard Brune (14e) |
| P10 | **Institut Supérieur du Bois** | 6, avenue de St Mandé (12e) |
| C10 | **Institut Universitaire de Technologie** | Avenue de Versailles (16e) |
| C5 | **Institut d'Urbanisme** | 1, place Mal de Lattre de Tassigny (16e) |
| B10 | **Instituteurs** (Ecole Normale) | Rue Molitor (16e) |
| I8 | **Journalisme** (Ecole Supérieure) | 4, place St Germain-des-Près (6e) |
| J9 | **Mines** (Ecole Nationale Supérieure) | 60, boulevard St Michel (6e) |
| H4 | **Musique de Paris** (Conservatoire National Supérieur) | 14, rue de Madrid (8e) |
| G3 | **Musique de Paris** (Ecole Normale) | 114 bis, boulevard Malesherbes (17e) |
| K10 | **Physique et Chimie Industrielle** (Ecole Supérieure) | 10, rue Vauquelin (5e) |
| | **Polytechnique** (Ecole) | Rte de Saclay, Palaiseau |
| I8 | **Ponts et Chaussée** (Ecole Nationale) | 28, rue des Sts-Pères (7e) |
| D11 | **Techniques Avancées** (Ecole Nationale Supérieure) E.N.S.T.A. | 32, boulevard Victor (15e) |
| K13 | **Télécommunications** (Ecole Nationale Supérieure) | 46, rue Barrault (13e) |
| K9 | **Travaux Publics** (Ecole Spéciale) | 57, boulevard St Germain (5e) |

# ENSEIGNEMENT SUPERIEUR

| Plan | Académies, Facultés, Instituts, Universités | Adresses |
|---|---|---|
| J8 | **Académie des Beaux-Arts** | 23, quai de Conti (6e) |
| I8 | **Académie de Chirurgie** | 26, boulevard Raspail (7e) |
| J8 | **Académie Française** | 23, quai de Conti (6e) |
| D6 | **Académie Nationale de Chirurgie Dentaire** | 22, rue Emile Menier (16e) |
| J9 | **Académie Nationale de Médecine** | 16, rue Bonaparte (6e) |
| J10 | **Adadémie Nationale de Pharmacie** | 4, avenue de l'Observatoire (6e) |
| K9 | **Académie de Paris** (Rectorat) | 47, rue des Ecoles (5e) |

| Plan | Académies, Facultés, Instituts, Universités | Adresses |
|---|---|---|
| G7 | **Académie Vétérinaire de France** | 60, boulevard la Tour Maubourg (7e) |
| K9 | **Collège de France** | 11, place Marcelin Berthelot (5e) |
| K10 | **Institut Curie** | 26, rue d'Ulm (5e) |
| J8 | **Institut de France** | 23, quai de Conti (6e) |
| H8 | **Institut Géographique National** | 136 bis, rue de Grenelle (7e) |
| K11 | **Manufacture des Gobelins** | 42, avenue des Gobelins (13e) |
| K8 | **Paris I - Panthéon-Sorbonne** | 12, place du Panthéon (5e) |
| K9 | **Paris II - Droit, Economie, Sciences** | 12, place du Panthéon (5e) |
| J9 | **Paris III - Sorbonne Nouvelle** | 17, rue de la Sorbonne (5e) |
| J9 | **Paris IV - Paris-Sorbonne** | 11, rue Victor Cousin (5e) |
| J9 | **Paris V - René Descartes** | 12, rue de l'Ecole de Médecine (6e) |
| L10 | **Paris VI - Pierre et Marie Curie** | 4, place Jussieu (5e) |
| L10 | **Paris VII** | 2, place Jussieu (5e) |
| | **Paris VIII** | 8, rue de la Liberté, St Denis |
| C5 | **Paris IX - Paris-Dauphine** | Place du Mal de Lattre de Tassigny (16e) |
| | **Paris X - Paris-Nanterre** | 200, avenue de la République, Nanterre |
| | **Paris XI - Paris-Sud** | 15, avenue Georges Clémenceau, Orsay |
| | **Paris XII - Paris-Val de Marne** | Avenue du Général de Gaulle, Créteil |
| | **Paris XIII - Paris-Nord** | Avenue J.B. Clément, Villetaneuse |

# HOPITAUX, HOSPICES, CLINIQUES

| Plan | Hôpitaux | Adresses |
|---|---|---|
| G7 | **Alma** (Clinique) | 166, rue de l'Université (7e) |
| | **Ambroise Paré** | 9, av. du Général de Gaulle, Boulogne |
| | **Antoine Beclère** | 157, rue de la Pte de Trivaux à Clamart |
| H13 | **Antoine Chantin** | 33, rue Antoine Chantin (14e) |
| J11 | **Baudeloque** (Clinique) | 121, boulevard de Port-Royal (14e) |
| | **Beaujon** | 100, boulevard du Gal Leclerc, à Clichy |
| | **Bégin** (Hôpital Militaire) | 69, avenue de Paris, à St Mandé |
| I1 | **Bichat** | 170, boulevard Ney (18e) |
| F6 | **Bizet** (Clinique) | 23, rue Georges Bizet (16e) |
| E11 | **Blomet** (Clinique) | Rue Blomet (15e) |
| D10 | **Boucicaut** | 78, rue Convention (15e) |
| I2 | **Bretonneau** | 2, rue Carpeaux (18e) |
| K11 | **Broca** (Désaffecté) | 54-56, rue Pascal (13e) |
| G12 | **Broussais** (La Charité) | 96, rue Didot (14e) |
| B10 | **Centre Edouard Rist** | 14, rue Boileau (16e) |
| | **Centre Hospitalier Bicêtre** | 78, rue du Général Leclerc, Bicêtre |
| B11 | **Centre Hospitalier Henry Dunan** (Croix-Rouge Française) | 95, rue Michel Ange (16e) |
| J12 | **Centre Hospitalier Ste Anne** | 1, rue Cabanis (14e) |
| H13 | **Chauchard** | 33, rue Antoine Chantin (14e) |
| M1 | **Claude Bernard** (Bichat) | 170, boulevard Ney (18e) |

| Plan | Hôpitaux | Adresses |
|---|---|---|
| J11 | **Cochin** | 27, rue du Faubourg St Jacques (14e) |
| K13 | **Croix-Rouge** | 8, place Abbé Georges Hénocque (13e) |
| Q8 | **Croix St Simon** | 125, rue d'Avron (20e) |
| K10 | **Curie** | 12, rue Lhomond (5e) |
| O10 | **Diaconesses** | 18, rue du Sergent Bauchat (12e) |
| L4 | **Fernand Widal** | 200, rue du Faubourg St Denis (10e) |
| | **Foch** | 40, rue Worth, Suresnes |
| L11 | **Geoffroy St Hilaire** (Clinique) | 59, rue Geoffroy St Hilaire (5e) |
| J12 | **Henri Rousselle** | 1, rue Cabanis (14e) |
| P4 | **Hérold** | 7, place du Danube (19e) |
| D3 | **Hôpital américain de Paris** | 63, boulevard Victor Hugo, Neuilly |
| K8 | **Hôtel-Dieu** | 1, place du Parvis Notre-Dame (4e) |
| L11 | **Institut Municipal de Radiologie** | 37, boulevard St Marcel (13e) |
| G10 | **Institut Pasteur** | 213, rue de Vaugirard (15e) |
| M13 | **Jeanne d'Arc** (Clinique) | 11-13, rue Ponscarme (13e) |
| F-G12 | **Labrouste** (Clinique Chirurgicale) | 64, rue Labrouste (15e) |
| H9 | **Laënnec** | 42, rue de Sèvres (7e) |
| K4 | **Lariboisière** | 2, rue Ambroise Paré (10e) |
| N6 | **Léonard de Vinci** (Clinique) | 95, avenue Parmentier (11e) |
| J11 | **Léopold Bellan** | 7, rue du Texel (14e) |
| G7 | **Leprince** (Hospice) | 109, rue St Dominique (7e) |
| L11 | **Maison de Santé des Gardiens de la Paix** | 35, boulevard St Marcel (13e) |
| E4 | **Marmottan** | 19, rue d'Armaillé (17e) |
| Q5 | **Maussins** (Clinique des) | 67, rue Romainville (19e) |
| G10 | **Necker - Enfants Malades** | 151, rue de Sèvres (15e) |
| H13 | **Notre-Dame de Bons Secours** (Hôpital) | 66, rue des Plantes (14e) |
| J12 | **Péan** (International) | 9, rue de la Santé (13e) |
| K13 | **Peupliers** | 8, place Abbé Georges Hénoque (13e) |
| M11 | **Pitié-Salpêtrière** (Groupe Hospitalier) | 83, boulevard de l'Hôpital (13e) |
| M9 | **Quinze-Vingt** (Centre National Ophtalmologique) | 28, rue de Charenton (12e) |
| Q4 | **Robert Debré** | 48, boulevard Sérurier (19e) |
| N4 | **Rothschild** (Fondation Ophtalmologique) | 29, rue Manin (19e) |
| P10 | **Rothschild** | 15, rue Santerre (12e) |
| N9 | **St Antoine** | 184, rue du Faubourg St Antoine (12e) |
| G10 | **St Jacques** | 37, rue des Volontaires (15e) |
| H9 | **St Jean de Dieu** (Clinique) | 19, rue Oudinot (7e) |
| G12 | **St Joseph** | 7, rue Pierre Larousse (14e) |
| K5 | **St Lazarre** | 107, rue du Faubourg St Denis (10e) |
| M5 | **St Louis** | 40, rue Bichat (10e) |
| F11 | **St Michel** | 33, rue Olivier de Serres (15e) |
| I11 | **St Vincent de Paul** | Avenue Denfert-Rochereau (14e) |
| J10 | **Tarnier** (Clinique) | 89, rue d'Assas (6e) |
| P6 | **Tenon** | 4, rue de la Chine (20e) |
| Q10 | **Trousseau** | Avenue du Docteur Arnold Netter (12e) |
| J11 | **Val-de-Grâce** (Hôpital Militaire) | 277 bis, rue St Jacques (5e) |
| E11 | **Vaugirard** | 389, rue de Vaugirard (15e) |
| L5 | **Villemin** (Hôpital militaire) | 8, rue des Récollets (10e) |

# MAIRIES

| Plan | Mairies | Adresses |
|---|---|---|
| K8 | **Mairie de Paris** (4e) | Place de l'Hôtel-de-Ville |
| J7 | **1er arrondissement** (Annexe) | 4, place du Louvre |
| J6 | **2e arrondissement** (Annexe) | 8, rue de la Banque |
| L7 | **3e arrondissement** (Annexe) | 2, rue Eugène Spuller |
| L8 | **4e arrondissement** (Annexe) | 2, place Baudoyer |
| K9 | **5e arrondissement** (Annexe) | 21, place du Panthéon |
| I9 | **6e arrondissement** (Annexe) | 78, rue Bonaparte |
| H8 | **7e arrondissement** (Annexe) | 116, rue de Grenelle |
| H4 | **8e arrondissement** (Annexe) | 56, boulevard Malesherbes |
| J5 | **9e arrondissement** (Annexe) | 6, rue Drouot |
| L5 | **10e arrondissement** (Annexe) | 72, Faubourg St Martin |
| N8 | **11e arrondissement** (Annexe) | 9 place Léon Blum |
| O10 | **12e arrondissement** (Annexe) | 130, avenue Daumesnil |
| L12 | **13e arrondissement** (Annexe) | 1, place d'Italie |
| I12 | **14e arrondissement** (Annexe) | Place Ferdinand Brunot |
| F10 | **15e arrondissement** (Annexe) | 31, rue Péclet |
| C7 | **16e arrondissement** (Annexe) | 71, avenue Henri Martin |
| H3 | **17e arrondissement** (Annexe) | 16 à 20, rue des Batignolles |
| K2 | **18e arrondissement** (Annexe) | 1, place Jules Joffrin |
| O4 | **19e arrondissement** (Annexe) | 5, place Armand Carrel |
| P6 | **20e arrondissement** (Annexe) | 6, place Gambetta |

# MINISTERES

| Plan | Ministères | Adresses |
|---|---|---|
| H7 | **Affaires Etrangères** | 37, quai d'Orsay (7e) |
| H7 | **Affaires Européennes** | 37, quai d'Orsay (7e) |
| H8 | **Agriculture** | 78, rue de Varenne (7e) |
| H7 | **Assemblée Nationale** (Palais Bourbon) | 126, rue de l'Université (7e) |
| H5 | **Collectivités Locales** | 2, place Saussaies (8e) |
| H7 | **Commerce et Artisanat** | 80, rue de Lille (7e) |
| F7 | **Commerce Extérieur** | 41, quai Branly (7e) |
| J7 | **Conseil Constitutionnel** | 2, rue de Montpensier (1er) |
| E6 | **Conseil Economique et Social** | 1, avenue d'Iena (16e) |
| J7 | **Conseil d'Etat** | Place du Palais-Royal (1er) |
| H9 | **Coopération et Développement** | 20, rue Monsieur (7e) |
| J7 | **Culture et Communication** | 3, rue Valois (1er) |
| H7 | **Défense** | 14, rue St Dominique (7e) |
| H9 | **Départements et Territoires d'Outre-Mer** | 27, rue Oudinot (7e) |

| Plan | Ministères | Adresses |
|---|---|---|
| N10 | **Economie et Finances** | 139, rue de Bercy (12ᵉ) |
| H8 | **Education Jeunesse et Sports** | 110, rue de Grenelle (7ᵉ) |
| I8 | **Equipement, Logement et Transports** | 244, boulevard St Germain (7ᵉ) |
| H8 | **Fonction Publique et Réformes Administratives** | 69, rue de Varenne (7ᵉ) |
| H8 | **Industrie** | 101, rue de Grenelle (7ᵉ) |
| H5 | **Intérieur et Décentralisation** | 13, place Beauvau (8ᵉ) |
| I6 | **Justice** | 13, place Vendôme (1ᵉʳ) |
| G9 | **Mer** | 3, place Fontenoy (7ᵉ) |
| G9 | **Postes et Télécommunications** | 20, avenue de Ségur (7ᵉ) |
| H8 | **Premier Ministre** (Hôtel Matignon) | 57, rue de Varenne (7ᵉ) |
| H6 | **Présidence de la République** (Palais de l'Elysée) | 55, rue du Faubourg St Honoré (8ᵉ) |
| K9 | **Recherche et Technologie** | 1, rue Descartes (5ᵉ) |
| H8 | **Relations avec le Parlement** | 72, rue de Varenne (7ᵉ) |
| G9 | **Santé** | 8, avenue de Ségur (7ᵉ) |
| J9 | **Sénat** (Palais du Luxembourg) | 15, rue de Vaugirard (6ᵉ) |
| G9 | **Solidarité Nationale** | 8, avenue de Ségur (7ᵉ) |
| D8 | **Transports** | 32, avenue du Président Kennedy (16ᵉ) |
| H8 | **Travail, Emploi et Formation Professionnelle** | 127, rue de Grenelle (7ᵉ) |

# SECRETARIATS D'ETAT

| Plan | Secrétariats d'État | Adresses |
|---|---|---|
| H7 | **Affaires Etrangères** | 37, quai d'Orsay (7ᵉ) |
| G9 | **Affaires Sociales et Emploi** | 1, place Fontenoy (7ᵉ) |
| H8 | **Anciens Combattants** | 37, rue Bellechasse (7ᵉ) |
| J7 | **Consommation** | 39, rue de Bercy (12ᵉ) |
| J7 | **Culture et Communication** | 3, rue de Valois (1ᵉʳ) |
| H7 | **Défense** | 14, rue St Dominique (7ᵉ) |
| J5 | **Droits de la Femme** | 31, rue Le Peletier (9ᵉ) |
| H8 | **Droits de l'Homme** | 58, rue de Varenne (7ᵉ) |
| D7 | **Environnement** | 45, avenue Georges Mandel (16ᵉ) |
| G9 | **Famille** | 8, avenue de Ségur (7ᵉ) |
| H9 | **Fonction Publique** | 32, rue de Babynone (7ᵉ) |
| H7 | **Formation Professionelle** | 55, rue St Dominique (7ᵉ) |
| H7 | **Francophonie** | 7, rue de Talleyrand (7ᵉ) |
| D6 | **Handicapés** | 100, avenue Raymond Poincaré (16ᵉ) |
| E12 | **Jeunesse et Sports** | 78, rue Olivier de Serres (15ᵉ) |
| E5 | **Rapatriés** | 53, avenue d'Iena (16ᵉ) |
| H7 | **Relations Extérieures** | 37, quai d'Orsay (7ᵉ) |
| E6 | **Tourisme** | 11, avenue d'Iena (16ᵉ) |

# BUREAUX DES P.T.T.

## (Chèques Postaux - 14-16, rue des Favorites 15e)

| Plan | Nos | Adresses |
|---|---|---|
| | | **1er arrondissement** |
| J6-7 | R.P. | **Hôtel des Postes, 52, rue du Louvre** |
| J6 | 49 | **8, rue Molière** |
| K7 | 50 | **90, rue St Denis** |
| I6 | 81 | **13, rue des Capucines** |
| K7 | 117 | **9, rue des Halles** |
| | | **2e arrondissement** |
| K6 | 24 | **54, rue d'Aboukir** |
| J6 | 47 | **Bourse, 8, place de la Bourse** |
| | | **3e arrondissement** |
| L6 | 85 | **160, rue du Temple** |
| M7 | 103 | **64, rue Saintonge** |
| K-L6 | 116 | **259, rue St Martin** |
| L7 | 127 | **67, rue des Archives** |
| | | **4e arrondissement** |
| M8 | 21 | **12, rue Catex** |
| K8 | 32 | **1, boulevard du Palais** |
| L8 | 36 | **10, rue de Moussy** |
| L8 | 82 | **27, rue des Francs Bourgeois** |
| K8 | 113 | **Place de l'Hôtel-de-Ville** |
| L9 | An. II | **16, rue des Deux Ponts** |
| | | **5e arrondissement** |
| K10 | V | **10, rue de l'Epée de Bois** (Bureau cent.) |
| K9 | 28 | **2, rue des Ecoles** |
| K10 | 38 | **90, rue Claude Bernard** |
| J9 | 91 | **13, rue Cujas** |
| | | **6e arrondissement** |
| H9 | VI | **6, rue St Romain** (Bureau central) |
| J9 | 25 | **118, boulevard St Germain** |
| H10 | 43 | **22, rue Littré** |
| I9 | 80 | **3, rue Dupin** |
| J9 | 206 | **24, rue de Vaugirard** |
| I8 | 110 | **53, rue de Rennes** |
| J9 | 126 | **Palais du Luxembourg** |
| | | **7e arrondissement** |
| G8 | VII | **56, rue Cler** (Bureau central) |
| H7 | 202 | **3, rue de Courty** |
| G7 | 2 | **Gare des Invalides** |
| G9 | 41 | **1, avenue de Saxe** |
| H8 | 44 | **103, rue de Grenelle** |
| I8 | 115 | **22, rue des Sts Pères** |
| I8 | An. I | **195, boulevard St Germain** |
| F8 | 27 | **37, avenue Rapp** |
| H7 | 31 | **126, rue de l'Université** |
| | | **8e arrondissement** |
| G5 | VIII | **49, rue de La Boétie** (Bureau central) |
| F6 | An. I | **71, avenue des Champs-Elysées** |
| G4 | 37 | **101, boulevard Malesherbes** |
| F5 | 42 | **10, rue Balzac** |
| G6 | 45 | **14, rue du Colisée** |
| F6 | 86 | **24, rue de la Trémoille** |
| H5 | 109 | **70, rue de Vienne** |
| I4 | 118 | **15, rue d'Amsterdam** |
| H6 | 123 | **13, rue d'Anjou** |
| | | **9e arrondissement** |
| J5 | IX | **4, rue Hippolyte Lebas** (Bureau central) |
| J5 | 22 | **78, rue Taitbout** |
| K5 | 48 | **2, rue du Conservat** |
| J5 | 51 | **19, rue Chauchat** |
| K4 | 68 | **20, rue Turgot** |
| K5 | 83 | **14, rue Bleue** |
| I4 | 84 | **61-63, rue de Douai** |
| I4 | 90 | **47, boulevard de Clichy** |
| I5 | 92 | **38, rue Vignon** |
| I5 | 96 | **8, rue Gluck** |
| J5 | 108 | **7, boulevard Haussmann** |
| | | **10e arrondissement** |
| L5 | X | **2, square Alban Satragne** (Bureau cent.) |
| L4 | 26 | **Gare du Nord, 173 bis, Fg St Denis** |
| N5 | 39 | **46, rue Sambre et Meuse** |
| L6 | 88 | **56, rue René Boulanger** |

| Plan | N°s | Adresses |
|---|---|---|
| L4 | 93 | **22, rue Château Landon** |
| L5 | 114 | **38, boulevard de Strasbourg** |
| K6 | 124 | **18, boulevard Bonne-Nouvelle** |
| M6 | 125 | **13, rue Léon Jouhaux** |
| L5 | 128 | **158, rue du Faubourg St Martin** |

**11e arrondissement**

| Plan | N°s | Adresses |
|---|---|---|
| N8 | XI | **21, rue Bréguet** (Bureau central) |
| M6 | 46 | **5, rue des Goncourt** |
| O7 | 65 | **103, avenue de la République** |
| O9 | 87 | **43, rue des Boulets** |
| O8 | 112 | **80, rue Léon Frot** |
| M7 | 119 | **58, boulevard Voltaire** |

**12e arrondissement**

| Plan | N°s | Adresses |
|---|---|---|
| O9 | XII | **30, rue de Reuilly** (Bureau central) |
| N9 | An. I | **31, rue Crozatier** |
| O11 | An. II | **1, rue de Dijon** |
| P12 | An. III | **29, rue Meuniers** |
| N10 | 30 | **25, boulevard Diderot** |
| P11 | 56 | **168, avenue Daumesnil** |
| P9 | 73 | **90, boulevard de Picpus** |
| N9 | 105 | **80, avenue Ledru-Rollin** |
| Q9-10 | 132 | **135, boulevard Soult** |
| Q11 | 133 | **15 bis, rue Rottembourg** |

**13e arrondissement**

| Plan | N°s | Adresses |
|---|---|---|
| L13 | XIII | **27, avenue d'Italie** (Bureau central) |
| L14 | An. I | **Boulevard Masséna, Porte d'Italie** |
| M13 | An. II | **7, Villa d'Este** |
| M10 | 33 | **Gare d'Austerlitz, 7 bis, bd de l'Hôpital** |
| M12 | 63 | **38, place Jeanne d'Arc** |
| L11 | 77 | **21, rue de la Reine Blanche** |
| K13 | 101 | **216, rue de Tolbiac** |

**14e arrondissement**

| Plan | N°s | Adresses |
|---|---|---|
| H13 | XIV | **210, boulevard Brune** (Bureau central) |
| I13 | An. I | **1, place du 25 Août 1944** |
| J14 | An. III | **Cité Universitaire** |
| I12 | 147 | **15 bis, avenue du Général Leclerc** |
| I10 | 52 | **140, boulevard Montparnasse** |
| H12 | 66 | **114 bis, rue d'Alésia** |
| H11 | 72 | **52, rue Pernety** |
| F13 | An. I | **3, place de la Porte de Vanves** |

**15e arrondissement**

| Plan | N°s | Adresses |
|---|---|---|
| F11 | XV | **19-21, rue d'Alleray** |
| H10 | An. II | **Tour Montparnasse** |
| E8 | An. III | **An. n° 3 - 30, avenue de Suffren** |
| D11 | 35 | **68, rue Desnouettes** |
| E10 | 60 | **106, rue de la Convention** |
| E9 | 64 | **38, rue de Lourmel** |
| G11 | 69 | **21, rue de Vouillé** |
| F10 | 97 | **2, rue Joseph-Liouville** |
| H10 | 102 | **42, boulevard de Vaugirard** |
| E8 | 136 | **8, rue Nelaton** |
| F12 | 137 | **113, boulevard Lefebvre** |

**16e arrondissement**

| Plan | N°s | Adresses |
|---|---|---|
| C8 | XVI | **40, rue Singer** (Bureau central) |
| C9 | An. I | **31, rue Gros** (An. I) |
| E8 | An. II | **2, rue Beethoven** |
| F6 | 34 | **1 bis, rue de Chaillot** |
| B9 | 53 | **46, rue Poussin** |
| B10 | An. III | **35, boulevard Murat** (An. III) |
| C6 | An. IV | **Avenue de Pologne** (Centre Universitaire) |
| D6 | 71 | **3, place Victor Hugo** |
| E6 | 75 | **36, rue Lapérouse** |
| C6 | 78 | **19, rue Montevideo** |
| A11 | 100 | **109, boulevard Murat** |
| E7 | 106 | **51, rue de Longchamp** |
| D8 | 120 | **Rue du Ranelagh** (Maison de la Radio) |
| E7 | 134 | **1, avenue d'Iena** |
| C7 | 138 | **39, rue de la Pompe** |

**17e arrondissement**

| Plan | N°s | Adresses |
|---|---|---|
| F4 | XVII | **110, avenue Wagram** |
| D4 | An. II | **Porte Maillot** |
| H3 | 54 | **9, rue Mariotte** |
| I2 | 61 | **57, avenue de St Ouen** |
| D4 | 62 | **44 bis, rue St Ferdinand** |
| E4 | 74 | **13, avenue Niel** |
| G3 | 104 | **23 bis, rue Legendre** |
| H1 | 131 | **81, boulevard Bessières** |
| E3 | 144 | **Rue de Bayen** |

**18e arrondissement**

| Plan | N°s | Adresses |
|---|---|---|
| J2 | XVIII | **19, rue Duc** (Bureau central) |
| M1 | An. I | **1, avenue de la Porte d'Aubervilliers** |

| Plan | Nos | Adresses | Plan | Nos | Adresses |
|---|---|---|---|---|---|
| I2 | 23 | **104, rue Marcadet** | O5 | 95 | **339, boulevard de Belleville** |
| K3 | 29 | **70, rue de Clignancourt** | O3 | 99 | **207, avenue Jean Jaurès** |
| L2 | 58 | **2, rue Ordener** | N2 | 107 | **2, rue Benjamin Constantin** |
| L1 | 143 | **91-93, rue de la Chapelle** | P4 | 121 | **48, rue Compans** |
| J3 | 67 | **Place des Abbesses** | | | **20e arrondissement** |
| J1 | 122 | **11, avenue de la Porte Montmartre** | P6 | XX | **248, rue des Pyrénées** |
| | | **19e arrondissement** | Q6 | An. I | **48, rue Pelleport** |
| N3-4 | XIX | **12, avenue Laumière** (Bureau central) | O6 | 40 | **11, rue Etienne Dolet** |
| O3 | XIX | **Rue de Lorraine, 118-130, av. J. Jaurès** | O8 | 59 | **134, rue des Pyrénées** |
| O5 | 55 | **8, rue Clavel** | P9 | 70 | **56, rue de Buzenval** |
| N2 | 76 | **86, rue de Flandre** | P5 | 94 | **28, rue du Télégraphe** |
| N3 | 79 | **33, avenue Jean Jaurès** | Q6 | 129 | **73, boulevard Mortier** |

# FOURRIERES

## (Enlèvement des automobiles)

| Plan | | Téléphones | Adresses |
|---|---|---|---|
| | **Beck** | **48 38 59 05** | 68, avenue Jean Mermoz, La Courneuve (93) |
| P12 | **Bercy** | **43 46 69 38** | 18, boulevard Poniatowski (12e) |
| | **Bonneuil** | **43 39 72 30** | 11, rue Chemin Rural, Bonneuil (94) |
| | **Gennevilliers** | **40 85 14 31** | 19, rue de l'Industrie, Gennevillier (92) |
| K7 | **Halles** | **42 21 44 63** | Park St Eustache, 5e s/sol, Forum des Halles (4e) |
| M1 | **Mac Donald** | **40 38 24 66** | 221, boulevard Mac Donald (19e) |
| P3 | **Pantin** | **42 00 76 99** | 1, rue de la Marseillaise (19e) |
| H1 | **Pouchet** | **42 63 37 58** | 8, boulevard du Bois Leprêtre (17e) |

# QUARTIERS DE PARIS ET COMMISSARIATS DE POLICE

| Plan | Ar. | Quartiers | Commissariats | Postes de Police |
|---|---|---|---|---|
| I6 | I | — | Commissariat principal | 51, place du Marché St Honoré |
| K7 | | **St Germain l'Auxerrois** | 8, rue des Prouvaires | 51, place du Marché St Honoré |
| K7 | | **Les Halles** | 8, rue des Prouvaires | 10, rue Pierre Lescot |
| J7 | | **Palais-Royal** | 24, rue des Bons Enfants | 24, rue des Bons Enfants |

| Plan | Ar. | Quartiers | Commissariats | Postes de Police |
|---|---|---|---|---|
| J7 | | **Place Vendôme** | 24, rue des Bons Enfants | 24, rue des Bons Enfants |
| J6 | II | — | Commissariat principal | 5, place des Petits Pères |
| J6 | | **Gaillon** | 5, rue d'Ambroise | 5, place des Petits Pères |
| J6 | | **Vivienne** | 5, rue d'Ambroise | 5, place des Petits Pères |
| J6 | | **Mail** | 6, rue du Mail | 5, place des Petits Pères |
| K6 | | **Bonne Nouvelle** | 9, rue Thorel | 9, rue Thorel |
| L7 | III | — | Commissariat principal | 5, rue Perrée |
| L6 | | **Arts et Métiers** | 62, rue de Bretagne | 60, rue Notre-Dame de Nazareth |
| L7 | | **Enfants Rouges** | 62, rue de Bretagne | Rue Perrée (mairie) |
| L7 | | **Archives** | 44, rue Beaubourg | 44, rue Beaubourg |
| L7 | | **Ste Avoie** | 44, rue Beaubourg | 44, rue Beaubourg |
| L8 | IV | — | Commissariat principal | Place Baudoyer |
| L8 | | **St Merri** | 34, rue de Rivoli | 34, rue de Rivoli |
| L8 | | **St Gervais** | 34, rue de Rivoli | 34, rue de Rivoli |
| L8 | | **Arsenal** | 34, rue de Rivoli | 34, rue de Rivoli |
| K8 | | **Notre-Dame** | 34, rue de Rivoli | Hôtel-de-Ville |
| K9 | V | — | Commissariat principal | 21, place du Panthéon (mairie) |
| K9 | | **St Victor** | 31, rue de Poissy | 31, rue de Poissy |
| K9 | | **Jardin des Plantes** | 31, rue de Poissy | 31, rue de Poissy |
| K10 | | **Val-de-Grâce** | 1, rue Vauquelin | 1, rue Vauquelin |
| J9 | | **Sorbonne** | 1, rue Vauquelin | 1, rue Soufflot |
| I9 | VI | — | Commissariat principal | 78, rue Bonaparte (mairie) |
| J8 | | **Monnaie** | 14, rue de l'Abbaye | 14, rue de l'Abbaye |
| I9 | | **Odéon** | 12, rue Jean Bart | Rue Bonaparte (mairie) |
| I9 | | **Notre-Dame des Champs** | 12, rue Jean Bart | 12, rue Jean Bart |
| J8 | | **St Germain des Près** | 14, rue de l'Abbaye | 14, rue de l'Abbaye |
| H8 | VII | — | Commissariat principal | 116, rue Grenelle (mairie) |
| I8 | | **St Thomas d'Aquin** | 10, rue Perronet | 10, rue Perronet |
| H7 | | **Invalides** | 3, rue Aristide Briand | 116, rue Grenelle (mairie) |
| H7 | | **Ecole Militaire** | 3, rue Aristide Briand | 72-74, avenue Breteuil |
| G8 | | **Gros Caillou** | 6, rue Amélie | 6, rue Amélie |
| G6 | VIII | — | Commissariat principal | 1, avenue du Gal Eisenhower |
| G6 | | **Champs-Elysées** | 5, rue Clément Marot | 1, avenue de Selves |
| H6 | | **Faubourg du Roule** | 206, rue du Fg St Honoré | 206, rue du Faubourg St Honoré |
| H5 | | **Madeleine** | 31, rue d'Anjou | 1, rue de Lisbonne |
| H4 | | **Europe** | 1, rue de Lisbonne | 1, rue de Lisbonne |
| J5 | IX | — | Commissariat principal | Rue Chauchat |
| I4 | | **St Georges** | 7, rue Ballu | 7, rue Ballu |
| I5 | | **Chaussée d'Antin** | 21, rue Joubert | Place Charles Garnier |
| J5 | | **Faubourg Montmartre** | 21, rue du Fg Montmartre | 6, rue Drouot (mairie) |
| J5 | | **Rochechouart** | 50, rue Tour d'Auvergne | 6, rue Drouot |
| L5 | X | — | Commissariat principal | 1, rue Hittorf (mairie) |
| L4 | | **St Vincent de Paul** | 179, rue du Fg St Denis | 179, rue du Faubourg St Denis |
| K5 | | **Porte St Denis** | 45, rue de Chabrol | 6, Cité d'Hauteville |
| M4 | | **Porte St Martin** | 26, passage du Désir | 26, rue Louis Blanc |
| M5 | | **Hôpital St Louis** | 40, avenue Cl. Vellefaux | 40, avenue Cl. Vellefaux |

| Plan | Ar. | Quartiers | Commissariats | Postes de Police |
|---|---|---|---|---|
| N8 | **XI** | — | Commissariat principal | Place Léon Blum (mairie) |
| N7 | | **Folie Méricourt** | 93, avenue de la Roquette | 93, avenue Parmentier |
| N8 | | **St Ambroise** | 93, avenue de la Roquette | Place Léon Blum |
| N7 | | **Roquette** | 10, rue Camille Desmoulin | Place Léon Blum (mairie) |
| O8 | | **Ste Marguerite** | 12, rue Chanzy | 12, rue Chanzy |
| O10 | **XII** | — | Commissariat principal | 3, rue Bignon (mairie) |
| Q10 | | **Bel-Air** | 36, rue du Rendez-Vous | 11, rue du Rendez-Vous |
| O10 | | **Picpus** | 163, rue de Charenton | 3, rue Bignon (mairie) |
| O11 | | **Bercy** | 163, rue de Charenton | 26, boulevard de Bercy |
| N9 | | **Quinze-Vingts** | 59, rue Traversière | 59, rue Traversière |
| L12 | **XIII** | — | Commissariat principal | 144, boulevard de l'Hôpital |
| L12 | | **Salpêtrière** | 144, boulevard de l'Hôpital | 144, boulevard de l'Hôpital |
| L12 | | **Gare** | 144, boulevard de l'Hôpital | 144, boulevard de l'Hôpital |
| L12 | | **Maison Blanche** | 144, boulevard de l'Hôpital | 144, boulevard de l'Hôpital |
| L12 | | **Croulebarbe** | 144, boulevard de l'Hôpital | 144, boulevard de l'Hôpital |
| H11 | **XIV** | — | Commissariat principal | 114, avenue du Maine |
| H10 | | **Montparnasse** | 114, avenue du Maine | 17, rue de la Gaîté |
| I13 | | **Parc Montsouris** | 50, rue Rémy Dumoncel | 8 bis, rue Sarrette |
| I12 | | **Petit Montrouge** | 50, rue Rémy Dumoncel | Place Ferdinand Brunot |
| H12 | | **Plaisance** | 114, avenue du Maine | 12, rue Boyer Barret |
| E11 | **XV** | — | Commissariat principal | 154, rue Lecourbe |
| F10 | | **St Lambert** | 2, rue Léon Séché | 141, rue Lecourbe (mairie) |
| G10 | | **Necker** | 45, boulevard Garibaldi | 45, boulevard Garibaldi |
| D10 | | **Grenelle** | 15, rue Lacordaire | 15, rue Lacordaire |
| D10 | | **Javel** | 15, rue Lacordaire | 15, rue Lacordaire |
| D7 | **XVI** | — | Commissariat principal | 73, rue de la Pompe (mairie) |
| B10 | | **Auteuil** | 74, rue Chardon-Lagache | 40 boulevard Exelmans |
| C8 | | **La Muette** | 2, rue Bois-le-Vent | 73, rue de la Pompe |
| D6 | | **Pte Dauphine** | 75, rue de la Faisanderie | 75, rue de la Faisanderie |
| E6 | | **Chaillot** | 4, rue Bouquet de Longchamp | 4, rue Bouquet de Longchamp |
| H3 | **XVII** | — | Commissariat principal | 19-21, rue Truffault |
| F5 | | **Ternes** | 19-21, rue Truffault | 14, rue de l'Etoile |
| G3 | | **Plaine-Monceau** | 19-21, rue Truffault | 132, boulevard Malesherbes |
| H3 | | **Batignolles** | 19-21, rue Truffault | 3, rue Clairaut |
| H3 | | **Epinettes** | 19-21, rue Truffault | 3, rue Clairaut |
| J2 | **XVIII** | — | Commissariat principal | 77, rue Mont Cenis (mairie) |
| J2 | | **Grandes Carrières** | 5, rue Achille Martinet | 5, rue Achille Martinet |
| J2 | | **Clignancourt** | 122, rue Marcadet | 77, rue Mont Cenis (mairie) |
| L3 | | **Goutte d'Or** | 50, rue Doudeauville | 50, rue Doudeauville |
| L3 | | **Chapelle** | 50, rue Doudeauville | 74, boulevard de la Chapelle |
| N4 | **XIX** | — | Commissariat principal | 2, rue A. Dubois |
| O2 | | **La Villette** | 37, rue de Nantes | 37, rue de Nantes |
| O3 | | **Pont de Flandre** | 37, rue de Nantes | Avenue Jean Jaurès |
| P4 | | **Amérique** | 25, rue du Général Brunet | 25, rue du Général Brunet |
| N5 | | **Combat** | 10, rue Pradier | Rue A. Dubois, 28, av. Cor. Cariou |

| Plan | Ar. | Quartiers | Commissariats | Postes de Police |
|---|---|---|---|---|
| P7 | **XX** | — | Commissariat principal ....... | 6, place Gambetta |
| N5 | | **Belleville** .................. | 46, rue Ramponeau .......... | 46, rue Ramponeau |
| P7 | | **St Fargeau** .................. | 46, avenue Gambetta ........ | 6, place Gambetta |
| P7 | | **Père Lachaise** .............. | 46, avenue Gambetta ........ | 6, place Gambetta |
| Q8 | | **Charonne** .................. | 66, rue des Orteaux .......... | 66, rue des Orteaux |

# AMBASSADES, LEGATIONS ET CONSULATS

| Plan | Puissances | Ambassades, Consulats | Adresses |
|---|---|---|---|
| C7 | **Afghanistan** .................. | Ambassade ............ | 32, avenue Raphaël (16e) |
| H7 | **Afrique du Sud** ............... | Ambassade ............ | 59, quai d'Orsay (7e) |
| D7 | **Albanie** ...................... | Ambassade ............ | 131, rue de la Pompe (16e) |
| G4 | **Algérie** ...................... | Ambassade ............ | 50, rue de Lisbonne (8e) |
| E5 | | Consulat .............. | 11, rue d'Argentine (16e) |
| D5 | **Allemagne** .................. | Ambassade ............ | 24, rue Marbeau (16e) |
| G6 | **Allemagne** .................. | Ambassade ............ | 13, avenue Fr. D. Roosevelt (8e) |
| E6 | | Consulat .............. | 34, avenue d'Iéna (16e) |
| E5 | **Angola** ...................... | Ambassade ............ | 19, avenue Foch (16e) |
| F5 | **Arabie Saoudite** ............. | Ambassade ............ | 5, avenue Hoche (8e) |
| E6 | **Argentine** .................. | Ambassade ............ | 6, rue Cimarosa (8e) |
| E6 | | Consulat .............. | 6, rue Cimarosa (8e) |
| E8 | **Australie** ..................... | Ambassade ............ | 4, rue Jean Rey (15e) |
| E8 | | Consulat .............. | 4, rue Jean Rey (15e) |
| G7 | **Autriche** ..................... | Ambassade ............ | 6, rue Fabert (7e) |
| F7 | | Consulat .............. | 12, rue Edm. Valentin (7e) |
| E7 | **Bahrein** ....................... | Ambassade ............ | 15, avenue R. Poincaré (16e) |
| D7 | **Bangladesh** .................. | Ambassade ............ | 5, square Petrarque (16e) |
| F5 | **Belgique** ..................... | Ambassade ............ | 9, rue de Tilsitt (17e) |
| E5 | | Consulat .............. | 1, avenue Mac-Mahon (17e) |
| D6 | **Benin** (ex Dahomey) ........... | Ambassade ............ | 87, avenue Victor Hugo (16e) |
| H9 | | Consulat .............. | 89, rue du Cherche Midi (6e) |
| G5 | **Birmanie** ..................... | Ambassade ............ | 60, rue de Courcellees (18e) |
| E8 | **Bolivie** ....................... | Ambassade ............ | 12, avenue du Président Kennedy (16e) |
| G6-7 | **Brésil** ........................ | Ambassade ............ | 34, cours Albert Ier (8e) |
| G6 | | Consulat .............. | 122, avenue des Champs Elysées (8e) |
| G4 | **Bruneï** ....................... | Ambassade ............ | 4, rue Logelbach (17e) |
| F7 | **Bulgarie** ..................... | Ambassade ............ | 1, avenue Rapp (7e) |
| G5 | **Burkino-Faso** ................ | Ambassade ............ | 159, boulevard Haussmann (8e) |
| C7 | **Burundi** ...................... | Ambassade ............ | 3, rue Octave Feuillet (16e) |

| Plan | Puissances | Ambassades, Consulats | Adresses |
|---|---|---|---|
| B9 | **Cameroun** | Ambassade | 73, rue d'Auteuil (16e) |
| G6 | **Canada** | Ambassade | 35, avenue Montaigne (8e) |
| I-J6 | | Consulat | 4, rue Ventadour (1er) |
| B8 | **Centrafrique** | Ambassade | 29, boulevard de Montmorency (16e) |
| G8 | **Chili** | Ambassade | 2, avenue de la Motte Picquet (7e) |
| G7 | | Consulat | 64, boulevard de la Tour Maubourg (7e) |
| F6 | **Chine** | Ambassade | 11, avenue Georges V (8e) |
| E6 | **Chypre** | Ambassade | 23, rue Galilée (16e) |
| H6 | **Colombie** | Ambassade | 22, rue de l'Elysée (8e) |
| F6 | | Consulat | 11, rue Christophe Colomb (8e) |
| D7 | **Congo** | Ambassade | 57 bis, rue Scheffer (16e) |
| H8 | **Corée du Sud** | Ambassade | 125, rue de Grenelle (7e) |
| C10 | **Costa Rica** | Ambassade | 135, avenue de Versailles (16e) |
| E7 | **Côte d'Ivoire** | Ambassade | 102, avenue R. Poincarré (16e) |
| F8-9 | **Cuba** | Ambassade | 16, rue de Presles (15e) |
| F6 | **Danemark** | Ambassade | 77, avenue Marceau (16e) |
| D6 | **Djibouti** | Ambassade | 26, rue E. Ménier (16e) |
| E5 | **Egypte** | Ambassade | 7, avenue de la Grande Armée (16e) |
| F6 | | Consulat | 80, avenue Marceau (8e) |
| C6 | **Emirats Arabes Unis** | Ambassade | 3, rue de Lota (16e) |
| G5 | **Equateur** | Ambassade | 34, avenue de Messine (8e) |
| F6 | **Espagne** | Ambassade | 13, avenue Georges V (8e) |
| G3 | | Consulat | 165, boulevard Malesherbes (17e) |
| H6 | **Etats Unis** | Ambassade | 2, avenue Gabriel (8e) |
| F8 | **Ethiopie** | Ambassade | 35, avenue Charles Floquet (7e) |
| G7 | **Finlande** | Ambassade | 2, rue Fabert (7e) |
| H5 | | Consulat | 18 bis, rue d'Anjou (8e) |
| C7 | **Gabon** | Ambassade | 26 bis, avenue Raphaël (16e) |
| D5 | **Ghana** | Ambassade | 8, villa Saïd (16e) |
| G5 | **Grande-Bretagne** | Ambassade | 35, rue du Faubourg St Honoré (8e) |
| H5 | | Consulat | 16, rue d'Anjou (8e) |
| F6 | **Grèce** | Ambassade | 17, rue A. Vacquerie (16e) |
| E6 | | Consulat | 23, rue Galilée (16e) |
| G5 | **Guatemala** | Ambassade | 73, rue de Courcelles (8e) |
| C6 | **Guinée** | Ambassade | 51, rue de la Faisanderie (16e) |
| F4 | **Haïti** | Ambassade | 10, rue Th. Ribot (16e) |
| I6 | **Honduras** | Ambassade | 6, place Vendôme (1er) |
| K5 | | Consulat | 11, rue du Faubourg Poissonnière (9e) |
| D5 | **Hongrie** | Ambassade | 5, square de l'Avenue Foch (16e) |
| K9 | | Consulat | 326, rue St Jacques (5e) |
| G4 | **Ile Maurice** | Ambassade | 68, boulevard de Courcelles (17e) |
| C7 | **Inde** | Ambassade | 15, rue Al. Dehodencq (16e) |
| D7 | **Indonésie** | Ambassade | 49, rue Cortambert (16e) |
| D6 | **Irak** | Ambassade | 53, rue de la Faisanderie (16e) |
| E6 | **Iran** | Ambassade | 4, avenue d'Iéna (16e) |
| E7 | | Consulat | 16, rue Fresnel (16e) |

| Plan | Puissances | Ambassades, Consulats | Adresses |
|---|---|---|---|
| E5 | **Irlande** | Ambassade | 4, rue Rude (16e) |
| G5 | **Islande** | Ambassade | 124, boulevard Haussmann (8e) |
| G5-6 | **Israël** | Ambassade | 3, rue Rabelais (8e) |
| H8 | **Italie** | Ambassade | 47, rue de Varenne (7e) |
| C7 | | Consulat | 5, boulevard Emile Augier (16e) |
| D5 | **Jamaïque** | Ambassade | 60, avenue Foch (16e) |
| F5 | **Japon** | Ambassade | 7, avenue Foch (8e) |
| C4 | **Jordanie** | Ambassade | 80, boulevard M. Barrès, Neuilly-sur-Seine |
| E6 | **Kenya** | Ambassade | 3, rue Cimarosa (16e) |
| E6 | **Koweit** | Ambassade | 2, rue de Lübeck (16e) |
| E7 | **Laos** | Ambassade | 74, avenue Raymond Poincaré (16e) |
| E6 | | Consulat | 1, place des Etats Unis (16e) |
| E6 | **Liban** | Ambassade | 42, rue Copernic (16e) |
| G4 | **Libéria** | Ambassade | 12, place du Général Catroux (17e) |
| D6 | **Libye** | Ambassade | 2, rue Charles Lamoureux (16e) |
| F7 | **Luxembourg** | Ambassade | 33, avenue Rapp (7e) |
| C7 | **Madagascar** | Ambassade | 4, avenue Raphaël (16e) |
| D6 | **Malaisie** | Ambassade | 2, rue Bénouville (16e) |
| F6 | **Malawie** | Ambassade | 20, rue Euler (8e) |
| H9 | **Mali** | Ambassade | 89, rue du Cherche Midi (6e) |
| G6 | **Malte** | Ambassade | 92, avenue des Champs-Elysées (8e) |
| E7 | **Maroc** | Ambassade | 5, rue Le Tasse (16e) |
| K5 | | Consulat | 19, rue Saulnier (9e) |
| C6 | **Mauritanie** | Ambassade | 5, rue de Montevideo (16e) |
| H9 | | Consulat | 89, rue du Cherche Midi (6e) |
| E6-7 | **Mexique** | Ambassade | 9, rue de Longchamp (16e) |
| E6 | | Consulat | 16, rue Hamelin (16e) |
| B7 | **Monaco** | Ambassade | 22, boulevard Suchet (16e) |
| A10 | **Mongolie** | Ambassade | 5, avenue r. Schuman, Boulogne |
| E3 | **Mozambique** | Ambassade | 82, rue Laugier (17e) |
| E4 | **Népal** | Ambassade | 45 bis, rue des Acacias (17e) |
| D6 | **Nicaragua** | Ambassade | 11, rue de Sontay (16e) |
| E6-7 | **Niger** | Ambassade | 154, rue de Longchamp (16e) |
| D6 | **Nigeria** | Ambassade | 173, avenue Victor Hugo (16e) |
| G6 | **Norvège** | Ambassade | 28, rue Bayard (8e) |
| E5 | **Nouvelle Zélande** | Ambassade | 9, rue Léonard de Vinci (16e) |
| F6 | **Oman** | Ambassade | 50, avenue Iéna (16e) |
| E7 | **Ouganda** | Ambassade | 13, avenue R. Poincarré (16e) |
| F5 | **Pakistan** | Ambassade | 18, rue Lord Byron (8e) |
| F-G9 | **Panama** | Ambassade | 145, avenue de Suffren (15e) |
| J5 | **Paraguay** | Ambassade | 27, boulevard des Italiens (2e) |
| | | Consulat | 12, rue de l'Abreuvoir, Courbevoie |
| G9 | **Pays-Bas** | Ambassade | 7, rue Eblé (7e) |
| E5-6 | **Pérou** | Ambassade | 50, avenue Kléber (16e) |
| D7 | **Philippines** | Ambassade | 39, avenue G. Mandel (16e) |
| H7-8 | **Pologne** | Ambassade | 1-3, rue Talleyrand (7e) |

| Plan | Puissances | Ambassades, Consulats | Adresses |
|---|---|---|---|
| H7-8 | | Consulat | 5, rue Talleyrand (7e) |
| D6 | **Portugal** | Ambassade | 3, rue Noisiel (16e) |
| C7 | | Consulat | 10, rue Ed. Fournier (16e) |
| G7 | **Quatar** | Ambassade | 57, quai d'Orsay (7e) |
| G7 | **Roumanie** | Ambassade | 123, rue St Dominique (7e) |
| F8 | | Consulat | 5, rue de l'Exposition (7e) |
| G4 | **Rwanda** | Ambassade | 12, rue Jadin (17e) |
| E6 | **St Dominicaine** | Ambassade | 2, rue Georges Ville (16e) |
| E6 | **St Marin** | Légation | 17, place des Etats Unis (16e) |
| G5 | | Consulat | 50, rue du Colisée (8e) |
| E7 | **St Siège** | Nonciature | 10, avenue du Président Wilson (16e) |
| E6 | **Salvador** | Ambassade | 12, rue Galilée (8e) |
| G7 | **Sénégal** | Ambassade | 14, avenue R. Schuman (7e) |
| F6 | **Seychelles** | Ambassade | 53 bis, rue François Ier (8e) |
| E6 | | Consulat | 22, rue Hamelin (16e) |
| D5 | **Sierra Leone** | Ambassade | 142, avenue de Malakoff (16e) |
| D5 | **Singapour** | Ambassade | 12, square de l'avenue Foch (16e) |
| E6 | **Somalie** | Ambassade | 26, rue Dumont d'Urville (16e) |
| G6 | **Soudan** | Ambassade | 56, avenue Montaigne (8e) |
| H5 | **Sri Lanka** | Ambassade | 15, rue d'Astorg (8e) |
| H8 | **Suède** | Ambassade | 17, rue Barbet de Jouy (7e) |
| H8 | **Suisse** | Ambassade | 142, rue de Grenelle (7e) |
| H8 | **Syrie** | Ambassade | 20, rue Vaneau (7e) |
| F3 | **Tanzanie** | Ambassade | 70, boulevard Péreire (17e) |
| D6 | **Tchad** | Ambassade | 65, rue des B. Feuilles (16e) |
| F8 | **Tchécoslovaquie** | Ambassade | 15, avenue Ch. Floquet (7e) |
| J8 | | Consulat | 18, rue Bonaparte (6e) |
| D7 | **Thaïlande** | Ambassade | 8, rue Greuze (16e) |
| F3 | **Togo** | Ambassade | 8, rue Alfred Roll (17e) |
| H8 | **Tunisie** | Ambassade | 27, rue Barbet de Jouy (7e) |
| E6 | | Consulat | 17-19, rue de Lubeck (16e) |
| D8 | **Turquie** | Ambassade | 16, avenue de Lamballe (16e) |
| G5 | | Consulat | 170, boulevard Haussmann (8e) |
| C6 | **U.R.S.S.** | Ambassade | 40, boulevard Lannes (16e) |
| G4 | | Consulat | 8, rue de Prony (17e) |
| E5 | **Uruguay** | Ambassade | 15, rue Le Sueur (16e) |
| E6 | **Vénézuéla** | Ambassade | 11, rue Copernic (16e) |
| E7 | | Consulat | 42, avenue du Président Wilson (16e) |
| B10 | **Viet-Nam** | Ambassade | 62, rue Boileau (16e) |
| B10 | | Consulat | 62, rue Boileau (16e) |
| F8 | **Yémen** (République Arabe) | Ambassade | 21, avenue Charles Floquet (7e) |
| F6 | **Yémen** (République Démocratique | Ambassade | 25, avenue Georges Bizet (16e) |
| D6 | **Yougoslavie** | Ambassade | 54, rue de la Faisanderie (16e) |
| D6 | | Consulat | 5, rue de la Faisanderie (16e) |
| G6-7 | **Zaïre** | Ambassade | 32, cour Albert Ier (8e) |
| E6 | **Zambie** | Ambassade | 76, avenue d'Iéna (16e) |
| E5 | **Zimbabwe** | Ambassade | 5, rue de Tilsitt (8e) |

# RENSEIGNEMENTS DIVERS

| Plan | | Adresses |
|---|---|---|
| E9 | **Allocations Familiales de la Région Parisienne** | 18, rue Viala (15e) |
| H8 | **Archevêché** | 30, rue Barbet de Jouy (7e) |
| K8 | **Assistance Publique** | 3, avenue Victoria (4e) |
| I10 | **Aviation Civile** (Direction) | 93, boulevard du Montparnasse (6e) |
| J7 | **Banque de France** | 39, rue Croix des Petits Champs (1er) |
| J7 | **Bourse de Commerce** | 40-42, rue du Louvre (1er) |
| L6 | **Bourse du Travail** | 3, rue du Château d'Eau (10e) |
| J6 | **Bourse des Valeurs** | 4, place de la Bourse (2e) |
| I11 | **Catacombes** | Place Denfert-Rochereau (14e) |
| K8 | **Centre Georges Pompidou** | Plat. Beaubourg, Pl. G. Pompidou (4e) |
| F6 | **Chambre d'Agriculture** | 9, avenue Georges V (8e) |
| F5 | **Chambre de Commerce et Industrie** | 27, avenue Friedland (8e) |
| K8 | **Commerce** (Tribunal de) | 1, quai de la Corse (4e) |
| J7 | **Contribution** (Direction) | 40, rue du Louvre (1er) |
| K8 | **Cour d'Appel de Paris** | 4, boulevard du Palais (1er) |
| I6 | **Cour des Comptes** | 13, rue Cambon (1er) |
| L8 | **Crédit Municipal** | 55, rue des Francs-Bourgeois (4e) |
| I7 | **Dépôts et Consignations** (Caisse des) | 56, rue de Lille (7e) |
| J6 | **Domaine, Enregistrement, Timbre** | 9-11, rue de la Banque (2e) |
| M6 | **Douanes** (Paris) | 14, rue Yves Toudic (10e) |
| G5 | **Electricité de France** (E.D.F.) | 32, rue de Monceau (8e) |
| K8 | **Forum des Halles** | 1, rue Pierre Lescot (1er) |
| D10 | **Imprimerie Nationale** | 27, rue de la Convention (15e) |
| I9 | **Institut Catholique de Paris** | 21, rue d'Assas (6e) |
| H9 | **Institut des Jeunes Aveugles** | 56, boulevard des Invalides (7e) |
| J10 | **Institut des Jeunes Sourds** | 254, rue St Jacques (5e) |
| M10 | **Institut Médico-Légal** | 2, place Mazas (12e) |
| J10 | **Institut Océanographique** | 195, rue St Jacques (5e) |
| G10 | **Institut Pasteur** | 25, rue du Docteur Roux (15e) |
| E8 | **Journaux Officiels** (Direction) | 26, rue Dessaix (15e) |
| J8 | **Longitudes** (Bureau des) | 77, avenue Denfert-Rochereau (14e) |
| J11 | **Maison d'Arrêt de la Santé** | 42, rue de la Santé (14e) |
| | **Météorologie Nationale** (Direction) | 73, rue de Sèvres, Boulogne Billancourt |
| H5 | **Militaire** (Cercle) | Place St Augustin (8e) |
| K11 | **Mobilier National** | 1, rue Berbier du Mets (13e) |
| F12 | **Objets Trouvés** | 36, rue des Morillons (15e) |
| J11 | **Observatoire** | 59, avenue de l'Observatoire (14e) |
| J13 | **Observatoire du Parc Montsouris** | Parc Montsouris (14e) |
| J7 | **Poste Centrale** | 48, rue du Louvre (1er) |
| K8 | **Préfecture de Police** | 7, boulevard du Palais (4e) |
| K8 | **Préfecture de Paris** (Hôtel-de-Ville) | 1, place de l'Hôtel-de-Ville (4e) |
| M7 | **Secours Populaire Français** | 9-11, rue Froissart (3e) |
| M3 | **Sécurité Sociale** | 17, rue de Flandre (19e) |
| J7 | **Services Fiscaux** (Direction) | 40, rue du Louvre (1er) |
| H9 | **Séminaire des Missions Etrangères** | 128, rue du Bac (7e) |
| G9 | **Unesco** | 7, palce de Fontenoy (7e) |

# Lignes d'autobus de Paris

# LIGNES D'AUTOBUS de PARIS-BANLIEUE

| Lignes | Départs-Terminus |
|---|---|
| 20 | **Gare Saint-Lazare - Gare de Lyon** |
| 21 | **Gare Saint-Lazare - Porte de Gentilly** |
| 22 | **Opéra - Porte de Saint Cloud** |
| 24 | **Gare Saint-Lazare - Alfort** (Ecole vétérinaire) |
| 26 | **Gare Saint-Lazare - Cours de Vincennes** |
| 27 | **Gare Saint-Lazare - Porte de Vitry** |
| 28 | **Gare Saint-Lazare - Porte d'Orléans** |
| 29 | **Gare Saint-Lazare - Porte de Montempoivre** |
| 30 | **Gare de l'Est - Trocadéro** |
| 31 | **Gare de l'Est - Charles-de-Gaulle-Etoile** |
| 32 | **Gare de l'Est - Porte d'Auteuil** |
| 38 | **Gare de l'Est - Porte d'Orléans** |
| 39 | **Gare de l'Est - Porte de Versailles** |
| 42 | **Gare du Nord - André Citroën** |
| 43 | **Gare du Nord - Neuilly** (Place de Bagatelle) |
| 46 | **Gare du Nord - Saint-Mandé** (Demi-Lune) *jusqu'à Château de Vincennes certains jours* |
| 47 | **Gare du Nord - Le Kremlin Bicêtre** (Fort) |
| 48 | **Gare du Nord - Porte de Vanves** |
| 49 | **Gare du Nord - Porte de Versailles** |
| 52 | **Opéra - Pont de Saint Cloud** |
| 53 | **Opéra - Levallois** (Gustave Eiffel) |
| 54 | **République - Gabriel-Péri** (Asnières-Genevilliers) |
| 56 | **Porte de Clignancourt - Château de Vincennes** |
| 57 | **Gare de Lyon - Gentilly** (Mairie) |
| 58 | **Hôtel-de-Ville - Vanves** (Lycée Michelet) |
| 60 | **Gambetta - Porte de Montmartre** |
| 61 | **Gare d'Austerlitz - Pré Saint Gervais** (Place Jean **Jaurès**) |
| 62 | **Cours de Vincennes - Porte de Saint Cloud** |
| 63 | **Gare de Lyon - Porte de la Muette** |
| 65 | **Gare d'Austerlitz - Aubervilliers** (Mairie) |
| 66 | **Opéra - Clichy** (Boulevard Victor Hugo) |
| 67 | **Pigalle - Porte de Gentilly** |
| 68 | **Place de Clichy - Montrouge** (Cimetière de Bagneux) |
| 69 | **Gambetta - Champ de Mars** |
| 70 | **Hôtel-de-Ville - Radio France** |
| 72 | **Hôtel-de-Ville - Pont de Saint Cloud** |
| 73 | **Musée d'Orsay - La Défense** |
| 74 | **Hôtel de Ville - Clichy** (Hôpital Beaujon) |
| 75 | **Pont Neuf - Porte de Pantin** |

| Lignes | Départs-Terminus |
|---|---|
| 76 | **Louvre - Bagnolet** (Malassis) |
| 80 | **Mairie du XVᵉ - Mairie du XVIIIᵉ** |
| 81 | **Châtelet - Porte de Saint Ouen** |
| 82 | **Luxembourg - Neuilly** (Hôpital Américain) |
| 83 | **Friedland-Haussmann - Porte d'Ivry** |
| 84 | **Panthéon - Porte de Champerret** |
| 85 | **Luxembourg - Mairie de Saint Ouen** |
| 86 | **Saint Germain des Près - Saint Mandé** (Demi-Lune) |
| 87 | **Champ de Mars - Porte de Reuilly** |
| 89 | **Gare d'Austerlitz - Vanves** (Lycée Michelet) |
| 91 | **Gare Montparnasse - Bastille** |
| 92 | **Gare Montparnasse - Porte de Champerret** |
| 93 | **Invalides - Levallois** (Libération) |
| 94 | **Gare Montparnasse - Levallois** (Mairie) |
| 95 | **Gare Montparnasse - Porte de Montmartre** |
| 96 | **Gare Montparnasse - Porte des Lilas** |
| 101 | **Gambetta - Pantin** (Raymond Queneau) |
| 216 | **Denfert Rochereau - Rungis M.I.N.** |
| 350 | **Gare de l'Est - Roissy** (Charles-de-Gaulle) |
| 351 | **Nation - Roissy** (Charles-de-Chaulle) |
| 355 | **Gambetta - Mairie de Montreuil** |
| PC | **Petite Ceinture - Toutes les portes de Paris** |

**BALABUS : Gare de Lyon - La Défense** (Dimanches et fêtes de 12 h à 21 h, du 15 avril au 15 septembre)

**MONTMARTROBUS : Pigalle - Mairie du XVIIIᵉ**

**ORLYBUS : Denfert Rochereau - Orly Ouest/Sud** (de 6 h à 23 h)

# AUTOBUS DE NUIT (de 1 h à 5 h)

| Lignes | Départs-Sectionnements-Terminus |
|---|---|
| NA | **Châtelet (Avenue Victoria)** - Palais-Royal - Concorde - Champs-Elysées - Charles-de-Gaulle-Etoile - Porte Maillot - Pont de Neuilly - **La Défense** |
| NB | **Châtelet** - Palais-Royal - Opéra - Saint-Lazare - Villiers - Porte de Champerret - **Levallois (Mairie)** |
| NC | **Châtelet** - Louvre - Carrefour de Châteaudun - Pigalle - Place de Clichy - Porte de Clichy - **Clichy (Mairie)** |
| ND | **Châtelet** - Palais Royal - Gare du Nord - Barbès Rochechouart - Porte de Clignancourt - **Saint Ouen (Mairie)** |
| NE | **Châtelet** - Arts et Métiers - Gare de l'Est - Jaurès - Porte de Pantin - **Pantin (Eglise)** |
| NF | **Châtelet** - Arts et Métiers - République - Belleville - Porte des Lilas - **Les Lilas (Mairie)** |
| NG | **Châtelet** - Strasbourg Saint Denis - République - Voltaire - Place Gambetta - Porte de Bagnolet - **Monteuil (Mairie)** |
| NH | **Châtelet** - Bastille - Nation - Porte de Vincennes - **Vincennes (Château)** |
| NJ | **Châtelet** - Saint Michel - Luxembourg - Port-Royal - Vavin - Denfert-Rochereau - **Porte d'Orléans** |
| NR | **Châtelet** - Maubert Mutualité - Gobelins - Place d'Italie - Porte d'Italie - Kremlin Bicêtre - **Rungis (M.I.N.)** |

# LIGNES DE METRO

| Lignes | Départs-Terminus |
|---|---|
| 1 | Château de Vincennes - Pont de Neuilly - La Défense (1992) |
| 2 | Nation - Porte Dauphine |
| 3 | Gallieni - Pont de Levallois - Bécon. |
| 3.b. | Porte des Lilas - Gambetta |
| 4 | Porte d'Orléans - Porte de Clignancourt |
| 5 | Place d'Italie - Bobigny (Pablo-Picasso-Préfecture) |
| 6 | Nation - Etoile (Charles-de-Gaulle) |
| 7 | Mairie d'Ivry ou Villejuif - L. Aragon - La Courneuve - 8 Mai 1945 |
| 7b | Louis Blanc - Pré Saint Gervais |
| 8 | Balard - Créteil (Préfecture) |
| 9 | Pont de Sèvres - Mairie de Montreuil |
| 10 | Austerlitz - Pont de Saint Cloud |
| 11 | Châtelet - Mairie des Lilas |
| 12 | Mairie d'Issy - Porte de la Chapelle |
| 13 | Saint Denis (Basilique) - Châtillon |
| 13b | Invalides - Gabriel Péri (Clichy) |

# LIGNES DU R.E.R.

| Lignes | R.E.R. |
|---|---|
| A | Saint Germain-en-Laye (A1), Cergy Saint Christophe (A3), Poissy (A5), Châtelet-les-Halles - Boissy Saint Léger (A2), Torcy (A4) |
| B | Robinson (B2), Saint Rémy-les-Chevreuses (B4), Châtelet-les-Halles, Roissy (B3), Mitry (B5) |
| C | Montigny-Beauchamp (C1), Argenteuil (C3), Saint Michel Notre-Dame, Massy Palaiseau (C2), Dourdan (C4), Etampes (C6), Versailles (C5), Saint Quentin-en-Yvelines (C7) |
| D | Orry-la-Ville (D1), Châtelet-les-Halles (D2) |

# Parcours des lignes d'autobus dans Paris

# AUTOBUS

LEGENDE

● ARRET (SECTION)

○ ARRET (AL.—RET.)

○▽ ARRET (ALLER)

○△ ARRET (RETOUR)

● ARRET (SECTION)

| 20 | ZONES ▽ |
|---|---|

## PARIS

| | | | 1 |
|---|---|---|---|
| ● | | **GARE SAINT-LAZARE** | |
| ○ | △ | ROME HAUSSMANN | |
| ○ | | HAVRE HAUSSMANN | |
| ○ | | AUBER R.E.R. | |
| ● | | **OPERA** | |
| ● | ▽ | **OPERA - 4 SEPTEMBRE** | |
| ○ | ▽ | RICHELIEU 4 SEPTEMBRE | |
| ○ | △ | CHOISEUL | |
| ○ | ▽ | BOURSE MAIRIE DU IIe | |
| ○ | △ | RICHELIEU DROUOT | |
| ○ | ▽ | REAUMUR MONTMARTRE | |
| ○ | △ | MONTMARTRE - POISSONNIERE | |
| ● | ▽ | **SENTIER** | |
| ● | △ | **POISSONIERE - BONNE NOUVELLE** | |
| ○ | ▽ | REAUMUR SEBASTOPOL | |
| ○ | △ | PORTE SAINT-DENIS | |
| ○ | ▽ | ARTS ET METIERS | |
| ○ | △ | PORTE SAINT-MARTIN | |
| ○ | ▽ | SQUARE DU TEMPLE - MAIRIE DU IIIe | |
| | | CARREAU DU TEMPLE | |
| ○ | △ | LANCRY SAINT-MARTIN | |
| ○ | ▽ | TURBIGO REPUBLIQUE | |
| ● | | **REPUBLIQUE** | |
| ○ | △ | REPUBLIQUE TEMPLE | |
| ○ | | J.P. TIMBAUD | |
| ○ | | OBERKAMPF - FILLES DU CALVAIRE | |
| ○ | | SAINT-CLAUDE | |
| ○ | | SAINT-GILLES - CHEMIN VERT | |
| ○ | | PASTEUR WAGNER | |
| ● | | **BASTILLE - BAUMARCHAIS** | |
| ● | | **BASTILLE** | |
| ○ | | LYON - LEDRU ROLLIN | |
| ○ | | GARE DE LYON - DIDEROT | |
| ○ | ▽ | GARE DE LYON «BANLIEUE» | |
| ○ | ▽ | GARE DE LYON «GRANDES LIGNES» | |
| ● | | **GARE DE LYON** | |

## 21

ZONES ▽

### PARIS

1

- ● **GARE SAINT-LAZARE**
- ○ HAVRE HAUSSMAN
- ○ AUBER **R.E.R.**
- ● **OPERA**
- ● **OPERA 4 SEPTEMBRE**
- ○ △ PETIT-CHAMPS - D. CASANOVA
- ○ PYRAMIDES
- ● **PALAIS ROYAL - TH. FRANÇAIS**
- ○ LOUVRE - RIVOLI
- ○ ▽ PONT NEUF - QUAI DU LOUVRE
- ○ △ RIVOLI - PONT NEUF
- ● **CHATELET R.E.R.**
- ○ CITE - PALAIS DE JUSTICE
- ○ SAINT-MICHEL - SAINT-GERMAIN **R.E.R.**
- ○ LES ECOLES
- ● **LUXEMBOURG R.E.R.**
- ○ SAINT-JACQUES - GAY LUSSAC
- ○ FEUILLANTINES
- ● **BERTHOLLET - VAUQUELIN**
- ○ PORT ROYAL - BERTHOLET
- ○ GLACIERE ARAGO
- ○ GLACIERE - NORDMANN
- ● **GLACIERE - A. BLANQUI**
- ○ DAVIEL
- ○ GLACIERE - TOLBIAC
- ○ PARC DE MONTSOURIS
- ○ ▽ CITE UNIVERSITAIRE **R.E.R.**
- ○ △ AMIRAL MOUCHEZ CHARBONNEL
- ● **PORTE DE GENTILLY**

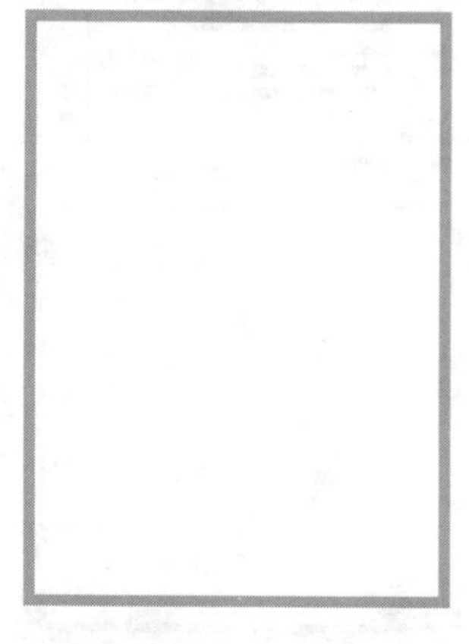

## 22

ZONES ▽

### PARIS

1

- ● **OPERA GLUCK**
- ○ △ AUBER **R.E.R.**
- ○ ▽ HAVRES CAUMARTIN
- ○ △ HAVRE HAUSSMAN
- ● ▽ **PASQUIER ANJOU**
- ● △ **GARE SAINT-LAZARE**
- ○ SAINT AUGUSTIN
- ○ HAUSSMANN MIROMESNIL
- ● **HAUSSMANN COURCELLES**
- ○ FRIEDLAND - HAUSSMANN
- ○ BALZAC
- ● **CHARLES DE GAULLE ETOILE R.E.R.**
- ● **FRIEDLAND - KLEBER**
- ○ KLEBER PAUL VALERY
- ○ KLEBER BOISSIERE
- ● **TROCADERO**
- ○ SCHEFFER
- ○ LA TOUR
- ○ PLACE POSSOZ
- ● **LA MUETTE BOULAINVILLIERS R.E.R.**
- ○ ▽ LES VIGNES BOULAINVILLIERS **R.E.R.**
- ○ △ RANELAGH
- ○ ▽ RADIO FRANCE - DR. HAYEM
- ○ △ JASMIN
- ○ ▽ LEOPOLD II
- ○ △ GEORGE SAND - LA FONTAINE
- ○ ▽ PERRICHONT
- ○ EGLISE D'AUTEUIL
- ● △ **PONT MIRABEAU**
- ● ▽ **CHARDON-LAGACHE-MOLITOR**
- ○ △ WILHEM
- ○ △ V. SARDOU
- ○ ▽ JOUVENET
- ○ △ VERSAILLES EXELMANS
- ○ VERSAILLES CHARDON-LAGACHE
- ○ ▽ PORTE DE SAINT-CLOUD MICHEL-ANGE
- ○ △ PORTE DE SAINT-CLOUD MURAT
- ● **PORTE DE SAINT-CLOUD GARE ROUTIERE**

ZONES ▽

| | | PARIS | Zone |
|---|---|---|---|
| ● | | **GARE SAINT-LAZARE** | 1 |
| ○ | | HAVRE HAUSSMAN | |
| ○ | | MADELEINE | |
| ● | | **CONCORDE** | |
| ○ | ▽ | CONCORDE QUAI DES TUILERIES | |
| ○ | △ | ASSEMBLEE NATIONALE | |
| ○ | ▽ | PONT DE SOLFERINO QUAI DES TUILERIES | |
| ○ | △ | MUSEE D'ORSAY **R.E.R.** | |
| ○ | ▽ | PONT ROYAL QUAI DES TUILERIES | |
| ● | ▽ | **PONT DU CARROUSEL QUAI DU LOUVRE** | |
| ● | △ | **PONT ROYAL - QUAI VOLTAIRE** | |
| ○ | ▽ | PONT DES ARTS QUAI DU LOUVRE | |
| ○ | △ | PONT DU CARROUSEL QUAI VOLTAIRE | |
| ○ | ▽ | PONT NEUF - QUAI DU LOUVRE | |
| ○ | △ | PONT DES ARTS - QUAI CONTI | |
| ● | ▽ | **PONT NEUF QUAI DES ORFEVRES** | |
| ● | △ | **PONT NEUF - QUAI DES GRANDS AUGUSTINS** | |
| ○ | ▽ | PONT SAINT-MICHEL QUAI DES ORFEVRES | |
| ○ | △ | SAINT-MICHEL | |
| ○ | ▽ | PETIT PONT | |
| ○ | △ | NOTRE DAME QUAI DE MONTE BELLO | |
| ○ | ▽ | DANTE | |
| ● | ▽ | **MAUBERT MUTUALITE** | |
| ● | △ | **PONT DE L'ARCHEVECHE** | |
| ○ | ▽ | SAINT GERMAIN CARDINAL LEMOINE | |
| ○ | △ | PONT DE LA TOURNELLE CARDINAL LEMOINE | |
| ○ | | UNIVERSITE PARIS VI | |
| ○ | | CUVIER HALLE AUX VINS | |
| ● | | **GARE D'AUSTERLITZ** | |
| ○ | | PONT D'AUSTERLITZ QUAI DE LA RAPEE | |
| ○ | | GARE DE LYON - BANLIEUE | |
| ○ | | GARE DE LYON - GRANDE LIGNE | |
| ○ | | BOULEVARD DE BERCY | |
| ○ | △ | GARE DE BERCY T.A.C. | |
| ● | | **GARE DE BERCY T.A.C. P.O.P.B.** | |
| ○ | | LACHAMBEAUDIE | |
| ○ | | PONT DE TOLBIAC QUAI DE BERCY | |
| ● | | **PONT NATIONAL - QUAI DE BERCY** | |

ZONES ▽

| | | CHARENTON | Zone |
|---|---|---|---|
| ○ | | PORT AUX LIONS | 2 |
| ● | | **PONT DE CONFLANS** | |
| ○ | | LES BORDEAUX | |
| ○ | | VICTOR HUGO | |
| ○ | | ECOLES (M) | |
| ○ | △ | E. NOCARD | 3 |
| ○ | | PONT DE CHARENTON RIVE DROITE | |

| | | MAISONS ALFORT | Zone |
|---|---|---|---|
| ○ | △ | CARREFOUR D'ALFORT | 3 |
| ○ | △ | PAUL BERT | |
| ● | | **ALFORT ECOLE VETERINAIRE** (M) | |

## 26

ZONES ▽

### PARIS

1

- ● **GARE SAINT-LAZARE**
- ○ △ HAVRE CAUMARTIN
- ○ △ PROVENCE MOGADOR
- ○ TRINITE
- ○ SAINT-GEORGES - CHATEAUDUN
- ● **CARREFOUR DE CHATEAUDUN**
- ○ ▽ CADET
- ○ △ MAUBEUGE ROCHECHOUART
- ○ ▽ SQUARE MONTHOLON
- ○ △ CONDORCET
- ○ ▽ PLACE FRANZ LISZT
- ○ △ MAGENTA MAUBEUGE
- ● ▽ **LA FAYETTE SAINT-QUENTIN GARE DU NORD**
- ● △ **GARE DU NORD**
- ○ LA FAYETTE DUNKERQUE
- ○ CHATEAU LANDON
- ○ LOUIS BLANC
- ● **JAURES STALINGRAD**
- ○ MARCHE SECRETAN
- ○ MATHURIN - MOREAU - SIMON BOLIVAR
- ○ ATLAS
- ● **BOTZARIS - BUTTES CHAUMONT**
- ○ PYRENEES BELLEVILLE
- ○ JOURDAIN
- ○ L'ERMITAGE
- ● **PYRENEES MENILMONTANT**
- ○ VILLIERS DE L'ISLE ADAM
- ○ GAMBETTA MAIRIE DU XXᵉ
- ○ RAMUS
- ● **PYRENEES BAGNOLET**
- ○ ORTEAUX
- ○ MARAICHERS
- ○ LA PLAINE
- ● **COURS DE VINCENNES**

## 27

ZONES ▽

### PARIS

1

- ● **GARE SAINT-LAZARE**
- ○ HAVRE HAUSSMAN
- ○ AUBER **R.E.R.**
- ● **OPERA**
- ● **OPERA - 4 SEPTEMBRE**
- ○ △ PETITS CHAMPS D. CASANOVA
- ○ PYRAMIDES
- ● **PALAIS ROYAL - TH. FRANÇAIS**
- ○ ▽ PONT DU CARROUSEL QUAI DU LOUVRE
- ○ △ MUSEE DU LOUVRE
- ○ ▽ PONT DES ARTS QUAI DU LOUVRE
- ○ △ PONT DU CARROUSEL QUAI VOLTAIRE
- ○ ▽ PONT NEUF QUAI DU LOUVRE
- ○ △ PONT DES ARTS QUAI DE CONTI
- ● ▽ **PONT NEUF QUAI DES ORFEVRES**
- ● △ **PONT NEUF QUAI DES GRANDS AUGUSTINS**
- ○ ▽ PONT SAINT-MICHEL QUAI DES ORFEVRES
- ○ △ SAINT-MICHEL
- ○ SAINT-MICHEL - SAINT-GERMAIN
- ○ LES ECOLES
- ● **LUXEMBOURG R.E.R.**
- ○ SAINT-JACQUES - GAY-LUSSAC
- ○ FEUILLANTINES
- ● **BERTHOLLET VAUQUELIN**
- ○ MONGE CL. BERNARD
- ○ LES GOBELINS
- ○ BANQUIERS
- ● **PLACE D'ITALIE MAIRIE DU XIIIᵉ**
- ● **PLACE D'ITALIE**
- ○ LES ALPES
- ● **NATIONALEᵉ**
- ○ CLISSON
- ○ JEANNE D'ARC - EGLISE DE LA GARE
- ○ PATAY TOLBIAC
- ○ OUDINE
- ○ REGNAULT
- ○ △ MASSENA DARMESTETER
- ● **PORTE DE VITRY**

## 28 ZONES ▽

### PARIS

1

- ● **GARE SAINT-LAZARE**
- ○ SAINT-AUGUSTIN
- ○ ▽ LA BOETIE MIROMESNIL
- ○ △ HAUSSMAN MIROMESNIL
- ● ▽ **SAINT-PHILIPPE DU ROULE**
- ● △ **MATIGNON SAINT-HONORE**
- ○ ▽ ROND POINT DES CHAMPS-ELYSEES F.D. ROOSEVELT
- ○ △ ROND POINT DES CHAMPS-ELYSEES MATIGNON
- ○ ROND POINT DES CHAMPS-ELYSEES
- ○ GRAND PALAIS
- ● **PONT DES INVALIDES – QUAI D'ORSAY**
- ○ LATOUR MAUBOURG - SAINT-DOMINIQUE
- ○ INVALIDE LATOUR MAUBOURG
- ○ ▽ RUE CLER
- ● **ECOLE MILITAIRE**
- ○ DUQUESNE LOWENDAL
- ○ EL SALVADOR
- ● **BRETEUIL**
- ○ HOPITAL DES ENFANTS MALADES
- ○ MAINE VAUGIRARD
- ○ PLACE DU 18 JUIN 1940 RUE DE L'ARRIVEE
- ○ PLACE DU 18 JUIN 1940 RUE DU DEPART
- ○ GARE MONTPARNASSE
- ○ GAITE
- ● **LOSSERAND MAINE**
- ○ MAIRIE DU XIV$^{e}$
- ○ ▽ MAINE THIEBAUD
- ○ ALESIA GENERAL LECLERC
- ○ ▽ BEAUNIER
- ● **PORTE D'ORLEANS**

## 29 ZONES ▽

### PARIS

1

- ● **GARE SAINT-LAZARE**
- ○ △ ROME - HAUSSMANN
- ○ HAVRE - HAUSSMANN
- ○ AUBER **R.E.R.**
- ● **OPERA**
- ● **OPERA - 4 SEPTEMBRE**
- ○ ▽ RICHELIEU - 4 SEPTEMBRE
- ○ △ PETITS CHAMPS D. CASANOVA
- ○ ▽ BOURSE
- ○ △ BIBLIOTHEQUE NATIONALE
- ○ ▽ PLACES DES PETITS PERES MAIRIE DU II$^{e}$
- ○ △ VICTOIRES - MAIRIE DU II$^{e}$
- ○ ▽ VICTOIRES
- ○ △ LOUVRE E. MARCEL
- ● **E. MARCEL - MONTMARTRE**
- ○ TURBIGO - E. MARCEL
- ○ SEBASTOPOL - E. MARCEL
- ○ GRENIER SAINT-LAZARE QUARTIER DE L'HORLOGE
- ○ ▽ CENTRE GEORGES POMPIDOU
- ● ▽ **ARCHIVES RAMBUTEAU**
- ● △ **ARCHIVES HAUDRIETTES**
- ○ RUE VIEILLE DU TEMPLE
- ○ ▽ PAYENNE
- ○ △ TURENNE - SAINT-GILLES
- ○ ▽ TURENNE - FRANCS BOURGEOIS
- ○ △ TOURNELLES - SAINT-GILLES
- ○ PASTEUR WAGNER
- ● **BASTILLE - BAUMARCHAIS**
- ● **BASTILLE**
- ○ ▽ LYON - LEDRU ROLLIN
- ○ △ DAUMESNIL LEDRU ROLLIN
- ● ▽ **GARE DE LYON**
- ● **DAUMESNIL DIDEROT**
- ○ RAMBOUILLET
- ○ MAIRIE DU XII
- ○ DUBRUNFAUT
- ● ▽ **AVENUE DAUMESNIL Nº 168**
- ● **DAUMESNIL F. EBOUE**
- ○ PICPUS REUILLY
- ○ HOPITAL ROTSCHILD
- ○ FABRE D'EGLANTINE
- ○ PICPUS SQUARE COURTELINE
- ○ DOCTEUR NETTER
- ○ PORTE DE SAINT-MANDE
- ○ ▽ JULES LE MAITRE
- ● **PORTE DE MONTEMPOIVRE**

## 30

ZONES ▽

1

### PARIS

- ● **GARE DE L'EST**
- ○ LA FAYETTE - MAGENTA
- GARE DU NORD
- ○ MAGENTA - MAUBEUGE
- GARE DU NORD
- ● **BARBES ROCHECHOUART**
- ○ ROCHECHOUART - CLIGNANCOURT
- ○ ANVERS
- ○ ROCHECHOUART - MARTYRS
- ● **PIGALLE**
- ○ BLANCHE
- ○ ▽ CLICHY - CAULAINCOURT
- ● **PLACE DE CLICHY**
- ○ TURIN - BATIGNOLLES
- ○ ROME - BATIGNOLLES
- ○ VILLIERS
- ● **MALESHERBES - COURCELLES**
- ○ MONCEAU
- ○ COURCELLES
- ○ TERNES
- ● **CHARLES-DE-GAULLE-ETOILE R.E.R.**
- **WAGRAM - KLEBER**
- ● **CHARLES-DE-GAULLE-ETOILE R.E.R.**
- **KLEBER**
- ○ KLEBER - PAUL VALERY
- ○ KLEBER - BOISSIERE
- ● **TROCADERO**

## 31

ZONES ▽

1

### PARIS

- ● **GARE DE L'EST**
- ○ LAFAYETTE - MAGENTA
- GARE DU NORD
- ○ MAGENTA - MAUBEUGE
- GARE DU NORD
- ● **BARBES ROCHECHOUART**
- ○ CHATEAU ROUGE
- ○ MARCADET POISSONNIERS
- ● **MAIRIE DU XVIIIᵉ - JULES JOFFRIN**
- ○ DUHESME - LE RUISSEAU
- ○ DAMREMONT - ORDEMER
- ● **VAUVENARGUES**
- ○ GUY MOQUET
- ○ MOINES - DAVY
- ● **BROCHANT - CARDINET**
- ○ BATIGNOLES
- GARE DES MARCHANDISES
- ○ PONT CARDINET
- ○ JOUFFROY - TOCQUEVILLE
- ● **JOUFFROY - MALESHERBES**
- ○ JOUFFROY - VILLIERS
- ○ WAGRAM - COURCELLES
- ○ TERNES
- ○ ▽ HOCHE - SAINT-HONORE
- ○ △ CHARLES-DE-GAULLE-ETOILE
- WAGRAM
- ● **CHARLES-DE-GAULLE-ETOILE**

# 32

ZONES ▽

## PARIS

1

- ● **GARE DE L'EST**
- ○ ▽ FAUBOURG SAINT-DENIS
- ○ △ CHABROL MAGENTA
- ○ ▽ HAUTEVILLE
- ○ △ PLACE FRANZ LISZT
- ○ SQUARE MONTHOLON
- ○ △ CADET
- ● **CARREFOUR DE CHATEAUDUN**
- ○ SAINT-GEORGES CHATEAUDUN
- ○ TRINITE
- ○ ▽ GARE SAINT-LAZARE - BUDAPEST
- ● **GARE SAINT-LAZARE**
- ○ ▽ PASQUIER ANJOU
- ○ SAINT AUGUSTIN
- ○ ▽ LA BOETIE MIROMESNIL
- ○ △ HAUSSMANN MIROMESNIL
- ● ▽ **SAINT-PHILIPPE DU ROULE**
- ● △ **MATIGNON SAINT-HONORE**
- ○ △ ROND POINT DES CHAMPS-ELYSEES MATIGNON
- ○ CHAMPS-ELYSEES - LA BOETIE
- ○ PIERRE CHARRON - FRANÇOIS Iᵉ
- ● **MARCEAU - PIERRE Iᵉ DE SERBIE**
- ○ IENA
- ○ ALBERT DE MUN
- ● **TROCADERO**
- ○ SCHEFFER
- ○ ▽ LA TOUR
- ○ △ PASSY LA TOUR
- ○ ▽ PLACE POSSOZ
- ○ △ JEAN BOLOGNE
- ○ △ PLACE DE PASSY
- ○ △ PASSY - BOULAINVILLIERS
- ● **LA MUETTE - BOULAINVILLIERS R.E.R.**
- ○ ▽ RANELAGH
- ○ △ LOUIS BOILLY
- ● **PORTE DE PASSY**
- ○ RAFFET
- ○ ALFRED CAPUS
- ○ △ GARE D'AUTEUIL
- ● **PORTE D'AUTEUIL**

# 38

ZONES ▽

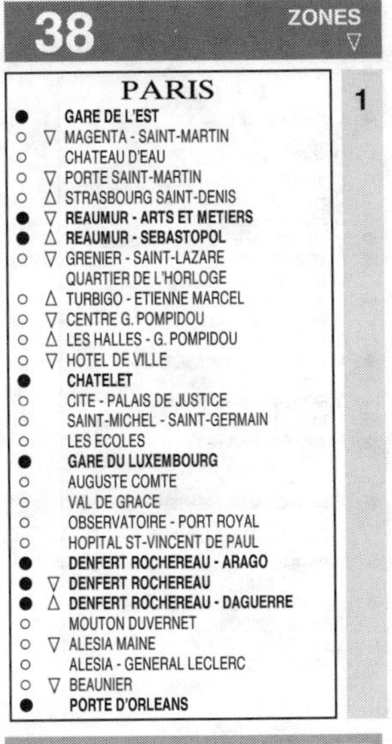

## PARIS

1

- ● **GARE DE L'EST**
- ○ ▽ MAGENTA - SAINT-MARTIN
- ○ CHATEAU D'EAU
- ○ ▽ PORTE SAINT-MARTIN
- ○ △ STRASBOURG SAINT-DENIS
- ● ▽ **REAUMUR - ARTS ET METIERS**
- ● △ **REAUMUR - SEBASTOPOL**
- ○ ▽ GRENIER - SAINT-LAZARE QUARTIER DE L'HORLOGE
- ○ △ TURBIGO - ETIENNE MARCEL
- ○ ▽ CENTRE G. POMPIDOU
- ○ △ LES HALLES - G. POMPIDOU
- ○ ▽ HOTEL DE VILLE
- ● **CHATELET**
- ○ CITE - PALAIS DE JUSTICE
- ○ SAINT-MICHEL - SAINT-GERMAIN
- ○ LES ECOLES
- ● **GARE DU LUXEMBOURG**
- ○ AUGUSTE COMTE
- ○ VAL DE GRACE
- ○ OBSERVATOIRE - PORT ROYAL
- ○ HOPITAL ST-VINCENT DE PAUL
- ● **DENFERT ROCHEREAU - ARAGO**
- ● ▽ **DENFERT ROCHEREAU**
- ● △ **DENFERT ROCHEREAU - DAGUERRE**
- ○ MOUTON DUVERNET
- ○ ▽ ALESIA MAINE
- ○ ALESIA - GENERAL LECLERC
- ○ ▽ BEAUNIER
- ● **PORTE D'ORLEANS**

## 39 ZONES ▽

### PARIS

1

- ● **GARE DE L'EST**
- ○ CHATEAU D'EAU
- ○ ▽ PORTE SAINT MARTIN
- ○ △ STRASBOURG SAINT DENIS
- ○ ▽ PORTE SAINT DENIS
- ○ △ REAUMUR SEBASTOPOL
- ● ▽ **POISSONNIERE - BONNE NOUVELLE**
- ● △ **SENTIER**
- ○ ▽ MONTMARTRE - POISSONNIERE
- ○ △ REAUMUR MONTMARTRE
- ○ ▽ RICHELIEU DROUOT
- ○ △ BOURSE - MAIRIE DU IIᵉ
- ● **RICHELIEU - 4 SEPTEMBRE**
- ○ ▽ BIBLIOTHEQUE NATIONALE
- ○ △ SAINTE-ANNE - PETITS CHAMPS
- ● **PALAIS ROYAL - THEATRE FRANÇAIS**
- ○ MUSEE DU LOUVRE
- ○ PONT DU CARROUSEL - QUAI VOLTAIRE
- ○ JACOB
- ● **SAINT-GERMAIN-DES-PRES**
- ○ CROIX ROUGE
- ○ SEVRES BABYLONE
- ○ BAC SAINT-PLACIDE
- ○ VANEAU SAINT-ROMAIN
- ● **HOPITAL DES ENFANTS MALADES**
- ○ ▽ SEVRES LECOURBE
- ○ △ PASTEUR - LYCEE BUFFON
- ○ ▽ VOLONTAIRES LECOURBE
- ○ △ VOLONTAIRES VAUGIRARD
- ○ ▽ CAMBRONNE LECOURBE
- ○ △ CAMBRONNE VAUGIRARD
- ● ▽ **MAIRIE DU XVᵉ**
- ● △ **VAUGIRARD FAVORITES**
- ○ ABBE GROULT
- ○ ▽ CONVENTION LECOURBE
- ○ △ CONVENTION VAUGIRARD
- ○ ▽ DURANTON
- ○ △ HOPITAL DE VAUGIRARD
- ○ ▽ HAMEAU
- ○ △ VAUGIRARD - CROIX NIVERT
- ○ ▽ BOULEVARD VICTOR
- ○ △ PORTE DE VERSAILLES
- ● **PORTE DE VERSAILLES**

## 42 ZONES ▽

### PARIS

1

- ● **GARE DU NORD**
- ○ ▽ MAGENTA - MAUBEUGE
- ○ △ LA FAYETTE MAGENTA
- ○ ▽ CONDORCET
- ○ △ PLACE FRANZ LISZT
- ○ ▽ MAUBEUGE ROCHECHOUART
- ○ △ SQUARE MONTHOLON
- ○ △ CADET
- ● ▽ **CARREFOUR DE CHATEAUDUN**
- ● △ **LE PELETIER**
- ○ ▽ LE PELETIER - HAUSSMANN
- ○ △ SAINT-GEORGES - PROVENCE
- ○ CHAUSSEE D'ANTIN
- ● **OPERA**
- ○ CAPUCINES - CAUMARTIN
- ○ ▽ MADELEINE - VIGNON
- ○ MADELEINE
- ● **CONCORDE**
- ○ COURS DE LA REINE
- CHEVAUX DE MARLY
- ○ CHAMPS ELYSEES - CLEMENCEAU
- ○ ROND-POINT DES CHAMPS-ELYSEES
- ○ MONTAIGNE - FRANÇOIS 1ᵉʳ
- ● **ALMA - MARCEAU**
- ○ BOSQUET - RAPP
- ○ LA BOURDONNAIS - BRANLY
- ○ MONTTESSUY
- ○ RAPP - LA BOURDONNAIS
- ● **CHAMPS DE MARS - SUFFREN**
- ○ DESAIX
- ○ DUPLEIX
- ○ △ DOCTEUR FINLAY
- ○ RUE ROUELLE
- ○ THEATRE
- ● **CHARLES MICHELS**
- ○ ▽ CONVENTION - LOURMEL
- ○ △ CONVENTION SAINT-CHARLES
- ○ ▽ LOURMEL - FELIX FAURE
- ○ △ ROND-POINT SAINT CHARLES
- ○ ▽ VASCO DE GAMA - LOURMEL
- ○ △ SAINT-CHARLES BALARD
- ○ ▽ LECOURBE - VASCO DE GAMA
- ○ △ PLACE BALARD
- ● **BALARD - LECOURBE**

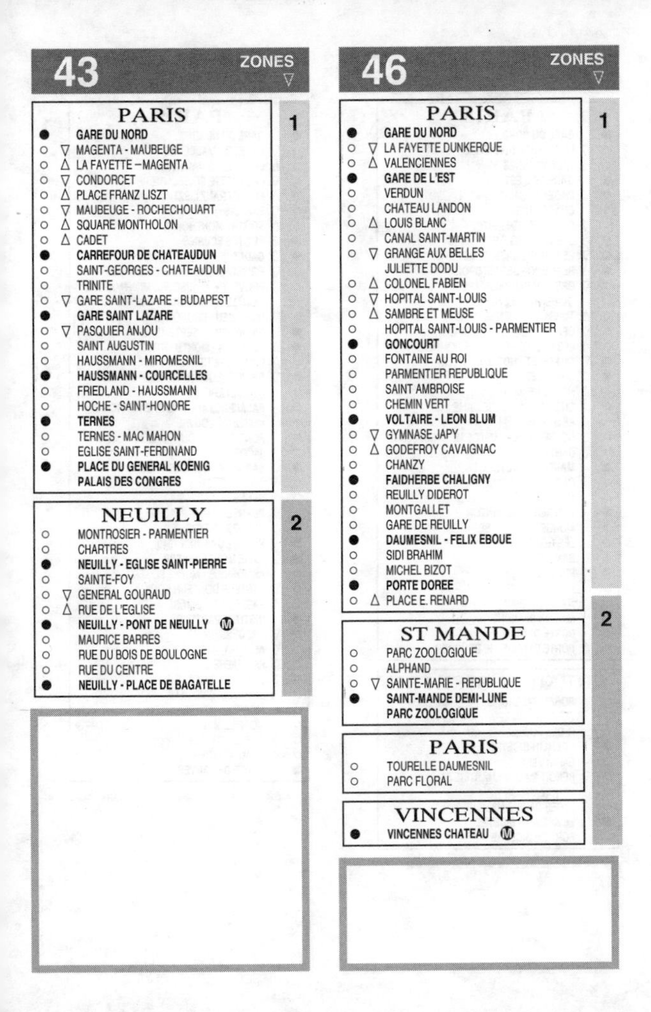

## 43

ZONES ▽

### PARIS — Zone 1

- ● **GARE DU NORD**
- ○ ▽ MAGENTA - MAUBEUGE
- ○ △ LA FAYETTE – MAGENTA
- ○ ▽ CONDORCET
- ○ △ PLACE FRANZ LISZT
- ○ ▽ MAUBEUGE - ROCHECHOUART
- ○ △ SQUARE MONTHOLON
- ○ △ CADET
- ● **CARREFOUR DE CHATEAUDUN**
- ○ SAINT-GEORGES - CHATEAUDUN
- ○ TRINITE
- ○ ▽ GARE SAINT-LAZARE - BUDAPEST
- ● **GARE SAINT LAZARE**
- ○ ▽ PASQUIER ANJOU
- ○ SAINT AUGUSTIN
- ○ HAUSSMANN - MIROMESNIL
- ● **HAUSSMANN - COURCELLES**
- ○ FRIEDLAND - HAUSSMANN
- ○ HOCHE - SAINT-HONORE
- ● **TERNES**
- ○ TERNES - MAC MAHON
- ○ EGLISE SAINT-FERDINAND
- ● **PLACE DU GENERAL KOENIG PALAIS DES CONGRES**

### NEUILLY — Zone 2

- ○ MONTROSIER - PARMENTIER
- ○ CHARTRES
- ● **NEUILLY - EGLISE SAINT-PIERRE**
- ○ SAINTE-FOY
- ○ ▽ GENERAL GOURAUD
- ○ △ RUE DE L'EGLISE
- ● **NEUILLY - PONT DE NEUILLY** Ⓜ
- ○ MAURICE BARRES
- ○ RUE DU BOIS DE BOULOGNE
- ○ RUE DU CENTRE
- ● **NEUILLY - PLACE DE BAGATELLE**

## 46

ZONES ▽

### PARIS — Zone 1

- ● **GARE DU NORD**
- ○ ▽ LA FAYETTE DUNKERQUE
- ○ △ VALENCIENNES
- ● **GARE DE L'EST**
- ○ VERDUN
- ○ CHATEAU LANDON
- ○ △ LOUIS BLANC
- ○ CANAL SAINT-MARTIN
- ○ ▽ GRANGE AUX BELLES JULIETTE DODU
- ○ △ COLONEL FABIEN
- ○ ▽ HOPITAL SAINT-LOUIS
- ○ △ SAMBRE ET MEUSE
- ○ HOPITAL SAINT-LOUIS - PARMENTIER
- ● **GONCOURT**
- ○ FONTAINE AU ROI
- ○ PARMENTIER REPUBLIQUE
- ○ SAINT AMBROISE
- ○ CHEMIN VERT
- ● **VOLTAIRE - LEON BLUM**
- ○ ▽ GYMNASE JAPY
- ○ △ GODEFROY CAVAIGNAC
- ○ CHANZY
- ● **FAIDHERBE CHALIGNY**
- ○ REUILLY DIDEROT
- ○ MONTGALLET
- ○ GARE DE REUILLY
- ● **DAUMESNIL - FELIX EBOUE**
- ○ SIDI BRAHIM
- ○ MICHEL BIZOT
- ● **PORTE DOREE**
- ○ △ PLACE E. RENARD

### ST MANDE — Zone 2

- ○ PARC ZOOLOGIQUE
- ○ ALPHAND
- ○ ▽ SAINTE-MARIE - REPUBLIQUE
- ● **SAINT-MANDE DEMI-LUNE PARC ZOOLOGIQUE**

### PARIS

- ○ TOURELLE DAUMESNIL
- ○ PARC FLORAL

### VINCENNES

- ● **VINCENNES CHATEAU** Ⓜ

## 47 ZONES ▽

### PARIS — 1

● **GARE DU NORD**
○ ▽ LA FAYETTE DUNKERQUE
○ △ VALENCIENNES
● **GARE DE L'EST**
○ ▽ MAGENTA SAINT-MARTIN
○ CHATEAU D'EAU
○ ▽ PORTE SAINT-MARTIN
○ △ STRASBOURG SAINT-DENIS
● ▽ **REAUMUR - ARTS ET METIERS**
● △ **REAUMUR - SEBASTOPOL**
○ ▽ GRENIER SAINT-LAZARE
QUARTIER DE L'HORLOGE
○ △ TURBIGO - ETIENNE MARCEL
○ ▽ CENTRE GEORGES POMPIDOU
○ △ LES HALLES - GEORGES POMPIDOU
● ▽ **CHATELET - HOTEL DE VILLE**
● △ **CHATELET**
○ △ HOTEL DE VILLE
○ CITE PARVIS NOTRE DAME
○ ▽ PETIT PONT
○ △ NOTRE DAME - QUAI DE MONTEBELLO
○ ▽ DANTE
● **MAUBERT - MUTUALITE**
○ CARDINAL LEMOINE
○ MONGE
● **CENSIER - DAUBENTON**
○ MONGE - CLAUDE BERNARD
○ LES GOBELINS
○ BANQUIER
● **PLACE D'ITALIE**
○ VANDREZANNE
○ ITALIE TOLBIAC
○ MAISON BLANCHE
● **PORTE D'ITALIE**
● △ **PORTE D'ITALIE - H. BOUCHER**

### KREMLIN BICETRE — 2

○ ROGER SALENGRO - FONTAINEBLEAU
○ CONVENTION - FONTAINEBLEAU
○ R. DES FUSILLERS Ⓜ
● **KREMLIN-BICETRE - HOPITAL**
○ BARNUFLES
○ ▽ BENOIT MALON - MARTINETS
○ △ BENOIT MALON
○ △ LYCEE DARIUS MILHAUD
● **LE KREMLIN BICETRE**
**FORT DE BICETRE**

## 48 ZONES ▽

### PARIS — 1

● **GARE DU NORD**
○ ▽ MAGENTA MAUBEUGE
○ △ LA FAYETTE MAGENTA
○ ▽ LA FAYETTE POISSONNIERE
○ △ PLACE FRANZ LISZT
○ ▽ PARADIS
○ △ SQUARE MONTHOLON
● ▽ **PETITES ECURIES**
● △ **CADET**
○ ▽ POISSONNIERE - BONNE NOUVELLE
○ △ PROVENCE - FAUBOURG MONTMARTRE
○ MONTMARTRE - POISSONNIERE
○ ▽ RICHELIEU - DROUOT
● ▽ **RICHELIEU - 4 SEPTEMBRE**
● △ **REAUMUR - MONTMARTRE**
○ △ LOUVRE - ETIENNE MARCEL
○ ▽ BIBLIOTHEQUE NATIONALE
○ △ COQUILLERE
● **PALAIS-ROYAL - THEATRE FRANÇAIS**
○ MUSEE DU LOUVRE
○ PONT DU CARROUSEL - QUAI VOLTAIRE
○ JACOB
● **SAINT-GERMAIN-DES-PRES**
○ CROIX ROUGE
○ RENNES - D'ASSAS
○ RENNES - SAINT-PLACIDE
○ RENNES - LITTRE
● **PLACE DU 18 JUIN 1940**
● **GARE MONPARNASSE**
○ ARMORIQUE - MUSEE POSTAL
○ ▽ PASTEUR DOCTEUR ROUX
○ △ PASTEUR FALGUIERE
● **INSTITUT PASTEUR**
○ ▽ PROCESSION
○ ▽ ALLERAY
○ △ FALGUIERE
○ ▽ BRANCION VOUILLE
○ △ LABROUSTE VOUILLE
○ ▽ MORRILLONS - BRANCION
○ △ MORRILLONS
○ ▽ PORTE BRANCION
○ △ CHAUVELOT
● **PORTE DE VANVES**

## 49 — ZONES ▽

### PARIS

Zone 1

- ● **GARE DU NORD**
- ○ ▽ MAGENTA - MAUBEUGE
- ○ △ LA FAYETTE - MAGENTA
- ○ △ PLACE FRANZ LISZT
- ○ ▽ CONDORCET
- ○ △ SQ MONTHOLON
- ○ ▽ MAUBEUGE - ROCHECHOUART
- ○ △ CADET
- ● **CARREFOUR DE CHATEAUDUN**
- ○ SAINT-GEORGES CHATEAUDUN
- ○ ▽ GARE SAINT-LAZARE - BUDAPEST
- ○ △ TRINITE
- ● **GARE SAINT-LAZARE**
- ○ ▽ PASQUIER D'ANJOU
- ○ SAINT-AUGUSTIN
- ○ ▽ LA BOETIE MIROMESNIL
- ○ △ HAUSSMANN MIROMESNIL
- ● ▽ **SAINT-PHILIPPE DU ROULE**
- ● △ **MATIGNON SAINT-HONORE**
- ○ ▽ RD POINT DES CHAMPS-ELYSEES F.D. ROOSEVELT
- ○ △ RD POINT DES CHAMPS-ELYSEES MATIGNON
- ○ RD POINT DES CHAMPS-ELYSEES
- ○ GRAND PALAIS
- ● **PONT DES INVALIDES - QUAI D'ORSAY**
- ○ LATOUR MAUBOURG - ST-DOMINIQUE
- ○ INVALIDES - LATOUR MAUBOURG
- ○ ▽ R. CLER
- ● **ECOLE MILITAIRE**
- ○ DUQUESNE - LOWENDAL
- ○ FONTENOY U.N.E.S.C.O.
- ○ CAMBRONNE
- ○ MIOLLIS
- ○ CAMBRONNE - LECOURBE
- ● ▽ **MAIRIE DU XV$^{e}$**
- ● △ **VAUGIRARD FAVORITES**
- ○ ABBE GROULT
- ○ ▽ CONVENTION - LECOURBE
- ○ ▽ DURANTON
- ○ △ CONVENTION - VAUGIRARD
- ○ ▽ HAMEAU
- ○ △ HOPITAL DE VAUGIRARD
- ○ ▽ BOULEVARD VICTOR
- ○ △ VAUGIRARD - CROIX NIVERT
- ● **PORTE DE VERSAILLES**

## 52 — ZONES ▽

### PARIS

Zone 1

- ● **OPERA**
- ○ ▽ CAPUCINES - CAUMARTIN
- ○ △ OPERA - RUE DE LA PAIX
- ○ ▽ MADELEINE - VIGNON
- ○ MADELEINE
- ● ▽ **CONCORDE**
- ● △ **BOISSY D'ANGLAS**
- ○ ▽ GRAND PALAIS
- ○ △ D'AGUESSEAU
- ○ ▽ RD POINT DES CHAMPS-ELYSEES
- ○ △ BEAUVAU
- ○ MATIGNON - SAINT-HONORE
- ○ ▽ LA BOETIE - PERCIER
- ● **SAINT-PHILIPPE DU ROULE**
- ○ ▽ HAUSSMANN - COURCELLES
- ○ FRIEDLAND - HAUSSMANN
- ○ BALZAC
- ● **CHARLES-DE-GAULLE-ETOILE FRIEDLAND**
- ● **CHARLES-DE-GAULLE-ETOILE VICTOR HUGO**
- ○ VICTOR HUGO - PAUL VALERY
- ○ VICTOR HUGO - POINCARE
- ● **PLACE J. MONNET**
- ○ LYCEE J. DE SAILLY
- ○ POMPE - MAIRIE DU XVI$^{e}$
- ○ NICOLO J. RICHEPIN
- ● **LA MUETTE - GARE DE PASSY**
- ○ ▽ LES VIGNES - BOULAINVILLIERS **R.E.R.**
- ○ △ RANELAGH
- ○ △ RODIN
- ○ ▽ RADIO FRANCE - DR HAYEM
- ○ △ RADIO FRANCE - LA FONTAINE
- ○ ▽ LEOPOLD II
- ○ △ PERRICHONT
- ○ ▽ G. SAND - LA FONTAINE
- ○ ▽ MOZART - LA FONTAINE
- ○ △ EGLISE D'AUTEUIL
- ○ MICHEL ANGE - AUTEUIL
- ● **GARE D'AUTEUIL**
- ● **PORTE D'AUTEUIL**

Zone 2

- ○ PORTE MOLITOR

### BOULOGNE

- ○ LA TOURELLE
- ○ DENFERT ROCHEREAU
- ○ RUE DE L'EST
- ● **BOULOGNE BILLANCOURT JEAN JAURES - CHATEAU** Ⓜ
- ○ RUE DE BILLANCOURT
- ○ RUE DE SILLY
- ○ RHIN ET DANUBE Ⓜ
- ○ PT DE SAINT-CLOUD - A. LE GALLO
- ○ △ PT DE SAINT-CLOUD - RIVE GAUCHE
- ○ △ LA COLLINE
- ● **PONT DE SAINT-CLOUD** Ⓜ

## 53 ZONES ▽

### PARIS — Zone 1

- ● **OPERA**
- ○ ▽ GLUCK HAUSSMANN
- ○ △ AUBER **R.E.R.**
- ○ ▽ HAVRE CAUMARTIN
- ○ △ HAVRE HAUSSMANN
- ● ▽ **ROME - HAUSSMANN**
- ● **GARE SAINT-LAZARE**
- ○ EUROPE
- ○ ROME - BATIGNOLLES
- ● **LEGENDRE**
- ○ PONT CARDINET
- ○ JOUFFROY - TOCQUEVILLE
- ○ PEREIRE - TOCQUEVILLE
- ○ JULIETTE LAMBER
- ● **PORTE D'ASNIERES**

### LEVALLOIS — Zone 2

- ○ ▽ REIMS - HOTEL DES IMPOTS
- ○ ▽ CURNONSKY
- ○ △ ALSACE
- ● **LEVALLOIS PERRET - G. EIFFEL**

## 54 ZONES ▽

### PARIS — Zone 1

- ● **REPUBLIQUE**
- ○ △ REPUBLIQUE - MAGENTA
- ○ JACQUES BONSERGENT
- ○ ▽ STRASBOURG - MAGENTA
- ○ △ MAGENTA SAINT-MARTIN
- ● **GARE DE L'EST**
- ○ LA FAYETTE - MAGENTA
  GARE DU NORD
- ○ MAGENTA - MAUBEUGE
  GARE DU NORD
- ● **BARBES ROCHECHOUART**
- ○ ROCHECHOUART - CLIGNANCOURT
- ○ ANVERS
- ○ ROCHECHOUART - MARTYRS
- ● **PIGALE**
- ○ BLANCHE
- ○ PLACE DE CLICHY
- ○ GANNERON
- ● **LA FOURCHE**
- ○ LEGENDRE
- ○ ▽ RUE DES MOINES
- ○ BROCHANT - CARDINET
- ○ BOULAY
- ● **PORTE DE CLICHY**

### CLICHY — Zone 2

- ○ ▽ VICTOR HUGO - 8 MAI 1945
- ○ △ VICTOR HUGO - JEAN JAURES
- ○ ▽ H. BARBUSSE - MARTRE
- ○ △ H. BARBUSSE - J. JAURES
- ○ MAIRIE
- ● ▽ **CLICHY - LANDY - MARTRE**
- ● △ **CLICHY - D. CASANOVA**
- ○ LEON BLUM

### ASNIERES — Zone 3

- ○ PLACE VOLTAIRE
- ● **ASNIERES GENNEVILLIERS**
  **GABRIEL PERI**

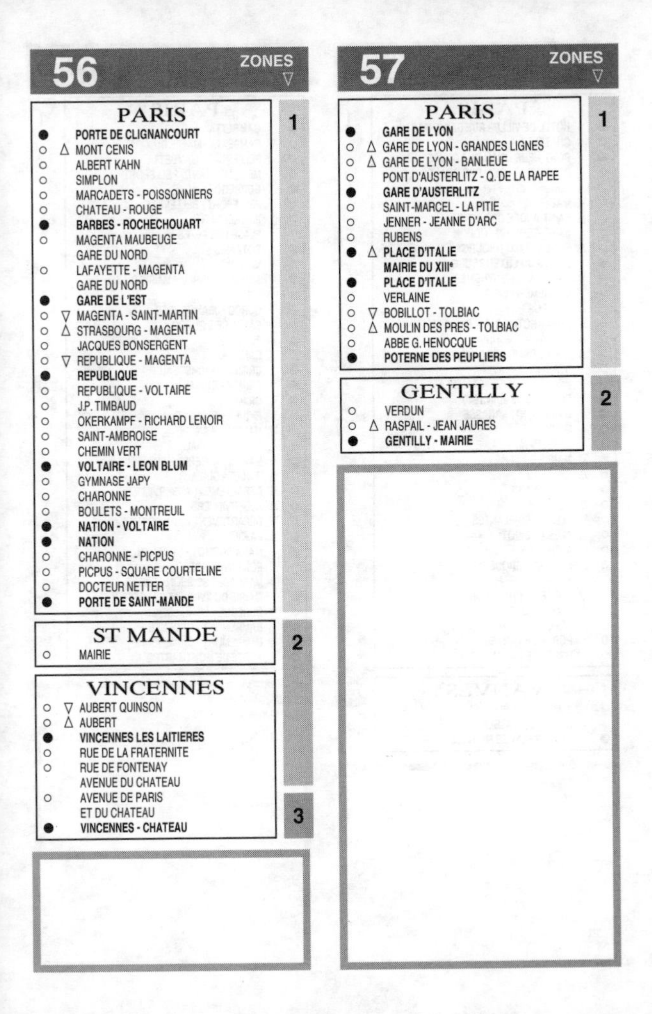

## 56 — ZONES ▽

### PARIS — 1

- ● **PORTE DE CLIGNANCOURT**
- ○ △ MONT CENIS
- ○ ALBERT KAHN
- ○ SIMPLON
- ○ MARCADETS - POISSONNIERS
- ○ CHATEAU - ROUGE
- ● **BARBES - ROCHECHOUART**
- ○ MAGENTA MAUBEUGE GARE DU NORD
- ○ LAFAYETTE - MAGENTA GARE DU NORD
- ● **GARE DE L'EST**
- ○ ▽ MAGENTA - SAINT-MARTIN
- ○ △ STRASBOURG - MAGENTA
- ○ JACQUES BONSERGENT
- ○ ▽ REPUBLIQUE - MAGENTA
- ● **REPUBLIQUE**
- ○ REPUBLIQUE - VOLTAIRE
- ○ J.P. TIMBAUD
- ○ OKERKAMPF - RICHARD LENOIR
- ○ SAINT-AMBROISE
- ○ CHEMIN VERT
- ● **VOLTAIRE - LEON BLUM**
- ○ GYMNASE JAPY
- ○ CHARONNE
- ○ BOULETS - MONTREUIL
- ● **NATION - VOLTAIRE**
- ● **NATION**
- ○ CHARONNE - PICPUS
- ○ PICPUS - SQUARE COURTELINE
- ○ DOCTEUR NETTER
- ● **PORTE DE SAINT-MANDE**

### ST MANDE — 2

- ○ MAIRIE

### VINCENNES — 2 / 3

- ○ ▽ AUBERT QUINSON
- ○ △ AUBERT
- ● **VINCENNES LES LAITIERES**
- ○ RUE DE LA FRATERNITE
- ○ RUE DE FONTENAY AVENUE DU CHATEAU
- ○ AVENUE DE PARIS ET DU CHATEAU
- ● **VINCENNES - CHATEAU**

## 57 — ZONES ▽

### PARIS — 1

- ● **GARE DE LYON**
- ○ △ GARE DE LYON - GRANDES LIGNES
- ○ △ GARE DE LYON - BANLIEUE
- ○ PONT D'AUSTERLITZ - Q. DE LA RAPEE
- ● **GARE D'AUSTERLITZ**
- ○ SAINT-MARCEL - LA PITIE
- ○ JENNER - JEANNE D'ARC
- ○ RUBENS
- ● △ **PLACE D'ITALIE MAIRIE DU XIIIe**
- ● **PLACE D'ITALIE**
- ○ VERLAINE
- ○ ▽ BOBILLOT - TOLBIAC
- ○ △ MOULIN DES PRES - TOLBIAC
- ○ ABBE G. HENOCQUE
- ● **POTERNE DES PEUPLIERS**

### GENTILLY — 2

- ○ VERDUN
- ○ △ RASPAIL - JEAN JAURES
- ● **GENTILLY - MAIRIE**

## 58

ZONES ▽

### PARIS

| | | | Zone |
|---|---|---|---|
| ● | | **HOTEL DE VILLE - RUE SAINT-MARTIN** | 1 |
| ○ | | CHATELET | |
| ● | | **PONT-NEUF - QUAI DU LOUVRE** | |
| ○ | | PONT-NEUF - QUAI DES GRANDS AUGUSTINS | |
| ○ | ▽ | MAZARINE | |
| ○ | △ | SAINT-ANDRE DES ARTS | |
| ○ | | SAINT-GERMAIN - ODEON | |
| ○ | △ | ODEON - LUXEMBOURG | |
| ● | | **PALAIS DU LUXEMBOURG** | |
| ○ | | VAUGIRARD - GUYNEMER | |
| ○ | ▽ | GUYNEMER - VAVIN | |
| ○ | △ | FLEURUS | |
| ○ | ▽ | BREA - NOTRE DAME DES CHAMPS | |
| ○ | △ | RASPAIL - FLEURUS | |
| ○ | △ | NOTRE DAME DES CHAMPS | |
| ○ | | STANISLAS - VAVIN | |
| ○ | ▽ | MONTPARNASSE - STANISLAS | |
| ● | | **PLACE DU 18 JUIN 1940** | |
| ● | | **GARE MONTPARNASSE** | |
| ○ | | GAITE | |
| ○ | | LOSSERAND - MAINE | |
| ● | ▽ | **MAIRIE DU XIVe** | |
| ● | △ | **CHATEAU** | |
| ○ | ▽ | RUE BENARD | |
| ○ | △ | PERNETY | |
| ○ | ▽ | ALESIA-LES-PLANTES | |
| ○ | △ | ALESIA - DIDOT | |
| ○ | ▽ | A. CHANTIN | |
| ○ | △ | HOPITAUX BROUSSAIS ET SAINT JOSEPH | |
| ○ | ▽ | PORTE DE CHATILLON | |
| ○ | △ | PORTE DIDOT | |
| ○ | | COLONEL MONTEIL | |
| ● | | **PORTE DE VANVES** | |
| ○ | | PORTE DE LA VALLEE | |

### VANVES

| | | | Zone |
|---|---|---|---|
| ○ | | J. JAURES - J. BLEUZEN | 2 |
| ○ | | CARREFOUR ALBERT LEGRIS | |
| ● | | **VANVES - LYCEE MICHELET** | |

## 60

ZONES ▽

### PARIS

| | | | Zone |
|---|---|---|---|
| ● | | **GAMBETTA** | 1 |
| ○ | ▽ | GAMBETTA - MAIRIE DU XXe | |
| ○ | | PELLEPORT - GAMBETTA | |
| ○ | | MENILMONTANT - PELLEPORT | |
| ● | | **BORREGO** | |
| ○ | | PELLEPORT - BELLEVILLE | |
| ○ | | PIXERECOURT | |
| ○ | | PLACE DES FETES | |
| ● | | **BOTZARIS** | |
| ○ | | MANIN | |
| ○ | | ARMAND CARREL – MAIRIE DU XIXe | |
| ○ | | LAUMIERE | |
| ● | | **OURCQ - JEAN JAURES** | |
| ○ | | CANAL DE L'OURCQ | |
| ○ | | FLANDRE | |
| ○ | | CAMBRAI | |
| ● | △ | **CRIMEE - ARCHEREAU** | |
| ● | | **CRIMEE - CURIAL** | |
| ● | ▽ | **CRIMEE** | |
| ○ | ▽ | RIQUET – FLANDRE | |
| ○ | ▽ | MAROC - FLANDRE | |
| ○ | △ | MATHIS - CURIAL | |
| ○ | ▽ | MAROC - AUBERVILLIERS | |
| ○ | △ | RIQUET - CURIAL | |
| ○ | ▽ | DEPARTEMENT AUBERVILLIERS | |
| ○ | △ | AUBERVILLIERS | |
| ○ | ▽ | DEPARTEMENT MARX DORMOY | |
| ○ | △ | PAJOL | |
| ● | | **MARX DORMOY - ORDENER** | |
| ○ | | PONT MARCADET | |
| ○ | | MARCADET POISSONNIERS | |
| ● | | **MAIRIE DU XVIII - JULES JOFFRIN** | |
| ○ | | DUHESME - LE RUISSEAU | |
| ○ | | DAMREMONT - ORDENER | |
| ○ | | DAMREMONT - CHAMPIONNET | |
| ● | | **PORTE DE MONTMARTRE** | |

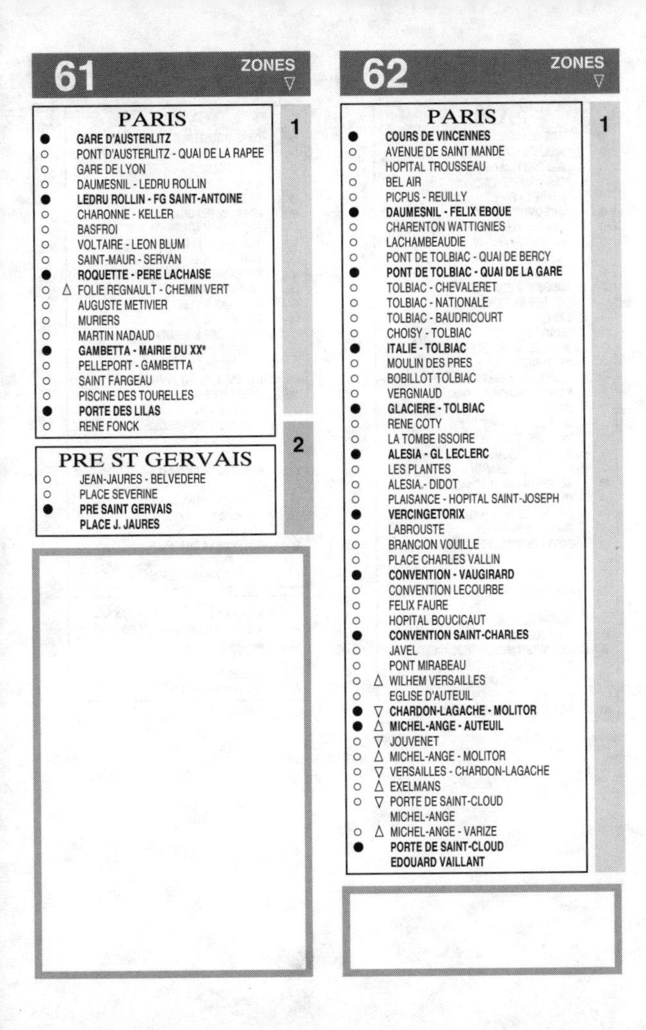

## 61

ZONES ▽

### PARIS

Zone 1

- ● **GARE D'AUSTERLITZ**
- ○ PONT D'AUSTERLITZ - QUAI DE LA RAPEE
- ○ GARE DE LYON
- ○ DAUMESNIL - LEDRU ROLLIN
- ● **LEDRU ROLLIN - FG SAINT-ANTOINE**
- ○ CHARONNE - KELLER
- ○ BASFROI
- ○ VOLTAIRE - LEON BLUM
- ○ SAINT-MAUR - SERVAN
- ● **ROQUETTE - PERE LACHAISE**
- ○ △ FOLIE REGNAULT - CHEMIN VERT
- ○ AUGUSTE METIVIER
- ○ MURIERS
- ○ MARTIN NADAUD
- ● **GAMBETTA - MAIRIE DU XXᵉ**
- ○ PELLEPORT - GAMBETTA
- ○ SAINT FARGEAU
- ○ PISCINE DES TOURELLES
- ● **PORTE DES LILAS**
- ○ RENE FONCK

### PRE ST GERVAIS

Zone 2

- ○ JEAN-JAURES - BELVEDERE
- ○ PLACE SEVERINE
- ● **PRE SAINT GERVAIS PLACE J. JAURES**

## 62

ZONES ▽

### PARIS

Zone 1

- ● **COURS DE VINCENNES**
- ○ AVENUE DE SAINT MANDE
- ○ HOPITAL TROUSSEAU
- ○ BEL AIR
- ○ PICPUS - REUILLY
- ● **DAUMESNIL - FELIX EBOUE**
- ○ CHARENTON WATTIGNIES
- ○ LACHAMBEAUDIE
- ○ PONT DE TOLBIAC - QUAI DE BERCY
- ● **PONT DE TOLBIAC - QUAI DE LA GARE**
- ○ TOLBIAC - CHEVALERET
- ○ TOLBIAC - NATIONALE
- ○ TOLBIAC - BAUDRICOURT
- ○ CHOISY - TOLBIAC
- ● **ITALIE - TOLBIAC**
- ○ MOULIN DES PRES
- ○ BOBILLOT TOLBIAC
- ○ VERGNIAUD
- ● **GLACIERE - TOLBIAC**
- ○ RENE COTY
- ○ LA TOMBE ISSOIRE
- ● **ALESIA - GL LECLERC**
- ○ LES PLANTES
- ○ ALESIA - DIDOT
- ○ PLAISANCE - HOPITAL SAINT-JOSEPH
- ● **VERCINGETORIX**
- ○ LABROUSTE
- ○ BRANCION VOUILLE
- ○ PLACE CHARLES VALLIN
- ● **CONVENTION - VAUGIRARD**
- ○ CONVENTION LECOURBE
- ○ FELIX FAURE
- ○ HOPITAL BOUCICAUT
- ● **CONVENTION SAINT-CHARLES**
- ○ JAVEL
- ○ PONT MIRABEAU
- ○ △ WILHEM VERSAILLES
- ○ EGLISE D'AUTEUIL
- ● ▽ **CHARDON-LAGACHE - MOLITOR**
- ● △ **MICHEL-ANGE - AUTEUIL**
- ○ ▽ JOUVENET
- ○ △ MICHEL-ANGE - MOLITOR
- ○ ▽ VERSAILLES - CHARDON-LAGACHE
- ○ △ EXELMANS
- ○ ▽ PORTE DE SAINT-CLOUD MICHEL-ANGE
- ○ △ MICHEL-ANGE - VARIZE
- ● **PORTE DE SAINT-CLOUD EDOUARD VAILLANT**

# 63

ZONES ▽

## PARIS — 1

- ● **GARE DE LYON**
- ○ △ GARE DE LYON « GRANDES LIGNES »
- ○ △ GARE DE LYON « BANLIEUE »
- ○ PONT D'AUSTERLITZ
- QUAI DE LA RAPEE
- ● **GARE D'AUSTERLITZ**
- ○ CUVIER HALLE AUX VINS
- ○ △ UNIVERSITE PARIS VI[e]
- ○ SAINT-GERMAIN - CARDINAL LEMOINE
- ● ▽ **MONGE MUTUALITE**
- ● △ **MAUBERT MUTUALITE**
- ○ ▽ COLLEGE DE FRANCE
- ○ △ DANTE
- ○ CLUNY
- ○ SAINT-GERMAIN - ODEON
- ○ △ SEINE-BUCI
- ● ▽ **EGLISE SAINT-SULPICE**
- ● △ **SAINT-GERMAIN-DES-PRES**
- ○ ▽ CROIX ROUGE
- ○ ▽ SEVRES BABYLONE
- ○ ▽ VARENNE - RASPAIL
- ○ △ SAINT-GUILLAUME
- ○ BAC - SAINT-GERMAIN
- ● **SOLFERINO - BELLECHASSE**
- ○ LILLE UNIVERSITE
- ○ ASSEMBLEE NATIONALE
- ○ GARE DES INVALIDES
- ● **PONT DES INVALIDES - QUAI D'ORSAY**
- ○ JEAN NICOT - EGLISE AMERICAINE
- ○ BOSQUET RAPP
- ● **ALMA MARCEAU**
- ○ IENA
- ○ ALBERT DE MUN
- ● **TROCADERO**
- ● △ **GEORGES MANDEL - TROCADERO**
- ○ SABLONS - CORTAMBERT
- ○ POMPE - MAIRIE DU XVI[e]
- ○ VICTOR HUGO - HENRI MARTIN
- ● **PORTE DE LA MUETTE - H. MARTIN**

# 65

ZONES ▽

## PARIS — 1

- ● **GARE D'AUSTERLITZ**
- ○ PT D'AUSTERLITZ - QUAI DE LA RAPEE
- ○ GARE DE LYON
- ○ LYON - LEDRU ROLLIN
- ● **BASTILLE**
- ● **BASTILLE BEAUMARCHAIS**
- ○ PASTEUR - WAGNER
- ○ SAINT-GILLES - CHEMIN VERT
- ○ SAINT-CLAUDE
- ○ OBERKAMPF - FILLES DU CALVAIRE
- ○ J.P. TIMBAUD
- ○ ▽ REPUBLIQUE TEMPLE
- ● **REPUBLIQUE**
- ○ △ REPUBLIQUE MAGENTA
- ○ JACQUES BONSERGENT
- ○ ▽ STRASBOURG MAGENTA
- ○ △ MAGENTA - SAINT-MARTIN
- ● **GARE DE L'EST**
- ○ ▽ VALENCIENNE
- ○ △ LA FAYETTE DUNKERQUE
- ○ GARE DU NORD
- ○ CAIL - DEMARQUAY
- ● **PLACE DE LA CHAPELLE**
- ○ DEPARTEMENT MARX DORMOY
- ○ ORDENER - MARX DORMOY
- ○ LES ROSES
- ○ BOUCRY
- ● **PORTE DE LA CHAPELLE**
- ○ EMILE BERTIN
- ○ PORTE D'AUBERVILLIERS

## AUBERVILLIERS — 2

- ● **AUBERVILLIERS - LA HAIE COQ**
- ○ GARDINOUX
- ○ FELIX FAURE - V. HUGO
- ○ VILLEBOIS MAREUIL
- ● **AUBERVILLIERS MAIRIE**

## 66

ZONES ▽

### PARIS

1

● **OPERA**
○ ▽ GLUCK HAUSSMANN
○ △ AUBER R.E.R.
○ ▽ HAVRE - CAUMARTIN
○ △ HAVRE - HAUSSMANN
● ▽ **ROME - HAUSSMANN**
● **GARE SAINT-LAZARE**
○ EUROPE
○ BUCAREST
○ BD DES BATIGNOLLES
○ MAIRIE DU XVII^e^
○ ▽ LEGENDRE
○ △ LA CONDAMINE
● **SQUARE DES BATIGNOLLES**
○ BATIGNOLLES (GARE DES MARCHANDISES)
○ BROCHANT-CARDINET
○ LA JONQUIERE
○ ▽ NAVIER
● **PORTE POUCHET**
○ BOIS LE PRETRE

### CLICHY

2

○ FLOREAL
○ ▽ GENERAL LECLERC - V. HUGO
○ △ VICTOR HUGO - MOREL
● **CLICHY - BD VICTOR HUGO**

## 67

ZONES ▽

### PARIS

1

● **PIGALLE**
○ △ ROCHECHOUART MARTYRS
○ NAVARIN
○ ▽ SAINT-GEORGES
○ ▽ SAINT-GEORGES - CHATEAUDUN
● **CARREFOUR DE CHATEAUDUN**
○ ▽ PROVENCE - DROUOT
○ △ PROVENCE - FG MONTMARTRE
○ ▽ RICHELIEU DROUOT
○ △ MONTMARTRE - POISSONNIERE
● ▽ **RICHELIEU - 4 SEPTEMBRE**
● △ **REAUMUR - MONTMARTRE**
○ ▽ BIBLIOTHEQUE NATIONALE
○ △ LOUVRE - ETIENNE MARCEL
● ▽ **PALAIS ROYAL - THEATRE FRANÇAIS**
○ △ COQUILLIERE - LES HALLES
● **LOUVRE - RIVOLI**
○ ▽ PONT NEUF - QUAI DU LOUVRE
○ △ RIVOLI - PONT NEUF
○ CHATELET
● **HOTEL DE VILLE**
○ △ RUE VIEILLE DU TEMPLE MAIRIE DU IV^e^
○ PONT LOUIS PHILIPPE - PONT MAIRIE
○ ▽ ILE SAINT LOUIS
○ △ SULLY MORLAND
○ △ PONT DE SULLY - QUAI DE BETHUNE
● **SAINT-GERMAIN - CARDINAL LEMOINE**
○ JUSSIEU
○ CUVIER - JARDIN DES PLANTES
● **BUFFON - LA MOSQUEE**
○ SAINT-MARCEL - JEANNE D'ARC
○ JENNER - JEANNE D'ARC
○ RUBENS
● △ **PLACE D'ITALIE - MAIRIE DU XIII^e^**
● **PLACE D'ITALIE**
○ VERLAINE
○ BOBILLOT – TOLBIAC
○ RUNGIS
○ AMIRAL MOUCHEZ
● **PORTE DE GENTILLY**

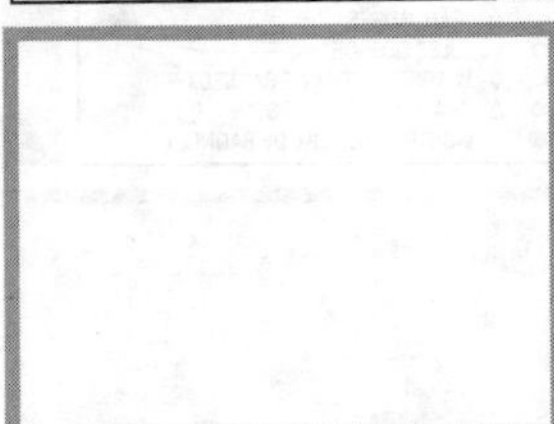

# 68 ZONES ▽

## PARIS

**1**

- ● **PLACE DE CLICHY**
- ○ ▽ BLANCHE
- ○ △ LIEGE
- ○ ▽ BLANCHE CALAIS
- ○ ▽ MONCEY
- ● **TRINITE**
- ○ ▽ MOGADOR - PROVENCE
- ○ △ CHAUSSE D'ANTIN
- ○ ▽ SCRIBE AUBER
- ● **OPERA**
- ● **OPERA - 4 SEPTEMBRE**
- ○ △ PETITS CHAMPS - D. CASANOVA
- ○ PYRAMIDES
- ● ▽ **PALAIS ROYAL - THEATRE FRANÇAIS**
- ● △ **PYRAMIDES - SAINT-HONORE**
- ○ ▽ MUSEE DU LOUVRE
- ○ ▽ PONT DU CARROUSSEL - QUAI VOLTAIRE
- ○ PONT ROYAL - QUAI VOLTAIRE
- ○ ▽ MUSEE D'ORSAY **R.E.R.**
- ○ ▽ SOLFERINO - BELLECHASSE
- ○ BAC - SAINT-GERMAIN
- ○ VARENNE - RASPAIL
- ● **SEVRES BABYLONE**
- ○ △ RUE DU CHERCHE-MIDI
- ○ RENNES - RASPAIL
- ○ NOTRE-DAME DES CHAMPS
- ● **VAVIN**
- ○ RASPAIL - EDGAR QUINET
- ○ VICTOR CONSIDERANT
- ● **DENFERT ROCHEREAU**
- ○ MOUTON DUVERNET
- ○ ▽ ALESIA MAINE
- ○ ALESIA GENERAL LECLERC
- ● **PORTE D'ORLEANS**
- ● **PORTE D'ORLEANS - E. REYER**
- ○ △ CIMETIERE DE MONTROUGE

**2**

## MONTROUGE

- ○ MAIRIE
- ● ▽ **MONTROUGE - PLACE DES ETATS UNIS**
- ● △ **MONTROUGE - VERDIER - REPUBLIQUE**
- ○ △ JEAN JAURES
- ○ JULES GUESDE
- ○ ▽ M. ARNOUX - CIM. DE BAGNEUX
- ○ △ CHATILLON - MONTROUGE Ⓜ
- ● **MONTROUGE - CIM. DE BAGNEUX**

# 69 ZONES ▽

## PARIS

**1**

- ● **GAMBETTA - MAIRIE DU XX[e]**
- ○ MARTIN NADAUD
- ○ MURIERS
- ○ AUGUSTE METIVIER
- ○ ▽ FOLIE REGNAULT- CHEMIN VERT
- ● **ROQUETTE - PERE LACHAISE**
- ○ SAINT-MAUR - SERVAN
- ○ VOLTAIRE - LEON BLUM
- ○ POPINCOURT
- ○ COMMANDANT LAMY
- ○ BREGUET SABIN
- ● ▽ **BASTILLE - RUE SAINT-ANTOINE**
- ● △ **BASTILLE FAUBOURG SAINT-ANTOINE**
- ○ BIRAGUE
- ○ SAINT-PAUL
- ○ ▽ VIEILLE DU TEMPLE - MAIRIE DU IVe
- ○ △ RUE DU PONT - LOUIS PHILIPPE
- ● **HOTEL DE VILLE**
- ○ CHATELET
- ○ ▽ RIVOLI - PONT NEUF
- ○ △ PONT NEUF - QUAI DU LOUVRE
- ○ ▽ LOUVRE - RIVOLI
- ○ △ PONT DES ARTS - QUAI DU LOUVRE
- ● ▽ **PALAIS ROYAL THEATRE FRANÇAIS**
- ● △ **PONT DU CARROUSEL QUAI DU LOUVRE**
- ○ ▽ MUSEE DU LOUVRE
- ○ ▽ PONT DU CARROUSEL QUAI VOLTAIRE
- ○ △ PONT ROYAL - QUAI DES TUILERIES
- ○ PONT ROYAL - QUAI VOLTAIRE
- ○ ▽ MUSEE D'ORSAY **R.E.R.**
- ○ △ BAC - SAINT-GERMAIN
- ● **SOLFERINO - BELLE CHASSE**
- ○ ▽ BAC - SAINT-GERMAIN
- ● ▽ **GRENELLE - BELLECHASSE**
- ○ BOURGOGNE
- ○ ESPLANADE DES INVALIDES
- ● ▽ **INVALIDES - LATOUR MAUBOURG**
- ● △ **LATOUR MAUBOURG - ST-DOMINIQUE**
- ○ ST-PIERRE DU GROS CAILLOU
- ○ ▽ BOSQUET - GRENELLE
- ○ △ BOSQUET - SAINT-DOMINIQUE
- ○ RAPP - LA BOURDONNAIS
- ● **CHAMPS DE MARS - SUFFREN**

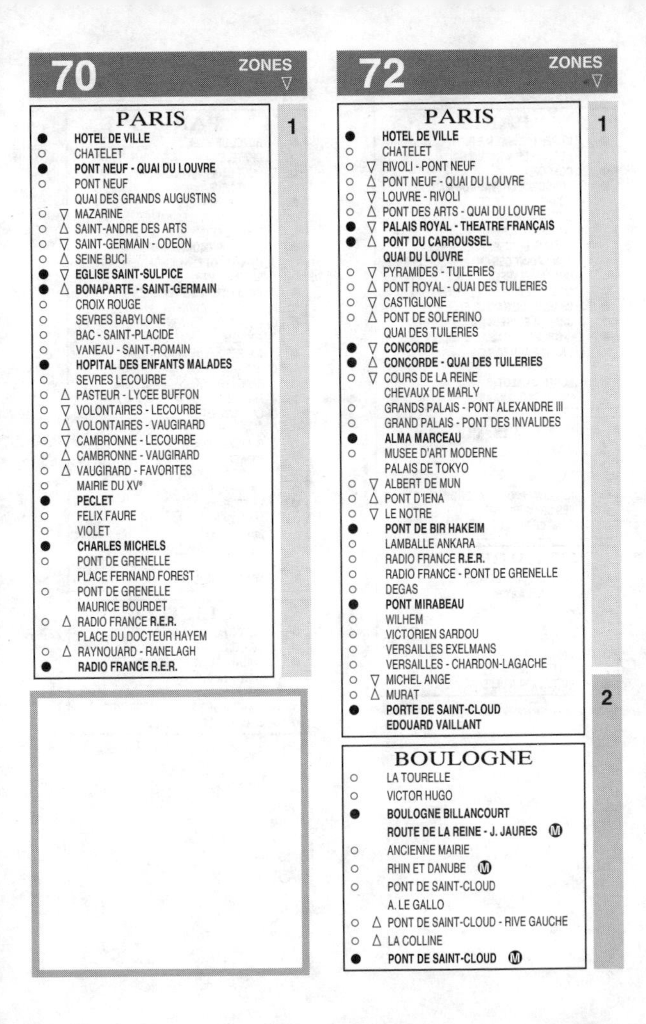

# 70

ZONES ▽

## PARIS

1

- ● **HOTEL DE VILLE**
- ○ CHATELET
- ● **PONT NEUF - QUAI DU LOUVRE**
- ○ PONT NEUF
  QUAI DES GRANDS AUGUSTINS
- ○ ▽ MAZARINE
- ○ △ SAINT-ANDRE DES ARTS
- ○ ▽ SAINT-GERMAIN - ODEON
- ○ △ SEINE BUCI
- ● ▽ **EGLISE SAINT-SULPICE**
- ● △ **BONAPARTE - SAINT-GERMAIN**
- ○ CROIX ROUGE
- ○ SEVRES BABYLONE
- ○ BAC - SAINT-PLACIDE
- ○ VANEAU - SAINT-ROMAIN
- ● **HOPITAL DES ENFANTS MALADES**
- ○ SEVRES LECOURBE
- ○ △ PASTEUR - LYCEE BUFFON
- ○ ▽ VOLONTAIRES - LECOURBE
- ○ △ VOLONTAIRES - VAUGIRARD
- ○ ▽ CAMBRONNE - LECOURBE
- ○ △ CAMBRONNE - VAUGIRARD
- ○ △ VAUGIRARD - FAVORITES
- ○ MAIRIE DU XV$^{e}$
- ● **PECLET**
- ○ FELIX FAURE
- ○ VIOLET
- ● **CHARLES MICHELS**
- ○ PONT DE GRENELLE
  PLACE FERNAND FOREST
- ○ PONT DE GRENELLE
  MAURICE BOURDET
- ○ △ RADIO FRANCE **R.E.R.**
  PLACE DU DOCTEUR HAYEM
- ○ △ RAYNOUARD - RANELAGH
- ● **RADIO FRANCE R.E.R.**

# 72

ZONES ▽

## PARIS

1

- ● **HOTEL DE VILLE**
- ○ CHATELET
- ○ ▽ RIVOLI - PONT NEUF
- ○ △ PONT NEUF - QUAI DU LOUVRE
- ○ ▽ LOUVRE - RIVOLI
- ○ △ PONT DES ARTS - QUAI DU LOUVRE
- ● ▽ **PALAIS ROYAL - THEATRE FRANÇAIS**
- ● △ **PONT DU CARROUSSEL**
  **QUAI DU LOUVRE**
- ○ ▽ PYRAMIDES - TUILERIES
- ○ △ PONT ROYAL - QUAI DES TUILERIES
- ○ ▽ CASTIGLIONE
- ○ △ PONT DE SOLFERINO
  QUAI DES TUILERIES
- ● ▽ **CONCORDE**
- ● △ **CONCORDE - QUAI DES TUILERIES**
- ○ ▽ COURS DE LA REINE
  CHEVAUX DE MARLY
- ○ GRANDS PALAIS - PONT ALEXANDRE III
- ○ GRAND PALAIS - PONT DES INVALIDES
- ● **ALMA MARCEAU**
- ○ MUSEE D'ART MODERNE
  PALAIS DE TOKYO
- ○ ▽ ALBERT DE MUN
- ○ △ PONT D'IENA
- ○ ▽ LE NOTRE
- ● **PONT DE BIR HAKEIM**
- ○ LAMBALLE ANKARA
- ○ RADIO FRANCE **R.E.R.**
- ○ RADIO FRANCE - PONT DE GRENELLE
- ○ DEGAS
- ● **PONT MIRABEAU**
- ○ WILHEM
- ○ VICTORIEN SARDOU
- ○ VERSAILLES EXELMANS
- ○ VERSAILLES - CHARDON-LAGACHE
- ○ ▽ MICHEL ANGE
- ○ △ MURAT
- ● **PORTE DE SAINT-CLOUD**
  **EDOUARD VAILLANT**

2

## BOULOGNE

- ○ LA TOURELLE
- ○ VICTOR HUGO
- ● **BOULOGNE BILLANCOURT**
  **ROUTE DE LA REINE - J. JAURES** Ⓜ
- ○ ANCIENNE MAIRIE
- ○ RHIN ET DANUBE Ⓜ
- ○ PONT DE SAINT-CLOUD
  A. LE GALLO
- ○ △ PONT DE SAINT-CLOUD - RIVE GAUCHE
- ○ △ LA COLLINE
- ● **PONT DE SAINT-CLOUD** Ⓜ

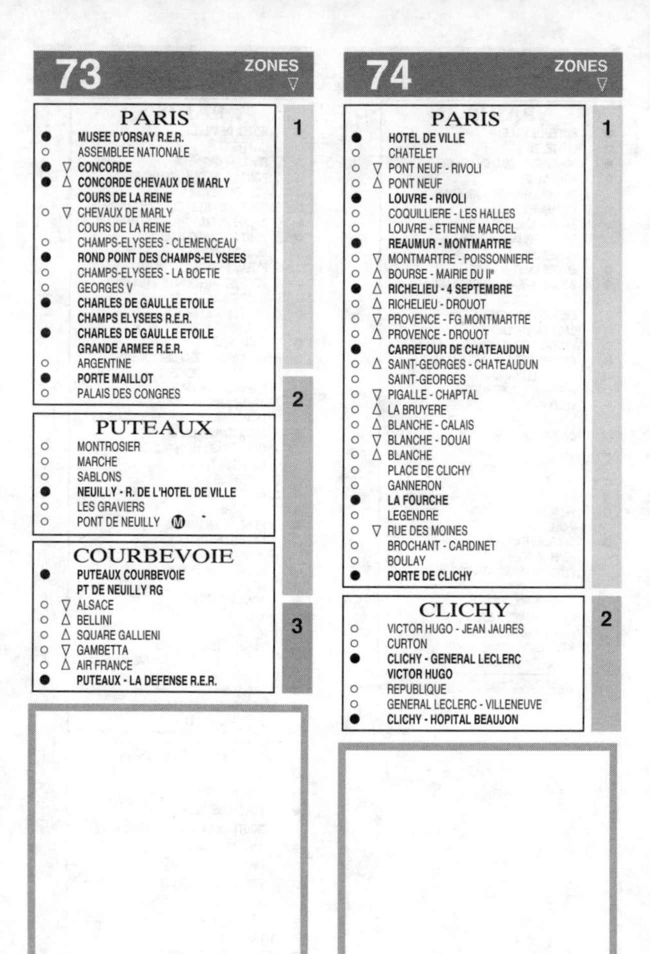

## 73

ZONES ▽

### PARIS — Zone 1

- ● MUSEE D'ORSAY R.E.R.
- ○ ASSEMBLEE NATIONALE
- ● ▽ CONCORDE
- ● △ CONCORDE CHEVAUX DE MARLY
  COURS DE LA REINE
- ○ ▽ CHEVAUX DE MARLY
  COURS DE LA REINE
- ○ CHAMPS-ELYSEES - CLEMENCEAU
- ● ROND POINT DES CHAMPS-ELYSEES
- ○ CHAMPS-ELYSEES - LA BOETIE
- ○ GEORGES V
- ● CHARLES DE GAULLE ETOILE
  CHAMPS ELYSEES R.E.R.
- ● CHARLES DE GAULLE ETOILE
  GRANDE ARMEE R.E.R.
- ○ ARGENTINE
- ● PORTE MAILLOT
- ○ PALAIS DES CONGRES

### PUTEAUX — Zone 2

- ○ MONTROSIER
- ○ MARCHE
- ○ SABLONS
- ● NEUILLY - R. DE L'HOTEL DE VILLE
- ○ LES GRAVIERS
- ○ PONT DE NEUILLY Ⓜ

### COURBEVOIE — Zone 3

- ● PUTEAUX COURBEVOIE
  PT DE NEUILLY RG
- ○ ▽ ALSACE
- ○ △ BELLINI
- ○ △ SQUARE GALLIENI
- ○ ▽ GAMBETTA
- ○ △ AIR FRANCE
- ● PUTEAUX - LA DEFENSE R.E.R.

## 74

ZONES ▽

### PARIS — Zone 1

- ● HOTEL DE VILLE
- ○ CHATELET
- ○ ▽ PONT NEUF - RIVOLI
- ○ △ PONT NEUF
- ● LOUVRE - RIVOLI
- ○ COQUILLIERE - LES HALLES
- ○ LOUVRE - ETIENNE MARCEL
- ● REAUMUR - MONTMARTRE
- ○ ▽ MONTMARTRE - POISSONNIERE
- ○ △ BOURSE - MAIRIE DU IIe
- ● △ RICHELIEU - 4 SEPTEMBRE
- ○ △ RICHELIEU - DROUOT
- ○ ▽ PROVENCE - FG MONTMARTRE
- ○ △ PROVENCE - DROUOT
- ● CARREFOUR DE CHATEAUDUN
- ○ △ SAINT-GEORGES - CHATEAUDUN
- ○ SAINT-GEORGES
- ○ ▽ PIGALLE - CHAPTAL
- ○ △ LA BRUYERE
- ○ △ BLANCHE - CALAIS
- ○ ▽ BLANCHE - DOUAI
- ○ △ BLANCHE
- ○ PLACE DE CLICHY
- ○ GANNERON
- ● LA FOURCHE
- ○ LEGENDRE
- ○ ▽ RUE DES MOINES
- ○ BROCHANT - CARDINET
- ○ BOULAY
- ● PORTE DE CLICHY

### CLICHY — Zone 2

- ○ VICTOR HUGO - JEAN JAURES
- ○ CURTON
- ● CLICHY - GENERAL LECLERC
  VICTOR HUGO
- ○ REPUBLIQUE
- ○ GENERAL LECLERC - VILLENEUVE
- ● CLICHY - HOPITAL BEAUJON

## 75

ZONES ▽

### PARIS

Zone 1

- ● **PONT NEUF**
- ○ CHATELET
- ○ HOTEL DE VILLE
- ○ ▽ LA VERRERIE
- ○ △ CENTRE GEORGES POMPIDOU
- ○ ▽ ARCHIVES - RAMBUTEAU
- ● ▽ **ARCHIVES - HAUDRIETTES**
- ● △ **GRENIER SAINT-LAZARE**
  **QUARTIER DE L'HORLOGE**
- ○ ▽ SQUARE DU TEMPLE - MAIRIE DU III$^{e}$
  CARREAU DU TEMPLE
- ○ △ ARTS ET METIERS
- ○ TURBIGO - REPUBLIQUE
- ● **REPUBLIQUE**
- ○ ▽ RICHARD LENOIR - REPUBLIQUE
- ○ JULES FERRY
- ○ ▽ ALIBERT
- ○ △ GONCOURT
- ○ HOPITAL ST-LOUIS - PARMENTIER
- ○ HOPITAL SAINT-LOUIS
- ○ GRANGE AUX BELLES Nº 12-12 bis
- ● **GRANGE AUX BELLES**
  **JULIETTE DODU**
- ○ COLONEL FABIEN
- ○ MATHURIN MOREAU
  SIMON BOLIVAR
- ○ SECRETAN - BUTTES CHAUMONT
- ○ JEAN MENANS
  BUTTES CHAUMONT
- ● **ARMAND CARREL - MAIRIE DU XIX$^{e}$**
- ○ D'HAUTPOUL
- ○ RHIN ET DANUBE
  HOPITAL HEROLD
- ○ PORTE BRUNET
- ○ PORTE CHAUMONT
- ● **PORTE DE PANTIN**

## 76

ZONES ▽

### PARIS

Zone 1

- ● **LOUVRE**
  **SAINT-GERMAIN L'AUXERROIS**
- ○ ▽ PONT NEUF - QUAI DU LOUVRE
- ○ △ RIVOLI - PONT NEUF
- ○ CHATELET
- ● **HOTEL DE VILLE**
- ○ ▽ RUE DU PONT - LOUIS PHILIPPE
- ○ △ RUE VIEILLE DU TEMPLE
  MAIRIE DU IV
- ○ SAINT-PAUL
- ○ BIRAGUE
- ● **BASTILLE - RUE SAINT-ANTOINE**
- ● **BASTILLE - FG SAINT-ANTOINE**
- ○ LA BOULE BLANCHE
- ○ LEDRU ROLLIN - FG SAINT-ANTOINE
- ○ CHARONNE - KELLER
- ○ FAIDHERBE
- ○ CHARONNE - VOLTAIRE
- ● **CHARONNE - PHILIPPE AUGUSTE**
- ○ CHARONNE - BAGNOLET
- ○ LA REUNION
- ○ PYRENEES - BAGNOLET
- ○ PELLEPORT - BAGNOLET
- ● **PORTE DE BAGNOLET**
- ○ ▽ ECHANGEUR DE BAGNOLET

### BAGNOLET

Zone 2

- ○ REPUBLIQUE - GALLIENI
- ○ AVENUE GALLIENI Ⓜ
- ○ △ CENTRE DE SANTE
- ○ △ LA POSTE
- ● **BAGNOLET - MAIRIE**
- ○ △ MAIRIE - ANNE COLOMBIER
- ○ EGLISE
- ○ P. CURIE - LENINE
- ○ DESCARTE - LENINE
- ● **BAGNOLET - MALASSIS**

# 80

ZONES ▽

## PARIS

1

● **PORTE DE VERSAILLES**
○ ▽ PORTE DE VERSAILLES
○ △ BOULEVARD VICTOR
○ ▽ VAUGIRARD - CROIX NIVERT
○ △ HAMEAU
○ ▽ HOPITAL DE VAUGIRARD
○ △ DURANTON
○ ▽ CONVENTION - VAUGIRARD
○ △ CONVENTION - LECOURBE
○ ABBE GROULT
○ ▽ VAUGIRARD - FAVORITES
○ △ MAIRIE DU XV$^{e}$ - RUE LECOURBE
○ ▽ CAMBRONNE - LECOURBE
● **MAIRIE DU XV$^{e}$**
○ PECLET
○ FONDARY
○ CAMBRONNE
○ LA MOTTE-PIQUET - GRENELLE
○ JOFFRE - SUFFREN
● **ECOLE MILITAIRE**
○ BOSQUET - GRENELLE
○ BOSQUET - SAINT-DOMINIQUE
○ BOSQUET - RAPP
● **ALMA MARCEAU**
○ MONTAIGNE - FRANÇOIS I$^{e}$
○ ▽ RD POINT DES CHAMPS-ELYSEES MATIGNON
○ △ RD POINT DES CHAMPS-ELYSEES F.D. ROOSEVELT
● ▽ **MATIGNON - SAINT-HONORE**
● △ **SAINT-PHILIPPE DU ROULE**
○ ▽ HAUSSMANN - MIROMESNIL
○ △ LA BOETIE - MIROMESNIL
○ SAINT-AUGUSTIN
● **GARE SAINT-LAZARE**
○ EUROPE
○ BUCAREST
○ PLACE DE CLICHY
○ CLICHY - CAULAINCOURT
● **DAMREMONT - CAULAINCOURT**
○ SQUARE - CAULAINCOURT
○ LAMARCK - CAULAINCOURT
○ CUSTINE - MONT CENIS
○ △ CUSTINE - RAMAY
○ △ MARCADET
● **MAIRIE DU XVIII$^{e}$ JULES JOFFRI**

# 81

ZONES ▽

## PARIS

1

● **CHATELET**
○ ▽ RIVOLI - PONT NEUF
○ △ PONT NEUF - QUAI DU LOUVRE
○ LOUVRE - RIVOLI
● **PALAIS ROYAL THEATRE FRANÇAIS**
○ PYRAMIDES
○ ▽ PETITS CHAMPS - D. CASANOVA
● **OPERA - 4 SEPTEMBRE**
● **OPERA**
○ △ AUBER **R.E.R.**
○ △ HAVRE - HAUSSMANN
○ ▽ CHAUSSEE D'ANTIN
● ▽ **TRINITE**
● △ **GARE SAINT-LAZARE**
○ △ GARE SAINT-LAZARE - BUDAPEST
○ LIEGE
○ PLACE DE CLICHY
○ GANNERON
● **LA FOURCHE**
○ DAVY
○ GUY MOQUET
○ NAVIER
○ PORTE DE SAINT-OUEN HOPITAL BICHAT
● **PORTE DE SAINT-OUEN**

## 82

ZONES ▽

### PARIS

Zone 1

● **GARE DU LUXEMBOURG**
○ AUGUSTE COMTE
○ GUYNEMER - VAVIN
○ ▽ BREA - NOTRE-DAME-DES-CHAMPS
○ △ ASSAS - DUGUAY-TROUIN
○ ▽ STANISLAS - VAVIN
○ △ NOTRE-DAME-DES-CHAMPS
○ ▽ MONTPARNASSE - STANISLAS
● △ **PLACE DU 18 JUIN 1940 RUE DU DEPART**
● **PLACE DU 18 JUIN 1940 RUE DE L'ARRIVEE**
○ MAINE - VAUGIRARD
○ DUROC
● **OUDINOT**
○ SAINT-FRANÇOIS XAVIER
○ VAUBAN - HOTEL DES INVALIDES
● **ECOLE MILITAIRE**
○ JOFFRE - SUFFREN
○ GENERAL DETRIE
● **CHAMP DE MARS - SUFFREN**
○ GARE DU CHAMP DE MARS
○ TOUR EIFFEL
○ VARSOVIE
○ IENA
○ LUBECK
● **KLEBER - BOISSIERE**
○ ▽ LAURISTON
○ △ VICTOR HUGO - POINCARE
○ FOCH
○ ALPHAND
● **PORTE MAILLOT**

Zone 2

○ PALAIS DES CONGRES
○ ANDRE MAUROIS

### NEUILLY

○ PARMENTIER
○ CHARTES
● **NEUILLY - EGLISE ST-PIERRE**
○ SAINTE-FOY
○ △ RUE DE L'EGLISE
○ △ GENERAL GOURAUD
○ CHATEAU
○ ▽ LA SAUSAY D'ARGENSON
○ PERRONET
○ ▽ BINEAU - LA SAUSSAYE
○ △ BINEAU - CHATEAU
● **NEUILLY - HOPITAL AMERICAIN**

## 83

ZONES ▽

### PARIS

Zone 1

● **FRIEDLAND - HAUSSMANN**
○ HAUSSMANN - COURCELLES
● **SAINT-PHILIPPE DU ROULE**
○ △ LA BOETIE - PERCIER
○ △ MATIGNON - SAINT-HONORE
○ ▽ ROND POINT DES CHAMPS-ELYSEES F.D. ROOSEVELT
○ △ ROND POINT DES CHAMPS-ELYSEES MATIGNON
○ ▽ CHAMPS-ELYSEES - CLEMENCEAU
○ △ RD PT DES CHAMPS-ELYSEES
○ ▽ GD PALAIS - PONT ALEXANDRE III
○ △ GD PALAIS - PONT DES INVALIDES
● ▽ **INVALIDES R.E.R.**
● △ **PONT DES INVALIDES - Q. D'ORSAY**
○ ASSEMBLEE NATIONALE
○ LILLE - UNIVERSITE
● **SOLFERINO - BELLE CHASSE**
○ BAC - SAINT-GERMAIN
○ VARENNE - RASPAIL
● **SEVRES BABYLONE**
○ RENNES - D'ASSAS
○ FLEURUS
○ GUYNEMER - VAVIN
○ MICHELET
● **OBSERVATOIRE - PORT ROYAL**
○ PORT ROYAL - SAINT-JACQUES
○ PORT ROYAL - BERTHOLLET
● **LES GOBELINS**
○ BANQUIER
● **PLACE D'ITALIE - MAIRIE DU XIII<sup>e</sup>**
● **PLACE D'ITALIE**
○ INSTITUT DENTAIRE
○ LYCEE CLAUDE MONET
○ TOLBIAC - BAUDRICOURT
○ TOLBIAC - NATIONALE
○ PONSCARME
○ REGNAULT
● **PORTE D'IVRY**

## 84

ZONES ▽

### PARIS

1

- ● **PLACE DU PANTHEON**
- ○ MAIRIE DU V[e] - PANTHEON
- ● **GARE DU LUXEMBOURG**
- ○ PALAIS DU LUXEMBOURG
- ○ VAUGIRARD - GUYNEMER
- ○ SAINT-SULPICE
- ○ CROIX ROUGE
- ● **SEVRES BABYLONE**
- ○ VARENNE - RASPAIL
- ○ BAC - SAINT-GERMAIN
- ● **SOLFERINO - BELLECHASSE**
- ○ ▽ MUSEE D'ORSAY **R.E.R.**
- ○ △ LILLE - UNIVERSITE
- ○ ASSEMBLEE NATIONALE
- ● **CONCORDE**
- ○ MADELEINE
- ○ ANJOU - CHAUVEAU-LAGARDE
- ● **SAINT-AUGUSTIN**
- ○ HAUSSMANN - MIROMESNIL
- ○ RUYSDAEL - PARC MONCEAU
- ○ MURILLO
- ● **COURCELLES**
- ○ WAGRAM - COURCELLES
- ○ PEREIRE - MARECHAL JUIN
- ○ ▽ PEREIRE **R.E.R.**
- ○ PEREIRE - LE CHATELIER **R.E.R.**
- ○ △ PORTE DE COURCELLES
- ● **PORTE DE CHAMPERRET**

## 85

ZONES ▽

### PARIS

1

- ● **GARE DU LUXEMBOURG**
- ○ LES ECOLES
- ○ SAINT-MICHEL - SAINT-GERMAIN
- ○ CITE - PALAIS DE JUSTICE
- ● **CHATELET**
- ○ ▽ PONT NEUF - RIVOLI
- ○ △ PONT NEUF - QUAI DU LOUVRE
- ● **LOUVRE - RIVOLI**
- ○ COQUILLIERE - LES HALLES
- ○ LOUVRE - ETIENNE MARCEL
- ● **REAUMUR - MONTMARTRE**
- ○ △ BOURSE - MAIRIE DU II[e]
- ● △ **RICHELIEU - 4 SEPTEMBRE**
- ○ ▽ MONTMARTRE - POISSONNIERE
- ○ △ RICHELIEU - DROUOT
- ○ ▽ PROVENCE - FG MONTMARTRE
- ○ △ PROVENCE - DROUOT
- ● ▽ **CADET**
- ● △ **CARREFOUR DE CHATEAUDUN**
- ○ ▽ MAUBEUGE - ROCHECHOUART
- ○ △ LA TOUR D'AUVERGNE
- ○ ▽ CONDORCET - TRUDAINE
- ○ △ TRUDAINE
- ○ ROCHECHOUART - CLIGNANCOURT
- ○ ▽ BARBES ROCHECHOUART
- ● **MULLER**
- ○ ▽ LABAT
- ○ △ CUSTINE - RAMAY
- ○ ▽ EUGENE SUE
- ○ △ MARCADET
- ○ JULES JOFFRIN - MAIRIE DU XVIII[e]
- ○ ALBERT KAHN
- ● **PORTE DE CLIGNANCOURT**

### ST OUEN

2

- ○ MICHELET - ROSIERS
- ○ PAUL BERT
- ○ EUGENE LUMEAU - LES ECOLES
- ○ ERNEST RENAN
- ● **SAINT-OUEN - MAIRIE**

# 86

ZONES ▽

## PARIS

1

| | | |
|---|---|---|
| ● | | **SAINT-GERMAIN-DES-PRES** |
| ○ | ▽ | SEINE - BUCI |
| ○ | △ | EGLISE SAINT-SULPICE |
| ○ | | SAINT-GERMAIN - ODEON |
| ○ | | CLUNY |
| ○ | ▽ | DANTE |
| ○ | △ | COLLEGE DE FRANCE |
| ● | ▽ | **MAUBERT - MUTUALITE** |
| ● | △ | **MONGE - MUTUALITE** |
| ○ | | ST-GERMAIN - CARDINAL LEMOINE |
| ○ | | PONT SULLY - QUAI DE BETHUNE |
| ○ | | SULLY MORLAND |
| ○ | | LA CERISAIE |
| ● | △ | **BASTILLE - RUE ST-ANTOINE** |
| ● | | **BASTILLE - FG SAINT-ANTOINE** |
| ○ | | LA BOULE BLANCHE |
| ○ | | LEDRU ROLLIN - FG ST-ANTOINE |
| ○ | | CROZATIER |
| ○ | | HOPITAL SAINT-ANTOINE |
| ● | | **FAIDHERBE - CHALIGNY** |
| ○ | | CLAUDE TILLIER |
| ○ | | CHEVREUL |
| ○ | | NATION - FG SAINT-ANTOINE |
| ○ | | NATION |
| ○ | | CHARONNE - PICPUS |
| ○ | | MARSOULAN |
| ● | | **PYRENEES - DOCTEUR NETTER** |
| ● | | **PORTE DE VINCENNES** |

2

## ST MANDE

| | | |
|---|---|---|
| ● | | **SAINT-MANDE - TOURELLE** |
| ○ | | MAIRIE |
| ○ | | ALLARD - JEANNE D'ARC |
| ○ | | JEAN MERMOZ |
| ● | | **SAINT-MANDE - DEMI-LUNE PARC ZOOLOGIQUE** |

# 87

ZONES ▽

## PARIS

1

| | | |
|---|---|---|
| ● | | **CHAMP DE MARS - SUFFREN** |
| ○ | | RAPP - LA BOURDONNAIS |
| ○ | | CHAMP DE MARS LA BOURDONNAIS |
| ● | | **ECOLE MILITAIRE** |
| ○ | | DUQUESNE - LOWENDAL |
| ○ | ▽ | EL SALVADOR |
| ○ | △ | BRETEUIL |
| ○ | | SAINT-FRANÇOIS-XAVIER |
| ● | ▽ | **OUDINOT** |
| ● | △ | **VANEAU - BABYLONE** |
| ○ | ▽ | DUROC |
| ○ | △ | BAC - BABYLONE |
| ○ | ▽ | VANEAU - SAINT-ROMAIN |
| ○ | ▽ | BAC - SAINT-PLACIDE |
| ○ | | SEVRES BABYLONE |
| ○ | | CROIX ROUGE |
| ● | ▽ | **BONAPARTE - SAINT-GERMAIN** |
| ● | △ | **EGLISE SAINT-SULPICE** |
| ○ | ▽ | SEINE BUCI |
| ○ | | SAINT-GERMAIN - ODEON |
| ○ | | CLUNY |
| ○ | ▽ | DANTE |
| ○ | △ | COLLEGE DE FRANCE |
| ● | ▽ | **MAUBERT - MUTUALITE** |
| ● | △ | **MONGE - MUTUALITE** |
| ○ | | SAINT-GERMAIN CARDINAL LEMOINE |
| ○ | | PONT SULLY - Q. DE BETHUNE |
| ○ | | SULLY MORLAND |
| ○ | | LA CERISAIE |
| ● | △ | **BASTILLE - RUE ST-ANTOINE** |
| ● | | **BASTILLE** |
| ○ | | LYON - LEDRU ROLLIN |
| ○ | | GARE DE LYON - DIDEROT |
| ● | | **GARE DE LYON - BANLIEUE** |
| ● | | **GARE DE LYON GRANDES LIGNES** |
| ○ | | BOULEVARD DE BERCY |
| ○ | | GARE DE BERCY T.A.C. |
| ○ | | DUGOMMIER |
| ● | | **CHARENTON - WATTIGNIES** |
| ○ | | NICOLAI |
| ○ | ▽ | CHARENTON - JARDINIERS |
| ○ | △ | WATTIGNIES - GRAVELLE |
| ○ | ▽ | PORTE DE CHARENTON |
| ● | | **PORTE DE REUILLY** |

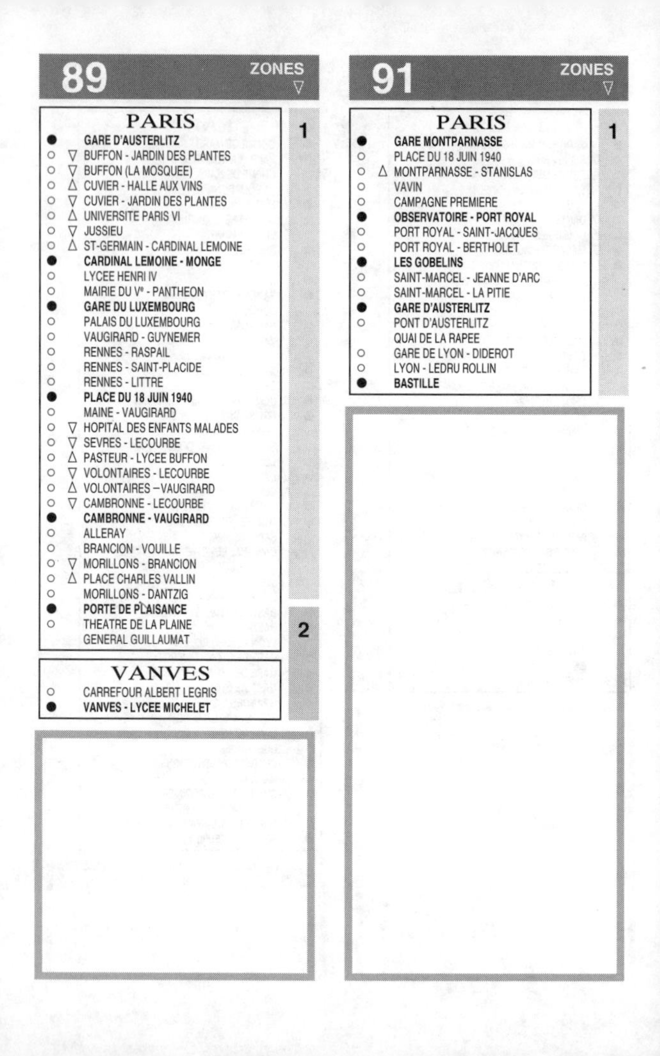

# 89

ZONES ▽

## PARIS

1

- ● **GARE D'AUSTERLITZ**
- ○ ▽ BUFFON - JARDIN DES PLANTES
- ○ ▽ BUFFON (LA MOSQUEE)
- ○ △ CUVIER - HALLE AUX VINS
- ○ ▽ CUVIER - JARDIN DES PLANTES
- ○ △ UNIVERSITE PARIS VI
- ○ ▽ JUSSIEU
- ○ △ ST-GERMAIN - CARDINAL LEMOINE
- ● **CARDINAL LEMOINE - MONGE**
- ○ LYCEE HENRI IV
- ○ MAIRIE DU Vᵉ - PANTHEON
- ● **GARE DU LUXEMBOURG**
- ○ PALAIS DU LUXEMBOURG
- ○ VAUGIRARD - GUYNEMER
- ○ RENNES - RASPAIL
- ○ RENNES - SAINT-PLACIDE
- ○ RENNES - LITTRE
- ● **PLACE DU 18 JUIN 1940**
- ○ MAINE - VAUGIRARD
- ○ ▽ HOPITAL DES ENFANTS MALADES
- ○ ▽ SEVRES - LECOURBE
- ○ △ PASTEUR - LYCEE BUFFON
- ○ ▽ VOLONTAIRES - LECOURBE
- ○ △ VOLONTAIRES – VAUGIRARD
- ○ ▽ CAMBRONNE - LECOURBE
- ● **CAMBRONNE - VAUGIRARD**
- ○ ALLERAY
- ○ BRANCION - VOUILLE
- ○ ▽ MORILLONS - BRANCION
- ○ △ PLACE CHARLES VALLIN
- ○ MORILLONS - DANTZIG
- ● **PORTE DE PLAISANCE**

2

- ○ THEATRE DE LA PLAINE
- GENERAL GUILLAUMAT

## VANVES

- ○ CARREFOUR ALBERT LEGRIS
- ● **VANVES - LYCEE MICHELET**

# 91

ZONES ▽

## PARIS

1

- ● **GARE MONTPARNASSE**
- ○ PLACE DU 18 JUIN 1940
- ○ △ MONTPARNASSE - STANISLAS
- ○ VAVIN
- ○ CAMPAGNE PREMIERE
- ● **OBSERVATOIRE - PORT ROYAL**
- ○ PORT ROYAL - SAINT-JACQUES
- ○ PORT ROYAL - BERTHOLET
- ● **LES GOBELINS**
- ○ SAINT-MARCEL - JEANNE D'ARC
- ○ SAINT-MARCEL - LA PITIE
- ● **GARE D'AUSTERLITZ**
- ○ PONT D'AUSTERLITZ
- QUAI DE LA RAPEE
- ○ GARE DE LYON - DIDEROT
- ○ LYON - LEDRU ROLLIN
- ● **BASTILLE**

# 92

ZONES ▽

## PARIS

1

| | | |
|---|---|---|
| ● | | **GARE MONTPARNASSE** |
| ○ | | PLACE DU 18 JUIN 1940 |
| ○ | | PLACE DU 18 JUIN 1940 RUE DE L'ARRIVEE |
| ○ | | MAINE - VAUGIRARD |
| ○ | | DUROC |
| ● | | **OUDINOT** |
| ○ | | SAINT-FRANÇOIS XAVIER |
| ○ | | VAUBAN - HOTEL DES INVALIDES |
| ● | | **ECOLE MILITAIRE** |
| ○ | | BOSQUET - GRENELLE |
| ○ | | BOSQUET - SAINT-DOMINIQUE |
| ○ | | BOSQUET - RAPP |
| ● | | **ALMA - MARCEAU** |
| ○ | | MARCEAU - PIERRE Iᵉ DE SERBIE |
| ○ | | BASSANO |
| ● | | **CHARLES-DE-GAULLE-ETOILE R.E.R. MARCEAU** |
| ● | | **CHARLES-DE-GAULLE-ETOILE R.E.R. MAC-MAHON** |
| ○ | | TERNES - MAC-MAHON |
| ○ | | PIERRE DEMOURS |
| ○ | | PEREIRE - MARECHAL JUIN |
| ○ | ▽ | PEREIRE **R.E.R.** |
| ○ | | PEREIRE - LE CHATELIER **R.E.R.** |
| ○ | △ | PORTE DE COURCELLES |
| ● | | **PORTE DE CHAMPERRET** |

# 93

ZONES ▽

## PARIS

1

| | | |
|---|---|---|
| ● | | **ESPLANADE DES INVALIDES** |
| ○ | | INVALIDES **R.E.R.** |
| ○ | ▽ | PT DES INVALIDES - QUAI D'ORSAY |
| ○ | ▽ | GD PALAIS - PONT DES INVALIDES |
| ○ | △ | GD PALAIS - PONT ALEXANDRE III |
| ○ | ▽ | RD POINT DES CHAMPS-ELYSEES |
| ○ | △ | CHAMPS-ELYSEES - CLEMENCEAU |
| ○ | ▽ | ROND POINT DES CHAMPS-ELYSEES MATIGNON |
| ○ | △ | ROND POINT DES CHAMPS-ELYSEES F.D. ROOSEVELT |
| ○ | ▽ | MATIGNON - SAINT-HONORE |
| ○ | ▽ | LA BOETIE - PERCIER |
| ● | | **SAINT-PHILIPPE DU ROULE** |
| ○ | | HAUSSMANN - COURCELLES |
| ○ | | FRIEDLAND - HAUSSMANN |
| ○ | | HOCHE - SAINT-HONORE |
| ● | | **TERNES** |
| ○ | | TERNES - MAC-MAHON |
| ○ | | PIERRE DEMOURS |
| ○ | | PEREIRE - MARECHAL JUIN |
| ○ | ▽ | PEREIRE **R.E.R.** |
| ○ | | PEREIRE - LE CHATELIER **R.E.R.** |
| ● | | **PORTE DE CHAMPERRET** |

## LEVALLOIS

2

| | | |
|---|---|---|
| ○ | | L'YSER ET LA SOMME |
| ○ | | BINEAU - VILLIERS |
| ○ | | LOUIS ROUQUIER |
| ○ | | VOLTAIRE - VILLIERS |
| ○ | △ | KLEBER |
| ● | | **LEVALLOIS PLACE DE LA LIBERATION** |

## 94 ZONES ▽

### PARIS — 1

- ● **GARE MONTPARNASSE**
- ○ PLACE DU 18 JUIN 1940
- ○ RENNES - LITTRE
- ○ RENNES - SAINT-PLACIDE
- ○ RENNES - RASPAIL
- ○ ▽ RUE DU CHERCHE MIDI
- ● **SEVRES BABYLONE**
- ○ VARENNE - RASPAIL
- ○ BAC - SAINT-GERMAIN
- ● **SOLFERINO - BELLECHASSE**
- ○ LILLE - UNIVERSITE
- ○ ASSEMBLEE NATIONALE
- ● **CONCORDE**
- ○ MADELEINE
- ○ HAVRE - HAUSSMANN
- ○ ▽ PASQUIER - ANJOU
- ○ △ GARE SAINT-LAZARE
- ● **SAINT-AUGUSTIN**
- ○ LISBONNE - MAIRIE ANNEXE DU VIII[e]
- ● **MALSHERBES - COURCELLES**
- ○ PLACE DU GENERAL CATROUX
- ○ JOUFFROY MALESHERBES
- ○ WAGRAM - PEREIRE
- ○ JULIETTE LAMBER
- ● **PORTE D'ASNIERES**

### LEVALLOIS — 2

- ○ ALSACE
- ○ VICTOR-HUGO - J. JAURES
- ○ ▽ ARISTIDE BRIAND - TREZEL
- ○ △ JEAN JAURES - TREZEL
- ○ MARJOLIN
- ○ △ PRESIDENT WILSON
- LOUIS ROUQUIER
- ● **LEVALLOIS - MAIRIE**

## 95 ZONES ▽

### PARIS — 1

- ● **GARE MONTPARNASSE**
- ○ PLACE DU 18 JUIN 1940
- ○ RENNES - LITTRE
- ○ RENNES - SAINT-PLACIDE
- ○ RENNES - D'ASSAS
- ○ CROIX ROUGE
- ● **SAINT-GERMAIN-DES-PRES**
- ○ JACOB
- ○ △ PONT DU CARROUSEL
- QUAI VOLTAIRE
- ○ MUSEE DU LOUVRE
- ● **PALAIS ROYAL (THEATRE FRANÇAIS)**
- ○ PYRAMIDES
- ○ ▽ PETITS CHAMPS - D. CASANOVA
- ● **OPERA 4 SEPTEMBRE**
- ● **OPERA**
- ○ AUBER **R.E.R.**
- ○ HAVRE - HAUSSMANN
- ● **GARE SAINT LAZARE**
- ○ ▽ EUROPE
- ○ △ GARE ST-LAZARE - BUDAPEST
- ○ ▽ BUCAREST
- ○ △ LIEGE
- ○ PLACE DE CLICHY
- ○ CLICHY - CAULAINCOURT
- ● **DAMREMONT - CAULAINCOURT**
- ○ HOPITAL BRETONNEAU
- ○ ▽ DAMREMONT - LAMARCK
- ○ △ DAMREMONT - MARCADET
- ○ DAMREMONT - ORDENER
- ○ DAMREMONT - CHAMPIONNET
- ● **PORTE DE MONTMARTRE**

## 96

ZONES ▽

### PARIS — Zone 1

| | |  |
|---|---|---|
| ● | | **GARE MONTPARNASSE - SNCF** |
| ○ | | PLACE DU 18 JUIN 1940 |
| ○ | | RENNES - LITTRE |
| ○ | | RENNES - SAINT-PLACIDE |
| ○ | | RENNES - D'ASSAS |
| ○ | | CROIX ROUGE |
| ● | ▽ | **BONAPARTE - SAINT-GERMAIN** |
| ● | △ | **EGLISE SAINT-SULPICE** |
| ○ | ▽ | SEINE - BUCI |
| ○ | | SAINT-GERMAIN - ODEON |
| ● | ▽ | **SAINT-MICHEL - SAINT-GERMAIN** |
| ● | △ | **SAINT-MICHEL** |
| ○ | | CITE - PALAIS DE JUSTICE |
| ○ | | CHATELET |
| ● | | **HOTEL DE VILLE** |
| ○ | ▽ | R. DU PONT LOUIS PHILIPPE |
| ○ | △ | RUE VIEILLE DU TEMPLE MAIRIE DU IV$^{e}$ |
| ○ | | SAINT-PAUL |
| ● | | **TURENNE - FRANCS-BOURGEOIS** |
| ○ | | SAINT-CLAUDE |
| ○ | | BRETAGNE |
| ○ | | OBERKAMPF - FILLES DU CALVAIRE |
| ○ | | OBERKAMPF - RICHARD LENOIR |
| ● | | **PARMENTIER - REPUBLIQUE** |
| ○ | | SAINT-MAUR - JEAN AICARD |
| ○ | | BELLEVILLE - MENILMONTANT |
| ○ | | JULIEN LACROIX |
| ○ | | HENRI CHEVREAU |
| ● | | **PYRENEES - MENILMONTANT** |
| ○ | | MENILMONTANT - PELLEPORT |
| ○ | | SAINT-FARGEAU |
| ○ | | PISCINE DES TOURELLES |
| ● | | **PORTE DES LILAS** |

## 101

ZONES ▽

### PARIS — Zone 1

| | |  |
|---|---|---|
| ● | | **PLACE GAMBETTA - MAIRIE DU XX$^{e}$** |
| ○ | △ | MAIRIE DU XX$^{e}$ - HOPITAL TENON |
| ○ | | PELLEPORT |
| ○ | | PORTE DE BAGNOLET |
| ○ | ▽ | ECHANGEUR DE BAGNOLET |

### BAGNOLET — Zone 2

| | |  | |  |
|---|---|---|---|---|
| ○ | | REPUBLIQUE - GALLIENI | | |
| ○ | | AVENUE GALLIENI Ⓜ | | |
| ○ | △ | CENTRE DE SANTE | | |
| ○ | △ | LA POSTE | | |
| ● | | **M. DE BAGNOLET** | | **M. DE BAGNOLET *** |
| ○ | ▽ | EGLISE | | EGLISE |
| ○ | △ | MARIE ANNE COLOMBIER | | P. CURIE - LENINE |
| | | | | MALASSIS |
| ○ | | R. ALAZARD | ▽ | MALASSIS |
| ○ | | R. DE PANTIN | | P. CURIE |
| ○ | | CIMETIERE | △ | RD LEFEVRE STALINGRAD |
| | | | | CIMETIERE |
| ● | | **LES LILAS FLOREAL (DEPOT)** | | |
| ○ | ▽ | JEANNE HORNET | | |

### ROMAINVILLE — Zone 3

| |  |
|---|---|
| ○ | LES NOYERS |
| ○ | GABRIEL HUSSON |
| ● | **ROMAINVILLE - PLACE CARNOT** |

### NOISY

| |  |
|---|---|
| ○ | RUE DU PARC |
| ○ | JURA |
| ● | **NOISY-LE-SEC - RUE DU PARC PAUL VAILLANT COUTURIER** |

### ROMAINVILLE

| |  |
|---|---|
| ○ | PAUL DE KOCK |
| ○ | LOUISE DORY |

### PANTIN

| |  |
|---|---|
| ● | **PANTIN - RAYMOND QUENEAU** Ⓜ |

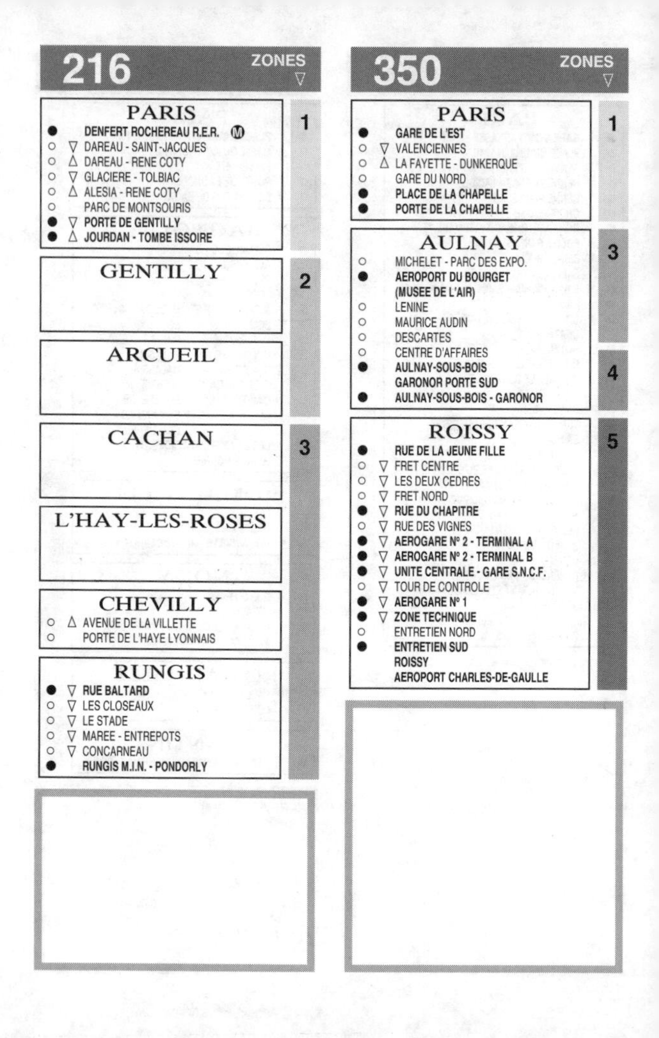

216
ZONES
PARIS
1
DENFERT ROCHEREAU R.E.R.
DAREAU - SAINT-JACQUES
DAREAU - RENE COTY
GLACIERE - TOLBIAC
ALESIA - RENE COTY
PARC DE MONTSOURIS
PORTE DE GENTILLY
JOURDAN - TOMBE ISSOIRE
GENTILLY
2
ARCUEIL
CACHAN
3
L'HAY-LES-ROSES
CHEVILLY
AVENUE DE LA VILLETTE
PORTE DE L'HAYE LYONNAIS
RUNGIS
RUE BALTARD
LES CLOSEAUX
LE STADE
MAREE - ENTREPOTS
CONCARNEAU
RUNGIS M.I.N. - PONDORLY
350
ZONES
PARIS
1
GARE DE L'EST
VALENCIENNES
LA FAYETTE - DUNKERQUE
GARE DU NORD
PLACE DE LA CHAPELLE
PORTE DE LA CHAPELLE
AULNAY
3
MICHELET - PARC DES EXPO.
AEROPORT DU BOURGET
(MUSEE DE L'AIR)
LENINE
MAURICE AUDIN
DESCARTES
CENTRE D'AFFAIRES
AULNAY-SOUS-BOIS
4
GARONOR PORTE SUD
AULNAY-SOUS-BOIS - GARONOR
ROISSY
5
RUE DE LA JEUNE FILLE
FRET CENTRE
LES DEUX CEDRES
FRET NORD
RUE DU CHAPITRE
RUE DES VIGNES
AEROGARE Nº 2 - TERMINAL A
AEROGARE Nº 2 - TERMINAL B
UNITE CENTRALE - GARE S.N.C.F.
TOUR DE CONTROLE
AEROGARE Nº 1
ZONE TECHNIQUE
ENTRETIEN NORD
ENTRETIEN SUD
ROISSY
AEROPORT CHARLES-DE-GAULLE

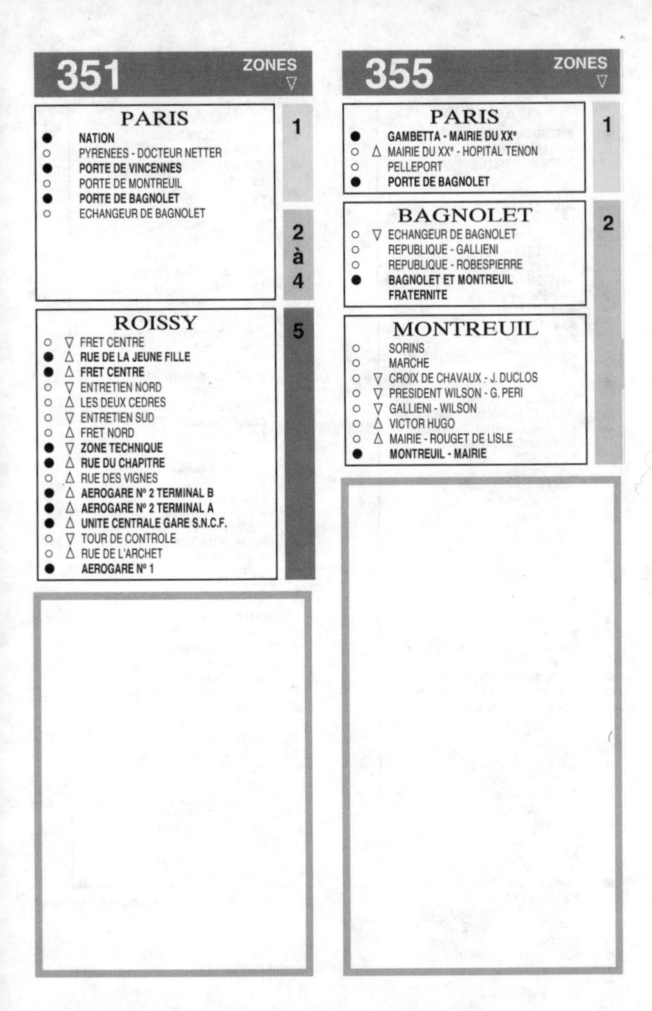

## 351

ZONES ▽

### PARIS — Zone 1

- ● **NATION**
- ○ PYRENEES - DOCTEUR NETTER
- ● **PORTE DE VINCENNES**
- ○ PORTE DE MONTREUIL
- ● **PORTE DE BAGNOLET**
- ○ ECHANGEUR DE BAGNOLET

Zones 2 à 4

### ROISSY — Zone 5

- ○ ▽ FRET CENTRE
- ● △ **RUE DE LA JEUNE FILLE**
- ● △ **FRET CENTRE**
- ○ ▽ ENTRETIEN NORD
- ○ △ LES DEUX CEDRES
- ○ ▽ ENTRETIEN SUD
- ○ △ FRET NORD
- ● ▽ **ZONE TECHNIQUE**
- ● △ **RUE DU CHAPITRE**
- ○ △ RUE DES VIGNES
- ● △ **AEROGARE N° 2 TERMINAL B**
- ● △ **AEROGARE N° 2 TERMINAL A**
- ● △ **UNITE CENTRALE GARE S.N.C.F.**
- ○ ▽ TOUR DE CONTROLE
- ○ △ RUE DE L'ARCHET
- ● **AEROGARE N° 1**

## 355

ZONES ▽

### PARIS — Zone 1

- ● **GAMBETTA - MAIRIE DU XX^e^**
- ○ △ MAIRIE DU XX^e^ - HOPITAL TENON
- ○ PELLEPORT
- ● **PORTE DE BAGNOLET**

### BAGNOLET — Zone 2

- ○ ▽ ECHANGEUR DE BAGNOLET
- ○ REPUBLIQUE - GALLIENI
- ○ REPUBLIQUE - ROBESPIERRE
- ● **BAGNOLET ET MONTREUIL FRATERNITE**

### MONTREUIL

- ○ SORINS
- ○ MARCHE
- ○ ▽ CROIX DE CHAVAUX - J. DUCLOS
- ○ ▽ PRESIDENT WILSON - G. PERI
- ○ ▽ GALLIENI - WILSON
- ○ △ VICTOR HUGO
- ○ △ MAIRIE - ROUGET DE LISLE
- ● **MONTREUIL - MAIRIE**

## PC SUD/NORD

ZONES ▽

| | | PARIS | 1 |
|---|---|---|---|
| ● | | **PORTE D'ORLEANS** | |
| ○ | | ACHILLE LUCHAIRE | |
| ○ | | PORTE DE CHATILLON | |
| ○ | | PORTE DIDOT | |
| ○ | | COL. MONTEIL | |
| ● | | **PORTE DE VANVES** | |
| ○ | | PORTE BRANCION | |
| ○ | | PORTE DE PLAISANCE | |
| ○ | | PORTE DE LA PLAINE | |
| ● | △ | **PORTE DE VERSAILLES BD LEFEBVRE** | |
| ● | ▽ | **PORTE DE VERSAILLES** | |
| ● | △ | **PORTE DE VERSAILLES BD VICTOR** | |
| ○ | | PORTE D'ISSY | |
| ○ | | PLACE BALARD | |
| ○ | | BASSIN D'ESSAI | |
| ● | | **VICTOR - PONT DU GARIBALDI** | |
| ○ | | VERSAILLES - EXELMANS | |
| ○ | | VERSAILLES - CHARDON-LAGACHE | |
| ○ | ▽ | PTE SAINT-CLOUD - MICHEL ANGE | |
| ○ | | PORTE SAINT-CLOUD - MURAT | |
| ○ | △ | PORTE SAINT-CLOUD GARE D'AUTOBUS | |
| ○ | | LYCEE CLAUDE BERNARD | |
| ○ | | PORTE MOLITOR | |
| ● | | **PORTE D'AUTEUIL** | |
| ○ | | ALFRED CAPUS | |
| ○ | | RAFFET | |
| ● | | **PORTE DE PASSY** | |
| ○ | | ERNEST HEBERT | |
| ○ | | PORTE DE LA MUETTE | |
| ○ | | DUFRENOY | |
| ● | | **LONGCHAMP** | |
| ○ | | PORTE DAUPHINE MARECHAL DE LATTRE DE TASSIGNY | |
| ○ | | MARBEAU | |
| ● | | **PORTE MAILLOT - MALAKOFF** | |
| ● | | **PTE MAILLOT - PALAIS DES CONGRES** | |
| ○ | | PLACE DU GENERAL KOENIG PALAIS DES CONGRES | |
| ○ | | ALFRED CAPUS | |
| ○ | | PORTE DE VILLIERS | |
| ● | | **PORTE DE CHAMPERRET** | |
| ○ | | PORTE DE COURCELLES | |
| ○ | | GOURGAUD - P. ADAM | |
| ○ | | PORTE D'ASNIERES | |
| ● | | **PORTE DE CLICHY** | |
| ○ | | LYCEE HONORE DE BALZAC | |
| ○ | | PORTE POUCHET | |
| ○ | | LOUIS LOUCHEUR | |
| ● | | **PORTE DE SAINT-OUEN HOPITAL BICHAT** | |
| ○ | | FACULTE XAVIER BICHAT | |
| ○ | | PORTE DE MONTMARTRE | |
| ○ | | C. FLAMMARION | |
| ● | | **PORTE DE CLIGNANCOURT** | |

## PC NORD/SUD

ZONES ▽

| | | PARIS | 1 |
|---|---|---|---|
| ● | | **PORTE DE CLIGNANCOURT** | |
| ○ | | PORTE DES POISSONNIERS | |
| ● | | **PORTE DE LA CHAPELLE** | |
| ○ | | EMILE BERTIN | |
| ○ | | PORTE D'AUBERVILLIERS | |
| ○ | | ENTREPOT MAC DONALD | |
| ○ | | BOULEVARD MAC DONALD | |
| ● | | **PORTE DE LA VILLETTE C. CARIOU** | |
| ● | | **PORTE DE LA VILLETTE** | |
| ○ | | LA CLOTURE | |
| ○ | | PORTE DE PANTIN | |
| ○ | △ | MARSEILLAISE - CHEMINETS | |
| ● | | **PORTE CHAUMONT** | |
| ○ | | PORTE BRUNET | |
| ○ | | MOUZAIA | |
| ○ | | PORTE DU PRE SAINT-GERVAIS | |
| ○ | | HOPITAL R. DEBRE | |
| ● | | **PORTE DES LILAS** | |
| ○ | | CASERNE MORTIER | |
| ○ | | PORTE DE MENILMONTANT | |
| ○ | | CAPITAINE FERBER | |
| ● | | **PORTE DE BAGNOLET** | |
| ○ | | VITRUVE | |
| ○ | | SAINT-BLAISE | |
| ○ | | PORTE DE MONTREUIL | |
| ○ | | PAGANINI | |
| ● | | **PORTE DE VINCENNES** | |
| ○ | | PORTE DE SAINT-MANDE | |
| ○ | | SAHEL | |
| ○ | | NOUVELLE CALEDONIE | |
| ○ | | PORTE DOREE (PARC ZOOLOGIQUE) | |
| ○ | | CLAUDE DECAEN | |
| ● | | **PORTE DE CHARENTON** | |
| ○ | △ | BERCY PONIATOWSKI | |
| ○ | | PT NATIONAL - QUAI DE BERCY | |
| ○ | | PORTE DE LA GARE | |
| ○ | | BOULEVARD MASSENA **S.N.C.F.** | |
| ● | | **PORTE DE VITRY** | |
| ○ | | CHATEAU DES RENTIERS | |
| ○ | | PORTE D'IVRY | |
| ○ | | PORTE DE CHOISY | |
| ● | | **PORTE D'ITALIE** | |
| ○ | | DAMESME | |
| ○ | | POTERNE DES PEUPLIERS | |
| ○ | | PORTE DE GENTILLY | |
| ● | | **CITE UNIVERSITAIRE R.E.R** | |
| ○ | | PORTE D'ARCUEIL | |
| ○ | | JOURDAN - TOMBE ISSOIRE | |
| ● | | **PORTE D'ORLEANS** | |

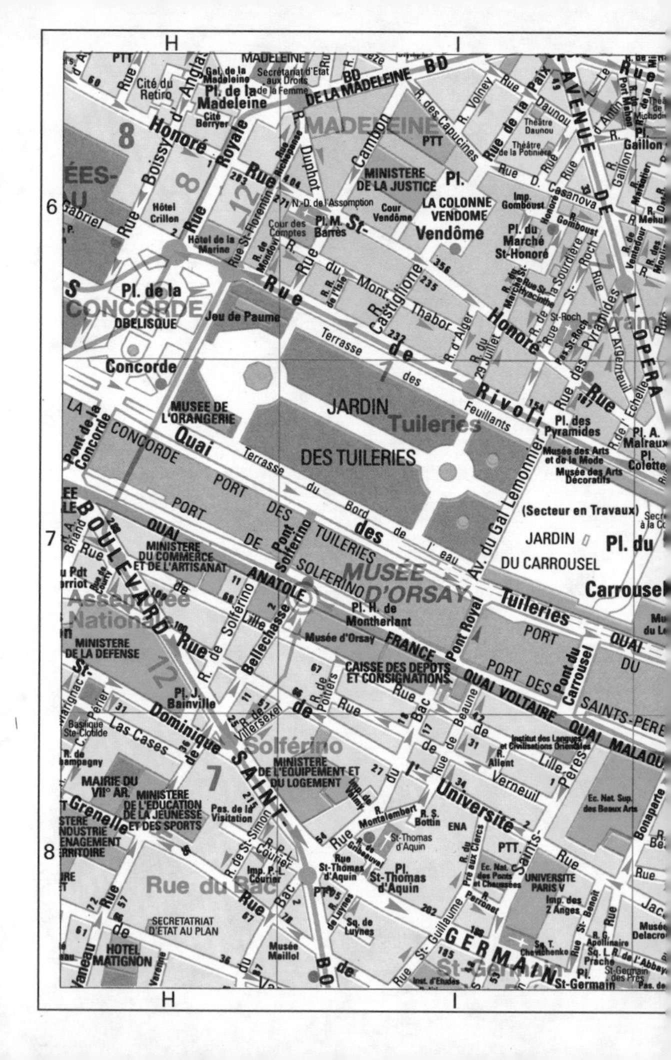
H
I
6
7
8
MADELEINE
Gal. de la Madeleine
Secrétariat d'Etat aux Droits de la Femme
Pl. de la Madeleine
Cité du Retiro
Cité Berryer
DE LA MADELEINE BD
MADELEINE
R. des Capucines
R. Volney
Rue de la Paix
Daunou
Théâtre Daunou
Théâtre de la Potinière
AVENUE DE L'OPERA
Pl. Gaillon
Honoré
Boissy d'Anglas
Rue Royale
Rue Richepanse
Duphot
Cambon
PTT
MINISTERE DE LA JUSTICE
Pl.
Rue D. Casanova
Imp. Gomboust
R. Gomboust
Gaillon
Hôtel Crillon
Gabriel
Rue St-Florentin
N.-D. de l'Assomption
Cour des Comptes
Pl. M. Barrès
Cour Vendôme
LA COLONNE VENDOME
Vendôme
Pl. du Marché St-Honoré
Hôtel de la Marine
R. de Mondovi
Rue du Mont Thabor
R. de l'Isle
R. Castiglione
Rue St-Hyacinthe
Rue de la Sourdière
St-Roch
Pas. St-Roch
Pyramides
R. d'Argenteuil
Pl. de la CONCORDE
OBELISQUE
Jeu de Paume
Terrasse des Feuillants
R. d'Alger
R. du 29 Juillet
Honoré
Rue de Rivoli
Concorde
MUSEE DE L'ORANGERIE
JARDIN DES TUILERIES
Tuileries
Rue des Pyramides
Pl. des Pyramides
R. de l'Echelle
Pl. A. Malraux
Pl. Colette
Musée des Arts et de la Mode
Musée des Arts Décoratifs
Pont de la Concorde
LA CONCORDE
Quai
Terrasse du Bord de l'eau
PORT DE LA CONCORDE
PORT DES TUILERIES
Av. du Gal Lemonnier
(Secteur en Travaux)
JARDIN DU CARROUSEL
Pl. du Carrousel
BOULEVARD SAINT-GERMAIN
QUAI ANATOLE FRANCE
MINISTERE DU COMMERCE ET DE L'ARTISANAT
PORT DE SOLFERINO
Pont Solferino
MUSÉE D'ORSAY
Tuileries
Rue de Lille
Solférino
Bellechasse
Pl. H. de Montherlant
Assemblée Nationale
MINISTERE DE LA DEFENSE
Musée d'Orsay
Pont Royal
PORT DES SAINTS-PERES
Pont du Carrousel
QUAI VOLTAIRE
QUAI MALAQUAIS
CAISSE DES DEPOTS ET CONSIGNATIONS
R. de Poitiers
Rue du Bac
Rue de Beaune
Pl. J. Bainville
Rue St-Dominique
R. de Villersexel
Rue de l'Université
Basilique Ste-Clotilde
Las Cases
Institut des Langues et Civilisations Orientales
R. Allent
Saints-Pères
Rue de Verneuil
Solférino
MINISTERE DE L'EQUIPEMENT ET DU LOGEMENT
Imp. de Valmy
MAIRIE DU VIIe AR.
MINISTERE DE L'EDUCATION DE LA JEUNESSE ET DES SPORTS
7
Grenelle
Pas. de la Visitation
R. Montalembert
R. S. Bottin
ENA
Ec. Nat. Sup. des Beaux Arts
Bonaparte
St-Thomas d'Aquin
Rue St-Thomas d'Aquin
Pl. St-Thomas d'Aquin
Rue de Gribeauval
R. de St-Simon
R. P.-L. Courier
Imp. P.-L. Courier
R. du Pré aux Clercs
PTT
Ec. Nat. des Ponts et Chaussées
UNIVERSITE PARIS V
Imp. des 2 Anges
R. Perronet
Rue du Bac
Rue du Bac
R. de Luynes
Sq. de Luynes
SECRETATRIAT D'ÉTAT AU PLAN
HOTEL MATIGNON
Varenne
Musée Maillol
BD
Rue St-Guillaume
GERMAIN
St-Germain
Sq. T. Chevtchenko
R. G. Apollinaire
Sq. L. Prache
R. de l'Abbaye
Pl. St-Germain
St-Germain des Prés
Musée Delacroix
Inst. d'Etudes
H
I

1
J
K
1er ARRONDISSEMENT
Parc de stationnement
Sens unique
RER
METRO
St.
Cor.
St.
Cor.
Term.
0
100
200
300
400 m
6
7
8
Pl. de la Bourse
Bourse des Valeurs
BIBLIOTHEQUE NATIONALE
MAIRIE DU IIe AR.
Pl. des Victoires
Jardin du Palais Royal
Banque de France
Musée B. Christofle
Rue Montmartre
Rue du Louvre
Hôtel des Postes
Rue Etienne Marcel
Rue Montorgueil
ST. EUSTACHE
Bourse de Commerce
Pl. R. Cassin
FORUM DES HALLES
Rue St-Honoré
Rue Rambuteau
Bd de Sébastopol
CENTRE NAT. D'ART ET DE C. G. POMPIDOU
Pl. Georges Pompidou
PALAIS DU LOUVRE
MAIRIE DU Ier AR.
St-Germain l'Auxerrois
Jardin de l'Infante
Rue de Rivoli
Pl. du Louvre
Pl. de l'Ecole
Pont-Neuf
Sq. du Vert Galant
QUAI DE LA MEGISSERIE
Pl. du Châtelet
Théâtre de la Ville
TOUR ST-JACQUES
Sq. de la Tour St-Jacques
Av. Victoria
Pl. de l'Hôtel-de-Ville
QUAI DE GESVRES
ASSIST. PUBLIQUE
CONCIERGERIE
ILE DE LA CITE
PALAIS DE JUSTICE
STE-CHAPELLE
TRIBUNAL DE COMMERCE
PREFECTURE DE POLICE
HOTEL DIEU
QUAI DE LA CORSE
QUAI DE L'HORLOGE
QUAI DES ORFEVRES
QUAI DES GDS AUGUSTINS
QUAI DE CONTI
Pl. de l'Institut
Institut de France
HOTEL DES MONNAIES
Pl. Dauphine
Pont au Change
Pont Notre-Dame
Pont d'Arcole
Bd du Palais
Ligne C
CHÂTELET
LES HALLES
BEAUBOURG
SEBASTOPOL

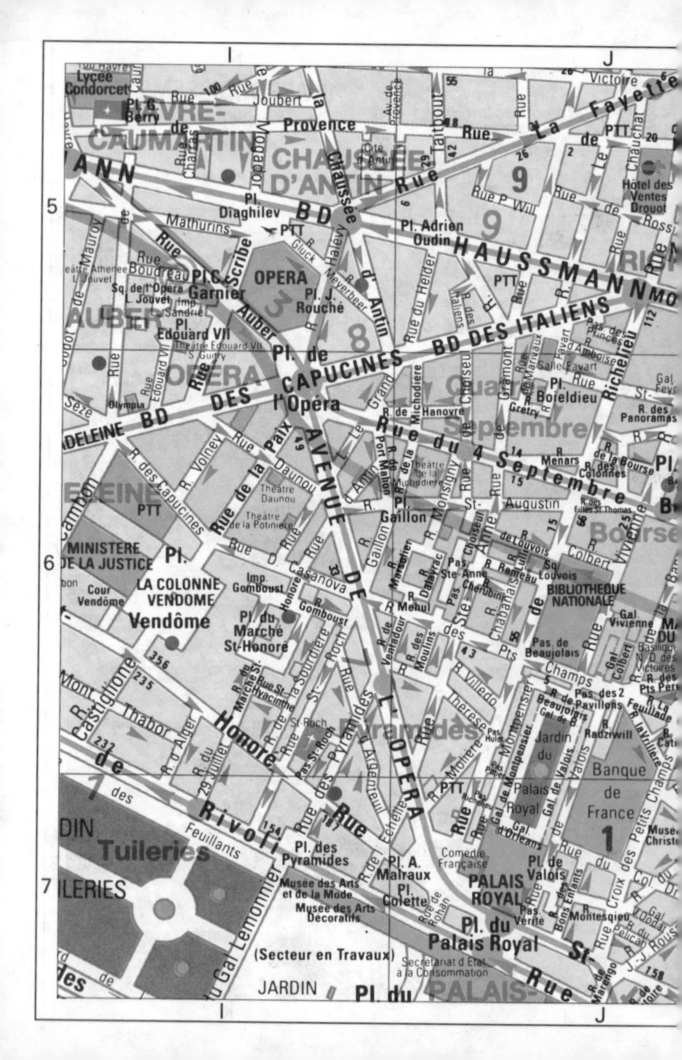
I
J
5
6
7
Lycée Condorcet
Pl. G. Berry
HAVRE-CAUMARTIN
Rue de Provence
Joubert
Mogador
Rue Charras
CHAUSSÉE D'ANTIN
Cité d'Antin
Av. de Provence
Taitbout
Victoire
Rue La Fayette
PTT
Chauchat
Hôtel des Ventes Drouot
Rue P. Will
Rue de Rossini
Pl. Diaghilev
BD HAUSSMANN
Mathurins
Pl. Adrien Oudin
Rue Scribe
Gluck
Halévy
OPERA
Pl. J. Rouché
Meyerbeer
Rue du Helder
Théâtre Athenée L. Jouvet
Rue Boudreau
Pl. C. Garnier
Sq. de l'Opéra L. Jouvet
Imp. Sandrié
Pl. Edouard VII
Théâtre Edouard VII S. Guitry
AUBER
Rue Auber
BD DES ITALIENS
Pas. des Princes
R. d'Amboise
Salle Favart
Pl. Boieldieu
Richelieu
R. des Panoramas
Pl. de l'Opéra
BD DES CAPUCINES
Olympia
MADELEINE
Rue Edouard VII
Rue de Sèze
R. de Hanovre
Rue de Gramont
Gretry
Quatre Septembre
Rue du 4 Septembre
R. Ménars
R. de la Bourse
R. des Colonnes
R. des Filles St Thomas
R. des Capucines
R. Volney
Rue de la Paix
Rue Daunou
Théâtre Daunou
Théâtre de la Potinière
AVENUE DE L'OPERA
Théâtre de la Michodière
R. de Port Mahon
Pl. Gaillon
Monsigny
Rue St-Augustin
Cambon
PTT
MINISTERE DE LA JUSTICE
Pl.
LA COLONNE VENDOME
Cour Vendôme
Vendôme
Rue D. Casanova
Imp. Gomboust
R. Gomboust
Pl. du Marché St-Honoré
R. Méhul
R. Rameau
Sq. Louvois
BIBLIOTHEQUE NATIONALE
R. de Louvois
Colbert
Vivienne
Bourse
Gal. Vivienne
Pas. Ste-Anne
Pas. Chérubini
Rue Ste-Anne
R. Chabanais
Dalayrac
Marsollier
R. de Ventadour
R. des Moulins
des Pts Champs
Pas. de Beaujolais
Gal. Colbert
Basilique N. D. des Victoires
Castiglione
Mont Thabor
Rue St-Honoré
R. du Marché St-Honoré
Rue St-Hyacinthe
Rue de la Sourdière
Rue St-Roch
St-Roch
Pas. St-Roch
Pyramides
R. d'Alger
R. du 29 Juillet
R. Villedo
Thérèse
Pas. Hulot
R. Molière
Montpensier
Gal. de Montpensier
Jardin du Palais Royal
Gal. de Valois
Valois
R. de Beaujolais
Gal. de B.
Pas. des 2 Pavillons
R. Radziwill
R. La Feuillade
R. la Vrillière
Banque de France
Petits Champs
Rue des Pyramides
Rue d'Argenteuil
R. de l'Echelle
PTT
Pas. Richelieu
Gal. d'Orléans
Rue de Rivoli
des Feuillants
JARDIN Tuileries
TUILERIES
Pl. des Pyramides
Pl. A. Malraux
Pl. Colette
Comédie Française
PALAIS ROYAL
Pl. de Valois
Rue des Bons Enfants
Croix des Petits Champs
R. Montesquieu
Pas. Vérité
Rue de Rohan
Musée des Arts et de la Mode
Musée des Arts Décoratifs
Pl. du Palais Royal
Gal. Véro-Dodat
Rue J.-J. Rousseau
R. du Pélican
Musée Christofle
Rue du Gal Lemonnier
(Secteur en Travaux)
Secrétariat d'Etat à la Consommation
JARDIN
Pl. du
PALAIS-
R. de Marengo
Rue St-

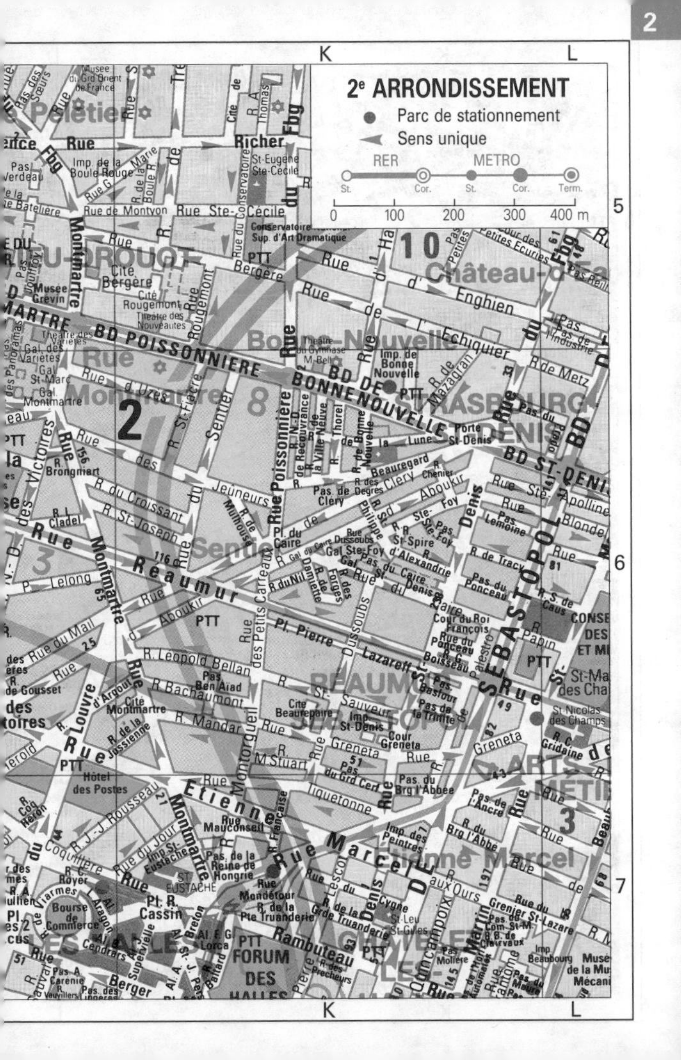
2e ARRONDISSEMENT
Parc de stationnement
Sens unique
RER
METRO
St.
Cor.
St.
Cor.
Term.
0
100
200
300
400 m
K
L
5
6
7
Musée du Grd Orient de France
Rue Richer
Cité de Trévise
R. A. Thomas
Imp. de la Boule Rouge
R. de la Boule R.
St-Eugène Ste-Cécile
Rue de Montyon
Rue Ste-Cécile
Rue du Conservatoire
Conservatoire Nat. Sup. d'Art Dramatique
Rue Bergère
Cité Bergère
Cité Rougemont
Rue Rougemont
Musée Grevin
Théâtre des Nouveautés
Théâtre des Variétés
BD POISSONNIERE
BD DE BONNE NOUVELLE
Bonne-Nouvelle
Théâtre du Gymnase M. Bell
Imp. de Bonne Nouvelle
Rue d'Enghien
Rue de l'Echiquier
Château-d'Eau
R. de Mazagran
Rue de Metz
Pas. du Désir
Porte St-Denis
BD ST-DENIS
BD DE STRASBOURG
Gal. des Variétés
Gal. St-Marc
Gal. Montmartre
Rue d'Uzès
Rue Montmartre
2
8
10
3
R. St-Fiacre
Rue du Sentier
Rue Poissonnière
R. N.-D. de Recouvrance
R. de la Ville Neuve
R. Thorel
R. de Bonne Nouvelle
Rue de la Lune
Rue Beauregard
R. Chénier
Rue des Jeûneurs
R. Brongniart
R. du Croissant
R. St-Joseph
R. de Mulhouse
Rue de Cléry
Pas. de Cléry
R. des Degrés
Rue d'Aboukir
Rue Ste-Foy
Pas. Ste-Foy
R. St-Spire
R. d'Alexandrie
Pl. du Caire
Gal du Caire
Rue Dussoubs
Gal Ste-Foy
Pas. du Caire
Rue Ste-Apolline
Rue Blondel
Pas. Lemoine
R. de Tracy
Pas. du Ponceau
R. S. de Caus
Rue de Réaumur
R. du Nil
R. de Damiette
R. des Forges
Rue des Petits Carreaux
Pl. Pierre Lazareff
Cour du Roi François
Rue du Ponceau
R. G. Boisseau
Pas. Basfour
Pas. de la Trinité
Rue Palestro
BD DE SEBASTOPOL
R. Papin
PTT
St-Martin des Champs
St-Nicolas des Champs
CONSERVATOIRE DES ARTS ET MÉTIERS
R. Cladel
P. Lelong
Rue du Mail
R. Léopold Bellan
Pas. Ben Aïad
R. Bachaumont
Rue Louvre
R. d'Argout
Cité Montmartre
R. de la Jussienne
R. Mandar
Rue Montorgueil
Rue St-Sauveur
Cité Beaurepaire
Imp. St-Denis
Cour Greneta
Rue Greneta
Rue Dussoubs
R. M. Stuart
Pas. du Grd Cerf
Pas. du Brg l'Abbée
Rue Tiquetonne
Pas. de l'Ancre
R. du Brg l'Abbé
R. C. Gridaine
Hôtel des Postes
Rue Etienne Marcel
Rue Mauconseil
R. Française
Imp. des Peintres
R. J.-J. Rousseau
Rue du Jour
Imp. St-Eustache
Rue Coquillière
Pas. de la Reine de Hongrie
Rue Mondétour
R. de la Pte Truanderie
R. de la Grde Truanderie
Rue du Cygne
St-Leu St-Gilles
Rue aux Ours
Rue Quincampoix
Rue St-Martin
Rue du Grenier St-Lazare
Pas. du Com. St-M.
R. B. de Clairvaux
Imp. Beaubourg
Musée de la Musique Mécanique
R. C. Royer
R. A. Jullien
Pl. des 2 Ecus
Bourse de Commerce
R. de Viarmes
Al. Aragon
ST EUSTACHE
Pl. R. Cassin
Al. F. G. Lorca
FORUM DES HALLES
Rue Rambuteau
R. des Prêcheurs
Pierre Lescot
Pas. Molière
LES HALLES
CHÂTELET-LES-HALLES
R. Sauval
Pas. A. Carenie
R. Vauvillers
Pas. des Lingères
Rue Berger
R. Cog Héron
Al. Cendrars
Supervielle
R. Baltard
Al. A. Breton
Sentier
Réaumur-Sébastopol
Arts et Métiers
Etienne Marcel
Strasbourg-St-Denis

K L

6

7

8

St-DENIS
Porte St-Martin
STRASBOURG-ST-DENIS
Boulangers
SAINT-
Rue Ste-Apolline
Rue Blondel
Imp. de la Planchette
Pas. des Orgues
Pas. du Pont aux Biches
Notre-Dame
Jeuneurs
R. de Mulhouse
Pas. de Cléry
R. des Degrés
Cléry
Aboukir
R. Chénier
R. Beauregard
Pl. du Caire
Rue Dussoubs
Gal Ste-Foy
R. Ste-Foy
R. St-Spire
Pas. Ste-Foy
d'Alexandrie
Pas. du Caire
R. du Caire
Rue St-Denis
Pas. Lemoine
R. de Tracy
Pas. du Ponceau
R. S. de Caus
Sentier
R. du Nil
R. de Damiette
R. des Forges
Rue des Petits Carreaux
PTT
Pl. Pierre Lazareff
Cour du Roi François
Rue du Ponceau
R. G. Boisseau
Palestro
SÉBASTOPOL
R. Papin
PTT
CONSERVATOIRE DES ARTS ET METIERS
St-Martin des Champs
St-Nicolas des Champs
Rue Vaucanson
R. Conté
R. Montgolfier
Volta
Théâtre du Marais
Lycée Turgot
R. Borda
Vertbois
R. Font. du Temple
Bd Bellan
Pas. Ben Aïad
Réaumur
Cité Beaurepaire
R. St-Sauveur
Imp. St-Denis
Pas. Basfour
Pas. de la Trinité
Cour Greneta
Rue Greneta
RÉAUMUR-SÉBASTOPOL
Mandar
Rue Montorgueil
R. M. Stuart
Pas. du Grd Cerf
Pas. du Brg l'Abbé
ARTS ET MÉTIERS
R. C. Gridaine
R. Bailly
Rue de Réaumur
Rue au Maire
Rue des Vertus
Tiquetonne
Étienne Marcel
Rue Mauconseil
Pas. de l'Ancre
R. du Brg l'Abbé
Imp. des Peintres
Rue Beaubourg
Pas. Barrois
Pas. Alombert
Cour de Rome
Rue des Gravilliers
Pas. des Gravilliers
R. Chapon
R. Française
Pas. de la Reine de Hongrie
Rue Mondétour
R. de la Pte Truanderie
R. de la Grde Truanderie
Rue Marcel
Rue Pierre Lescot
Rue du Cygne
St-Leu St-Gilles
Rue aux Ours
Rue Quincampoix
Rue St-Martin
Rue du Grenier St-Lazare
Pas. du Com. St-M.
R. B. de Clairvaux
Rue de Montmorency
R. M. Le Comte
Rue des Archives
3
PTT
Al. F. G. Lorca
PTT
FORUM DES HALLES
Rambuteau
R. des Prêcheurs
CHÂTELET-LES-HALLES
Pas. Molière
Pas. de l'Horloge à Automates
Rue Brantôme
Pas. du Maure
Pas. des Ménétriers
Imp. Beaubourg
Musée de la Musique Mécanique
Imp. Berthaud
R. des Haudriettes
Musée de la ... et de la ...
R. Baltard
R. de la Cossonnerie
R. de Venise
CENTRE NATIONAL D'ART ET DE CULTURE G. POMPIDOU
Cité Noël
Rue Rambuteau
R. de Braque
R. de la Lingerie
Pl. J. du Bellay
Rue Berger
R. des Innocents
R. de la Ferronnerie
R. de la Reynie
R. A. le Boucher
Pl. Georges Pompidou
Pl. E. Michelet
Pl. I. Stravinsky
G. l'Angevin
Pas. Ste-Avoie
R. S. Le Franc
ARCHIVES NATIONALES
Musée de l'Histoire de France
Hôtel de ...
Rue des Halles
R. des Déchargeurs
Rue Ste-Opportune
Rue de la Courtalon
Rue des Lombards
BD
Imp. St-Fiacre
R. du Cloître St-Merri
R. Brisemiche
R. P. au Lard
Imp. du Bœuf
Rue Renard
R. du Plâtre
R. des Pecquay
Rue des Blancs Manteaux
N.-D. des Blancs Manteaux
Sq. C. V. Langlois
Vieille
Rivoli
Pl. Ste-Opportune
R. N. Flamel
Pernelle
R. St-Bon
R. des Juges Consuls
Ste-Croix de la Bretonnerie
Sq. Ste-Croix de la Bretonnerie
R. Aubriot
R. des Guillemites
Pas. des Singes
Abbé Migne
R. du Marché des Blancs Manteaux
R. des Hospitalières St-Gervais
R. des Lavandières
R. Lentier
Av.
Pl. du Châtelet
Sq. de la Tour St-Jacques
TOUR ST-JACQUES
HÔTEL DE VILLE
Rue de la Verrerie
Rue de Moussy
Rue du Brg Tibourg
PTT
Rue des Rosiers
R. du Trésor
R. des Écouffes
Théâtre de la Ville
R. A. Adam
Victoria
R. de la Tacherie
R. de la Coutellerie
QUAI DE GESVRES
ASSIST. PUBLIQUE
Pl. de l'Hôtel-de-Ville
HOTEL-DE-VILLE
MAIRIE DE PARIS
Rue de Lobau
R. des Mauvais Garçons
Imp. de l'Hôtel d'Argenson
Pl. Baudoyer
MAIRIE DU IVe AR.
Pl. St-Gervais
R. Cloche Perce
R. du Roi de Sicile
Pont au Change
Pont Notre-Dame
QUAI DE
Pompidou
TRIBUNAL

K L

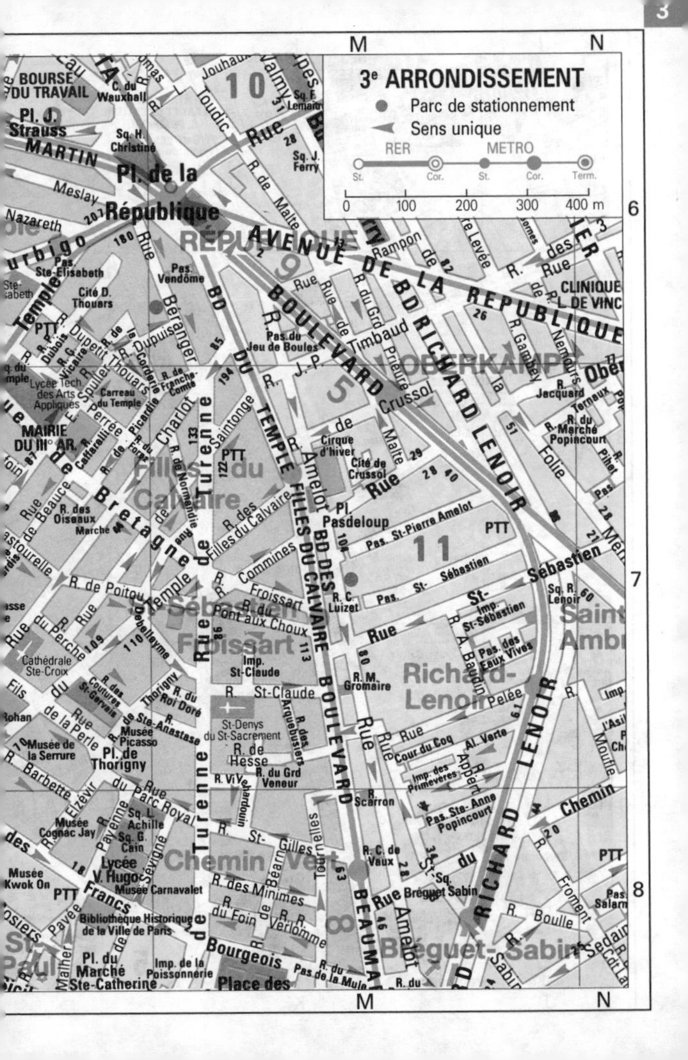
M
N
3e ARRONDISSEMENT
Parc de stationnement
Sens unique
RER
METRO
St.
Cor.
St.
Cor.
Term.
0
100
200
300
400 m
6
7
8
BOURSE DU TRAVAIL
C. du Wauxhall
Pl. J. Strauss
Sq. H. Christiné
MARTIN
Pl. de la République
Meslay
Nazareth
Toudic
Valmy
Sq. F. Lemaître
Sq. J. Ferry
R. de Malte
AVENUE DE LA RÉPUBLIQUE
Rampon
CLINIQUE L. DE VINCI
Temple
Pas. Ste-Elisabeth
Cité D. Thouars
Pas. Vendôme
Béranger
R. Dupuis
R. Dupetit Thouars
R. de la Corderie
R. de Franche-Comté
Lycée Tech. des Arts Appliqués
Carreau du Temple
R. Perrée
R. de Picardie
MAIRIE DU IIIe AR.
R. Caffarelli
R. du Forez
Charlot
R. de Normandie
Turenne
Saintonge
BD DU TEMPLE
BOULEVARD
BD RICHARD LENOIR
Pas. du Jeu de Boules
R. J.-P. Timbaud
R. du Grd Prieuré
OBERKAMPF
R. Gambey
R. de Nemours
R. Jacquard
R. Ternaux
R. du Marché Popincourt
Folie
R. Pihet
Crussol
Cirque d'hiver
Cité de Crussol
R. Amelot
Pl. Pasdeloup
Pas. St-Pierre Amelot
11
PTT
FILLES DU CALVAIRE
BD DES FILLES DU CALVAIRE
R. des Filles du Calvaire
Bretagne
R. des Oiseaux
Marché
R. de Beauce
R. de Poitou
Temple
Commines
Froissart
R. du Pont aux Choux
Pas. St-Sébastien
Sébastien
Sq. R. Lenoir
Rue St-Sébastien
Imp. St-Sébastien
R. C. Luizet
R. A. Baudin
Pas. des Eaux Vives
Richard-Lenoir
Pelée
Saint Ambr
St-Sébastien Froissart
Rue du Perche
Debelleyme
Imp. St-Claude
R. St-Claude
R. M. Gromaire
Cathédrale Ste-Croix
R. des Coutures St-Gervais
R. du Roi Doré
R. de Ste-Anastase
Musée Picasso
St-Denys du St-Sacrement
R. des Arquebusiers
R. de Hesse
R. du Grd Veneur
R. Vieille du Temple
Rue de la Perle
Musée de la Serrure
Pl. de Thorigny
R. Barbette
Rue du Parc Royal
R. Elzévir
Sq. L. Achille
Musée Cognacq Jay
Sq. G. Cain
Rue Payenne
Sévigné
Chemin Vert
Cour du Coq
Al. Verte
Imp. des Primevères
R. Appert
Pas. Ste-Anne Popincourt
R. Scarron
R. St-Gilles
R. C. de Vaux
Tournelles
BEAUMARCHAIS
R. Charlot
Lycée V. Hugo
Musée Carnavalet
Musée Kwok On
Francs Bourgeois
Bibliothèque Historique de la Ville de Paris
R. des Minimes
R. du Foin
R. de Béarn
R. Villehardouin
Verlomme
Bréguet-Sabin
Rue Bréguet Sabin
Sq.
Chemin
R. Froment
R. Boulle
Pas. Salarnier
Sedaine
Rue Pavée
Pl. du Marché Ste-Catherine
Imp. de la Poissonnerie
Place des
Pas de la Mule
R. du
St-Paul
Malher
Rosiers
Mouffle
Imp.
Rohan
Fils

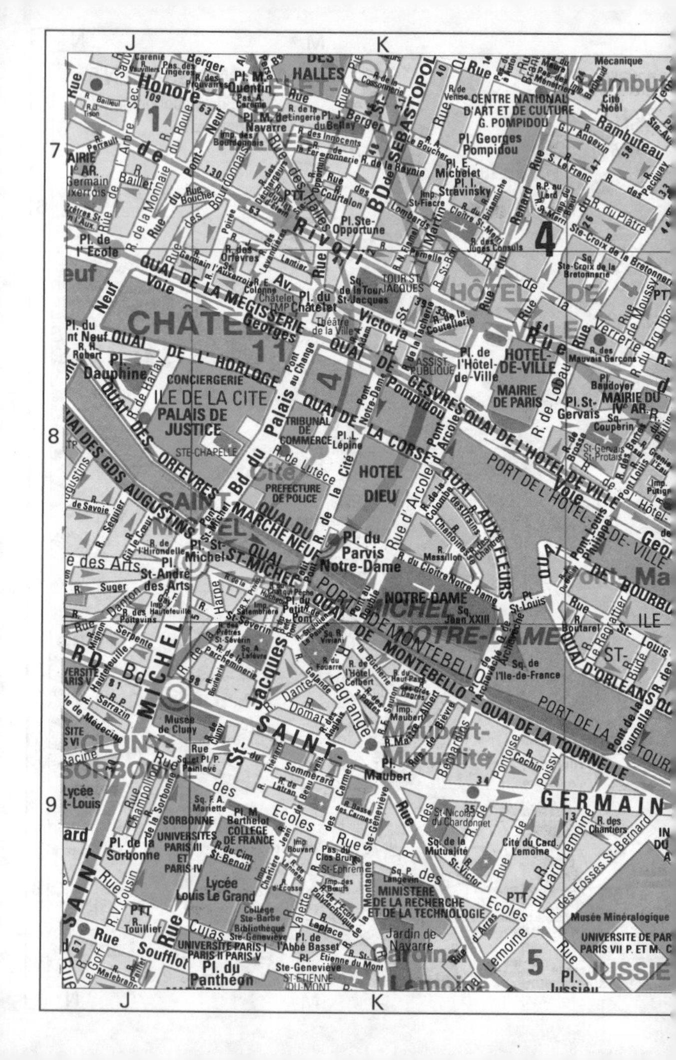

J
K
7
8
9
DES HALLES
Pl. M. Quentin
Pl. J. Berger
Imp. des Bourdonnais
R. des Innocents
R. de la Ferronnerie
R. de la Reynie
CENTRE NATIONAL D'ART ET DE CULTURE G. POMPIDOU
Pl. Georges Pompidou
Pl. E. Michelet
Pl. I. Stravinsky
Rambuteau
Cité Noël
Mécanique
BD de SEBASTOPOL
Rue Honoré
Rue de Rivoli
Pl. Ste-Opportune
Pl. de l'Ecole
Rue de la Monnaie
Rue du Pont-Neuf
R. des Orfèvres
QUAI DE LA MEGISSERIE
Av. Victoria
Pl. du Châtelet
Châtelet TMP
Théâtre de la Ville
Sq. de la Tour St-Jacques
TOUR ST-JACQUES
R. de la Coutellerie
HOTEL DE VILLE
Pl. de l'Hôtel-de-Ville
ASSIST. PUBLIQUE
MAIRIE DE PARIS
Pl. St-Gervais
MAIRIE DU IVe AR.
Sq. Couperin
Pl. Baudoyer
R. des Mauvais Garçons
Sq. Ste-Croix de la Bretonnerie
Ste-Croix de la Bretonnerie
R. du Plâtre
Pl. du Pont Neuf
Pl. Dauphine
QUAI DE L'HORLOGE
CONCIERGERIE
ILE DE LA CITE
PALAIS DE JUSTICE
STE-CHAPELLE
Bd du Palais
Pont au Change
QUAI DE GESVRES
Pont Notre-Dame
TRIBUNAL DE COMMERCE
Pl. L. Lépine
QUAI DE LA CORSE
QUAI DE L'HOTEL DE VILLE
PORT DE L'HOTEL-DE-VILLE
Pont d'Arcole
HOTEL DIEU
PREFECTURE DE POLICE
R. de Lutèce
QUAI AUX FLEURS
Rue d'Arcole
Pont Louis Philippe
QUAI DES ORFEVRES
QUAI DES GDS AUGUSTINS
QUAI DU MARCHE NEUF
Pont St-Michel
Pl. St-Michel
Pl. St-André des Arts
Pl. du Parvis Notre-Dame
NOTRE-DAME
Sq. Jean XXIII
R. du Cloître Notre-Dame
QUAI ST-MICHEL
PORT ST-MICHEL
QUAI DE MONTEBELLO
PORT DE MONTEBELLO
Pont au Double
Petit Pont
Sq. de l'Ile-de-France
QUAI DE BOURBON
QUAI D'ORLEANS
PORT DE LA TOURNELLE
QUAI DE LA TOURNELLE
Pont de la Tournelle
ILE ST-LOUIS
Pt St-Louis
R. St-Louis
Bd ST-MICHEL
Bd ST-GERMAIN
Rue St-Jacques
R. de la Harpe
Sq. R. Viviani
Pl. Maubert
Maubert-Mutualité
R. Lagrange
R. Dante
Musée de Cluny
CLUNY-SORBONNE
Sq. P. Painlevé
Rue des Ecoles
SORBONNE
UNIVERSITES PARIS III ET PARIS IV
Pl. de la Sorbonne
Pl. M. Berthelot
COLLEGE DE FRANCE
Lycée Louis Le Grand
Collège Ste-Barbe
Bibliothèque Ste-Geneviève
UNIVERSITE PARIS I
PARIS II PARIS V
Pl. du Panthéon
Rue Soufflot
Pl. de l'Abbé Basset
Pl. Ste-Geneviève
ST-ETIENNE-DU-MONT
Rue de la Montagne Ste-Geneviève
MINISTERE DE LA RECHERCHE ET DE LA TECHNOLOGIE
Jardin de Navarre
Sq. de la Mutualité
St-Nicolas du Chardonnet
Cité du Card. Lemoine
R. des Fossés St-Bernard
Musée Minéralogique
UNIVERSITE DE PARIS PARIS VII P. ET M. C.
Pl. Jussieu
Cardinal Lemoine
Lycée St-Louis
PTT
1
4
5
11

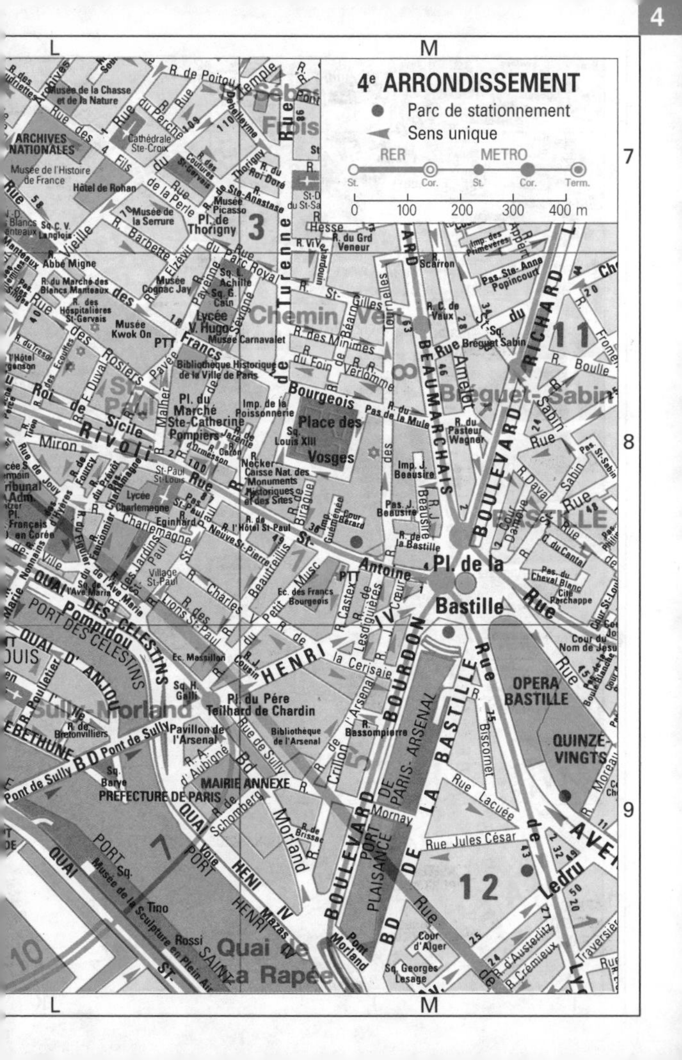
4e ARRONDISSEMENT
Parc de stationnement
Sens unique
RER
METRO
St.
Cor.
St.
Cor.
Term.
0
100
200
300
400 m
L
M
7
8
9
Musée de la Chasse et de la Nature
R. de Poitou
R. du Temple
ARCHIVES NATIONALES
Cathédrale Ste-Croix
Musée de l'Histoire de France
Hôtel de Rohan
Rue des 4 Fils
Rue du Perche
R. des Coutures St-Gervais
R. Debelleyme
Thorigny
R. du Roi Doré
R. Ste-Anastase
Musée Picasso
Pl. de Thorigny
Rue de la Perle
Musée de la Serrure
R. Barbette
Rue Vieille du Temple
R. Elzévir
Sq. C. V. Langlois
Abbé Migne
R. du Marché des Blancs Manteaux
R. des Hospitalières St-Gervais
Musée Cognac Jay
Sq. L. Achille
Sq. G. Cain
Rue du Parc Royal
Lycée V. Hugo
Musée Kwok On
PTT
Musée Carnavalet
Rue des Francs Bourgeois
Rue des Rosiers
Chemin Vert
Rue de Turenne
R. St-Gilles
R. des Minimes
R. du Foin
R. Villehardouin
R. de Béarn
R. des Tournelles
R. du Grd Veneur
R. Scarron
Imp. des Primevères
Pas. Ste-Anne Popincourt
R. C. de Vaux
Sq. Bréguet Sabin
Rue Bréguet Sabin
Rue Amelot
BOULEVARD RICHARD LENOIR
BOULEVARD BEAUMARCHAIS
Bréguet-Sabin
R. Boulle
R. Froment
11
3
8
Bibliothèque Historique de la Ville de Paris
R. Pavée
R. Malher
Pl. du Marché Ste-Catherine
Pompiers
Imp. de la Poissonnerie
Place des Vosges
Sq. Louis XIII
R. Jarente
R. de Birague
Pas. de la Mule
R. du Pasteur Wagner
R. Roi de Sicile
R. des Ecouffes
R. F. Duval
St-Paul
Rue de Rivoli
Miron
R. de Jouy
R. de Fourcy
R. du Prévôt
R. Caron
R. d'Ormesson
R. Necker
Caisse Nat. des Monuments Historiques et des Sites
Imp. J. Beausire
Pas. J. Beausire
R. J. Beausire
St-Paul St-Louis
Lycée Charlemagne
Rue Charlemagne
R. Eginhard
R. St-Paul
R. Neuve St-Pierre
R. de l'Hôtel St-Paul
Imp. Guéménée
Cour Bérard
R. de la Bastille
Pl. de la Bastille
Bastille
Rue St-Antoine
Cour Damoye
R. Daval
Rue Sabin
Rue de la Roquette
R. du Cantal
Pas. du Cheval Blanc
Cité Parchappe
Cour du Nom de Jésus
R. des Nonnains d'Hyères
R. du Figuier
R. Fauconnier
Rue de l'Ave Maria
Sq. de l'Ave Maria
R. des Jardins St-Paul
Village St-Paul
R. Charles V
R. Beautreillis
R. du Petit Musc
Ec. des Francs Bourgeois
R. Castex
R. de Lesdiguières
R. J. Cœur
PTT
QUAI DES CELESTINS
PORT DES CELESTINS
Pompidou
R. des Lions St-Paul
QUAI D'ANJOU
R. Poulletier
Ec. Massillon
R. de la Cerisaie
BOULEVARD HENRI IV
Sq. H. Galli
Pl. du Père Teilhard de Chardin
R. de l'Arsenal
BOULEVARD BOURDON
RUE DE LA BASTILLE
OPERA BASTILLE
QUINZE-VINGTS
Sully-Morland
R. de Bretonvilliers
QUAI DE BETHUNE
Pavillon de l'Arsenal
Rue de Sully
Bibliothèque de l'Arsenal
R. Bassompierre
R. de Crillon
BD DE PARIS-ARSENAL
R. Biscornet
Rue Lacuée
Rue Moreau
BD Pont de Sully
Pont de Sully
Sq. Barye
R. A. d'Aubigné
MAIRIE ANNEXE
PREFECTURE DE PARIS
R. de Schomberg
Rue Morland
R. de Brissac
R. Mornay
PORT PLAISANCE
BD DE LA BASTILLE
Rue Jules César
Rue de Lyon
Rue Ledru
AVENUE
12
QUAI HENRI IV
PORT HENRI IV
QUAI
PORT Sq.
Musée de la Sculpture en Plein Air
Tino Rossi
Quai de la Rapée
Pont Morland
Cour d'Alger
Sq. Georges Lesage
Rue de Bercy
R. d'Austerlitz
R. Crémieux
Traversière
10
7
5

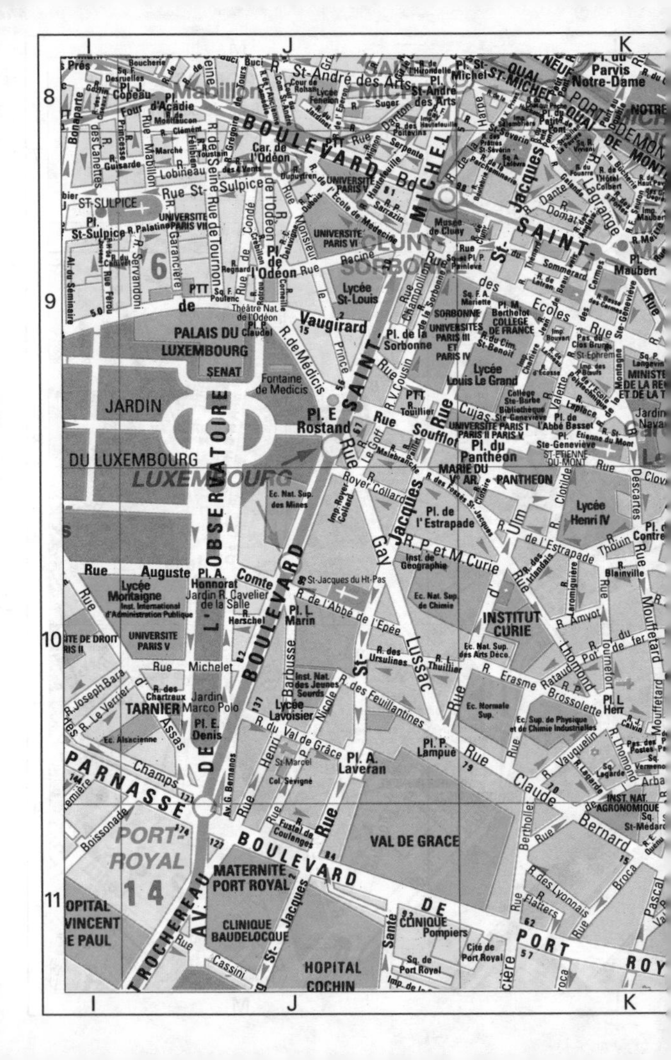

I
J
K
8
9
10
11
BOULEVARD
SAINT-MICHEL
St-André des Arts
Pl. St-André des Arts
Pl. St-Michel
QUAI ST-MICHEL
Parvis Notre-Dame
Mabillon
Pl. d'Acadie
Sq. F. Copeau
Rue Mabillon
Rue de Seine
Rue de Tournon
Rue St-Sulpice
ST-SULPICE
Pl. St-Sulpice
UNIVERSITE PARIS VII
UNIVERSITE PARIS V
UNIVERSITE PARIS VI
Car. de l'Odéon
Pl. de l'Odéon
Rue de l'Odéon
Rue de Condé
Rue Monsieur le Prince
R. de l'Ecole de Médecine
Musée de Cluny
CLUNY SORBONNE
Rue Racine
Lycée St-Louis
Rue de Vaugirard
Théâtre Nat. de l'Odéon
PALAIS DU LUXEMBOURG
SENAT
Fontaine de Medicis
R. de Médicis
JARDIN DU LUXEMBOURG
LUXEMBOURG
Pl. E. Rostand
Rue Soufflot
SORBONNE
UNIVERSITES PARIS III ET PARIS IV
COLLEGE DE FRANCE
Pl. de la Sorbonne
Lycée Louis Le Grand
Rue des Ecoles
Rue St-Jacques
Rue Dante
Rue Lagrange
Pl. Maubert
Rue Ste-Geneviève
Rue Cujas
UNIVERSITE PARIS I PARIS II PARIS V
Pl. du Panthéon
PANTHEON
MAIRIE DU Vᵉ AR.
ST-ETIENNE DU-MONT
Lycée Henri IV
Rue Clovis
Rue Descartes
Rue Clotilde
Rue d'Ulm
Pl. de l'Estrapade
Rue de l'Estrapade
Rue Gay Lussac
R. P. et M. Curie
Inst. de Géographie
INSTITUT CURIE
Ec. Nat. Sup. de Chimie
Ec. Nat. Sup. des Mines
Ec. Nat. Sup. des Arts Déco.
Rue Royer Collard
Rue Thouin
Rue Mouffetard
R. Amyot
Rue Lhomond
Rue Tournefort
Pl. L. Herr
R. Erasme
R. Rataud
R. P. Brossolette
Ec. Normale Sup.
Ec. Sup. de Physique et de Chimie Industrielles
Rue Vauquelin
Rue Claude Bernard
INST. NAT. AGRONOMIQUE
Sq. St-Médard
Rue Broca
Rue Pascal
R. des Lyonnais
Rue Flatters
Rue Berthollet
VAL DE GRACE
Pl. A. Laveran
Pl. P. Lampué
R. des Feuillantines
R. des Ursulines
Rue St-Jacques
Rue Nicole
Inst. Nat. des Jeunes Sourds
Lycée Lavoisier
Rue H. Barbusse
R. du Val de Grâce
St-Marcel
Col. Sevigné
R. Fustel de Coulanges
Rue Henri
R. de l'Abbé de l'Epée
St-Jacques du Ht-Pas
Pl. L. Marin
Rue Auguste Comte
Pl. A. Honnorat
Jardin R. Cavelier de la Salle
R. Herschel
L'OBSERVATOIRE
Lycée Montaigne
Inst. International d'Administration Publique
UNIVERSITE PARIS V
Rue Michelet
R. des Chartreux
TARNIER
Jardin Marco Polo
Pl. E. Denis
R. Joseph Bara
R. Le Verrier
Ec. Alsacienne
Rue d'Assas
PARNASSE
Champs
Boissonade
PORT-ROYAL
14
BOULEVARD DE PORT ROYAL
AV. DE L'OBSERVATOIRE
AV. DENFERT-ROCHEREAU
MATERNITE PORT ROYAL
CLINIQUE BAUDELOCQUE
HOPITAL COCHIN
Rue Cassini
Rue de la Santé
CLINIQUE
Pompiers
Cité de Port Royal
Sq. de Port Royal
HOPITAL ST-VINCENT DE PAUL

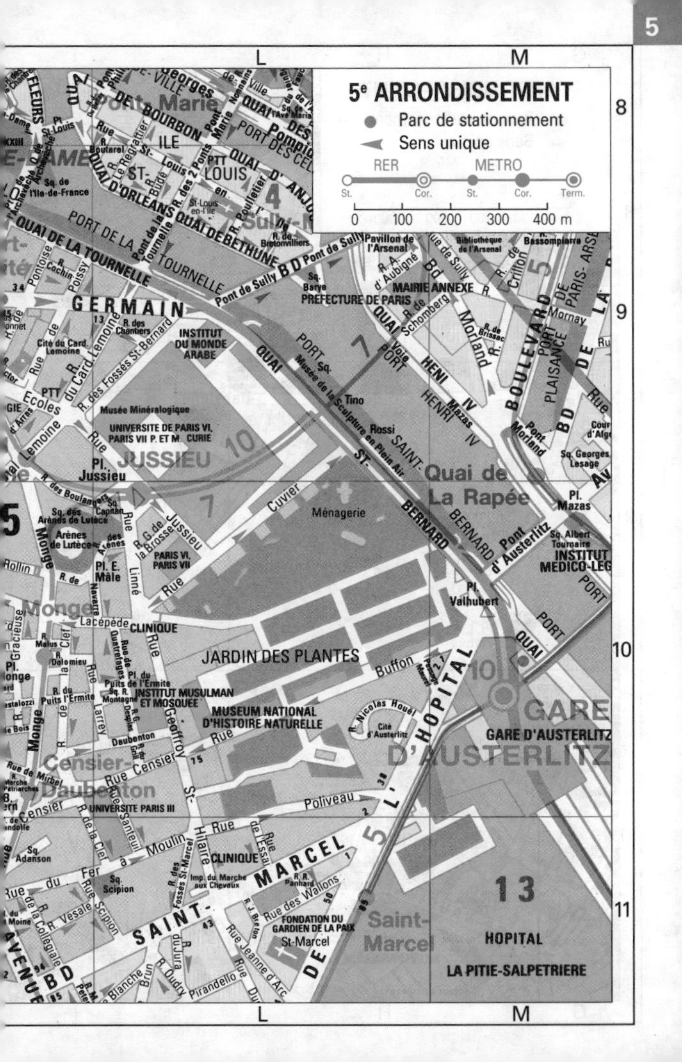

L
M
5e ARRONDISSEMENT
Parc de stationnement
Sens unique
RER
METRO
St.
Cor.
St.
Cor.
Term.
0
100
200
300
400 m
8
9
10
11
QUAI DE BOURBON
ILE ST-LOUIS
QUAI D'ORLEANS
QUAI DE BETHUNE
QUAI D'ANJOU
QUAI DE LA TOURNELLE
PORT DE LA TOURNELLE
Pont de Sully
BD ST-GERMAIN
Pont de la Tournelle
Pont Marie
Sq. de l'Ile-de-France
Pavillon de l'Arsenal
Bibliothèque de l'Arsenal
Sq. Barye
PREFECTURE DE PARIS
MAIRIE ANNEXE
INSTITUT DU MONDE ARABE
Cité du Card. Lemoine
R. des Fossés St-Bernard
Musée Minéralogique
UNIVERSITE DE PARIS VI, PARIS VII P. ET M. CURIE
JUSSIEU
Pl. Jussieu
QUAI ST-BERNARD
PORT SAINT-BERNARD
Musée de la Sculpture en Plein Air
Sq. Tino Rossi
QUAI HENRI IV
PORT HENRI IV
BOULEVARD MORLAND
Pont Morland
BD DE LA BASTILLE
PORT DE PLAISANCE DE PARIS-ARSENAL
Sq. Georges Lesage
Quai de La Rapée
Pl. Mazas
Sq. Albert Tournaire
INSTITUT MEDICO-LEGAL
Pont d'Austerlitz
Pl. Valhubert
Ménagerie
Rue Cuvier
Sq. des Arènes de Lutèce
Arènes de Lutèce
PARIS VI, PARIS VII
Rue Jussieu
Pl. E. Mâle
Monge
JARDIN DES PLANTES
Rue Buffon
CLINIQUE
INSTITUT MUSULMAN ET MOSQUEE
MUSEUM NATIONAL D'HISTOIRE NATURELLE
Cité d'Austerlitz
GARE D'AUSTERLITZ
BD DE L'HOPITAL
QUAI D'AUSTERLITZ
Censier-Daubenton
Rue Censier
Rue Daubenton
Rue Geoffroy St-Hilaire
UNIVERSITE PARIS III
Rue Poliveau
Rue du Fer à Moulin
Sq. Adanson
Sq. Scipion
Rue Scipion
CLINIQUE
Imp. du Marché aux Chevaux
BD SAINT-MARCEL
Rue des Wallons
FONDATION DU GARDIEN DE LA PAIX
St-Marcel
Saint-Marcel
13
HOPITAL LA PITIE-SALPETRIERE
Rue Jeanne d'Arc
AVENUE DES GOBELINS
Rue Monge
Rue Lacépède
Rue Linné
Rue Larrey

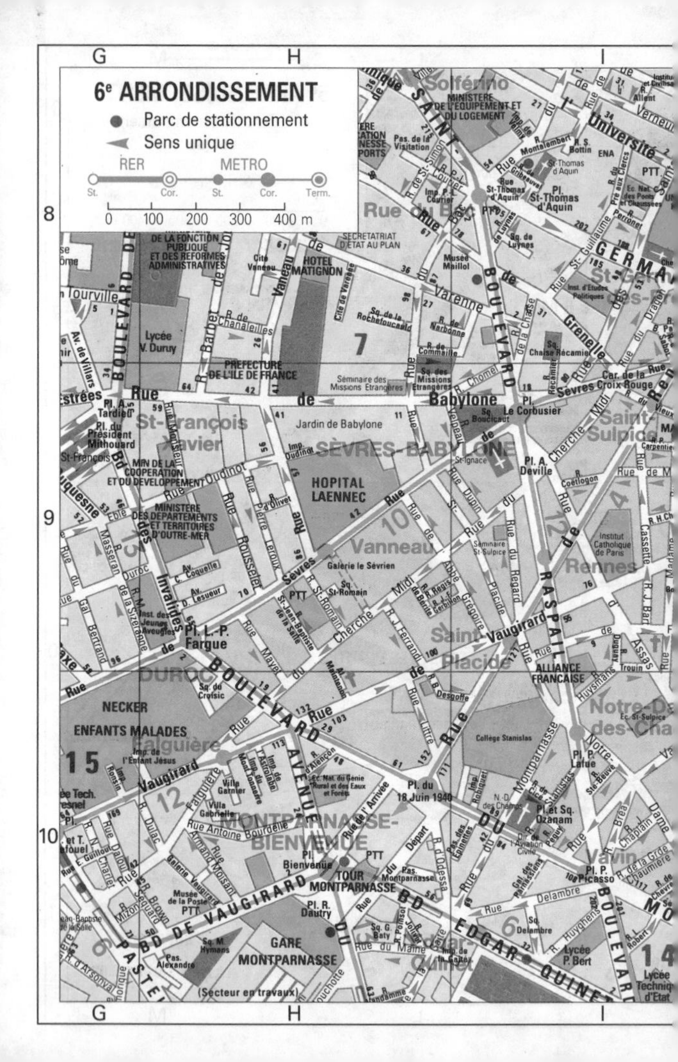

6e ARRONDISSEMENT
Parc de stationnement
Sens unique
RER
METRO
St.
Cor.
St.
Cor.
Term.
0
100
200
300
400 m
G
H
I
8
9
10
HOTEL MATIGNON
Lycée V. Duruy
PREFECTURE DE L'ILE DE FRANCE
Séminaire des Missions Etrangères
Jardin de Babylone
SÈVRES-BABYLONE
HOPITAL LAENNEC
Vanneau
Galerie le Sévrien
Institut Catholique de Paris
ALLIANCE FRANCAISE
Collège Stanislas
NECKER ENFANTS MALADES
MONTPARNASSE-BIENVENUE
TOUR MONTPARNASSE
GARE MONTPARNASSE
(Secteur en travaux)
Musée Maillol
Rue de Babylone
BOULEVARD RASPAIL
BOULEVARD DU MONTPARNASSE
BD DE VAUGIRARD
BD EDGAR QUINET
Rue de Sèvres
Rue de Rennes
Rue de Vaugirard
Rue de Grenelle
Rue de Varenne
Rue du Bac
Pl. du 18 Juin 1940
Pl. Le Corbusier
Lycée P. Bert

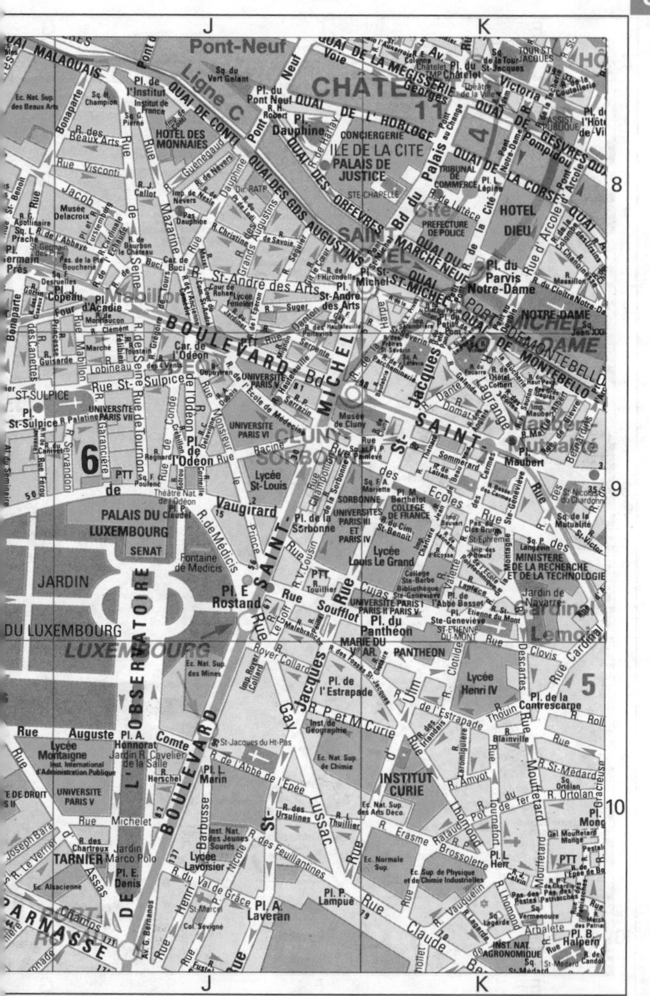
J
K
Pont-Neuf
QUAI MALAQUAIS
QUAI DE CONTI
Ligne C
CHÂTELET
QUAI DE LA MEGISSERIE
QUAI DE L' HORLOGE
CONCIERGERIE
ILE DE LA CITE
PALAIS DE JUSTICE
STE-CHAPELLE
HOTEL DES MONNAIES
QUAI DES GDS AUGUSTINS
QUAI DES ORFEVRES
TRIBUNAL DE COMMERCE
QUAI DE LA CORSE
QUAI DE GESVRES
HOTEL DIEU
PREFECTURE DE POLICE
SAINT-MICHEL
QUAI DU MARCHE NEUF
QUAI ST-MICHEL
Pl. du Parvis Notre-Dame
NOTRE-DAME
QUAI DE MONTEBELLO
Bd du Palais
Pl. St-Michel
St-André des Arts
Mabillon
BOULEVARD ST-GERMAIN
ST-SULPICE
Pl. St-Sulpice
UNIVERSITE PARIS VII
UNIVERSITE PARIS V
UNIVERSITE PARIS VI
Musée de Cluny
CLUNY SORBONNE
Bd ST-MICHEL
Rue St-Jacques
Maubert Mutualité
Pl. Maubert
Rue des Ecoles
Lycée St-Louis
SORBONNE
COLLEGE DE FRANCE
Lycée Louis Le Grand
Pl. de l'Odéon
Rue de Vaugirard
PALAIS DU LUXEMBOURG
SENAT
JARDIN DU LUXEMBOURG
LUXEMBOURG
Pl. E Rostand
Rue Soufflot
Pl. du Panthéon
PANTHEON
MINISTERE DE LA RECHERCHE ET DE LA TECHNOLOGIE
Cardinal Lemoine
Lycée Henri IV
Pl. de la Contrescarpe
Pl. de l'Estrapade
Rue d'Ulm
Rue Mouffetard
INSTITUT CURIE
Ec. Normale Sup.
BOULEVARD DE L'OBSERVATOIRE
Lycée Montaigne
UNIVERSITE PARIS V
TARNIER
Lycée Lavoisier
Rue Gay Lussac
Rue Claude Bernard
Pl. A. Laveran
PORT-ROYAL
MONTPARNASSE
INST. NAT. AGRONOMIQUE
5
6
8
9
10

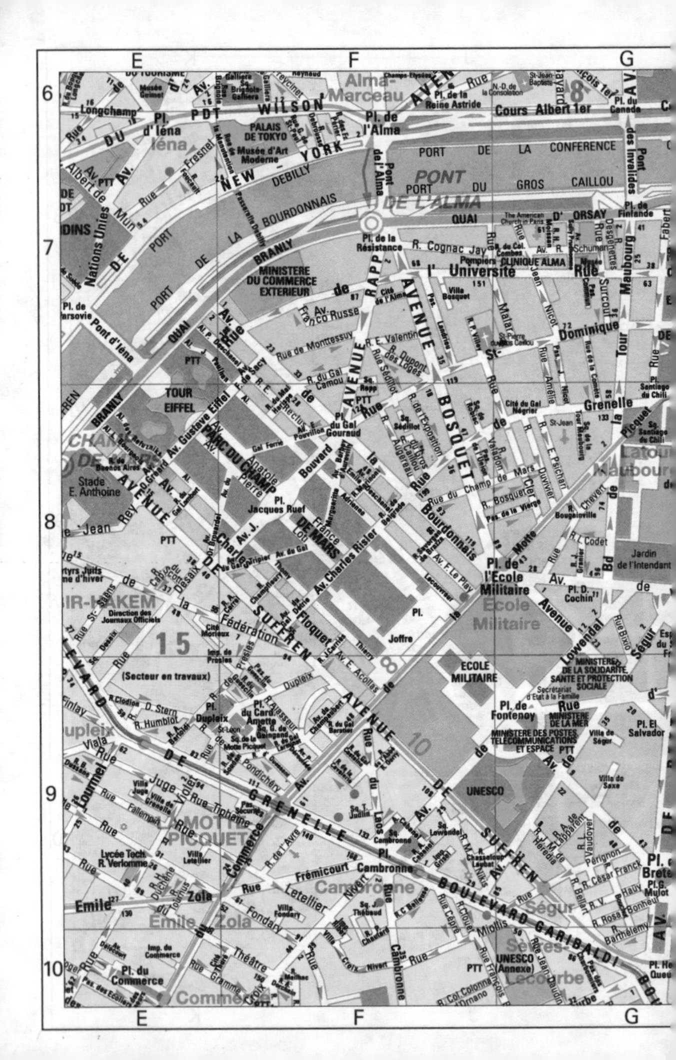

E
F
G
6
7
8
9
10
Alma-Marceau
Pl. de la Reine Astride
Cours Albert 1er
Pl. du Canada
Longchamp
Pl. d'Iéna
Iéna
PDT WILSON
PALAIS DE TOKYO
Musée d'Art Moderne
Pl. de l'Alma
NEW YORK
DEBILLY
PORT DE LA CONFERENCE
Pont des Invalides
PONT DE L'ALMA
PORT DU GROS CAILLOU
Pont de l'Alma
Passerelle Debilly
PORT DE LA BOURDONNAIS
Nations Unies
Albert de Mun
Pl. de Finlande
QUAI D' ORSAY
The American Church in Paris
Pl. de la Résistance
R. Cognac Jay
Pompiers
CLINIQUE ALMA
l' Université
BRANLY
MINISTERE DU COMMERCE EXTERIEUR
Av. Franco Russe
Cité de l'Alma
AVENUE RAPP
AVENUE BOSQUET
Rue Malar
Rue Jean Nicot
Rue Surcouf
Rue Saint-Dominique
Tour Maubourg
Pl. de Varsovie
Pont d'Iéna
QUAI BRANLY
Rue de Monttessuy
R. E. Valentin
R. Dupont des Loges
Rue Sédillot
St-Pierre du Gros Caillou
Rue Amélie
Rue de Grenelle
Pl. Santiago du Chili
TOUR EIFFEL
Av. Gustave Eiffel
PTT
Pl. du Gal Gouraud
Rue de l'Exposition
Cité du Gal Négrier
St-Jean
Sq. Sédillot
R. E. Psichari
Latour Maubourg
CHAMP DE MARS
Stade E. Anthoine
PARC DU CHAMP DE MARS
Av. Anatole France
Pl. Jacques Rueff
Av. Bouvard
Rue du Champ de Mars
R. Bosquet
R. Cler
R. Duvivier
R. Chevert
Bd de la Tour Maubourg
Rue Jean Rey
AVENUE DE SUFFREN
Av. Charles Risler
Av. Charles Floquet
Av. de La Bourdonnais
Av. F. Le Play
Pl. de l'Ecole Militaire
Ecole Militaire
R. Motte
R. Bougainville
R. Codet
Jardin de l'Intendant
Pl. D. Cochin
Av. de Lowendal
BIR-HAKEM
Direction des Journaux Officiels
Rue Desaix
Rue de la Fédération
15
(Secteur en travaux)
Pl. Joffre
8
ECOLE MILITAIRE
MINISTERE DE LA SOLIDARITE SANTE ET PROTECTION SOCIALE
Secrétariat d'Etat à la Famille
Pl. de Fontenoy
MINISTERE DE LA MER
MINISTERE DES POSTES TELECOMMUNICATIONS ET ESPACE
Villa de Ségur
Pl. El Salvador
Av. de Ségur
R. Clodion
D. Stern
R. Humblot
Pl. Dupleix
Dupleix
St-Léon
Pl. du Card. Amette
Sq. de la Motte Picquet
AVENUE DE SUFFREN
10
UNESCO
Villa de Saxe
BOULEVARD DE GRENELLE
Rue de Pondichéry
Rue Tiphaine
Rue Juge
Rue Violet
Rue Fallempin
LA MOTTE PICQUET
Rue du Commerce
Sq. T. Judlin
Sq. Cambronne
Sq. Lowendal
Rue de Lapparent
Pl. de Breteuil
Lycée Tech. R. Verlomme
Pl. Cambronne
Rue Frémicourt
Rue Letellier
Rue Nivert
Cambronne
Rue Cépré
Miollis
BOULEVARD GARIBALDI
Ségur
R. César Franck
Emile Zola
Zola
Rue Fondary
Villa Fondary
Sq. J. Thébaud
Rue Croix Nivert
Rue Cambronne
Rue François Bonvin
UNESCO (Annexe)
Sèvres-Lecourbe
Rue Lecourbe
Pl. du Commerce
Imp. du Commerce
Rue du Théâtre
Rue Gramme
Commerce
R. Col. Colonna d'Ornano

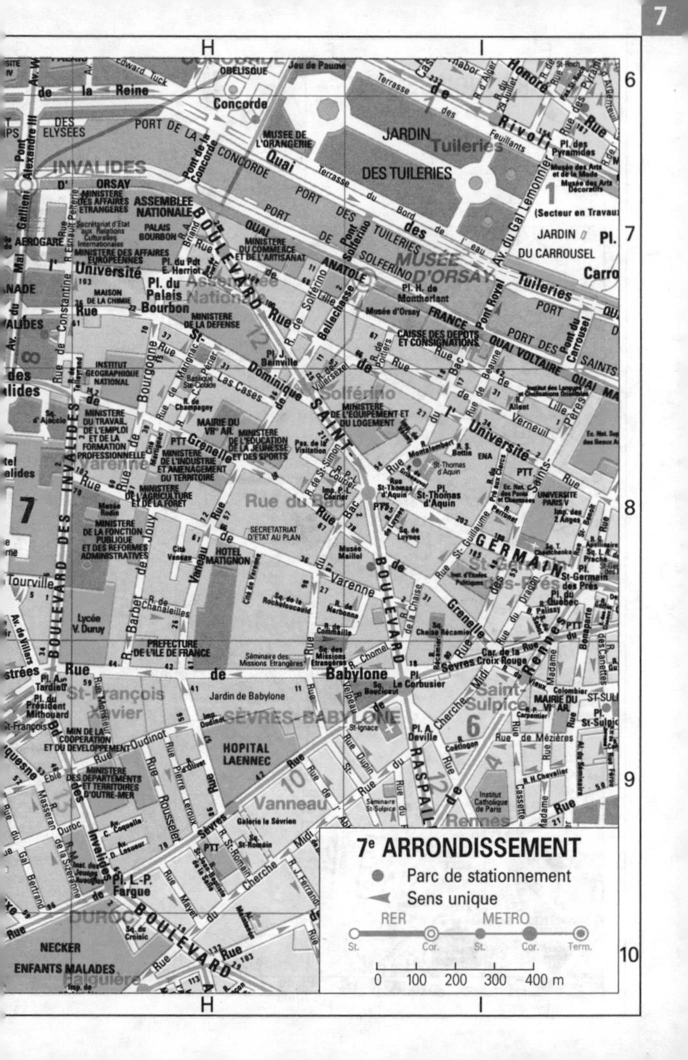
H
I
6
7
8
9
10
OBELISQUE
Jeu de Paume
Concorde
de la Reine
Av. Edward Tuck
Av. W
DES ELYSEES
PORT DE LA CONCORDE
Pont de la Concorde
MUSEE DE L'ORANGERIE
Quai
Terrasse
JARDIN
Tuileries
DES TUILERIES
de
Rivoli
des
R. d'Alger
R. du 29 Juillet
Honoré
Rue
Pl. des Pyramides
Musée des Arts et de la Mode
Musée des Arts Décoratifs
Feuillants
INVALIDES
Pont Alexandre III
ORSAY
MINISTERE DES AFFAIRES ETRANGERES
ASSEMBLEE NATIONALE
PALAIS BOURBON
Secrétariat d'Etat aux Relations Culturelles Internationales
MINISTERE DES AFFAIRES EUROPEENNES
Pl. du Pdt E. Herriot
Université
Pl. du Palais Bourbon
Assemblée Nationale
MAISON DE LA CHIMIE
QUAI
MINISTERE DU COMMERCE ET DE L'ARTISAN
PORT
PORT DES TUILERIES
DE SOLFERINO
Pont Solferino
Terrasse du Bord de l'eau
ANATOLE
FRANCE
MUSÉE D'ORSAY
Musée d'Orsay
Pl. H. de Montherlant
CAISSE DES DEPOTS ET CONSIGNATIONS
QUAI VOLTAIRE
Pont Royal
Pont du Carrousel
Av. du Gal Lemonnier
(Secteur en Travaux)
JARDIN DU CARROUSEL
Pl.
Carro
AEROGARE
R. Esnault Pelterie
Rue de Constantine
BOULEVARD
Rue de Bellechasse
Rue de Solférino
MINISTERE DE LA DEFENSE
Rue St-Dominique
SAINT-
Rue de Lille
Pl. J. Bainville
R. de Villersexel
Solférino
R. de Poitiers
Rue du Bac
Rue de Beaune
Rue de Verneuil
Rue de l'Université
Institut des Langues et Civilisations Orientales
Rue des Saints-Pères
INSTITUT GEOGRAPHIQUE NATIONAL
R. de Talleyrand
Basilique Ste-Clotilde
Las Cases
R. de Champagny
R. de Marignac
Rue Bourgogne
MINISTERE DU TRAVAIL, DE L'EMPLOI ET DE LA FORMATION PROFESSIONNELLE
MAIRIE DU VIIe AR.
MINISTERE DE L'EDUCATION DE LA JEUNESSE ET DES SPORTS
MINISTERE DE L'EQUIPEMENT ET DU LOGEMENT
Pas. de la Visitation
R. de St-Simon
Rue de Grenelle
MINISTERE DE L'INDUSTRIE ET AMENAGEMENT DU TERRITOIRE
R. P.L. Courier
Imp. P.L. Courier
Rue Montalembert
R. S. Bottin
ENA
St-Thomas d'Aquin
Pl. St-Thomas d'Aquin
PTT
Ec. Nat. des Ponts et Chaussées
UNIVERSITE PARIS V
Imp. des 2 Anges
Sq. d'Ajaccio
BOULEVARD DES INVALIDES
Rue de Varenne
Cité Martignac
MINISTERE DE L'AGRICULTURE ET DE LA FORET
Musée Rodin
MINISTERE DE LA FONCTION PUBLIQUE ET DES REFORMES ADMINISTRATIVES
Rue de Jouy
Cité Vaneau
Rue Vaneau
HOTEL MATIGNON
SECRETATRIAT D'ETAT AU PLAN
Rue du Bac
Musée Maillol
Sq. de Luynes
GERMAIN
St-Germain des-Prés
Inst. d'Etudes Politiques
R. Perronet
Rue St-Guillaume
Sq. T. Chevtchenko
Pl. St-Germain des Prés
Pl. du Québec
Tourville
Lycée V. Duruy
R. Barbet de Jouy
R. de Chanaleilles
Cité de Varenne
Sq. de la Rochefoucauld
R. de Narbonne
R. de Commaille
R. de la Chaise
Sq. Chaise Récamier
Rue du Dragon
B. Palissy
Rennes
PREFECTURE DE L'ILE DE FRANCE
Séminaire des Missions Etrangères
Sq. des Missions Etrangères
R. Chomel
Av. de Villars
Rue de Babylone
Pl. Le Corbusier
Sq. Boucicaut
Car. de la Croix Rouge
Sèvres
Bonaparte
Rue des Canettes
Pl. A. Tardieu
Pl. du Président Mithouard
St-François Xavier
Rue Monsieur
Jardin de Babylone
SÈVRES-BABYLONE
Imp. Oudinot
St-Ignace
Rue Velpeau
Cherche Midi
Saint-Sulpice
Vieux Colombier
MAIRIE DU VIe AR.
R. P. Carpentier
Pl. St-Sulpice
MIN DE LA COOPERATION ET DU DEVELOPPEMENT
Oudinot
HOPITAL LAENNEC
Rue Pierre Leroux
Rue Rousselet
R. d'Olivet
Rue Dupin
RASPAIL
Pl. A. Deville
R. Coëtlogon
Rue de Mézières
Madame
R. H. Chevalier
Institut Catholique de Paris
Cassette
MINISTERE DES DEPARTEMENTS ET TERRITOIRES D'OUTRE-MER
Eblé
Masseran
Duroc
Vanneau
Galerie le Sévrien
Séminaire St-Sulpice
Sq. St-Romain
R. St-Romain
PTT
Av. C. Coquelle
Av. D. Lesueur
R. M. de la Sizeranne
Inst. des Jeunes Aveugles
Pl. L.-P. Fargue
Invalides
Rue Mayet
R. St-Jean-Baptiste de la Salle
R. J. Ferrandi
Gal Bertrand
DUROC
BOULEVARD
Sq. du Croisic
NECKER ENFANTS MALADES
Falguière
Rue
7e ARRONDISSEMENT
Parc de stationnement
Sens unique
RER
METRO
St.
Cor.
St.
Cor.
Term.
0
100
200
300
400 m

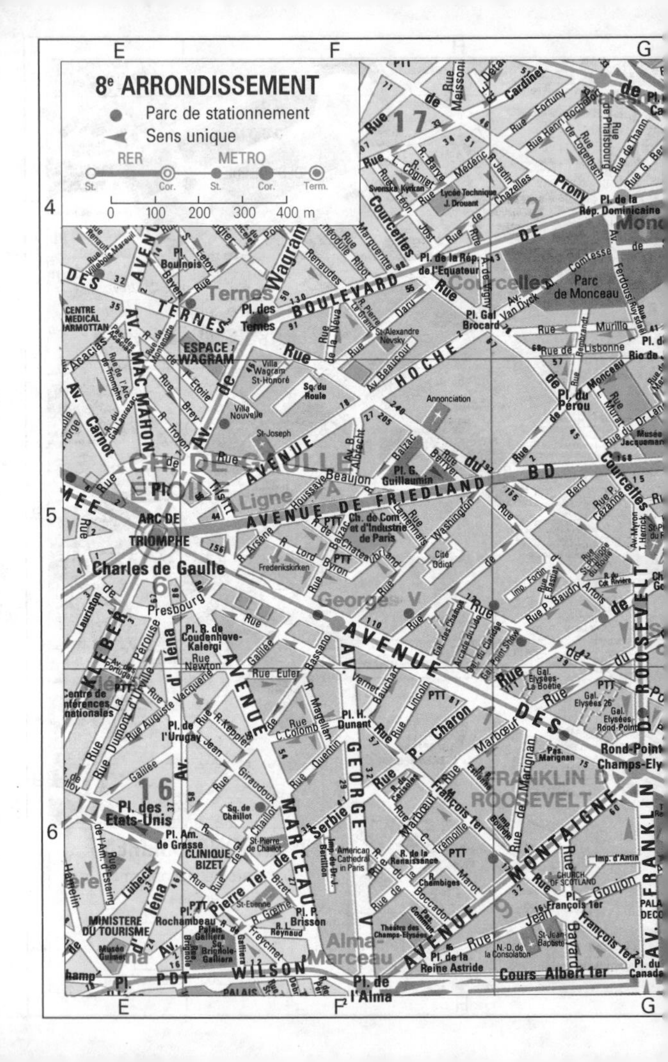

8e ARRONDISSEMENT
Parc de stationnement
Sens unique
RER
METRO
St.
Cor.
St.
Cor.
Term.
0
100
200
300
400 m
E
F
G
4
5
6
17
16
BOULEVARD DE COURCELLES
Parc de Monceau
Pl. de la Rép. Dominicaine
Pl. de la Rép. de l'Equateur
Pl. Gal Brocard
Rue de Prony
Lycée Technique J. Drouant
Svenska Kyrkan
Pl. des Ternes
Ternes
AVENUE DES TERNES
AV. MAC MAHON
Av. de Wagram
ESPACE WAGRAM
AVENUE HOCHE
St-Alexandre Nevsky
Annonciation
Pl. du Pérou
Rue de Lisbonne
Rue Murillo
Villa Wagram St-Honoré
Sq. du Roule
Villa Nouvelle
St-Joseph
Av. Carnot
CH. DE GAULLE ÉTOILE
ARC DE TRIOMPHE
Charles de Gaulle
AVENUE DE FRIEDLAND
BD HAUSSMANN
Rue Beaujon
Pl. G. Guillaumin
Ch. de Com et d'Industrie de Paris
Cité Odiot
Fredrikskirken
Rue Lord Byron
George V
AVENUE DES CHAMPS-ÉLYSÉES
Rue de Presbourg
Pl. R. de Coudenhove-Kalergi
AVENUE KLEBER
Av. d'Iéna
AVENUE MARCEAU
AV. GEORGE V
Rue Euler
Rue Bassano
Rue Galilée
Pl. H. Dunant
Rue P. Charron
Rue Marbœuf
Rue François 1er
Pl. de l'Urugay
Centre de Conférences Internationales
Pl. des Etats-Unis
Pl. Am. de Grasse
CLINIQUE BIZET
Sq. de Chaillot
St-Pierre de Chaillot
American Cathedral in Paris
Pl. de la Renaissance
Rue Pierre 1er de Serbie
MINISTERE DU TOURISME
Musée Guimet
Palais Galliera
Sq. Brignole-Galliera
Pl. Rochambeau
Pl. P. Brisson
Alma-Marceau
AVENUE MONTAIGNE
FRANKLIN D. ROOSEVELT
AV. FRANKLIN D. ROOSEVELT
Rond-Point des Champs-Elysées
Pas. Marignan
Gal. Elysées La Boétie
Gal. Elysées 26
Gal. Elysées Rond-Point
CHURCH OF SCOTLAND
Pl. François 1er
Rue Jean Goujon
Imp. d'Antin
St-Jean-Baptiste
N.-D. de la Consolation
Théâtre des Champs-Elysées
Pl. de la Reine Astride
Cours Albert 1er
Pl. du Canada
Pl. de l'Alma
AV. PDT WILSON
Rue Washington
Rue de Berri
Rue Balzac
Rue de Chateaubriand
Rue Arsène Houssaye
Rue de Tilsitt
Rue Lauriston
Rue Hamelin
Rue Lübeck
Rue de Chaillot
Rue Freycinet
Rue Bayard
Musée Jacquemart

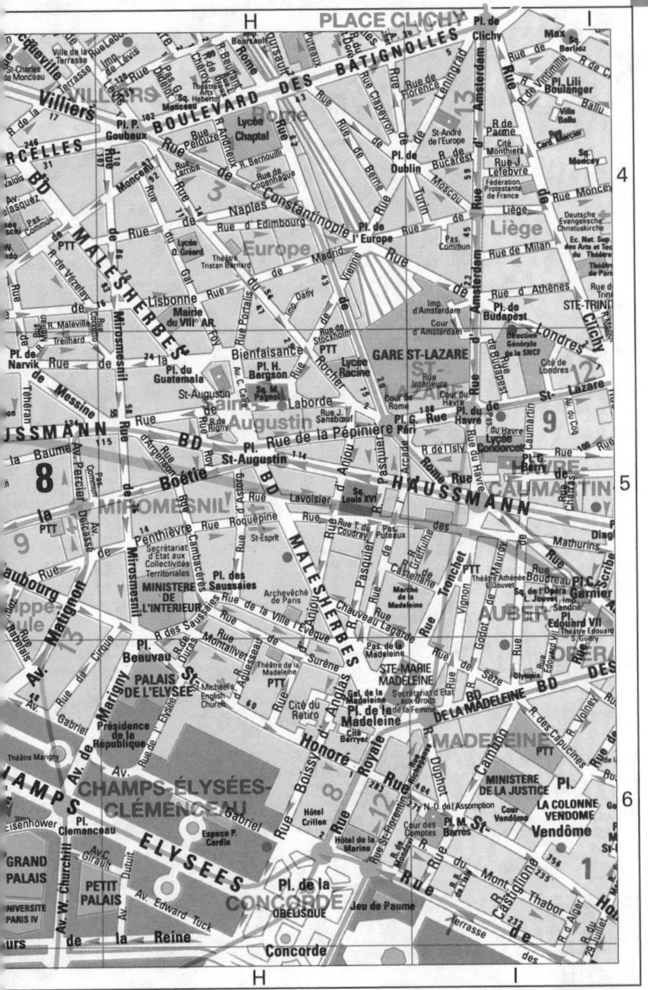
H
I
PLACE CLICHY
Pl. de Clichy
BOULEVARD DES BATIGNOLLES
BOULEVARD
Villiers
Pl. P. Goubaux
Lycée Chaptal
Rome
Rue de Constantinople
Rue d' Edimbourg
Naples
Europe
Pl. de l'Europe
Pl. de Dublin
St-André de l'Europe
Rue de Florence
Leningrad
Rue d' Amsterdam
Rue de Parme
Cité Monthiers
Rue J. Lefebvre
Fédération Protestante de France
Liège
Rue de Milan
Rue Moncey
Deutsche Evangelische Christuskirche
Pl. Lili Boulanger
Ballu
Sq. Berlioz
Max
Lycée C. Gréard
Théâtre Tristan Bernard
Rue de Madrid
Rue de Lisbonne
Mairie du VIII° AR.
Rue Portalis
Imp. Dany
Rue de Stockholm
PTT
Rue du Rocher
Lycée Racine
Imp. d'Amsterdam
Cour d'Amsterdam
GARE ST-LAZARE
ST-LAZARE
Rue d' Athènes
Pl. de Budapest
Rue de Londres
Cité de Londres
Rue St-Lazare
STE-TRINITÉ
Rue de Clichy
MALESHERBES
Rue de Miromesnil
Rue de Vézelay
R. Maleville
Treilhard
Pl. de Narvik
Rue de Messine
Téhéran
Bienfaisance
Pl. H. Bergson
Pl. du Guatemala
St-Augustin
Saint-Augustin
Rue de la Pépinière
Laborde
Rue J. Sansbœuf
Pl. G. Péri
Cour de Rome
Cour du Havre
Pl. du Havre
Rue de l'Isly
Lycée Condorcet
Caumartin
Pl. G. Berry
HAVRE-CAUMARTIN
BD HAUSSMANN
Pl. St-Augustin
Boétie
MIROMESNIL
Av. Percier
Rue d'Anjou
Sq. Louis XVI
Lavoisier
Rue Roquépine
Rue Pasquier
Rue des Mathurins
Rue Boudreau
Pl. C. Garnier
Rue Scribe
Penthièvre
Secrétariat d'Etat aux Collectivités Territoriales
Pl. des Saussaies
MINISTERE DE L'INTERIEUR
Archevêché de Paris
Rue de la Ville l'Evêque
Rue Chauveau Lagarde
Marché de la Madeleine
Rue Tronchet
Théâtre Athénée L. Jouvet
Sq. de l'Opéra L. Jouvet
AUBER
Pl. Edouard VII
Théâtre Edouard VII S. Guitry
OPÉRA
Rue du Faubourg
Av. Matignon
Rue Rabelais
Pl. Beauvau
PALAIS DE L'ELYSÉE
Rue Montalivet
Rue de Surène
Théâtre de la Madeleine
Pas. de la Madeleine
STE-MARIE MADELEINE
Rue de Sèze
BD DE LA MADELEINE
St-Michael's English Church
Cité du Retiro
Rue Boissy d'Anglas
Gal. de la Madeleine
Pl. de la Madeleine
Secrétariat d'Etat aux Droits de la Femme
Cité Berryer
MADELEINE
R. des Capucines
R. Volney
Av. Gabriel
Av. de Marigny
Présidence de la République
Rue de l' Elysée
Rue St-Honoré
Rue Royale
Rue Duphot
Rue Cambon
MINISTERE DE LA JUSTICE
Théâtre Marigny
CHAMPS-ÉLYSÉES-CLÉMENCEAU
Av. CHAMPS ELYSEES
Pl. Clemenceau
Eisenhower
Espace P. Cardin
Hôtel Crillon
Hôtel de la Marine
Rue St-Florentin
N.-D. de l'Assomption
Cour des Comptes
Pl. M. Barrès
Cour Vendôme
LA COLONNE VENDOME
Vendôme
Pl. Vendôme
GRAND PALAIS
PETIT PALAIS
UNIVERSITE PARIS IV
Av. W. Churchill
Av. Edward Tuck
Av. Dutuit
Pl. de la CONCORDE
OBELISQUE
Jeu de Paume
Concorde
Cours de la Reine
Rue du Mont Thabor
R. Castiglione
R. d'Alger
R. du 29 Juillet
Terrasse
4
5
6
8
9
12
13
1
3

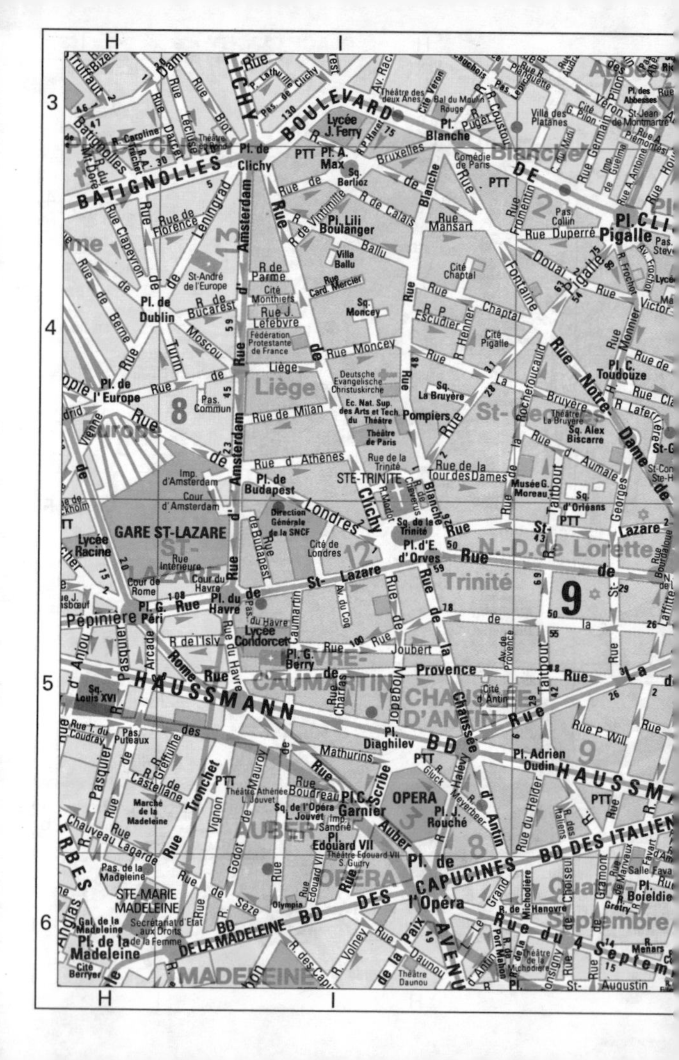

H
I
3
4
5
6
BOULEVARD
BATIGNOLLES
DE
Blanche
Pl. de Clichy
Lycée J. Ferry
Théâtre des deux Anes
Bal du Moulin Rouge
Pl. Blanche
Comédie de Paris
Villa des Platanes
Pl. des Abbesses
St-Jean de Montmartre
PTT
Pl. A. Max
Sq. Berlioz
R. de Bruxelles
R. de Calais
Rue Mansart
Rue Fromentin
Pas. Collin
Rue Duperré
Pl. Pigalle
Pl. Lili Boulanger
Villa Ballu
Rue Ballu
Cité Chaptal
Rue Chaptal
Rue Fontaine
Rue Douai
Rue Pigalle
R. de Parme
Cité Monthiers
Rue J. Lefebvre
Rue Card. Mercier
Sq. Moncey
Rue Moncey
R. P. Escudier
R. Henner
Cité Pigalle
Rue Victor-Massé
Fédération Protestante de France
Deutsche Evangelische Christuskirche
Sq. La Bruyère
Rue La Bruyère
Rue Notre-Dame de Lorette
Pl. C. Toudouze
Rue de Florence
Rue de Léningrad
Rue Clapeyron
St-André de l'Europe
Pl. de Dublin
R. de Bucarest
Rue de Moscou
Rue de Turin
Rue de Berne
Rue d'Amsterdam
Rue de Liège
Liège
Pl. de l'Europe
Pas. Commun
Rue de Milan
Ec. Nat. Sup. des Arts et Tech. du Théâtre
Théâtre de Paris
Rue Pigalle
Rue des Pompiers
Rue de la Rochefoucauld
Théâtre La Bruyère
Sq. Alex Biscarre
Rue d'Aumale
8
13
2
Europe
Rue de Rome
Rue de Vienne
Imp. d'Amsterdam
Cour d'Amsterdam
Rue d'Athènes
Pl. de Budapest
Rue de la Trinité
STE-TRINITE
Rue de la Tour des Dames
Musée G. Moreau
Sq. d'Orléans
Rue Taitbout
Rue St-Georges
GARE ST-LAZARE
Lycée Racine
Direction Générale de la SNCF
Rue de Londres
Rue de Budapest
Cité de Londres
Rue de Clichy
Sq. de la Trinité
Pl. d'E. d'Orves
Rue St-Lazare
N.-D. de Lorette
Trinité
12
9
Rue Intérieure
Cour de Rome
Cour du Havre
Pl. du Havre
Pl. G. Péri
Rue de la Pépinière
Lycée Condorcet
Pas. du Havre
Rue Caumartin
Av. du Coq
Rue de la Chaussée d'Antin
Rue de Mogador
Rue Joubert
Rue de Provence
Av. de Provence
R. de l'Isly
Rue du Havre
Pl. G. Berry
HAVRE-CAUMARTIN
Rue Charras
CHAUSSÉE D'ANTIN
Cité d'Antin
Rue de la Victoire
Rue P. Will
Rue Laffitte
Rue Bourdaloue
Rue d'Anjou
Sq. Louis XVI
Rue Pasquier
Rue de l'Arcade
HAUSSMANN
Rue T. du Coudray
Pas. Puteaux
Rue des Mathurins
Pl. Diaghilev
BD HAUSSMANN
Pl. Adrien Oudin
Rue Greffulhe
R. de Castellane
Rue Tronchet
Théâtre Athénée L. Jouvet
Rue Boudreau
Pl. C. Garnier
Rue Scribe
OPERA
R. Gluck
R. Halévy
R. Meyerbeer
Pl. J. Rouché
Rue de la Chaussée d'Antin
Rue du Helder
R. des Italiens
Marché de la Madeleine
Rue Vignon
Rue Godot de Mauroy
Sq. de l'Opéra L. Jouvet
Imp. Sandrié
Pl. Edouard VII
Théâtre Edouard VII S. Guitry
Rue Auber
AUBER
OPERA
3
8
9
Rue Chauveau Lagarde
Pas. de la Madeleine
STE-MARIE MADELEINE
Secrétariat d'Etat aux Droits de la Femme
Rue de Sèze
Olympia
Rue Edouard VII
Pl. de l'Opéra
BD DES CAPUCINES
BD DES ITALIENS
R. de Michodière
R. de Hanovre
Rue de Choiseul
Rue Gramont
R. de Marivaux
Salle Favart
Pl. Boieldieu
Grétry
Quatre-Septembre
Rue Anglas
Gal. de la Madeleine
Pl. de la Madeleine
BD DE LA MADELEINE
Cité Berryer
MADELEINE
R. Volney
R. des Capucines
Rue de la Paix
Rue Daunou
Théâtre Daunou
AVENUE
R. Port Mahon
Théâtre de la Michodière
Rue du 4 Septembre
R. Ménars
Rue St-Augustin

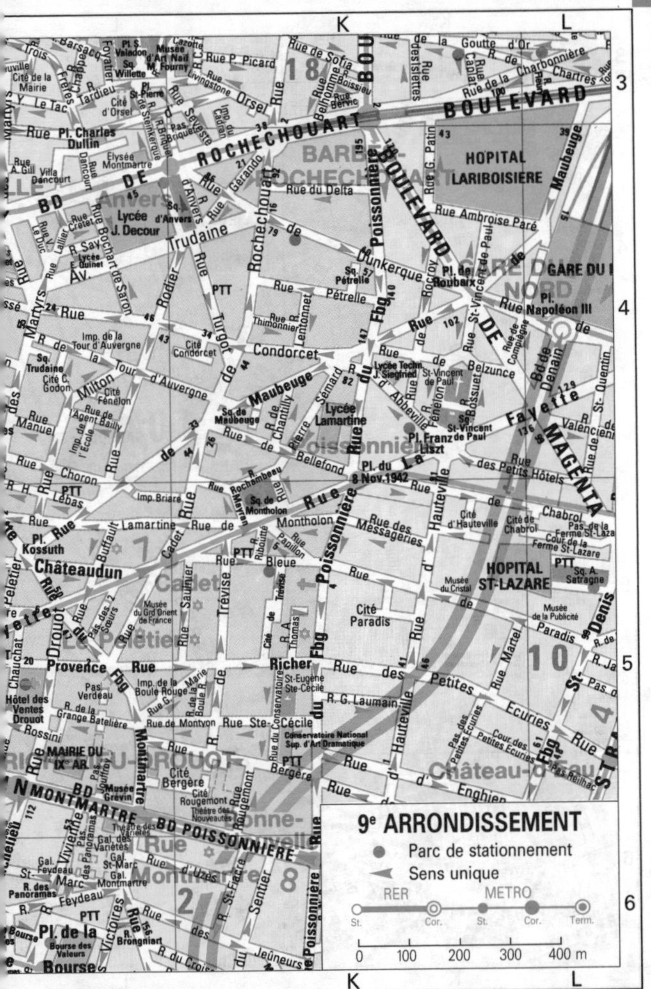
9e ARRONDISSEMENT
Parc de stationnement
Sens unique
RER
METRO
St.
Cor.
St.
Cor.
Term.
0
100
200
300
400 m
K
L
3
4
5
6
BOULEVARD
ROCHECHOUART
BD DE
BOULEVARD
DE
MAGENTA
BD MONTMARTRE
BD POISSONNIERE
HOPITAL LARIBOISIERE
GARE DU NORD
HOPITAL ST-LAZARE
Lycée J. Decour
Lycée Lamartine
Lycée Techn. J. Siegfried
Conservatoire National Sup. d'Art Dramatique
MAIRIE DU IXe AR.
Hôtel des Ventes Drouot
Musée Grévin
Musée du Cristal
Musée de la Publicité
Musée du Grd Orient de France
Musée d'Art Naïf M. Fourny
Théâtre des Variétés
Théâtre des Nouveautés
Bourse des Valeurs
Pl. de la Bourse
Pl. Charles Dullin
Pl. Kossuth
Pl. Franz Liszt
Pl. du 8 Nov. 1942
Pl. de Roubaix
Pl. Napoléon III
Sq. d'Anvers
Sq. Trudaine
Sq. de Maubeuge
Sq. de Montholon
Sq. Pétrelle
Sq. St-Vincent de Paul
Sq. A. Satragne
Sq. Willette
Rue de Dunkerque
Rue Condorcet
Rue de Maubeuge
Rue La Fayette
Rue de Châteaudun
Rue de Provence
Rue Richer
Rue Bleue
Rue Lamartine
Rue de Montholon
Rue Trudaine
Rue des Martyrs
Rue de la Tour d'Auvergne
Rue Rodier
Rue Turgot
Rue de Rochechouart
Rue du Fbg Poissonnière
Rue du Fbg Montmartre
Rue Cadet
Rue de Trévise
Rue Saulnier
Rue de Bellefond
Rue Milton
Rue Choron
Rue Lebas
Rue Buffault
Rue Drouot
Rue Rossini
Rue de Montyon
Rue Ste-Cécile
Rue Bergère
Rue Rougemont
Rue d'Hauteville
Rue des Petites Écuries
Rue de Paradis
Rue des Messageries
Rue d'Enghien
Rue de Chabrol
Rue des Petits Hôtels
Rue de Belzunce
Rue d'Abbeville
Rue Pétrelle
Rue Ambroise Paré
Rue du Delta
Rue Gérando
Rue d'Orsel
Rue P. Picard
Rue de Sofia
Rue de la Goutte d'Or
Rue de Chartres
Rue de la Charbonnière
Rue Montmartre
Rue d'Uzès
Rue Vivienne
Rue Feydeau
Rue des Jeûneurs
Rue du Sentier
Rue du Fbg St-Denis
Cité Paradis
Cité Bergère
Cité Rougemont
Cité Condorcet
Cité Fénelon
Cité d'Hauteville
Cité de Chabrol
Cité de Trévise
Imp. de la Tour d'Auvergne
Imp. Briare
Imp. de la Boule Rouge
Pas. Verdeau
Pas. Jouffroy
Pas. des Panoramas
Gal. des Variétés
Gal. Montmartre
Gal. St-Marc
Gal. Feydeau
Cour de la Ferme St-Lazare
Cour des Petites Écuries
PTT
Anvers
Cadet
Le Peletier
Poissonnière
Barbès-Rochechouart
Richelieu-Drouot
Bonne-Nouvelle
Château-d'Eau
Montmartre
18
10
7
8
2
4

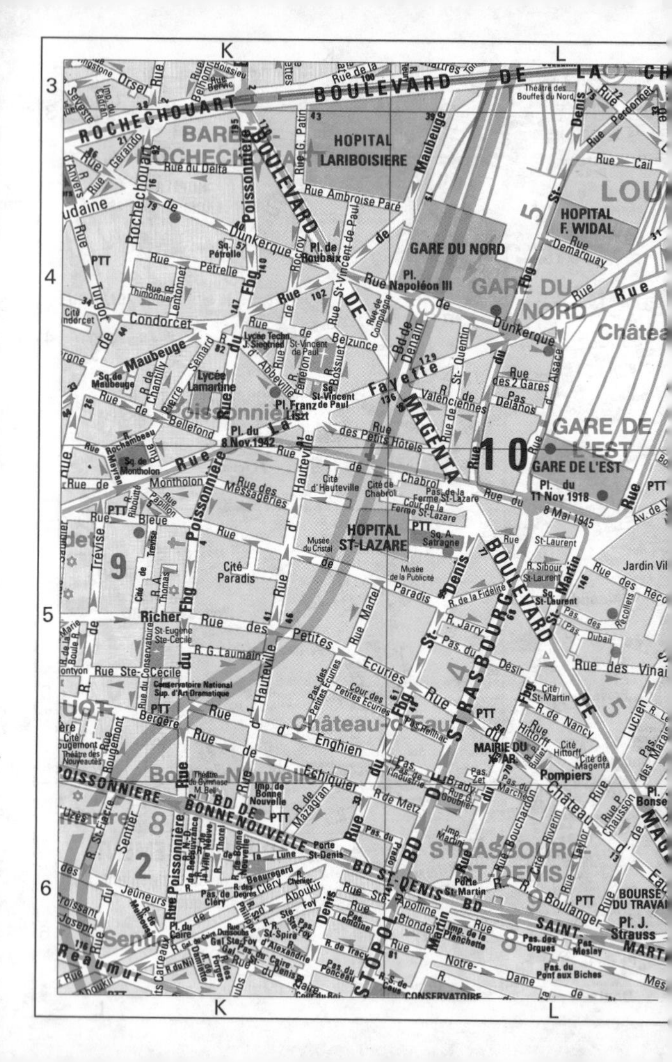

K
L
3
4
5
6
BOULEVARD DE LA CH
ROCHECHOUART
Rue Orsel
Rue Boissieu
Rue Belhomme
Rue Bervic
Rue de la Charbonnière
Théâtre des Bouffes du Nord
Rue Perdonnet
Rue Gérando
Rue du Delta
Rue d'Anvers
Rochechouart
Rue de Dunkerque
Poissonnière
BOULEVARD DE MAGENTA
Rue G. Patin
HOPITAL LARIBOISIERE
Maubeuge
Rue Ambroise Paré
Rue Cail
HOPITAL F. WIDAL
Rue Demarquay
GARE DU NORD
Pl. de Roubaix
Pl. Napoléon III
Rue St-Vincent de Paul
Rocroy
Sq. Pétrelle
Rue Pétrelle
PTT
Turgot
Rue Thimonnier
R. Lentonnet
Cité Condorcet
Condorcet
Fbg
Rue de Compiègne
Bd de Denain
Rue de Belzunce
St-Quentin
Dunkerque
Château
Lycée Techn. J. Siegfried
St-Vincent de Paul
Rue de Maubeuge
Sq. de Maubeuge
R. de Chantilly
Pierre Sémard
Lycée Lamartine
Rue d'Abbeville
Rue Fénelon
R. Bossuet
Sq. St-Vincent de Paul
Pl. Franz Liszt
Rue La Fayette
Rue de Valenciennes
Rue des 2 Gares
Pas Delanos
d'Alsace
GARE DE L'EST
Rue de Bellefond
Pl. du 8 Nov. 1942
Rue des Petits Hôtels
R. Rochambeau
Sq. de Montholon
Rue Mayran
Rue de Montholon
Rue des Messageries
Rue Papillon
Rue de Chabrol
Cité d'Hauteville
Cité de Chabrol
Pas. de la Ferme St-Lazare
Cour de la Ferme St-Lazare
10
Rue du 8 Mai 1945
Pl. du 11 Nov 1918
Av. de V
R. Riboutté
Rue Bleue
Trévise
9
Cité de Trévise
R. A. Thomas
HOPITAL ST-LAZARE
Musée du Cristal
Sq. A. Satragne
Musée de la Publicité
Rue de Paradis
Cité Paradis
Rue St-Laurent
R. Sibour
Sq. St-Laurent
Jardin Vil
Rue des Récollets
Richer
St-Eugène Ste-Cécile
Rue des Petites Écuries
R. G. Laumain
Rue Martel
R. Jarry
Pas. du Désir
Pas. des Récollets
Pas. Dubail
Rue des Vinai
Rue Ste-Cécile
Rue du Conservatoire
Conservatoire National Sup. d'Art Dramatique
Pas. des Petites Écuries
Cour des Petites Écuries
Cité St-Martin
R. de Nancy
Château-d'Eau
PTT
Bergère
Rue d'Enghien
Pas. Reilhac
Rue Hittorff
Cité Hittorff
Cité de Magenta
MAIRIE DU X° AR.
Rue Rougemont
Cité Rougemont
Théâtre des Nouveautés
Théâtre du Gymnase M. Bell
Rue de l'Échiquier
Pas. de l'Industrie
Rue Gabriel
Pas. Brady
Pas. du Marché
Pompiers
Rue P. Chausson
Pl. Bonse
POISSONNIERE
BD DE BONNE NOUVELLE
Imp. de Bonne Nouvelle
R. de Mazagran
R. de Metz
Imp. Mariniers
Rue Bouchardon
Rue Taylor
Cité Riverin
R. St-Fiacre
Sentier
8
2
Rue Thorel
Rue de la Lune
Porte St-Denis
BD ST-DENIS
Pas. du Prado
STRASBOURG-ST-DENIS
Porte St-Martin
BD
Rue Boulanger
BOURSE DU TRAVAIL
Pl. J. Strauss
Rue des Jeûneurs
Rue Poissonnière
Beauregard
Pas. de Degrés
Rue de Cléry
Abukir
Rue Ste-Apolline
Rue Blondel
Rue de la Planchette
Imp. de la Planchette
SAINT-MARTIN
Pas. des Orgues
Pas. Meslay
Rue Croissant
Rue St-Joseph
Pl. du Caire
Gal Ste-Foy
R. St-Spire
R. d'Alexandrie
Rue Lemoine
R. de Tracy
Pas. du Ponceau
Rue Notre-Dame
Pas. du Pont aux Biches
Réaumur
R. du Nil
Rue du Caire
Cour du Roi
SEBASTOPOL
CONSERVATOIRE

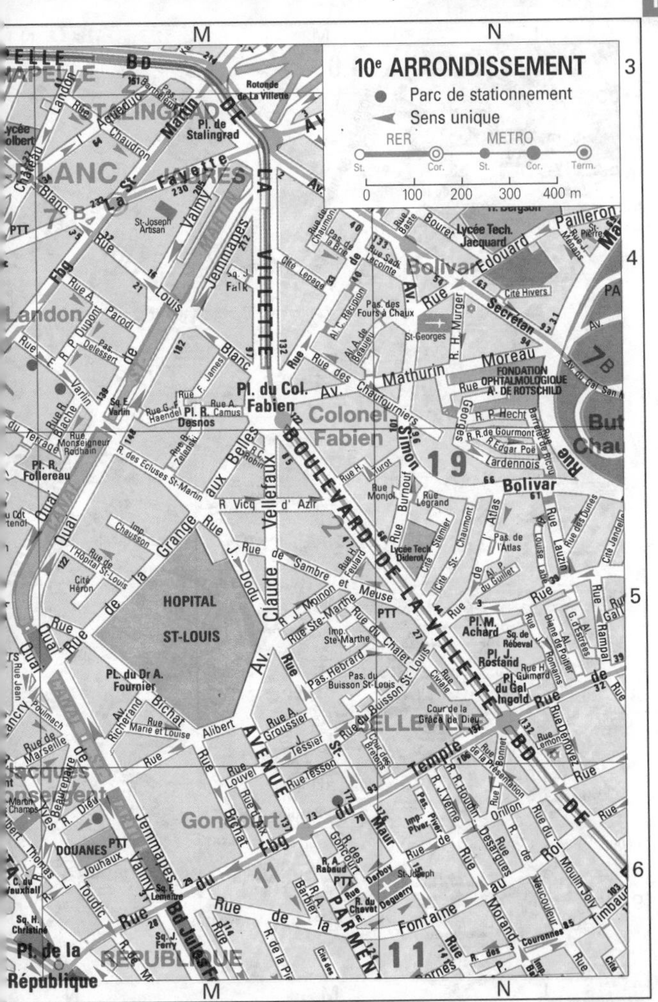

10e ARRONDISSEMENT
Parc de stationnement
Sens unique
RER
METRO
St.
Cor.
St.
Cor.
Term.
0
100
200
300
400 m
M
N
M
N
3
4
5
6
BD DE LA VILLETTE
BOULEVARD DE LA VILLETTE
Pl. de Stalingrad
Rotonde de La Villette
Pl. du Col. Fabien
Colonel Fabien
HOPITAL ST-LOUIS
Pl. du Dr A. Fournier
Pl. R. Desnos
Sq. E. Varlin
Pl. R. Follereau
St-Joseph Artisan
Sq. J. Falk
Lycée Tech. Jacquard
Lycée Tech. Diderot
FONDATION OPHTALMOLOGIQUE A. DE ROTSCHILD
Pl. M. Achard
Sq. de Rébeval
Pl. J. Rostand
Pl. du Gal Ingold
Cour de la Grâce de Dieu
BELLEVILLE
DOUANES
PTT
Pl. de la République
Rue du Fbg du Temple
Avenue Parmentier
Av. Mathurin Moreau
Av. Secrétan
Av. Simon Bolivar
Rue de Sambre et Meuse
Av. Claude Vellefaux
Rue de la Grange aux Belles
Quai de Jemmapes
Quai de Valmy
Rue Bichat
Rue Alibert
Rue Louis Blanc
Rue La Fayette
Rue de la Fontaine au Roi
Rue Rébeval
Rue de l'Hôpital St-Louis
Rue des Ecluses St-Martin
R. Vicq d' Azir
Rue Juliette Dodu
Rue du Buisson St-Louis
Pas. du Buisson St-Louis
Rue Ste-Marthe
Imp. Ste-Marthe
Rue du Chalet
Rue des Chaufourniers
Rue de Meaux
Rue Louis Blanc
Rue Lauzin
Rue Burnouf
Rue Bolivar
Rue Pailleron
Rue Edouard Pailleron
Rue Rampal
Rue Bisson
Rue de l'Orillon
Rue des Couronnes
Rue Moulin Joly
Rue Darboy
St-Joseph
Rue Deguerry
Rue Jouhaux
Bd Jules Ferry
Sq. J. Ferry
Sq. F. Lemaître
Cité Héron
Imp. Chausson
Rue Monseigneur Rodhain
Rue du Terrage
Rue Varlin
Rue Parodi
Rue de l'Aqueduc
Rue Chaudron
Rue Landon
Cité Lepage
Pas. des Fours à Chaux
St-Georges
Rue Pierre Hecht
Rue Edgar Poë
Rue Ardennois
Cité Hivers
Pas. de l'Atlas
Rue Legrand
Rue Monjol
Rue Turot
Rue Robin
Rue Tesson
Rue Louvel
Rue Jean Poulmarch
Rue de Marseille
Rue Beaurepaire
Rue Yves Toudic
Rue Marie et Louise
Av. Richerand
Gonçourt
11
19
7B

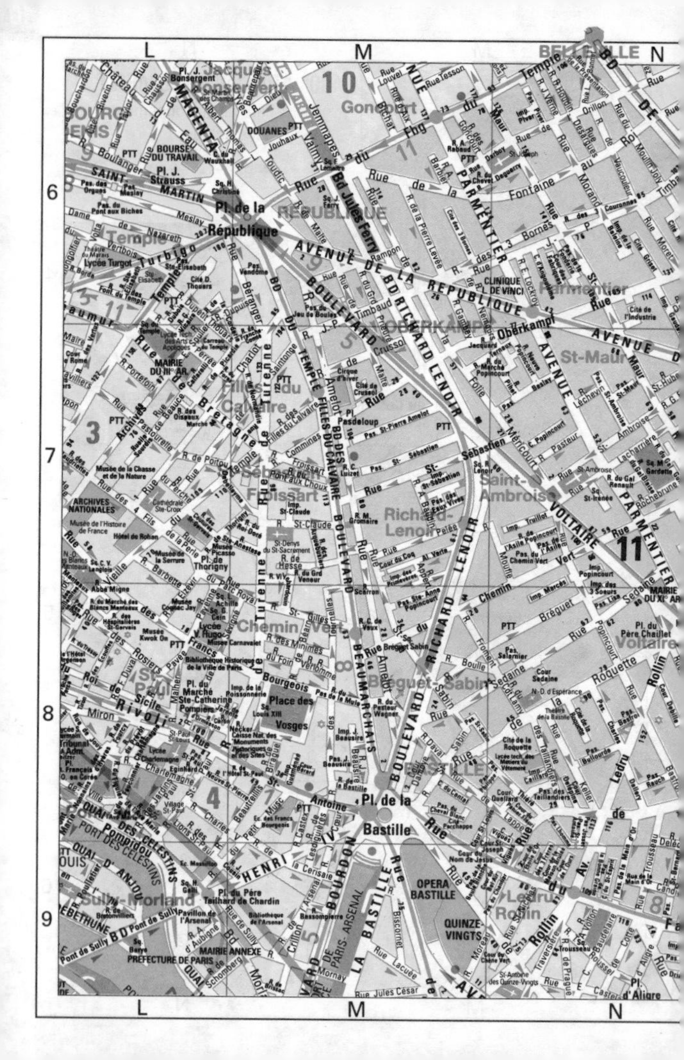
L
M
N
BELLEVILLE
10
11
3
4
5
8
9
6
7
8
9
Pl. de la République
RÉPUBLIQUE
AVENUE DE LA RÉPUBLIQUE
BD JULES FERRY
BOULEVARD DU TEMPLE
BD DES FILLES DU CALVAIRE
BOULEVARD BEAUMARCHAIS
BD RICHARD LENOIR
BOULEVARD RICHARD LENOIR
Rue Oberkampf
Oberkampf
Parmentier
AVENUE PARMENTIER
Rue du Fbg du Temple
Goncourt
MAGENTA
SAINT-MARTIN
Turbigo
Temple
Rue de Bretagne
Rue de Turenne
Filles du Calvaire
St-Sébastien Froissart
Chemin Vert
Richard-Lenoir
Saint-Ambroise
St-Maur
VOLTAIRE
Bréguet-Sabin
BASTILLE
Pl. de la Bastille
OPERA BASTILLE
QUINZE-VINGTS
Ledru Rollin
Place des Vosges
Rivoli
Rue de Sicile
St-Paul
QUAI DES CELESTINS
PORT DES CELESTINS
QUAI D'ANJOU
Sully-Morland
BD HENRI IV
BD BOURDON
PORT DE PARIS-ARSENAL
Rue de la Roquette
Rue de Charonne
Voltaire
ARCHIVES NATIONALES
Musée de la Chasse et de la Nature
Musée Picasso
Musée Carnavalet
Lycée Turgot
MAIRIE DU IIIe AR.
MAIRIE DU XIe AR.
CLINIQUE L. DE VINCI
Cirque d'hiver
DOUANES
BOURSE DU TRAVAIL
Bibliothèque Historique de la Ville de Paris
PREFECTURE DE PARIS
MAIRIE ANNEXE
Pl. du Père Teilhard de Chardin
Pl. du Père Chaillet
Pl. d'Aligre

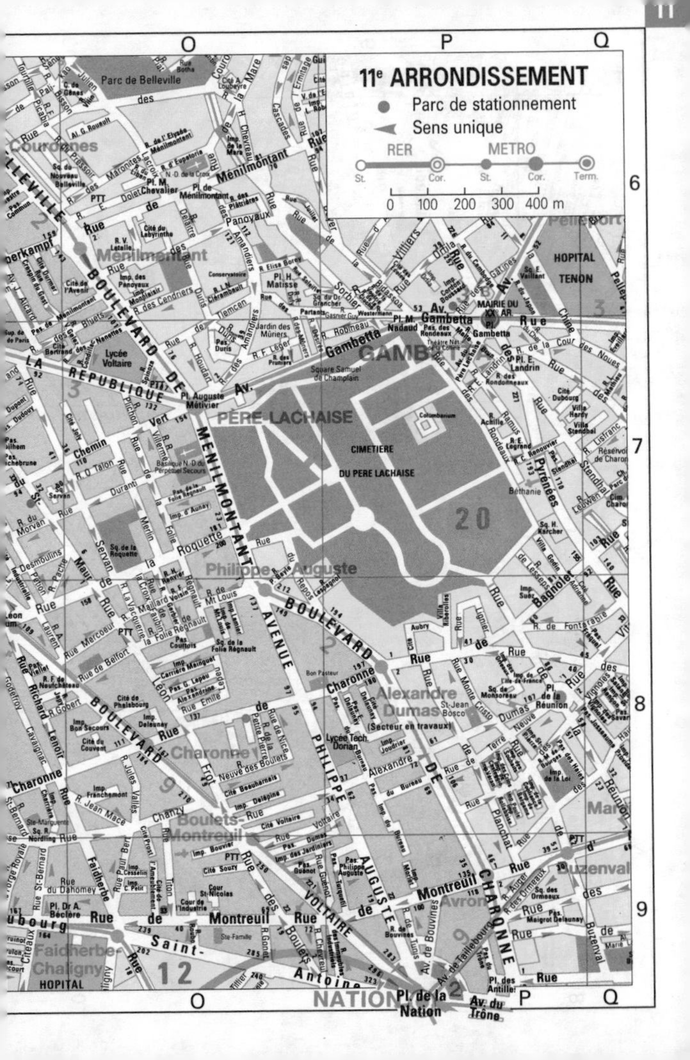
11e ARRONDISSEMENT
Parc de stationnement
Sens unique
RER
METRO
St.
Cor.
St.
Cor.
Term.
0 100 200 300 400 m
O
P
Q
6
7
8
9
Parc de Belleville
Couronnes
Ménilmontant
BOULEVARD DE MÉNILMONTANT
Rue Oberkampf
Lycée Voltaire
AV. DE LA RÉPUBLIQUE
Pl. Auguste Métivier
PÈRE LACHAISE
CIMETIERE DU PERE LACHAISE
Columbarium
Square Samuel de Champlain
Av. Gambetta
GAMBETTA
MAIRIE DU XXe AR.
HOPITAL TENON
Pelleport
Rue de la Roquette
Philippe Auguste
BOULEVARD DE CHARONNE
AVENUE PHILIPPE AUGUSTE
Alexandre Dumas
(Secteur en travaux)
Lycée Tech. Dorian
Charonne
Rue des Pyrénées
Rue de Bagnolet
Rue de Montreuil
Avron
Buzenval
Boulets-Montreuil
Faidherbe-Chaligny
BOULEVARD VOLTAIRE
Rue du Faubourg Saint-Antoine
Pl. de la Nation
NATION
Av. du Trône
HOPITAL
12
20

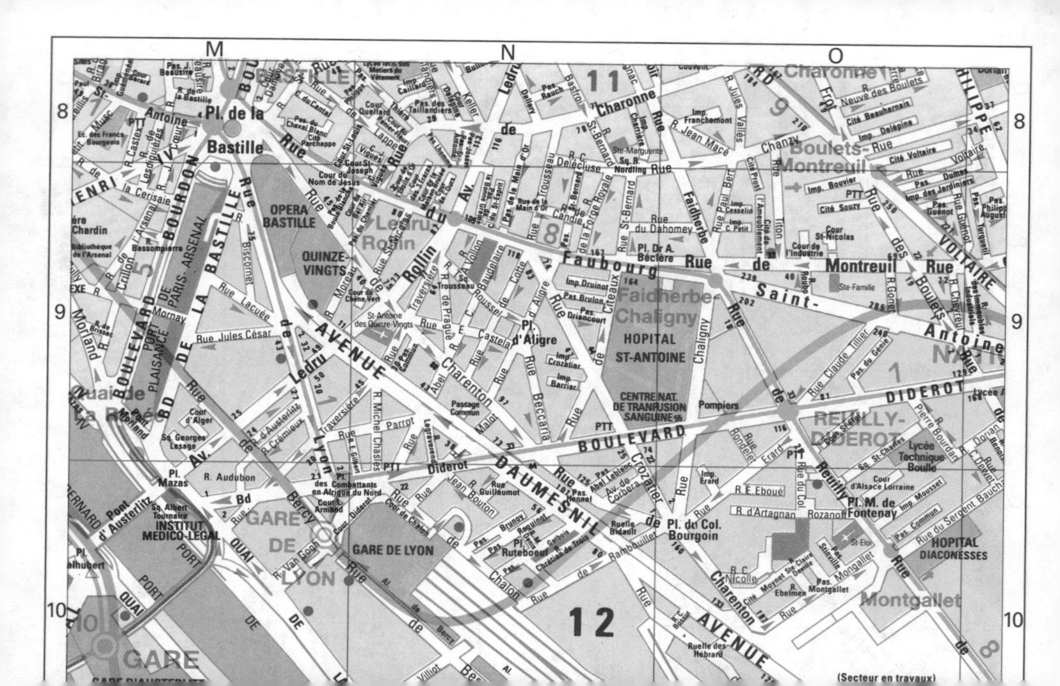
M
N
O
8
9
10
11
12
Pl. de la Bastille
BASTILLE
OPERA BASTILLE
QUINZE-VINGTS
Ledru Rollin
Faidherbe-Chaligny
HOPITAL ST-ANTOINE
CENTRE NAT. DE TRANFUSION SANGUINE
Boulets-Montreuil
REUILLY-DIDEROT
Montgallet
GARE DE LYON
INSTITUT MEDICO-LEGAL
HOPITAL DIACONESSES
Lycée Technique Boulle
Rue du Faubourg Saint-Antoine
Rue de Montreuil
BOULEVARD DIDEROT
AVENUE DAUMESNIL
AVENUE Ledru Rollin
BOULEVARD DE LA BASTILLE
BOULEVARD BOURDON
PORT DE PARIS-ARSENAL
PORT PLAISANCE
Rue de Charonne
Rue Faidherbe
VOLTAIRE
Rue de Charenton
Rue de Lyon
Bd de Bercy
Rue de Reuilly
Rue de Chalon
Rue Crozatier
Rue Beccaria
Rue Chaligny
Rue Traversière
Rue Biscornet
Rue Lacuée
Rue Jules César
R. Michel Chasles
Rue Parrot
Rue Moreau
Rue de la Roquette
Rue de Lappe
Rue Keller
Rue Trousseau
Rue St-Bernard
Rue de Candie
Rue de la Forge Royale
Rue Titon
Rue des Boulets
Rue Claude Tillier
Rue Pierre Bourdan
R. Jules Vallès
R. Jean Macé
Chanzy
Frot
R. Neuve des Boulets
Cité Beauharnais
Imp. Delépine
Cité Voltaire
Rue Dumas
Imp. des Jardiniers
Rue Guénot
Pas. Philippe Auguste
Turquetil
Cité Souzy
Imp. Bouvier
Cour St-Nicolas
Cour de l'Industrie
Cité Prost
Cité de l'Ameublement
Imp. Casselin
Imp. C. Petit
Rue du Dahomey
Pl. Dr A. Béclère
Sq. R. Nordling
Ste-Marguerite
R. C. Delécluse
Imp. Charrière
Imp. Franchemont
Dallery
Pas. Rauch
Bastroi
Pas. de la Main d'Or
Rue de la Main d'Or
Pl. d'Aligre
Rue d'Aligre
Rue de Cotte
Rue Baudelaire
Rue A. Vollon
Sq. Trousseau
Rue de Prague
Rue Emilio Castelar
Imp. Druinot
Pas. Brulon
Pas. Driancourt
Rue de Cîteaux
Imp. Crozatier
Imp. Barrier
Passage Commun
Rue Abel
Pompiers
Rue Rondelet
Rue Erard
Imp. Erard
R. E. Eboué
R. d'Artagnan
Rozanoff
Rue du Col.
Pl. M. de Fontenay
Cour d'Alsace Lorraine
Imp. Mousset
Pas. Commun
Rue du Sergent Bauchat
Sq. St-Charles
Cour St-Eloi
St-Eloi
Pas. Stinville
Rue Mongallet
Pas. Montgallet
R. Ebelmen
Cité Moynet
R. Ste-Claire Deville
R. C. Nicolle
Charenton
Pl. du Col. Bourgoin
Rue de Rambouillet
Ruelle Bidault
Av. de Corbera
Pas. Abel Leblanc
Pas. Hennel
Rue Guillaumot
Jean Bouton
Pas. Brunoy
Pl. Ruteboeuf
R. Reguinot
R. Gatbois
R. Christian de Trois
Ruelle des Hébrard
R. C. Bossut
Rue Legraverend
R. E. Gilbert
Pl. des Combattants en Afrique du Nord
Cour Diderot
Cour de Chalon
Cour I. Armand
R. Van Gogh
QUAI DE
PORT
Pont d'Austerlitz
Sq. Albert Tournaire
Pl. Mazas
R. Audubon
Sq. Georges Lesage
Cour d'Alger
R. Crémieux
R. d'Austerlitz
Pont Morland
Quai de la Rapée
R. de Brissac
Morland
Mornay
R. Bassompierre
Crillon
Bibliothèque de l'Arsenal
Chardin
R. de l'Arsenal
la Cerisaie
R. Lesdiguières
R. Castex
Ec. des Francs Bourgeois
Rue St-Antoine
Cour du Nom de Jésus
Cour St-Joseph
C. J. Vigues
Cour St-Louis
Cité Parchappe
Pas. du Cheval Blanc
C. du Cantal
Cour Quellard
Cour du Panier Fleuri
Pas. des Taillandiers
Cour Delépine
Pas. Josset
Pas. St-Antoine
Pas. Lhomme
Cour de la Maison Brûlée
St-Antoine des Quinze-Vingts
Cour du Chêne Vert
PTT
(Secteur en travaux)

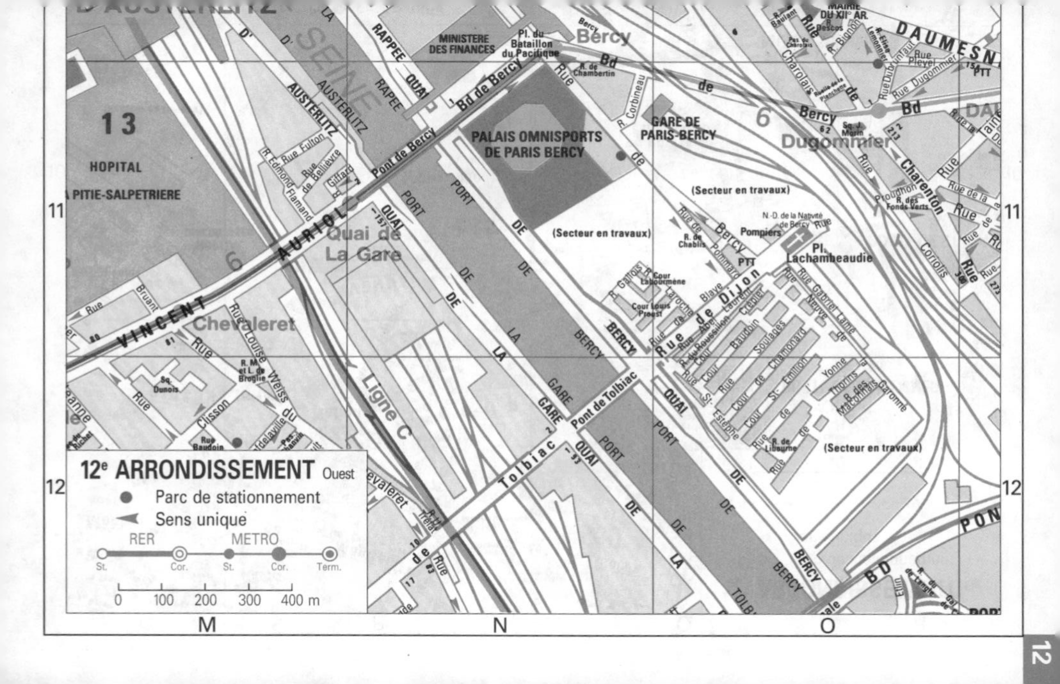
12e ARRONDISSEMENT Ouest
Parc de stationnement
Sens unique
RER
METRO
St.
Cor.
St.
Cor.
Term.
0
100
200
300
400 m
M
N
O
11
12
13
HOPITAL
PITIE-SALPETRIERE
MINISTERE DES FINANCES
Pl. du Bataillon du Pacifique
Bercy
PALAIS OMNISPORTS DE PARIS BERCY
GARE DE PARIS-BERCY
Dugommier
MAIRIE DU XIIe AR.
DAUMESNIL
(Secteur en travaux)
(Secteur en travaux)
(Secteur en travaux)
N.-D. de la Nativité de Bercy
Pompiers
PTT
Pl. Lachambeaudie
Rue de Dijon
Pont de Bercy
Pont de Tolbiac
Bd de Bercy
QUAI DE BERCY
QUAI DE LA GARE
PORT DE LA GARE
PORT DE BERCY
QUAI D'AUSTERLITZ
QUAI DE LA RAPEE
SEINE
Quai de La Gare
Chevaleret
AURIOL
VINCENT
Ligne C
Rue de Tolbiac
Rue de Charenton
Rue Coriolis
Rue Corbineau
R. de Chambertin
Rue Fulton
Rue de Bellièvre
R. Edmond Flamand
Giffard
Rue Bruant
Rue Louise Weiss
R. M. et L. de Broglie
Sq. Dunois
Rue Clisson
Rue Baudoin
Rue Pommard
Rue de Chablis
R. Gallois
Cour Laroche
Cour Labourmène
Cour Louis Proust
Rue Abel Laurent
Rue Blaye
Rue Gabriel Lamé
Rue Neuve
Rue Baudoin
Rue Soulages
Cour de Chamonard
Cour St-Emilion
Rue St-Estèphe
R. de Libourne
Rue Yonne
Thorins
R. des Maconnais
Garonne
R. des Fonds Verts
Proudhon
Rue Dubrunfaut
Rue Dugommier
Rue Pleyel
R. Elisa Lemonnier
R. Bignon
Charolais
Pas. du Charolais
Sq. J. Morin
R. du Langle
Rue Trélat
Rue du Chevaleret

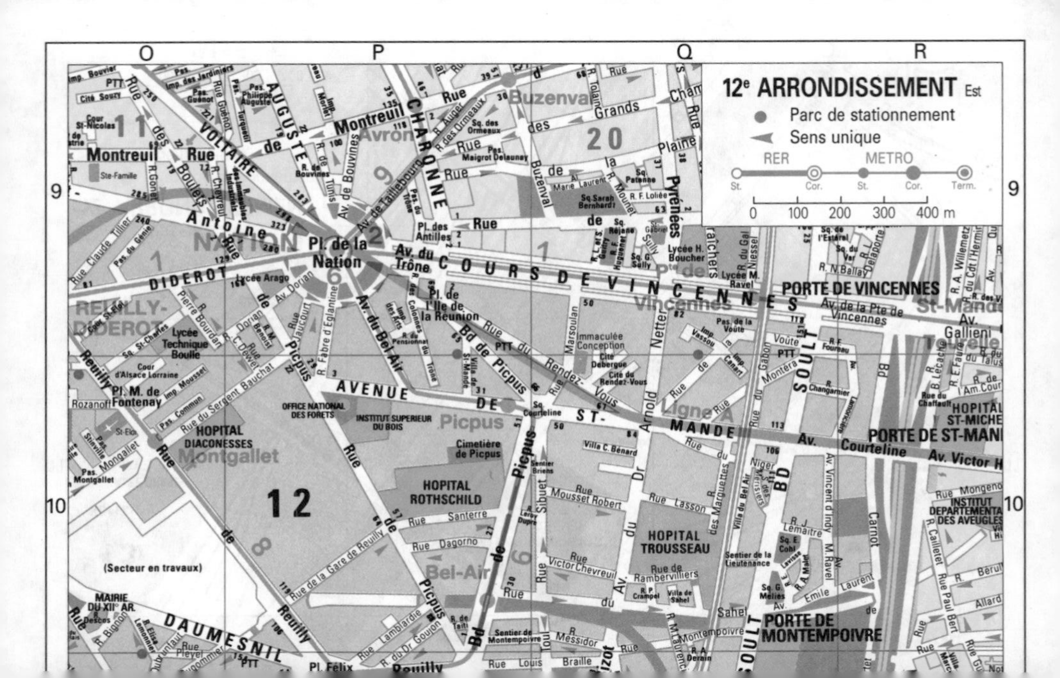

12e ARRONDISSEMENT Est
Parc de stationnement
Sens unique
RER
METRO
St.
Cor.
St.
Cor.
Term.
0
100
200
300
400 m
O
P
Q
R
9
10
PORTE DE VINCENNES
PORTE DE ST-MANDÉ
PORTE DE MONTEMPOIVRE
COURS DE VINCENNES
AVENUE DE ST-MANDE
BD SOULT
Pl. de la Nation
DIDEROT
DAUMESNIL
VOLTAIRE
CHARONNE
AUGUSTE
Av. du Bel Air
Av. du Trône
Bd de Picpus
Rue de Picpus
Rue de Reuilly
Av. Courteline
HOPITAL ROTHSCHILD
HOPITAL TROUSSEAU
HOPITAL DIACONESSES
Cimetière de Picpus
OFFICE NATIONAL DES FORETS
INSTITUT SUPERIEUR DU BOIS
Lycée Technique Boulle
Lycée Arago
Lycée H. Boucher
Lycée M. Ravel
Immaculée Conception
MAIRIE DU XIIe AR.
(Secteur en travaux)
INSTITUT DEPARTEMENTAL DES AVEUGLES
Rue de la Gare de Reuilly
Rue du Sergent Bauchat
Rue Santerre
Rue Dagorno
Rue Mousset Robert
Rue Victor Chevreuil
Rue Lasson
Rue de Rambervilliers
Rue Marsoulan
Rue Netter
Av. Vincent d'Indy
Av. M. Ravel
Bd Carnot
Rue Paul Bert
R. Cailletet
Rue du Rendez-Vous
Rue de Montreuil
Rue des Boulets
Rue Buzenval
Rue des Pyrénées
Av. de Bouvines
Av. de Taillebourg
Av. Dorian
Rue Fabre d'Eglantine
Rue Claude Tillier
Rue Pierre Bourdan
Picpus
Bel-Air
Montgallet
Nation
Reuilly-Diderot
Avron
Buzenval
Ligne A
1
2
6
8
9
11
12
20

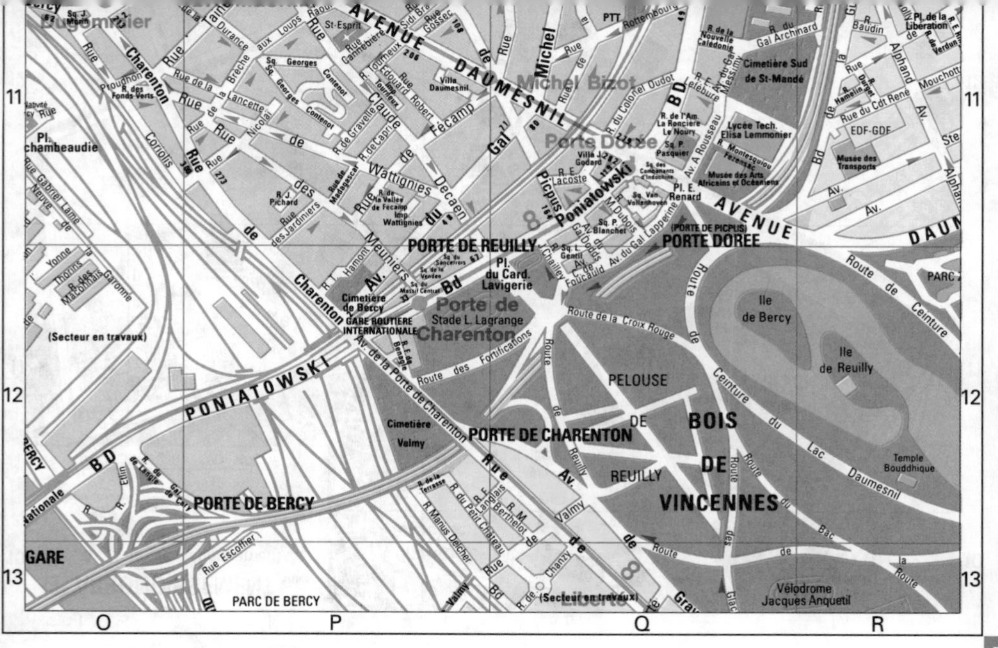
AVENUE DAUMESNIL
BD PONIATOWSKI
PORTE DE REUILLY
PORTE DORÉE
(PORTE DE PICPUS)
PORTE DE CHARENTON
PORTE DE BERCY
BOIS DE VINCENNES
PELOUSE DE REUILLY
Ile de Bercy
Ile de Reuilly
Temple Bouddhique
Vélodrome Jacques Anquetil
Cimetière Sud de St-Mandé
Lycée Tech. Elisa Lemmonier
Musée des Arts Africains et Océaniens
Musée des Transports
EDF-GDF
Cimetière de Bercy
GARE ROUTIÈRE INTERNATIONALE
Stade L. Lagrange
Porte de Charenton
Cimetière Valmy
Villa Daumesnil
Michel Bizot
Route de la Croix Rouge
Route des Fortifications
Route de Ceinture du Lac Daumesnil
Route du Bac
Av. de la Porte de Charenton
Rue de Charenton
Rue Claude Decaen
Rue de Wattignies
Rue de Fécamp
Rue du Gal Michel Bizot
(Secteur en travaux)
PARC DE BERCY
GARE
Pl. Chambeaudie
Rue Coriolis
Rue Gabriel Lamé
O
P
Q
R
11
12
13

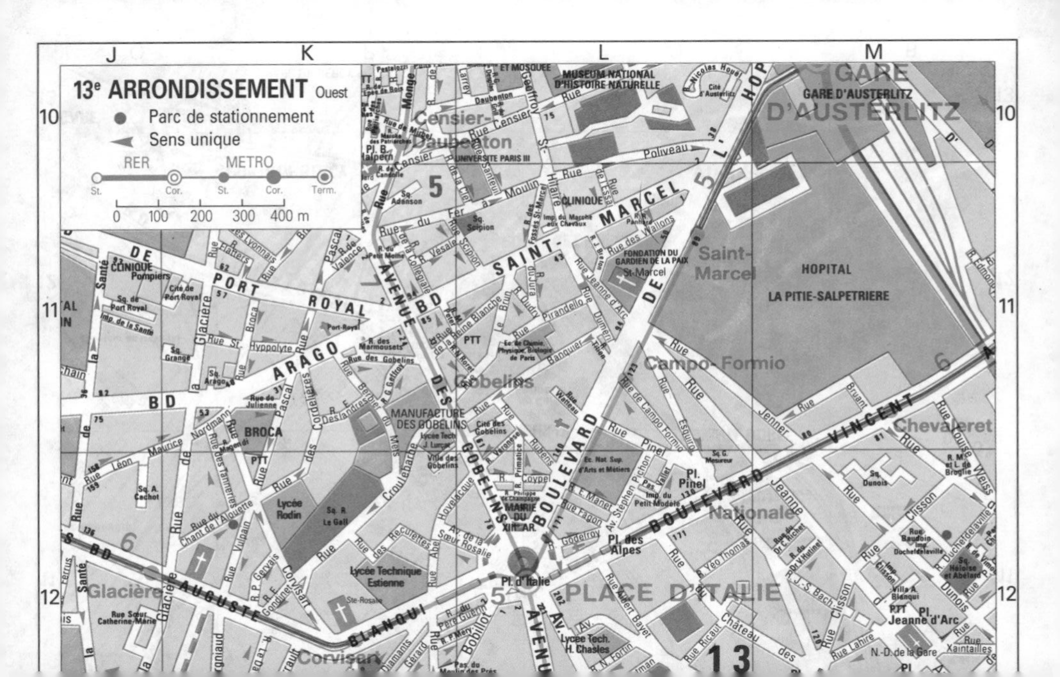
13e ARRONDISSEMENT Ouest
Parc de stationnement
Sens unique
RER
METRO
St.
Cor.
St.
Cor.
Term.
0
100
200
300
400 m
J
K
L
M
10
11
12
GARE D'AUSTERLITZ
MUSEUM NATIONAL D'HISTOIRE NATURELLE
HOPITAL
LA PITIE-SALPETRIERE
FONDATION DU GARDIEN DE LA PAIX
Saint-Marcel
Campo-Formio
Chevaleret
Nationale
PLACE D'ITALIE
Pl. d'Italie
MAIRIE DU XIIIe AR.
MANUFACTURE DES GOBELINS
Gobelins
Censier-Daubenton
UNIVERSITE PARIS III
CLINIQUE
BROCA
Lycée Rodin
Sq. R. Le Gall
Lycée Technique Estienne
Lycée Tech. H. Chasles
Glacière
Corvisart
BD SAINT-MARCEL
BD DE PORT ROYAL
BD ARAGO
AVENUE DES GOBELINS
BOULEVARD VINCENT
BD AUGUSTE BLANQUI
BD DE L'HOPITAL
Rue Monge
Rue Censier
Rue Poliveau
Rue Geoffroy St-Hilaire
Rue Jeanne d'Arc
Rue Pinel
Rue Jenner
Rue Bruant
Rue de Campo Formio
Rue Esquirol
Rue de la Glacière
Rue Broca
Rue Pascal
Rue Vulpian
Rue Corvisart
Rue Croulebarbe
Rue Abel Hovelacque
Rue Nationale
Rue Clisson
Rue Dunois
Rue Louise Weiss
Rue du Château des Rentiers
Pl. Pinel
Pl. des Alpes
Pl. Jeanne d'Arc
Sq. Dunois
Sq. Scipion
Sq. Adanson
Sq. de Port Royal
Sq. Grange
Sq. Arago
Sq. A. Cachot
Sq. G. Mesureur
Sq. Héloïse et Abélard
N.-D. de la Gare
13

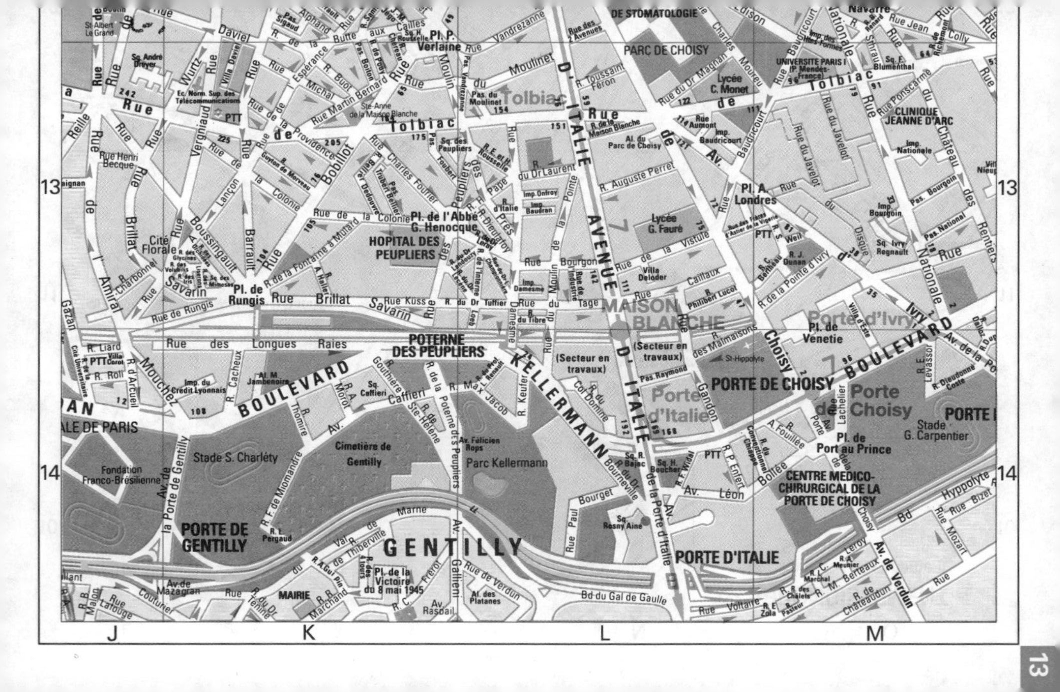
DE STOMATOLOGIE
PARC DE CHOISY
UNIVERSITE PARIS I (P. Mendès-France)
Lycée C. Monet
CLINIQUE JEANNE D'ARC
Tolbiac
Rue de Tolbiac
AVENUE D' ITALIE
Rue de la Maison Blanche
Al. du Parc de Choisy
R. Auguste Perret
Lycée G. Fauré
Pl. A. Londres
Rue du Javelot
Rue du Château des Rentiers
Rue Nationale
Rue de la Vistule
Villa Deloder
Rue Caillaux
R. Philibert Lucot
R. de la Pointe d'Ivry
Porte d'Ivry
Pl. de Venetie
Villa d'Este
Av. d'Ivry
MAISON BLANCHE
(Secteur en travaux)
Rue des Malmaisons
St-Hippolyte
Av. de Choisy
BOULEVARD
PORTE DE CHOISY
Porte de Choisy
Stade G. Carpentier
Pl. de Port au Prince
CENTRE MEDICO-CHIRURGICAL DE LA PORTE DE CHOISY
Porte d'Italie
PORTE D'ITALIE
Av. de la Porte d'Italie
Bd du Gal de Gaulle
Av. de Verdun
Rue Mozart
Rue Bizet
Bd Hyppolyte
KELLERMANN
Parc Kellermann
Av. Félicien Rops
R. de la Poterne des Peupliers
POTERNE DES PEUPLIERS
Rue des Longues Raies
HOPITAL DES PEUPLIERS
Pl. de l'Abbé G. Henocque
Rue de la Colonie
Rue Bobillot
Rue Barrault
Pl. de Rungis
Rue Brillat Savarin
Rue de Rungis
Rue Boussingault
Cité Florale
Rue de l'Amiral Mouchez
Rue Vergniaud
Rue Wurtz
Rue Daviel
Ec. Norm. Sup. des Télécommunications
Sq. André Dreyer
Rue Henri Becque
Pl. P. Verlaine
Rue du Moulinet
Rue Vandrezanne
Rue de la Butte aux Cailles
BOULEVARD
Imp. du Crédit Lyonnais
Stade S. Charléty
Cimetière de Gentilly
PORTE DE GENTILLY
Av. de la Porte de Gentilly
Fondation Franco-Brésilienne
GENTILLY
Pl. de la Victoire du 8 mai 1945
MAIRIE
Av. Gallieni
Rue de Verdun
Al. des Platanes
Av. de Mazagran
Rue Marne
Av. Raspail
J
K
L
M
13
14

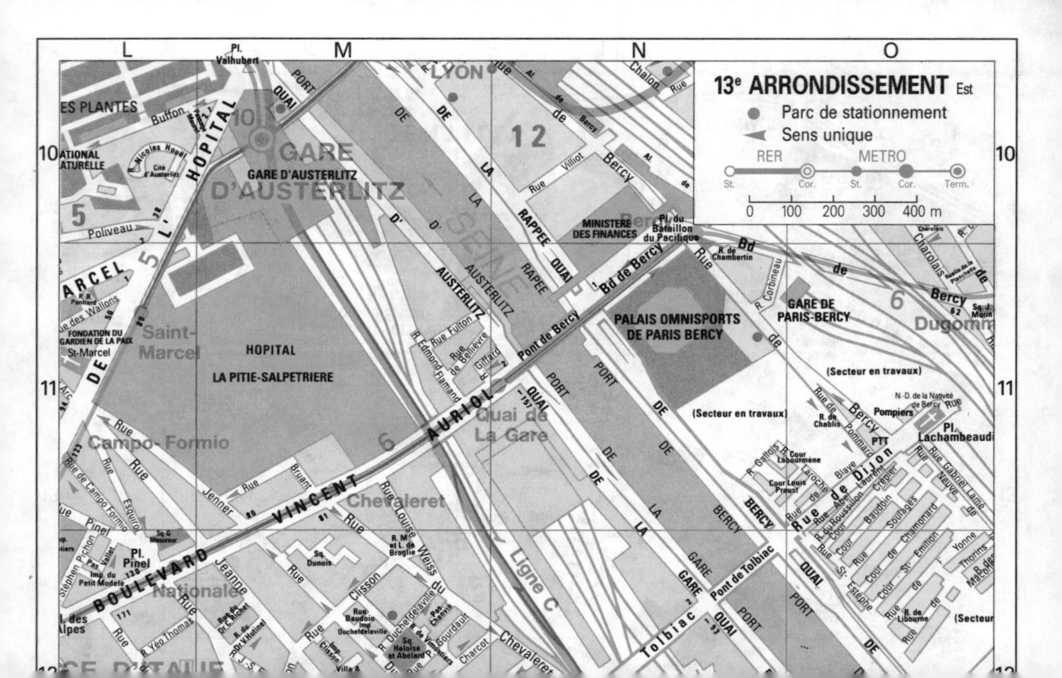
13e ARRONDISSEMENT Est
Parc de stationnement
Sens unique
RER
METRO
St.
Cor.
St.
Cor.
Term.
0
100
200
300
400 m
L
M
N
O
10
11
GARE D'AUSTERLITZ
HOPITAL
LA PITIE-SALPETRIERE
MINISTERE DES FINANCES
PALAIS OMNISPORTS DE PARIS BERCY
GARE DE PARIS-BERCY
(Secteur en travaux)
(Secteur en travaux)
Pl. Valhubert
Pl. du Bataillon du Pacifique
Pl. Lachambeaudi
Pl. Pinel
Bd de Bercy
Pont de Bercy
Pont de Tolbiac
QUAI DE LA RAPEE
PORT DE LA RAPEE
QUAI D'AUSTERLITZ
PORT D'AUSTERLITZ
QUAI DE LA GARE
PORT DE LA GARE
QUAI DE BERCY
PORT DE BERCY
BOULEVARD VINCENT AURIOL
Ligne C
Rue de Tolbiac
Rue Chevaleret
Rue Louise Weiss
Rue Clisson
Rue Jeanne
Rue Bruant
Rue Jenner
Rue Esquirol
Rue de Campo Formio
Rue Pinel
Rue Stephen Pichon
Rue Yéo Thomas
Rue Fulton
Rue de Bellièvre
R. Edmond Flamand
R. Giffard
Rue Villiot
Rue de Dijon
Rue Gabriel Lamé
Rue Neuve de Bercy
Rue de Chablis
Rue Pommard
Rue Corbineau
Rue Charcot
Rue Gourdault
Rue Baudoin
Rue Poliveau
Rue Buffon
Pompiers
PTT
Sq. Dunois
Sq. Héloïse et Abélard
Cour Louis Proust
Cour Lanbourmène
FONDATION DU GARDIEN DE LA PAIX
St-Marcel
Quai de La Gare
Chevaleret
Nationale
Campo-Formio
Saint-Marcel
12
6
5

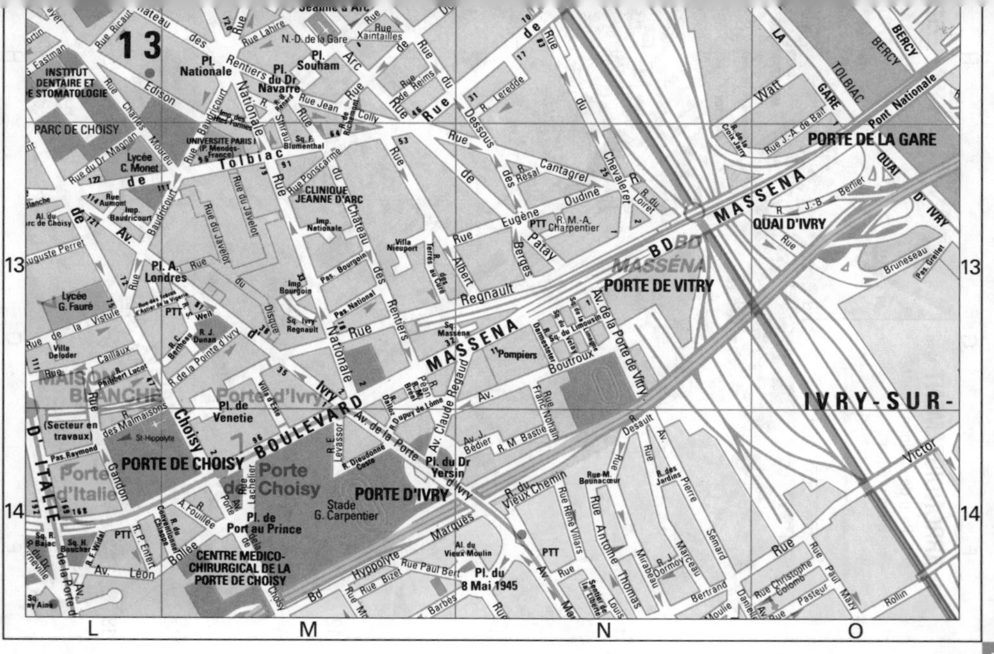

13
PORTE DE LA GARE
QUAI D'IVRY
Pont Nationale
BERCY
TOLBIAC
LA GARE
Watt
Rue J.-A. de Baïf
R. de la Croix Jarry
R. J.-B. Berlier
Bruneseau
Pas. Grellet
MASSENA
BD MASSÉNA
PORTE DE VITRY
IVRY-SUR-
Victor
Rollin
Rue Paul Mazy
Rue Christophe Colomb
Rue Pasteur
Danielle
Bertrand
Sémard
Pierre
R. des Jardins
Marceau
R. J. Dormoy
Mirabeau
Rue Antoine Thomas
Louis
Sentier de la Liberté
Rue René Villars
PTT
Av. de la Porte de Vitry
Sq. du Limousin
Sq. de la Limagne
Sq. du Velay
R. Darmesteter
Boutroux
Rue Franc Nohain
R. M. Bastié
Av. J. Bédier
Pl. du Dr Yersin
Av. Claude Regaud
Av. de la Porte d'Ivry
Rue du Chevaleret
R. du Loiret
Oudiné
R. M.-A. Charpentier
Patay
Berges
Rue Eugène
Albert
Regnault
Rue Cantagrel
R. Résal
Rue du Dessous des Berges
R. Leredde
R. des Terres au Curé
Villa Nieuport
Sq. Masséna
Pompiers
R. Péan
R. M. Bréal
R. Dalloz
R. Dupuy de Lôme
Rue des Rentiers
Rue du Château des Rentiers
Rue Nationale
Pas. National
Pas. Bourgoin
Imp. Bourgoin
Sq. Ivry-Regnault
Ivry
Disque
CLINIQUE JEANNE D'ARC
Imp. Nationale
Rue Ponscarme
Rue Jean Colly
R. de Richemont
Rue de Reims
Xaintailles
Rue Lahire
N.-D. de la Gare
Pl. Souham
Pl. du Dr Navarre
R. R. Renard
Pl. Nationale
Rentiers
Nationale
Rue Baudricourt
Rue de Tolbiac
Sq. F. Blumenthal
Rue du Javelot
UNIVERSITÉ PARIS I (P. Mendès-France)
Imp. des Hautes-Formes
Edison
Rue Charles Moureu
Lycée C. Monet
Imp. Baudricourt
Rue Aumont
Rue du Dr Magnan
Rue Ricaut
INSTITUT DENTAIRE ET STOMATOLOGIE
PARC DE CHOISY
Al. du Parc de Choisy
Auguste Perret
Eastman
Pl. A. Londres
R. J. Dunan
R. S. Weil
Rue des Frères d'Astier de la Vigerie
R. de la Pointe d'Ivry
R. C. Bertheau
Lycée G. Fauré
Rue de la Vistule
Caillaux
R. Philibert Lucot
Villa Deloder
Villa d'Este
Pl. de Venetie
BOULEVARD
PORTE DE CHOISY
Choisy
Porte de Choisy
Porte d'Ivry
PORTE D'IVRY
Stade G. Carpentier
R. E. Levassor
R. Dieudonné Costes
Rue Lachelier
Av. Porte
Pl. de Port au Prince
CENTRE MEDICO-CHIRURGICAL DE LA PORTE DE CHOISY
R. A. Fouillée
R. du Conventionnel Chiappe
Boileau
R. P. Enfert
Av. Léon
R. F. Widal
Gandon
St-Hippolyte
Rue des Malmaisons
MAISON BLANCHE
(Secteur en travaux)
Pas. Raymond
Porte d'Italie
D'ITALIE
Av. de la Porte d'
Sq. H. Boucher
Sq. R. Bajac
Sq. Aîné
Hippolyte
Rue Paul Bert
Rue Bizet
Barbès
Marquès
Al. du Vieux Moulin
Pl. du 8 Mai 1945
R. du Vieux Chemin
Rue M. Bounaccœur
R. Desault
Bd
L
M
N
O
14

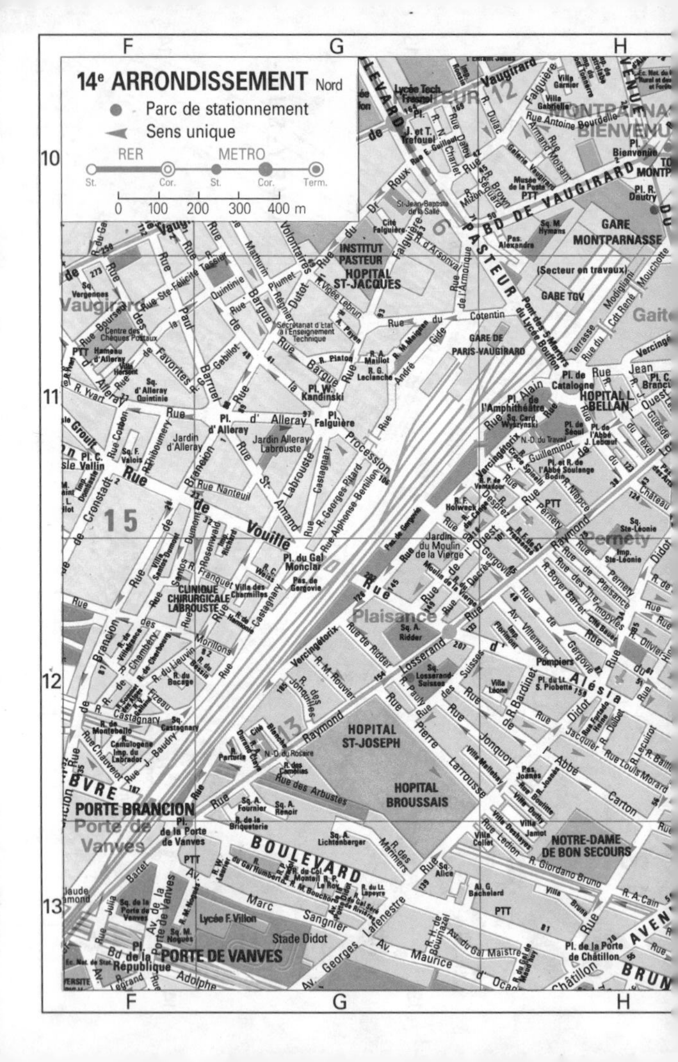

14e ARRONDISSEMENT Nord
Parc de stationnement
Sens unique
RER
METRO
St.
Cor.
St.
Cor.
Term.
0
100
200
300
400 m
F
G
H
10
11
12
13
Lycée Tech. Fresnel
Vaugirard
Rue Antoine Bourdelle
MONTPARNASSE BIENVENUE
Pl. Bienvenüe
Pl. R. Dautry
Rue Falguière
Rue Dulac
Rue Armand Moisant
Galerie Vaugirard
Musée de la Poste
PTT
BD DE VAUGIRARD
J. et T. Tréfouel
Rue E. Guillout
R. N. Charlet
Rue Dalou
Rue Mizon
R. Séguard
R. Brown
St-Jean-Baptiste de la Salle
Cité Falguière
Sq. M. Hymans
Pas. Alexandre
GARE MONTPARNASSE
INSTITUT PASTEUR
HOPITAL ST-JACQUES
R. d'Arsonval
Rue de l'Armorique
PASTEUR
(Secteur en travaux)
GARE TGV
Rue Vigée Lebrun
Rue Volontaires
Rue Mathurin
Rue Plumet
Rue Dutot
Rue Régnier
Rue Quintinie
Rue Barque
Rue Ste-Félicité
R. Tessier
Sq. Vergennes
Vaugirard
Rue Bourseul
Centre des Chèques Postaux
Hameau d'Alleray
Villa Hersent
Sq. d'Alleray Quintinie
Secrétariat d'Etat à l'Enseignement Technique
R. Payen
R. Pitaon
R. A. Maillot
R. G. Leclanché
R. M. Maignen
Rue du Cotentin
Rue André Gide
GARE DE PARIS-VAUGIRARD
Pont des 5 Martyrs du Lycée Buffon
Rue du Cdt René Mouchotte
Terrasse Modigliani
Gaîté
Vercingétorix
Pl. de Catalogne
Rue Jean Zay
HOPITAL L. BELLAN
Pl. Alain
l'Amphithéâtre
Sq. Card. Wyszynski
Pl. de Séoul
Pl. de l'Abbé J. Lebœuf
N.-D. du Travail
Rue Guilleminot
Croce Spinelli
Pl. et R. de l'Abbé Soulange Bodin
Rue de l'Ouest
Rue du Texel
Rue Château
Pl. W. Kandinski
Pl. Falguière
Rue d'Alleray
Pl. d'Alleray
Jardin d'Alleray
Jardin Alleray-Labrouste
R. Yvart
Rue Corbon
Rue Thiboumery
Sq. F. Valois
Pl. C. Vallin
Rue Groult
Rue Labrouste
Rue Castagnary
R. Georges Pitard
Rue Alphonse Bertillon
Rue de la Procession
Rue St-Amand
Rue Nanteuil
Rue Brancion
Rue de Cronstadt
15
Rue de Vouillé
R. Rosenwald
Imp. Richard
Villa Santos Dumont
R. Franquet
Villa des Charmilles
R. C. Weiss
Pl. du Gal Monclar
Pas. de Gergovie
CLINIQUE CHIRURGICALE LABROUSTE
R. de Hameaune
Pas. de Gergovie
Jardin du Moulin de la Vierge
Rue du Moulin de la Vierge
R. de Vanves
R. Desprez
R. F. Holweck
Pernety
PTT
Rue Pernety
Rue Raymond Losserand
Sq. Ste-Léonie
Imp. Ste-Léonie
Rue de Plaisance
Rue des Thermopyles
Rue Boyer Barret
Cité Bauer
Rue Didot
Rue de Gergovie
Rue Olivier
Plaisance
Sq. A. Ridder
Rue de Ridder
R. M. Rouvier
R. des Jonquilles
Rue Losserand
Sq. Losserand-Suisses
Rue des Suisses
Imp. Florimont
Av. Villemain
Pompiers
Pl. du Lt. S. Piobetta
Rue d'Alésia
Villa Léone
R. Bardinet
Rue Furtado Heine
R. Delbet
Rue Jacquier
Rue Louis Morard
R. Lecuirot
R. Baillou
Rue des Morillons
Rue de Chambéry
R. de Villafranca
R. de Cherbourg
R. du Lieuvin
R. du Bocage
R. de Dantzig
R. de Castagnary
Sq. Castagnary
R. de Montebello
R. Camulogène
Imp. du Labrador
Rue Chauvelot
Rue J. Baudry
Rue Eizeau
Cité Blanche
R. Durand Claye
N.-D. du Rosaire
Raymond
Parturle
R. des Camélias
Rue des Arbustes
HOPITAL ST-JOSEPH
HOPITAL BROUSSAIS
Rue Pauly
Rue Pierre Larousse
Rue Jonquoy
Villa Mallebay
Pas. Joanès
Rue Boulitte
Villa Duthy
Villa Deshayes
Villa Jamot
Villa Collet
Rue Ledion
Abbé Carton
NOTRE-DAME DE BON SECOURS
R. Giordano Bruno
R. A. Cain
Villa Brune
PORTE BRANCION
Porte de Vanves
Pl. de la Porte de Vanves
Sq. A. Fournier
Sq. A. Renoir
R. de la Briqueterie
Sq. A. Lichtenberger
R. des Mariniers
Sq. Alice
BOULEVARD
R. du Gal Humbert
R. du Col. Monteil
R. P. Le Roy
R. M. Bouchor
R. du Lt. Lapeyre
R. du Gal Séré de Rivières
Al. G. Bachelard
PTT
Sq. de la Porte de Vanves
Av. de la Porte de Vanves
R. M. Noguès
Sq. M. Noguès
Lycée F. Villon
Av. Marc Sangnier
Stade Didot
Av. Georges Lafenestre
R. H. de Bournazel
Av. du Gal Maistre
Av. Maurice d'Ocagne
R. du Gal de Maud'huy
Pl. de la Porte de Châtillon
AVENUE BRUNE
Châtillon
Bd de la République
PORTE DE VANVES
Av. Adolphe Pinard
Ec. Nat. de Stat.
Julia Bartet
Av. Paul Appell
Claude Debussy

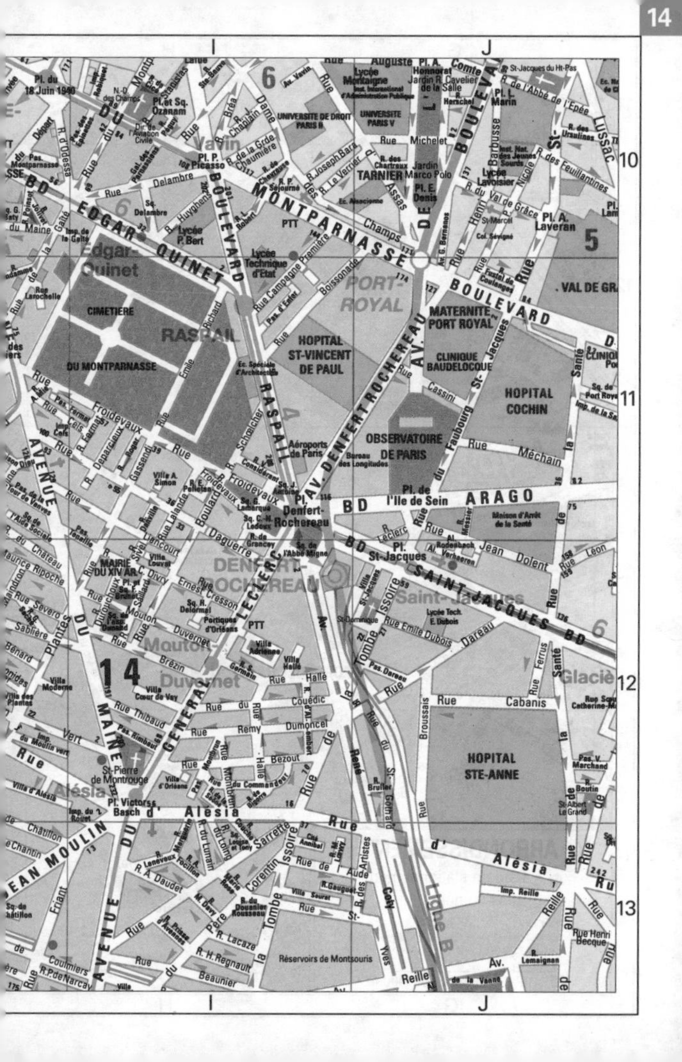

I
J
10
11
12
13
6
5
14
Pl. du 18 Juin 1940
Pl. et Sq. Ozanam
Vavin
Pl. P. Picasso
Lycée Montaigne
Inst. International d'Administration Publique
UNIVERSITE DE DROIT PARIS II
UNIVERSITE PARIS V
Rue Michelet
Auguste Comte
Pl. A. Honnorat
Jardin R. Cavelier de la Salle
St-Jacques du Ht-Pas
R. de l'Abbé de l'Epée
Lussac
R. des Feuillantines
Inst. Nat. des Jeunes Sourds
Lycée Lavoisier
R. du Val de Grâce
Pl. A. Laveran
Col. Sévigné
TARNIER
Jardin Marco Polo
Pl. E. Denis
R. Joseph Bara
R. Le Verrier
Rue d'Assas
Ec. Alsacienne
BD MONTPARNASSE
BD EDGAR QUINET
BOULEVARD RASPAIL
Rue Delambre
Sq. Delambre
R. Huyghens
Lycée P. Bert
Edgar-Quinet
Lycée Technique d'Etat
Rue Campagne Première
Rue Boissonade
PTT
PORT-ROYAL
BOULEVARD DE PORT ROYAL
MATERNITE PORT ROYAL
CLINIQUE BAUDELOCQUE
HOPITAL COCHIN
VAL DE GRACE
CIMETIERE DU MONTPARNASSE
HOPITAL ST-VINCENT DE PAUL
Ec. Spéciale d'Architecture
AV. DENFERT ROCHEREAU
Rue Cassini
OBSERVATOIRE DE PARIS
Bureau des Longitudes
Aéroports de Paris
Rue du Faubourg St-Jacques
Rue Méchain
Pl. de l'Ile de Sein
BD ARAGO
Maison d'Arrêt de la Santé
Rue Froidevaux
Rue Schœlcher
Pl. Denfert-Rochereau
Sq. de l'Abbé Migne
Rue Daguerre
DENFERT-ROCHEREAU
Pl. St-Jacques
BD SAINT-JACQUES
Rue Jean Dolent
Saint-Jacques
Lycée Tech. E. Dubois
Rue Emile Dubois
Rue Dareau
Rue de la Tombe Issoire
AVENUE DU MAINE
MAIRIE DU XIV AR.
Rue Ernest Cresson
Sq. R. Delormel
Portiques d'Orléans
Villa Adrienne
Mouton-Duvernet
Rue Brézin
Rue Hallé
Rue Couédic
Rue Remy Dumoncel
Rue Bezout
AV. DU GENERAL LECLERC
Rue Thibaud
St-Pierre de Montrouge
Alésia
Pl. Victor et H. Basch
Rue d'Alésia
Rue de la Santé
Rue Cabanis
HOPITAL STE-ANNE
Glacière
Rue Broussais
Rue Sarrette
Rue de l'Aude
Rue des Artistes
Av. Coty
Ligne B
Rue Jean Moulin
Rue Friant
AVENUE DU MAINE
R. A. Daudet
R. Lacaze
R. H. Regnault
Réservoirs de Montsouris
Rue St-Yves
Rue Reille
Imp. Reille
Rue Henri Becque
R. Lemaignan
Av. de la Vanne
Rue Beaunier
Coulmiers
R. P. de Narcay

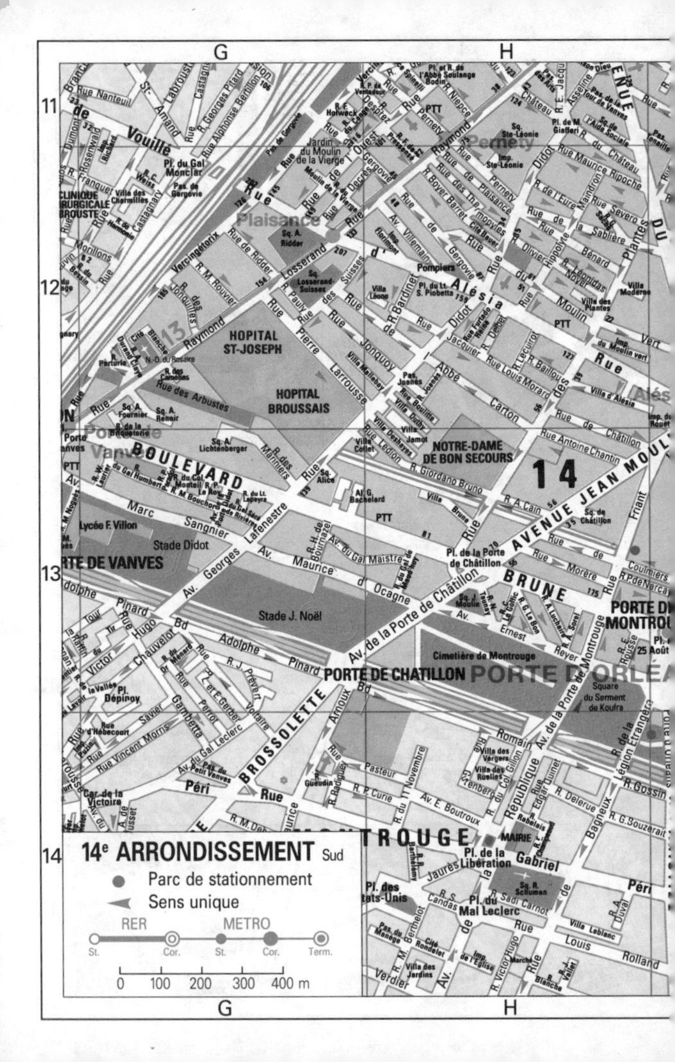

G
H
11
12
13
14
14e ARRONDISSEMENT Sud
Parc de stationnement
Sens unique
RER
METRO
St.
Cor.
St.
Cor.
Term.
0
100
200
300
400 m
HOPITAL ST-JOSEPH
HOPITAL BROUSSAIS
NOTRE-DAME DE BON SECOURS
Stade Didot
Stade J. Noël
Lycée F. Villon
Cimetière de Montrouge
Square du Serment de Koufra
PORTE DE VANVES
PORTE DE CHATILLON
PORTE DE MONTROUGE
PORTE D'ORLÉA
MONTROUGE
Plaisance
Pernety
14
BOULEVARD
AVENUE JEAN MOULIN
BRUNE
BROSSOLETTE
Rue de Vouillé
Rue Nanteuil
Rue Raymond Losserand
Rue d'Alésia
Rue de l'Ouest
Rue des Plantes
Rue Didot
Av. de la Porte de Châtillon
Av. de la Porte de Montrouge
Av. Marc Sangnier
Av. Maurice d'Ocagne
Av. Georges Lafenestre
Bd Adolphe Pinard
Rue Vercingétorix
Rue Pierre Larousse
Rue des Arbustes
Rue de Châtillon
Rue Antoine Chantin
R. Giordano Bruno
Av. du Gal Leclerc
Rue Gabriel Péri
Rue Louis Rolland
Rue de la République
Pl. de la Porte de Châtillon
Pl. du Gal Monclar
Pl. de la Libération
Pl. du Mal Leclerc
Pl. des États-Unis
MAIRIE
PTT
Pompiers
Sq. Ste-Léonie
Sq. A. Ridder
Sq. Losserand-Suisses
Sq. de Châtillon
Sq. A. Lichtenberger
Sq. A. Fournier
Sq. A. Renoir
N.-D. du Rosaire
Jardin du Moulin de la Vierge
Villa Léone
Villa Moderne
Villa des Plantes
Villa d'Alésia
Villa des Vergers
Villa des Rueilles

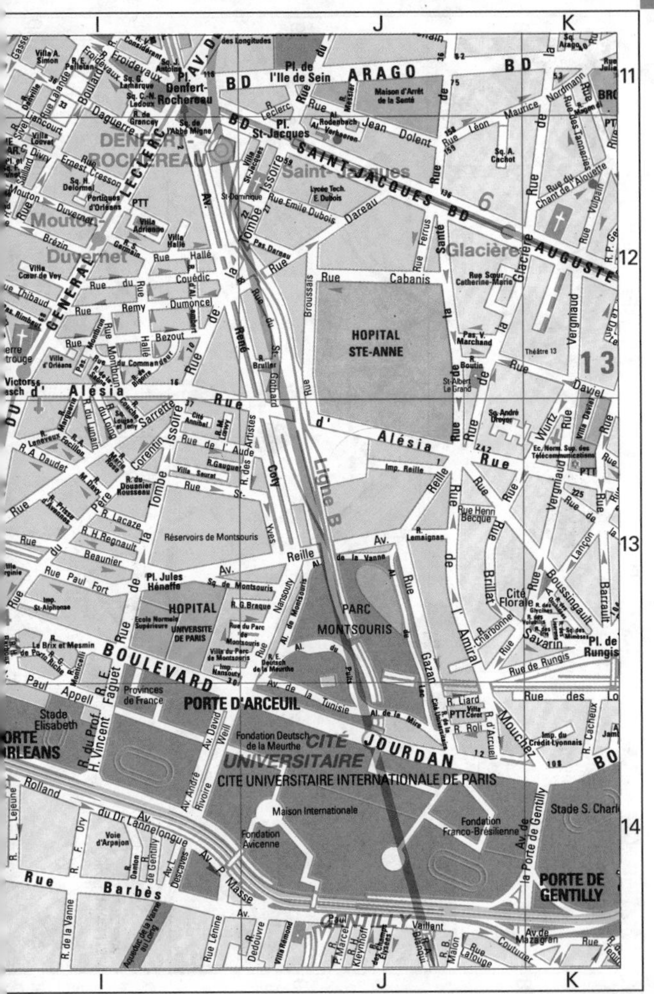
I
J
K
11
12
13
14
BD ARAGO
Pl. de l'Ile de Sein
Maison d'Arrêt de la Santé
Pl. Denfert-Rochereau
DENFERT-ROCHEREAU
BD St-Jacques
SAINT-JACQUES BD
Saint-Jacques
AUGUSTE
Glacière
Rue Léon Maurice Nordmann
Rue Jean Dolent
Sq. A. Cachot
Rue du Chant de l'Alouette
Rue des Tanneries
Rue Vulpian
Av. du Général Leclerc
Rue Froidevaux
Rue Daguerre
Rue Boulard
Rue Ernest Cresson
Rue Mouton-Duvernet
Mouton-Duvernet
Rue Brézin
Villa Adrienne
Villa Hallé
Rue Hallé
Rue Couëdic
Rue Dumoncel
Rue Remy
Rue Bezout
Rue du Commandeur
Rue Emile Dubois
Lycée Tech. E. Dubois
Rue Dareau
Pas. Dareau
Rue de la Tombe Issoire
Rue Cabanis
Rue Broussais
Rue Ferrus
Rue de la Santé
HOPITAL STE-ANNE
Rue Sœur Catherine-Marie
Pas. V. Marchand
St-Albert Le Grand
Rue de la Glacière
Rue Vergniaud
Théâtre 13
Rue Daviel
Villa Daviel
Rue Wurtz
Sq. André Dreyer
Ec. Norm. Sup. des Télécommunications
Rue d'Alésia
Alésia
Rue Sarrette
Cité Annibal
Rue de l'Aude
Rue des Artistes
Villa Seurat
Rue St-Yves
Rue Cory
Ligne B
Imp. Reille
Rue Reille
Rue Henri Becque
Rue Boussingault
Rue Lançon
Rue Barrault
Réservoirs de Montsouris
Av. Reille
Rue Lemaignan
Rue Brillat
Cité Florale
Rue de l'Amiral
Rue du Père Corentin
Rue Lacaze
Rue Beaunier
Rue Paul Fort
Pl. Jules Hénaffe
Sq. de Montsouris
Rue Nansouty
PARC MONTSOURIS
Rue Gazan
HOPITAL
UNIVERSITE DE PARIS
Ecole Normale Supérieure
Villa du Parc de Montsouris
Rue de Rungis
Pl. de Rungis
Rue Savarin
BOULEVARD
Paul Appell
Provinces de France
PORTE D'ARCEUIL
Av. de la Tunisie
Stade Elisabeth
PORTE D'ORLEANS
Fondation Deutsch de la Meurthe
CITÉ UNIVERSITAIRE
JOURDAN
Rue Mouchez
Imp. du Crédit Lyonnais
Rue Cacheux
CITE UNIVERSITAIRE INTERNATIONALE DE PARIS
Maison Internationale
Fondation Avicenne
Fondation Franco-Brésilienne
Av. de la Porte de Gentilly
Stade S. Charléty
PORTE DE GENTILLY
Rolland
Av. du Dr Lannelongue
Voie d'Arpajon
Av. P. Masse
Rue Barbès
R. de la Vanne
Aqueduc de la Vanne et du Loing
Rue Lénine
R. Dedouvre
Villa Raymond
GENTILLY
Av. Paul Vaillant
Av. de Mazagran
Rue Couturier
Rue Latouge
R. B. Malon
I
J
K

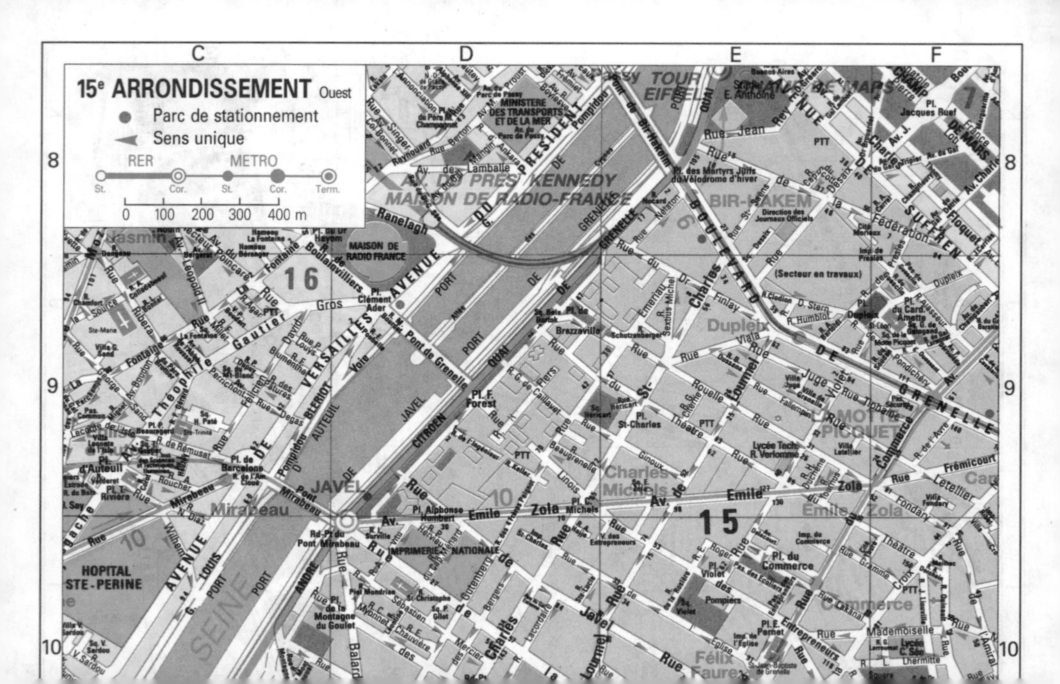

15e ARRONDISSEMENT Ouest
Parc de stationnement
Sens unique
RER
METRO
St.
Cor.
St.
Cor.
Term.
0 100 200 300 400 m
C
D
E
F
8
9
10
TOUR EIFFEL
CHAMP DE MARS
AV. DU PRES. KENNEDY
MAISON DE RADIO-FRANCE
MAISON DE RADIO FRANCE
MINISTERE DES TRANSPORTS ET DE LA MER
BIR-HAKEM
Direction des Journaux Officiels
(Secteur en travaux)
Dupleix
La Motte Picquet
Charles Michels
Emile Zola
Commerce
Félix Faure
Javel
Mirabeau
Ranelagh
Jasmin
16
15
10
HOPITAL STE-PERINE
IMPRIMERIE NATIONALE
SEINE
BOULEVARD DE GRENELLE
QUAI DE GRENELLE
AVENUE DE VERSAILLES
QUAI ANDRE CITROEN
AVENUE DU PRESIDENT KENNEDY
Pont de Bir Hakeim
Pont de Grenelle
Pont Mirabeau
Rd-Pt du Pont Mirabeau
Pl. des Martyrs Juifs du Vélodrome d'hiver
Av. Emile Zola
Av. de Suffren
Rue de la Fédération
Rue du Théâtre
Rue de Lourmel
Rue Saint-Charles
Rue de Javel
Rue du Commerce
Pl. du Commerce
Rue des Entrepreneurs
Rue Linois
Rue Balard
Pl. Charles Michels
Pl. Alphonse Humbert
Pl. F. Forest
Pl. Clément Ader
Pl. de Barcelone
Lycée Tech. R. Verlomme
PTT

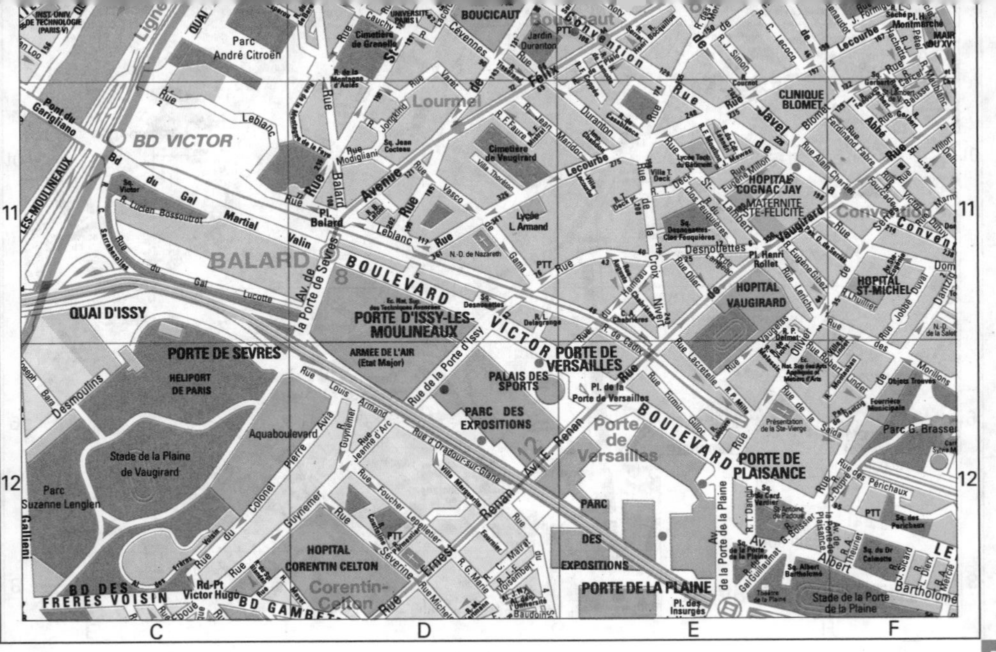

BOUCICAUT
Parc André Citroën
BD VICTOR
Pont du Garigliano
QUAI D'ISSY
BALARD
BOULEVARD VICTOR
PORTE D'ISSY-LES-MOULINEAUX
ARMEE DE L'AIR (Etat Major)
PORTE DE SEVRES
HELIPORT DE PARIS
Stade de la Plaine de Vaugirard
Parc Suzanne Lenglen
Aquaboulevard
HOPITAL CORENTIN CELTON
Corentin-Celton
BD DES FRERES VOISIN
BD GAMBETTA
PORTE DE VERSAILLES
PALAIS DES SPORTS
PARC DES EXPOSITIONS
Porte de Versailles
PARC DES EXPOSITIONS
PORTE DE LA PLAINE
PORTE DE PLAISANCE
Stade de la Porte de la Plaine
Cimetière de Vaugirard
Cimetière de Grenelle
Lycée L.Armand
N.-D. de Nazareth
HOPITAL VAUGIRARD
HOPITAL COGNAC JAY
MATERNITE STE-FELICITE
CLINIQUE BLOMET
HOPITAL ST-MICHEL
Parc G. Brassens
Lourmel
Convention
Rue de la Croix Nivert
Rue de Vaugirard
Rue Lecourbe
Rue de Javel
Rue Balard
Av. de la Porte de Sèvres
Rue de la Porte d'Issy
Av. de la Porte de la Plaine
Pl. Balard
Pl. de la Porte de Versailles
Av. E. Renan
Rue Ernest Renan
Rue Desnouettes
Lycée Tech. du Bâtiment
Fourrière Municipale
Objets Trouvés
Théâtre de la Plaine
C
D
E
F
11
12

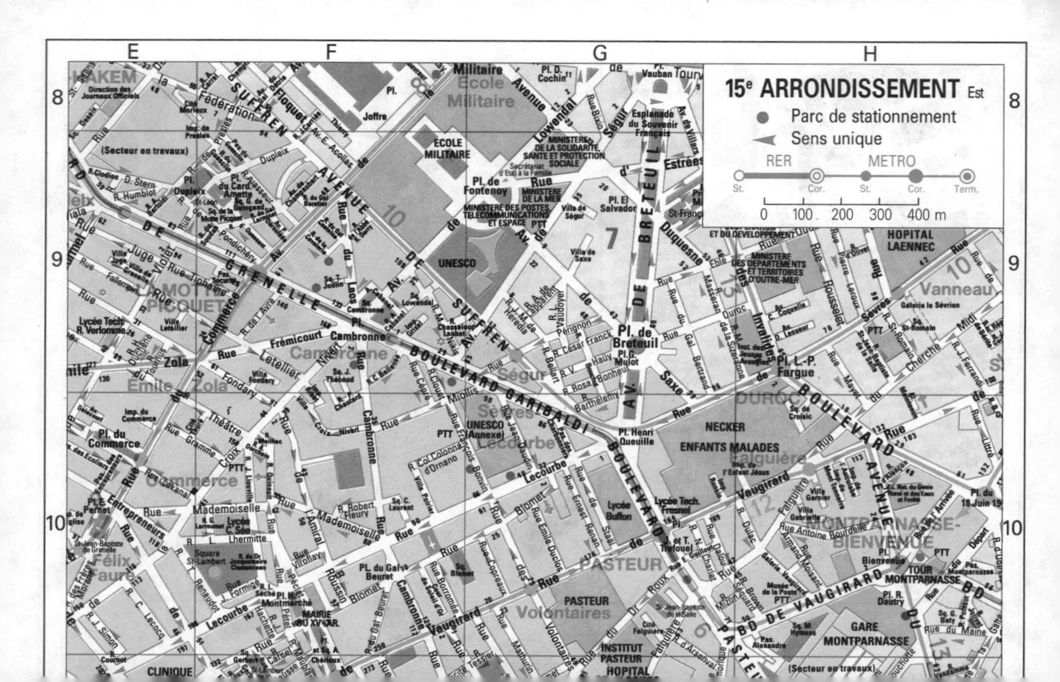
15e ARRONDISSEMENT Est
Parc de stationnement
Sens unique
RER
METRO
St.
Cor.
St.
Cor.
Term.
0
100
200
300
400 m
E
F
G
H
8
9
10
ECOLE MILITAIRE
UNESCO
MINISTERE DE LA SOLIDARITE SANTE ET PROTECTION SOCIALE
MINISTERE DE LA MER
MINISTERE DES POSTES TELECOMMUNICATIONS ET ESPACE
MINISTERE DES DEPARTEMENTS ET TERRITOIRES D'OUTRE-MER
HOPITAL LAENNEC
NECKER ENFANTS MALADES
UNESCO (Annexe)
Lycée Buffon
Lycée Tech. Fresnel
PASTEUR
INSTITUT PASTEUR
GARE MONTPARNASSE
TOUR MONTPARNASSE
MAIRIE DU XVe AR.
Pl. de Fontenoy
Pl. de Breteuil
Pl. Henri Queuille
Pl. du Commerce
Pl. Dupleix
Pl. Bienvenüe
Pl. du 18 Juin 1940
Esplanade du Souvenir Français
AVENUE DE SUFFREN
BOULEVARD GARIBALDI
BOULEVARD DE GRENELLE
BOULEVARD PASTEUR
BD DE VAUGIRARD
AVENUE DU MAINE
AV. DE BRETEUIL
BOULEVARD DU MONTPARNASSE
Rue Cambronne
Rue Lecourbe
Rue de Vaugirard
Rue du Commerce
Rue de Sèvres
Rue Blomet
Av. de Saxe
Av. de Ségur
Av. de Lowendal
Avenue Duquesne
Rue Mademoiselle
Rue de la Croix Nivert
Rue Fondary
Rue Frémicourt
Rue Dupleix
Rue Rousselet
Rue Pierre Leroux
Rue Falguière
Rue Dulac
Rue Volontaires
Rue Dr Roux
Rue Mathurin
(Secteur en travaux)
Ecole Militaire
Cambronne
Ségur
Sèvres Lecourbe
La Motte Picquet
Emile Zola
Commerce
Félix Faure
Vaneau
Duroc
Falguière
Pasteur
Volontaires
Montparnasse-Bienvenüe

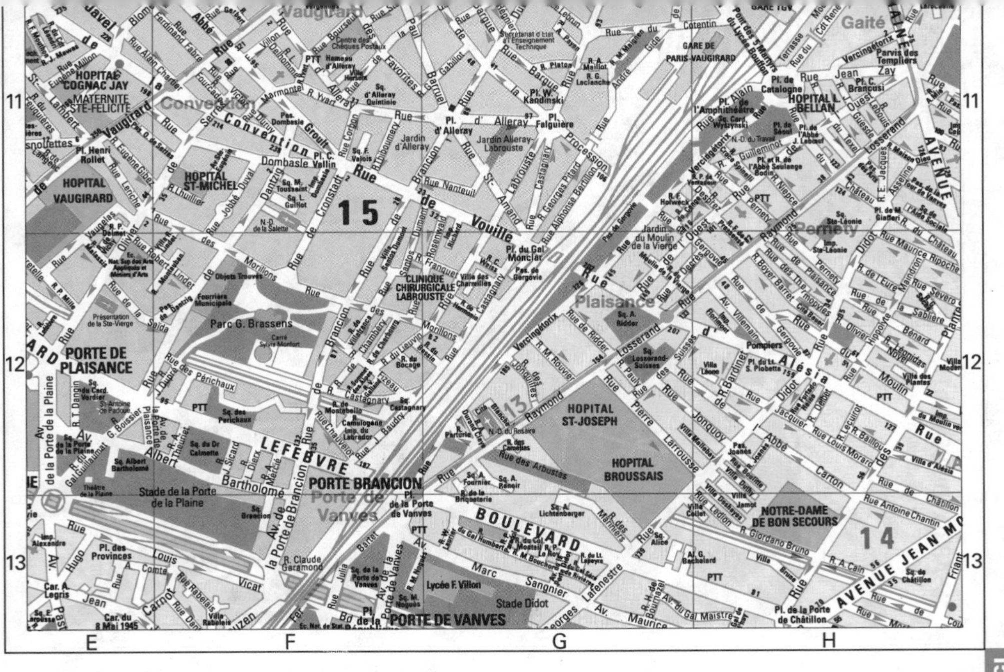
11
12
13
E
F
G
H
15
14
13
GARE DE PARIS-VAUGIRARD
HOPITAL L. BELLAN
HOPITAL ST-MICHEL
HOPITAL VAUGIRARD
HOPITAL COGNAC JAY
MATERNITE STE-FELICITE
CLINIQUE CHIRURGICALE LABROUSTE
HOPITAL ST-JOSEPH
HOPITAL BROUSSAIS
NOTRE-DAME DE BON SECOURS
PORTE DE PLAISANCE
PORTE BRANCION
PORTE DE VANVES
Parc G. Brassens
Stade de la Porte de la Plaine
Stade Didot
Lycée F. Villon
Plaisance
Pernety
Gaité
Convention
Vaugirard
Rue Vercingétorix
Losserand
Alésia
Rue de Vouillé
Procession
LEFEBVRE
BOULEVARD
AVENUE JEAN MOULIN
Av. de la Porte de Vanves
Av. de la Porte de Brancion
Av. de la Porte de Plaisance
Av. de la Porte de la Plaine
Rue Louis Morard
Rue Antoine Chantin
Rue de Ridder
Rue Maurice Ripoche
Rue Nanteuil
Rue Alain Chartier
Rue Ferdinand Fabre
Rue Leriche
Rue Rabelais
Rue Corbon
Rue Chauvelot
Rue des Périchaux
Rue des Arbustes
Jardin d'Alleray
Jardin Alleray-Labrouste
Jardin du Moulin de la Vierge
Pl. d'Alleray
Pl. Falguière
Pl. de Catalogne
Pl. Henri Rollet
Pl. des Provinces
Pl. du Gal Monclar
Car. du 8 Mai 1945
Pl. de la Porte de Châtillon
Pont des 5 Martyrs du Lycée Buffon
Parvis des Templiers
Présentation de la Ste-Vierge
Théâtre de la Plaine
Pompiers
PTT

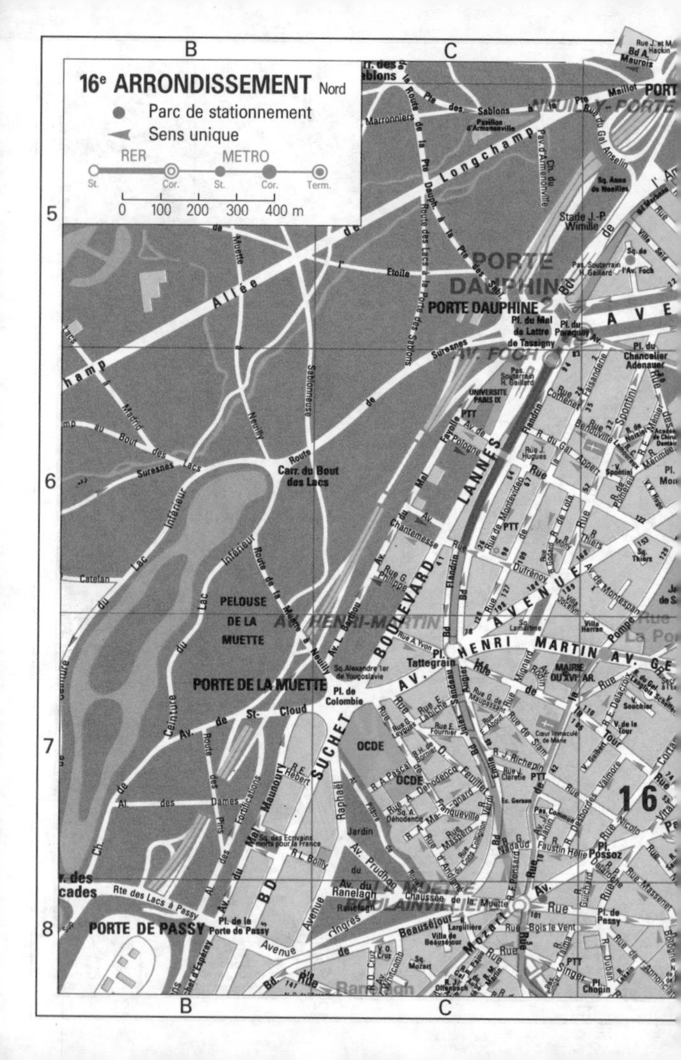
16e ARRONDISSEMENT Nord
Parc de stationnement
Sens unique
RER
METRO
St.
Cor.
St.
Cor.
Term.
0
100
200
300
400 m
B
C
5
6
7
8
PORTE DAUPHINE
PORTE DE LA MUETTE
PORTE DE PASSY
Carr. du Bout des Lacs
PELOUSE DE LA MUETTE
Allée de Longchamp
Route de Suresnes
Route des Lacs à la Porte des Sablons
Route de la Pte Dauph. à la Pte des Sabl.
Route de la Muette à Neuilly
Route de Sablonneuse
Route des Dames
Route des Lacs à Passy
Pl. du Mal de Lattre de Tassigny
Pl. du Paraguay
Pl. du Chancelier Adenauer
Pl. Tattegrain
Pl. de Colombie
Pl. de la Porte de Passy
Pl. de Passy
Pl. Possoz
Pl. Chopin
AV. FOCH
AV. HENRI-MARTIN
AVENUE HENRI MARTIN
BOULEVARD LANNES
AV. SUCHET
BD SUCHET
Av. du Mal Fayolle
Av. du Ranelagh
Av. Prudhon
Av. Mozart
Rue de la Pompe
Rue de la Tour
Rue Spontini
Rue Dufrénoy
Rue de Montevideo
Rue de Lota
Rue Nicolo
Rue Beauséjour
Rue Bois le Vent
Chaussée de la Muette
Jardin du Ranelagh
MAIRIE DU XVIe AR.
UNIVERSITE PARIS IX
Stade J.-P. Wimille
Sq. Alexandre 1er de Yougoslavie
Sq. des Ecrivains morts pour la France
OCDE
PTT
16

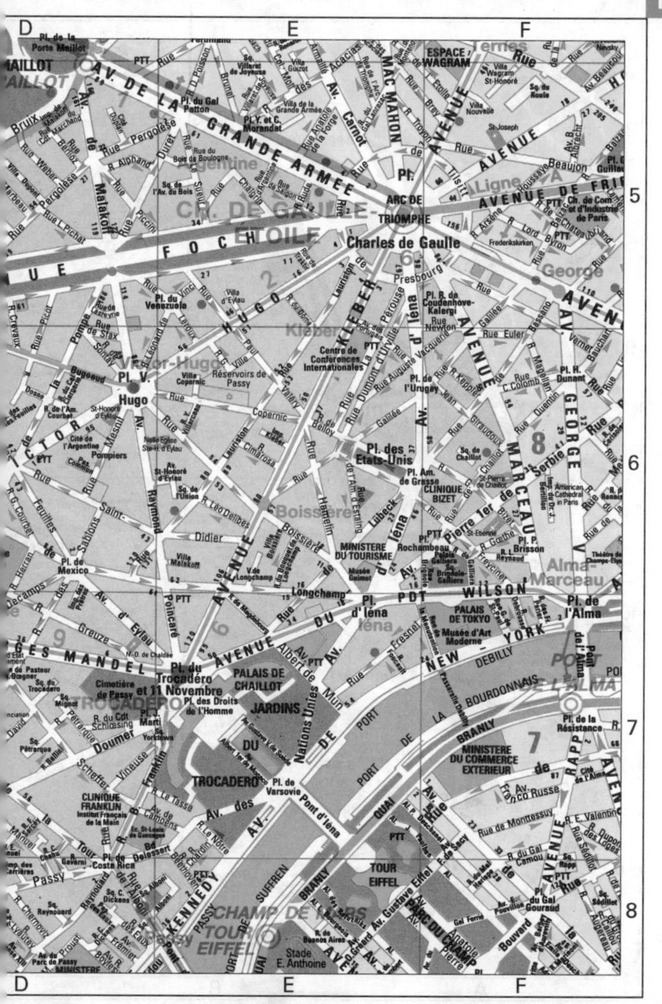
D
E
F
5
6
7
8
Pl. de la Porte Maillot
AV. DE LA GRANDE ARMEE
Pl. du Gal Patton
Pl. Y. et C. Morandat
ESPACE WAGRAM
Villa Wagram St-Honoré
Sq. du Roule
Villa Nouvelle
St-Joseph
MAC MAHON
AVENUE
Av. Carnot
Rue Pergolèse
Rue Duret
R. Alphand
Argentine
Sq. de l'Av. du Bois
Rue Weber
Rue Malakoff
Rue Piccini
Rue Bruix
Rue Beaujon
ARC DE TRIOMPHE
Pl.
CH. DE GAULLE-ETOILE
Charles de Gaulle
AVENUE DE FRIEDLAND
Ch. de Com. et d'Industrie de Paris
Frederikskirken
R. Arsène Houssaye
R. Lord Byron
R. Chateaubriand
Ligne A
George V
AVENUE FOCH
AVENUE
Presbourg
Pl. R. de Coudenhove-Kalergi
Rue Newton
Rue Euler
Rue Bassano
Rue Galilée
Villa d'Eylau
Pl. du Venezuela
HUGO
KLEBER
Kléber
Av. d'Iéna
Centre de Conférences Internationales
Rue La Pérouse
Rue Dumont d'Urville
Rue Auguste Vacquerie
Pl. de l'Urugay
Pl. V. Hugo
Victor-Hugo
Réservoirs de Passy
Rue Copernic
Villa Copernic
Rue Lauriston
Rue Cimarosa
Pl. des Etats-Unis
Pl. Am. de Grasse
CLINIQUE BIZET
Sq. de Chaillot
St-Pierre de Chaillot
American Cathedral in Paris
Rue de Marignan
Rue Magellan
Pl. H. Dunant
Rue Quentin Bauchart
Rue de la Trémoille
R. de Chaillot
Rue Pierre 1er de Serbie
MARCEAU
GEORGE V
8
AVENUE VICTOR HUGO
Rue de la Pompe
Rue Spontini
Rue de Sfax
Rue Bugeaud
Cité de l'Argentine
Pompiers
Rue Mesnil
Rue Saint-Didier
Rue Raymond Poincaré
Sq. de l'Union
R. Léo Delibes
Boissière
Rue Boissière
Rue Hamelin
Rue de Lübeck
MINISTERE DU TOURISME
Musée Guimet
Pl. Rochambeau
Palais Galliera
Sq. Brignole-Galliera
R. Goethe
Pl. P. Brisson
R. L. Reynaud
Rue Freycinet
Alma-Marceau
Théâtre des Champs-Elysées
Pl. de Mexico
Villa Malakoff
Rue de Longchamp
AVENUE KLEBER
Pl. d'Iéna
Iéna
AVENUE DU PDT WILSON
PALAIS DE TOKYO
Musée d'Art Moderne
Pl. de l'Alma
Pont de l'Alma
PONT DE L'ALMA
AVENUE DE NEW YORK
Rue Greuze
Av. d'Eylau
Rue Decamps
AVENUE GEORGES MANDEL
N.-D. de Chaldée
Pl. du Trocadéro et 11 Novembre
PALAIS DE CHAILLOT
Av. Albert de Mun
Rue Fresnel
Passerelle Debilly
DEBILLY
Cimetière de Passy
TROCADERO
Pl. des Droits de l'Homme
JARDINS DU TROCADERO
Av. des Nations Unies
PORT DE LA BOURDONNAIS
QUAI BRANLY
MINISTERE DU COMMERCE EXTERIEUR
7
Pl. de la Résistance
AVENUE RAPP
Sq. Yorktown
R. du Cdt Schlœsing
Rue Doumer
Rue Scheffer
Rue Vineuse
Rue Franklin
R. Le Tasse
Av. de Camoens
CLINIQUE FRANKLIN
Institut Français de la Main
Pl. de Varsovie
Pont d'Iéna
Av. Franco Russe
Rue de Monttessuy
Rue Sédillot
Pl. de Costa Rica
Bd Delessert
R. Le Nôtre
Av. des
AV.
Passy
TOUR EIFFEL
PTT
Av. Gustave Eiffel
PARC DU CHAMP DE MARS
Pl. du Gal Gouraud
Rue Bouvard
Rue de l'Alboni
KENNEDY
AVENUE DE SUFFREN
CHAMP DE MARS TOUR EIFFEL
R. de Buenos Aires
Stade E. Anthoine
Sq. Raynouard
Rue Raynouard
Rue Chernoviz
Sq. C. Dickens
Av. du Parc de Passy
MINISTERE
Av. Frémiet
D
E
F

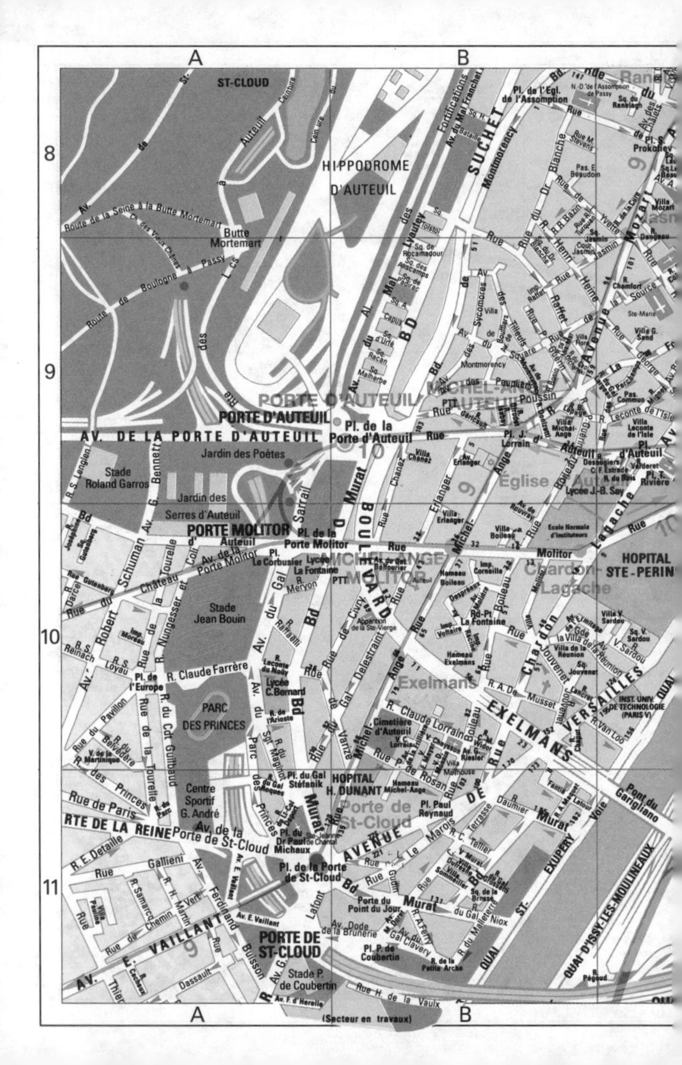
A
B
8
9
10
11
ST-CLOUD
HIPPODROME
D'AUTEUIL
Route de la Seine à la Butte Mortemart
Butte
Mortemart
Route de Boulogne à Passy
SUCHET
Montmorency
Pl. de l'Egl.
de l'Assomption
N.-D. de l'Assomption de Passy
Sq. du Ranelagh
Ranelagh
Pl. S. Prokofiev
Pas. E. Beaudoin
Villa Mozart
Mozart
Av. du Mal Franchet
Fortifications
Sq. de Rocamadour
Sq. des Aliscamps
Sq. de Padirac
Sq. d'Urfé
Sq. Racan
Sq. Malherbe
Capus
Bd Lyautey
Av. du Mal Lyautey
Villa de Montmorency
Av. des Tilleuls
Sycomores
Av. des Peupliers
Poussin
Sq. Jasmin
Cour Jasmin
Rue Jasmin
R. Chamfort
Villa G. Sand
Ste-Marie
Sq. Henri Heine
Rue Raffet
Imp. Raffet
PORTE D'AUTEUIL
Pl. de la Porte d'Auteuil
AV. DE LA PORTE D'AUTEUIL
Jardin des Poètes
Stade Roland Garros
Jardin des Serres d'Auteuil
PORTE MOLITOR
Pl. de la Porte Molitor
Av. de la Porte Molitor
Pl. Le Corbusier
Lycée La Fontaine
PTT
R. Meryon
BOULEVARD
MICHEL-ANGE
MOLITOR
Rue Molitor
Villa Chanez
Av. Erlanger
Villa Erlanger
Rue Chanez
Pl. J. Lorrain
Rue d'Auteuil
Pl. d'Auteuil
Église
Lycée J.-B. Say
Villa Boileau
Ecole Normale d'instituteurs
Imp. Corneille
Hameau Boileau
Chardon-Lagache
HOPITAL STE-PERINE
Villa Leconte de l'Isle
Pas. Commun
R. Leconte de l'Isle
Pl. T. Rivière
Rue du Château
Av. Robert Schuman
Rue de la Tourelle
R. Nungesser et Coli
Stade Jean Bouin
Imp. Moreau
R. S. Reinach
R. S. Loyau
Av. du Gal Sarrail
R. Raffaelli
R. Leconte de Nouy
Lycée C. Bernard
R. de l'Arioste
Apparition de la Ste-Vierge
Rue Gal Delestraint
Hameau Exelmans
Exelmans
R. Claude Lorrain
Cimetière d'Auteuil
Rd-Pt La Fontaine
Imp. Voltaire
Villa V. Sardou
Sq. V. Sardou
Villa de la Réunion
Sq. Jouvenet
R. Van Loo
VERSAILLES
EXELMANS
INST. UNIV. DE TECHNOLOGIE (PARIS V)
Pl. de l'Europe
R. Claude Farrère
PARC DES PRINCES
Rue du Pavillon
Rue du Belvédère
V. de la Martinique
Rue des Princes
Rue de Paris
R. du Cdt Guilbaud
Centre Sportif G. André
Pl. du Gal Stéfanik
HOPITAL H. DUNANT
Porte de St-Cloud
Pl. Paul Reynaud
Hameau Michel-Ange
Villa Mulhouse
R. Daumier
Murat
EXUPERY
Pont du Garigliano
QUAI D'ISSY-LES-MOULINEAUX
RTE DE LA REINE
Av. de la Porte de St-Cloud
Pl. du Dr Paul Michaux
Ste-Jeanne de Chantal
AVENUE DE VERSAILLES
Pl. de la Porte de St-Cloud
R. E. Detaille
Rue Gallieni
Av. Ferdinand Buisson
Av. E. Vaillant
AV. E. VAILLANT
PORTE DE ST-CLOUD
Stade P. de Coubertin
Porte du Point du Jour
Av. Dode de la Brunerie
Pl. P. de Coubertin
R. de la Petite Arche
R. du Mal Niox
QUAI ST.
Rue H. de la Vaux
Av. F. d'Herelle
R. Pégoud
Rue de Sèvres
R. Sommeiller
Sq. de la Bresse
R. Le Marois
R. C. Terrasse
R. A. Ferry
Rue Dassault
Rue Thiers
(Secteur en travaux)
A
B

C
D
E
8
9
10
11
16e ARRONDISSEMENT Sud
Parc de stationnement
Sens unique
RER
METRO
St.
Cor.
St.
Cor.
Term.
0
100
200
300
400 m
AV. DU PRES. KENNEDY
MAISON DE RADIO-FRANCE
MAISON DE RADIO FRANCE
MINISTERE DES TRANSPORTS ET DE LA MER
PRESIDENT
Pompidou
Bir-Hakeim
BIR-HAKEIM
BOULEVARD
Pl. des Martyrs Juifs du Vélodrome d'hiver
E. Anthoine
Rue Jean
Ranelagh
Lycée Molière
Hameau de Boulainvilliers
Rue
du
Ranelagh
Boulainvilliers
Assomption
Pl. du Dr Hayem
PTT
16
Gros
Pl. Clément Ader
AVENUE
VERSAILLES
PORT
Allée
Pont de Grenelle
QUAI
GRENELLE
Emeriau
Charles
Finlay
Dupleix
Viala
Rue
Lourmel
Rouelle
Théâtre
Pl. St-Charles
Sq. Héricart
Pl. de Brazzaville
Sq. Bela Bartok
Schutzenberger
R. G. de Caillavet
Flers
Beaugrenelle
Linois
Ginoux
Charles Michels
Lycée T. R. Verlomme
Pl. F. Forest
Rue de l'Ingénieur
R. Keller
JAVEL
CITROEN
BLERIOT
AUTEUIL
Pompidou
Gautier
Rue Degas
Mirabeau
Pont Mirabeau
Pl. de Barcelone
Sq. H. Paté
Ste-Trinité
R. de Rémusat
Rd-Pt du Pont Mirabeau
10
Av. Emile Zola
Pl. Alphonse Humbert
Pl. C. Michels
Av. de
Emile
IMPRIMERIE NATIONALE
Rue de Javel
Rue
Gutenberg
Bergers
Lacordaire
Charles
15
Lourmel
HOPITAL BOUCICAUT
Boucicaut
Jardin Duranton
PTT
Convention
Félix Faure
Rue
Faure
Sq. Violet
Pl. Violet
Pompiers
Pas. des Ecoliers
des
AVENUE
LOUIS
PORT
SEINE
PORT
ANDRE
Ligne C
QUAI
Parc André Citroën
Balard
Rue
Pl. de la Montagne du Goulet
Cimetière de Grenelle
UNIVERSITE PARIS I
Cauchy
St
Cévennes
Tisserand
Varet
Lourmel
de
Félix
Duranton
Rue
Leblanc
BD VICTOR
du
Gal
Martial
Valin
R. Lucien Bossoutrot
BALARD
Pl. Balard
Balard
Rue
Avenue
Rue
Leblanc
BOULEVARD
Av. de la Porte de Sèvres
Sq. Jean Cocteau
Modigliani
Jongkind
Lucotte
8
6

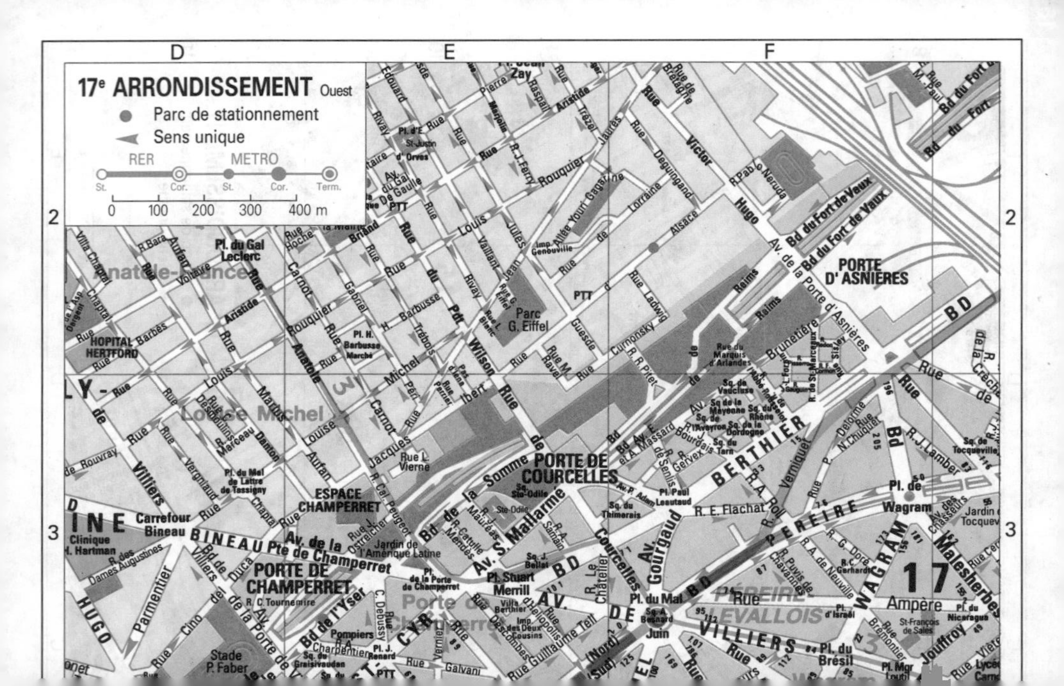
17e ARRONDISSEMENT Ouest
Parc de stationnement
Sens unique
RER
METRO
St.
Cor.
St.
Cor.
Term.
0
100
200
300
400 m
D
E
F
2
3
PORTE D'ASNIERES
PORTE DE COURCELLES
PORTE DE CHAMPERRET
ESPACE CHAMPERRET
HOPITAL HERTFORD
Parc G. Eiffel
Stade P. Faber
Carrefour Bineau
Clinique H. Hartman
Av. de la Porte d'Asnières
BD BERTHIER
BD PEREIRE
AV. DE VILLIERS
AV. DE WAGRAM
Bd Bineau
17

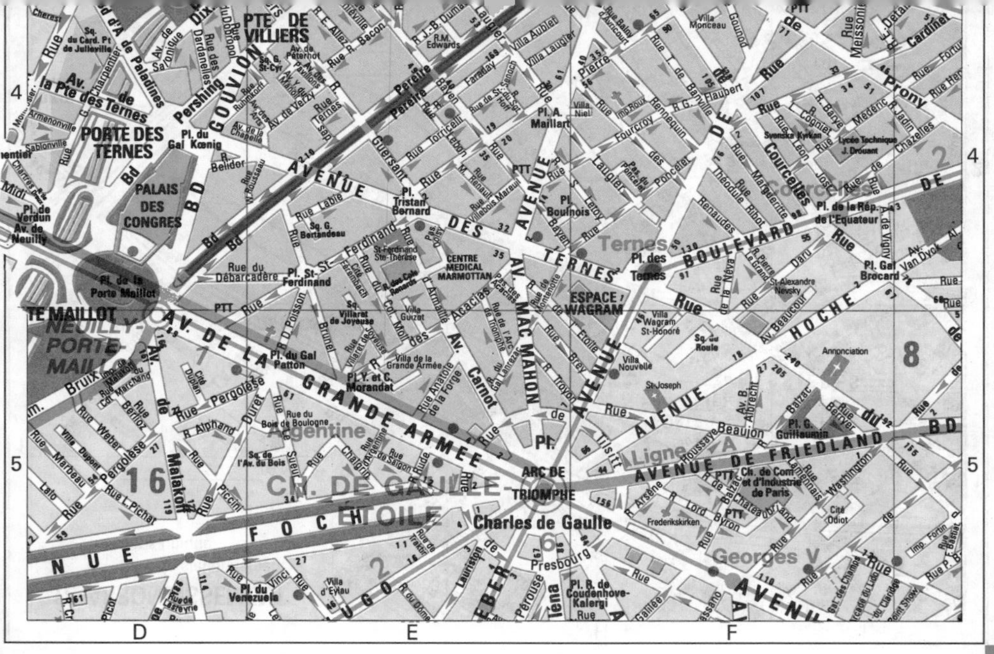
PTE DE VILLIERS
PORTE DES TERNES
PALAIS DES CONGRES
Pl. de la Porte Maillot
NEUILLY-PORTE MAILLOT
AVENUE DES TERNES
AV. DE LA GRANDE ARMEE
AV. MAC MAHON
AVENUE DE FRIEDLAND
AVENUE HOCHE
AVENUE DE WAGRAM
BOULEVARD DE COURCELLES
AVENUE FOCH
Bd GOUVION ST-CYR
Pl. des Ternes
ESPACE WAGRAM
CENTRE MEDICAL MARMOTTAN
ARC DE TRIOMPHE
Charles de Gaulle
CH. DE GAULLE-ETOILE
Ternes
Courcelles
Argentine
Georges V
Ligne A
Av. Carnot
Rue Pergolèse
Rue de Presbourg
Rue de Tilsitt
Rue Beaujon
Rue Balzac
Rue Washington
Rue de Prony
Rue Laugier
Rue Poncelet
Pl. Tristan Bernard
Pl. du Gal Kœnig
Pl. Gal Brocard
Ch. de Com. et d'Industrie de Paris
Fredenkskirken
Annonciation
St-Joseph
St-Alexandre Nevsky
16
8
17
D
E
F
4
5

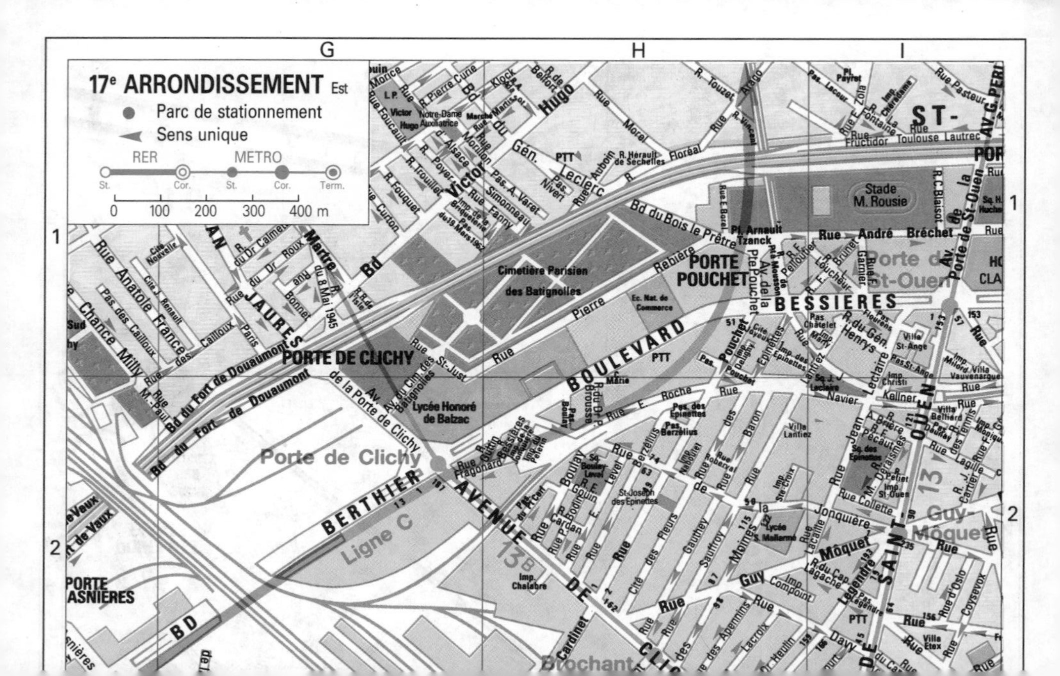
17e ARRONDISSEMENT Est
Parc de stationnement
Sens unique
RER
METRO
St.
Cor.
St.
Cor.
Term.
0
100
200
300
400 m
G
H
I
1
2
Cimetière Parisien des Batignolles
PORTE DE CLICHY
PORTE POUCHET
BOULEVARD
BESSIERES
AVENUE DE CLICHY
BERTHIER
Porte de Clichy
Ligne C
Stade M. Rousie
Lycée Honoré de Balzac
Ec. Nat. de Commerce
Bd du Bois le Prêtre
Bd du Fort de Douaumont
Av. de la Porte de Clichy
Av. de la Pte Pouchet
Av. de la Porte de St-Ouen
Rue André Bréchet
Rue Anatole France
Pas. des Cailloux
Chance Milly
Rue Victor Hugo
Bd Victor Hugo
Rue du Gén. Leclerc
Rue Fanny
Pas. A. Varet
Rue Simonneau
R. Trouillet
R. Fouquet
R. Pierre Curie
Rue Morel
Rue Floréal
R. Touzet
R. Vincent
Arago
Rue Pasteur
Pl. Arnault Tzanck
Rue E. Borel
R.du Gén. Henrys
Rue Navier
Rue Berzélius
Cité des Fleurs
Rue Gauthey
Rue Sauffroy
Rue des Moines
Rue Guy Môquet
Rue Jonquière
Rue Legendre
Rue Lacroix
Rue Davy
PTT
Imp. Chalabre
St-Joseph des Epinettes
Rue Fragonard
Rue Collette
Rue de la Jonquière
PORTE ASNIERES
BD
Brochant
ST-
AV. DE SAINT-OUEN
13
13B

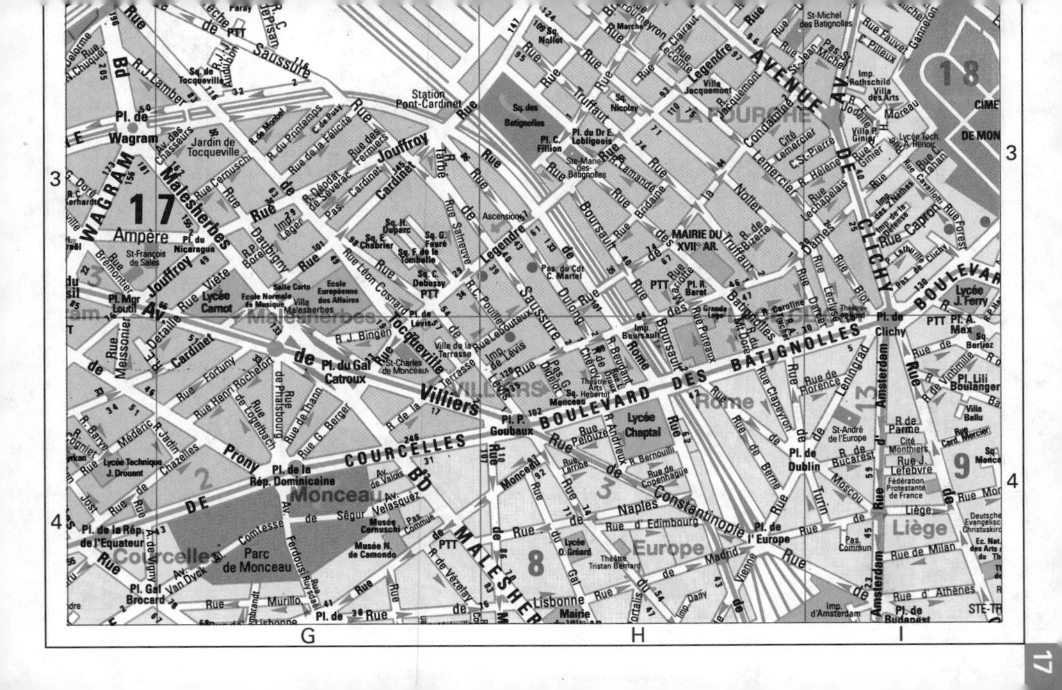

AVENUE DE CLICHY
BOULEVARD DES BATIGNOLLES
BOULEVARD DE COURCELLES
BD MALESHERBES
Av. de Villiers
Bd Wagram
Rue de Rome
Rue de Saussure
Rue Legendre
Rue Lemercier
Rue Nollet
Rue des Dames
Rue Truffaut
Rue Boursault
Rue Cardinet
Rue Jouffroy
Rue de Tocqueville
Rue Dulong
Rue de Lévis
Rue de Prony
Rue de Constantinople
Rue de Madrid
Rue de Lisbonne
Rue de Naples
Rue de Moscou
Rue de Turin
Rue de Berne
Rue de Liège
Rue de Milan
Rue d' Athènes
Rue d'Amsterdam
Rue de Léningrad
Rue Clapeyron
Rue de Florence
Rue Puteaux
Rue de Vienne
Rue de Monceau
Rue d' Edimbourg
Rue de Phalsbourg
Rue de Logelbach
Rue Fortuny
Rue Henri Rochefort
Rue de Chazelles
Rue Daubigny
Ampère
Rue Brémontier
Rue Meissonier
Rue Léon Cosnard
Rue de la Félicité
R. du Printemps
Rue Jacquemont
Rue Biot
Rue Forest
Rue Cavallotti
Rue Capron
Rue Darcet
Rue Lécluse
Rue Salneuve
Pl. de Clichy
Pl. de Dublin
Pl. de l'Europe
Pl. Mgr Loutil
Pl. de Wagram
Pl. de la Rép. Dominicaine
Pl. du Gal Catroux
Pl. du Dr E. Lobligeois
Pl. de la Rép. de l'Equateur
Pl. de Budapest
Pl. P. Goubaux
Pl. Gal Brocard
Sq. des Batignolles
Sq. Nollet
Sq. de Tocqueville
Jardin de Tocqueville
Parc de Monceau
Monceau
Europe
Liège
Rome
Villiers
LA FOURCHE
Station Pont-Cardinet
MAIRIE DU XVII° AR.
Lycée Chaptal
Lycée Carnot
Lycée J. Ferry
Lycée Technique J. Drouant
Théâtre Tristan Bernard
Musée Cernuschi
Musée N. de Camondo
Ecole Européenne des Affaires
Ecole Normale de Musique
17
18
8
9
2
3
G
H
I

I
J
1
2
3
4
ST-OUEN
PORTE DE ST-OUEN
PORTE DE CLIGNANCOURT
Stade M. Rousie
Stade B. Dauvin
Jardin R. Binet
HOPITAL BICHAT CLAUDE BERNARD
BOULEVARD
PORTE MONTMARTRE
Lycée d'Etat
Marché
Puces
Rue du Dr Babinski
Toulouse Lautrec
Championnet
Rue G. Rouanet
Ste-Geneviève des Grdes Carrières
Villa Championnet
Guy-Môquet
Rue Ordener
Rue Vauvenargues
Sq. Carpeaux
Sq. Léon Serpollet
Marcadet
MAIRIE DU XVIII° AR.
Pompiers
Lamarck
Caulaincourt
CIMETIERE DE MONTMARTRE
Moulin de la Galette
Musée de Montmartre
BASILIQUE DU SACRÉ-CŒUR
Pl. du Tertre
Pl. du Calvaire
Lycée J. Ferry
Pl. Blanche
Pl. de Clichy
BOULEVARD
BD DE CLICHY
Pigalle
Lycée J. Decour
ROCHECHOUART
Trudaine
Av. de Clichy
Av. de Saint-Ouen
Rue Damrémont
Rue Duhesme
Rue Lepic
Rue des Abbesses
Rue Caulaincourt
Rue Custine
Rue Ordener
Rue Championnet

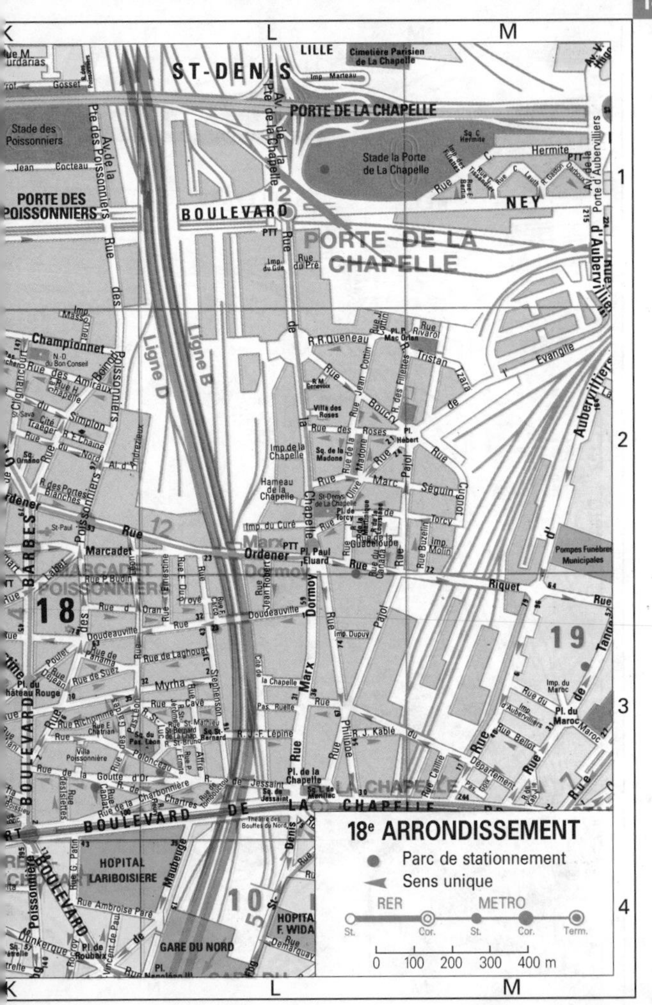
K
L
M
1
2
3
4
ST-DENIS
LILLE
Cimetière Parisien de La Chapelle
Imp. Marteau
PORTE DE LA CHAPELLE
Av. de la Pte de la Chapelle
Stade des Poissonniers
Av. de la Pte des Poissonniers
Gosset
Jean Cocteau
PORTE DES POISSONNIERS
BOULEVARD
NEY
Stade la Porte de La Chapelle
Sq. C. Hermite
Hermite
Av. de la Porte d'Aubervilliers
PORTE DE LA CHAPELLE
Imp. du Gde
Rue du Pré
Rue des Poissonniers
Rue de la Chapelle
Rue d'Aubervilliers
Ligne D
Ligne B
Championnet
N-D du Bon Conseil
Rue des Amiraux
Rue H. Chapelle
Rue du Simplon
Cité Traeger
R. E. Chaîne
Rue du Nord
Al. d'Andrezieux
Sq. Ornano
R. des Portes Blanches
Rue Boinod
R. R. Queneau
Rue J. Cottin
Pl. P. Mac Orlan
Rue Rivarol
R. Tristan Tzara
Rue de l'Evangile
R. M. Genevoix
Rue Jean Cottin
R. des Fillettes
Rue Boucry
Villa des Roses
Rue des Roses
Pl. Hébert
Imp. de la Chapelle
Sq. de la Madone
Rue de la Madone
Rue Marc Séguin
Rue Pajol
Hameau de la Chapelle
Rue Olive
St-Denys de La Chapelle
Pl. de Torcy
Rue de Torcy
Rue Cugnot
Imp. du Curé
Imp. Molin
Rue Buzelin
Pompes Funèbres Municipales
Ordener
PTT
Pl. Paul Eluard
Rue de la Guadeloupe
Rue du Canada
Riquet
St-Paul
Marcadet
BARBÈS
BOULEVARD
18
MARCADET POISSONNIERS
Rue P. Budin
Rue d'Oran
Rue Ernestine
Rue E. Duployé
Rue F. Carco
Doudeauville
Rue Jean Robert
Rue Dormoy
Rue Marx Dormoy
Imp. Dupuy
19
Imp. du Maroc
Rue du Maroc
Pl. du Maroc
Rue de Tanger
Rue Poulet
Rue de Panama
Rue de Laghouat
Rue de Suez
Rue Myrha
Pl. du Château Rouge
Rue Cavé
Rue Stephenson
Cité de la Chapelle
Pas. Ruelle
Rue Philippe de Girard
R. J. Kablé
Imp. d'Aubervilliers
Rue Bellot
Rue Richomme
Rue E. Chatrian
Rue Pastéon
R. St-Luc
R. St-Jérôme
R. St-Mathieu
Sq. du Pas. Léon
Sq. St-Bernard
R. St-Bruno
R. J.-F. Lépine
Rue Affre
Rue Polonceau
Villa Poissonnière
Rue Caillié
Rue du Département
Rue de la Goutte d'Or
Pl. de la Chapelle
Rue des Islettes
R. de la Charbonnière
Rue de Chartres
Rue de Jessaint
Sq. de Jessaint
Sq. L. de Marillac
LA CHAPELLE
BOULEVARD DE LA CHAPELLE
Théâtre des Bouffes du Nord
Rue de Tombouctou
Rue Pajol
HOPITAL LARIBOISIERE
Rue Ambroise Paré
Rue G. Patin
Rue de Maubeuge
Rue Poissonnière
BOULEVARD
Dunkerque
Pl. de Roubaix
Rue de Rocroy
Vincent de Paul
GARE DU NORD
10
HOPITAL F. WIDAL
Rue Demarquay
Fbg St-Denis
Pl. Napoléon III
18e ARRONDISSEMENT
Parc de stationnement
Sens unique
RER
METRO
St.
Cor.
St.
Cor.
Term.
0
100
200
300
400 m

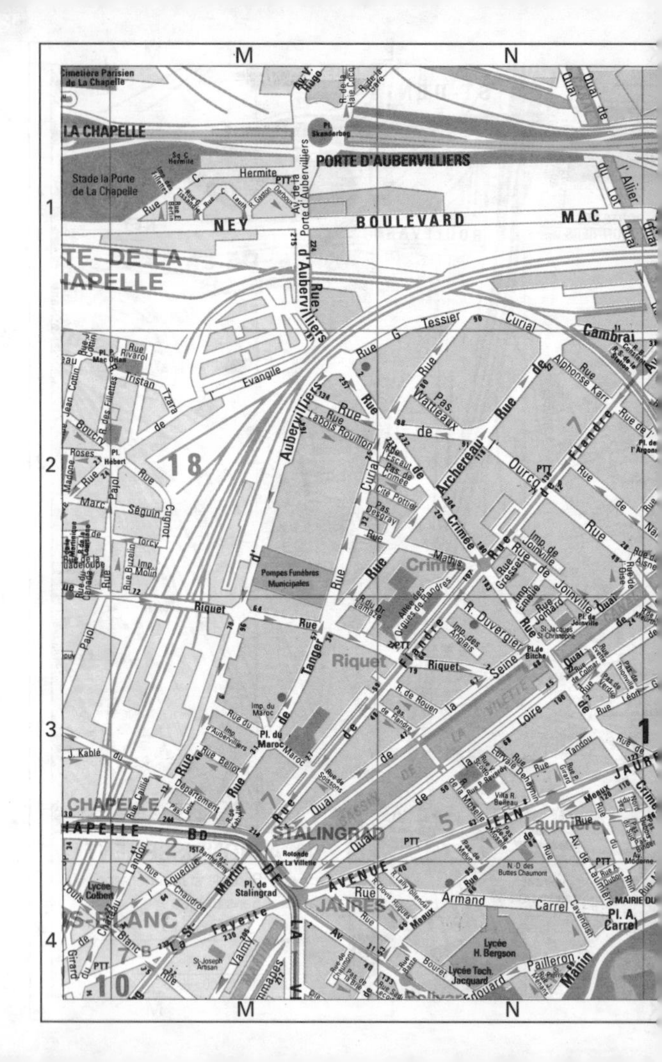

M
N
Cimetière Parisien de La Chapelle
LA CHAPELLE
Stade la Porte de La Chapelle
Sq. C. Hermite
Hermite
PTT
Pl. Skanderbeg
PORTE D'AUBERVILLIERS
Av. V. Hugo
R. de la Haie Coq
R. de la Gare
Quai de
l'Allier
du Lot
Quai
BOULEVARD
MAC
NEY
Porte d'Aubervilliers
Rue d'Aubervilliers
1
2
3
4
Rue G. Tessier
Curial
Cambrai
Rue Alphonse Karr
Rue Rivarol
Pl. P. Mac Orlan
Tristan Tzara
Evangile
Rue Labois Rouillon
Pas. Watteaux
Rue de l'Ourcq
Archereau
Flandre
Pl. Hébert
Roses
Rue Pajol
Marc Séguin
Cugnot
Torcy
Imp. Molin
Rue Buzelin
Rue du Canada
18
Rue Escaut
Pas. de Crimée
Cité Pottier
Pas. Desgray
Rue de Crimée
Crimée
Mathis
Imp. de Joinville
Rue de Joinville
Rue Gresset
Imp. Émélie
Rue Jomard
Pl. de Joinville
St-Jacques St-Christophe
Quai de la Seine
Pompes Funèbres Municipales
Riquet
Rue de Tanger
R. du Dr Lamaze
Allée des Orgues de Flandres
R. Duvergier
Imp. des Anglais
Pl. de Bitche
Riquet
R. de Rouen
Pas. de Flandre
LA VILLETTE
Loire
Rue Tandou
Imp. du Maroc
Rue du Maroc
Pl. du Maroc
Imp. d'Aubervilliers
Rue Bellot
Rue du Département
J. Kablé
Rue de Soissons
Quai de la Loire
BASSIN DE
Rue Eurvale Dehaynin
Villa R. Belleau
Rue de la Moselle
Pas. de la Moselle
Pas. de Melun
JEAN JAURÈS
Laumière
Av. de Laumière
N.-D. des Buttes Chaumont
CHAPELLE
BD
DE LA VILLETTE
STALINGRAD
Rotonde de la Villette
Pl. de Stalingrad
Rue Martin
Aqueduc
Chaudron
Landon
Lycée Colbert
Louis Blanc
Rue La Fayette
St-Joseph Artisan
Valmy
AVENUE JAURÈS
Rue Clovis Hugues
R. Lally Tollendal
Meaux
Armand Carrel
Cavendish
Pl. A. Carrel
MAIRIE DU
Lycée H. Bergson
Lycée Tech. Jacquard
Pailleron
Manin
Bouret
Rue Baste
Pas. de la Brie
Rue de Chaumont
Rue Tandou
Rue Meaux
PTT
Rue du Rhin
Av. Moderne
Rue de Crimée
5
7
10

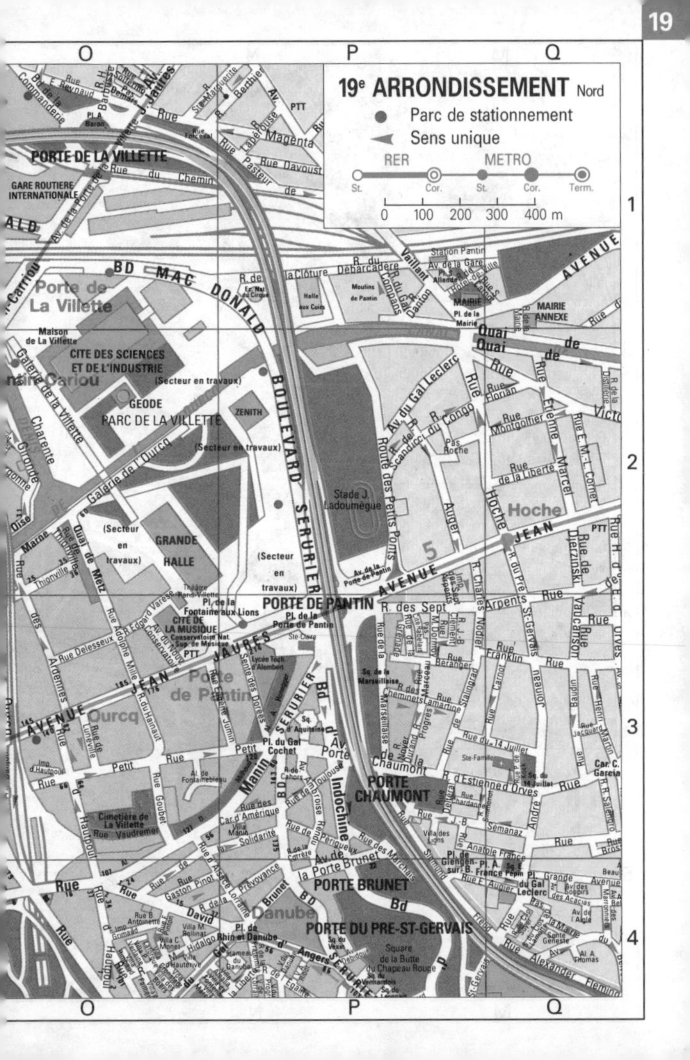
19e ARRONDISSEMENT Nord
Parc de stationnement
Sens unique
RER
METRO
St.
Cor.
St.
Cor.
Term.
0
100
200
300
400 m
O
P
Q
1
2
3
4
PORTE DE LA VILLETTE
GARE ROUTIERE INTERNATIONALE
Porte de La Villette
BD MAC DONALD
Maison de La Villette
CITE DES SCIENCES ET DE L'INDUSTRIE
(Secteur en travaux)
GEODE
PARC DE LA VILLETTE
ZENITH
(Secteur en travaux)
GRANDE HALLE
(Secteur en travaux)
BOULEVARD SERURIER
Stade J. Ladoumègue
PORTE DE PANTIN
Pl. de la Fontaine aux Lions
CITE DE LA MUSIQUE
Conservatoire Nat. Sup. de Musique
Pl. de la Porte de Pantin
Porte de Pantin
AVENUE JEAN JAURES
Ourcq
Cimetière de La Villette
Station Pantin
MAIRIE
MAIRIE ANNEXE
Quai de la Marne
Quai de l'Oise
Route des Petits Ponts
Hoche
Rue Hoche
Av. du Gal Leclerc
Rue du Congo
Rue Auger
R. des Sept Arpents
PORTE CHAUMONT
Rue d'Estienne d'Orves
Rue Franklin
Rue Carnot
Rue du 14 Juillet
Sq. de la Marseillaise
Lycée Tech. d'Alembert
Pl. du Gal Cochet
Rue Manin
Rue Petit
Rue d'Hautpoul
Rue Goubet
Bd d'Indochine
PORTE BRUNET
Av. de la Porte Brunet
Danube
Pl. de Rhin et Danube
PORTE DU PRE-ST-GERVAIS
Square de la Butte du Chapeau Rouge
Bd Sérurier
Rue Alexander Fleming
Rue des Marchais
Rue de Mouzaïa
Rue David d'Angers
Rue de la Solidarité
Rue de Périgueux
Rue de la Prévoyance
Rue Gaston Pinot
Rue Anatole France
Villa des Lilas
Pl. de Gengen-sur-B.
Rue Jean Jaurès
Rue Delesseux
Rue Adolphe Mille
Rue Edgard Varèse
Rue des Ardennes
Rue de Thionville
Quai de Metz
Rue Charles Nodier
Rue du Pré St-Gervais
Rue E.-M.-L. Cornet
Rue Marcel
Rue Etienne
Rue de la Liberté
Rue Montgolfier
Rue Florian
Rue de Dierzinski
Rue Vaucanson
Rue Jacquard
Rue Henri Martin
Car. C. Garcia
Rue Sémanaz
Rue André
Rue Lamartine
Rue des Cheminets
Rue du Progrès
Rue Marceau
Rue Béranger
Rue Stalingrad
Rue Jules Auffret
Av. Jean Lolive
Moulins de Pantin
Halle aux Cuirs
Rue de la Clôture
R. du Débarcadère
Rue Berthier
Av. Laperouse
Rue Magenta
Rue Davoust
Rue Pasteur
Rue du Chemin de Fer
Rue Charente
Rue Gironde
Galerie de l'Ourcq
Galerie de la Villette
Rue du Hainaut
Rue de Lunéville
Rue Vaudremer
PTT

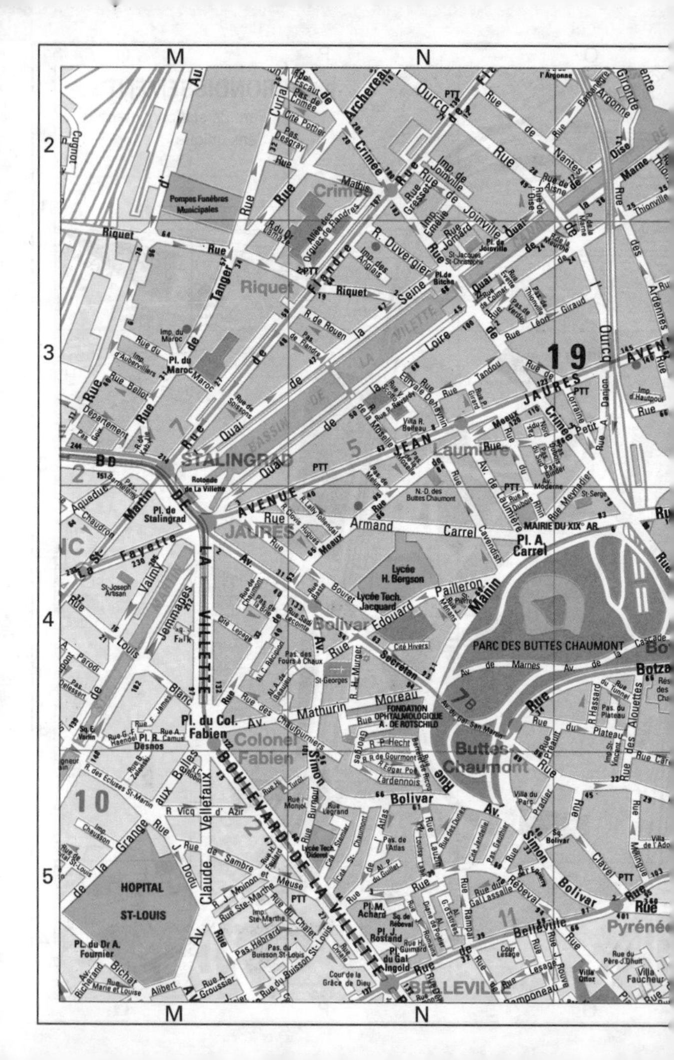
M
N
2
3
4
5
19
Pompes Funèbres Municipales
Riquet
STALINGRAD
Rotonde de La Villette
Pl. de Stalingrad
Pl. du Maroc
BASSIN DE LA VILLETTE
Quai de la Seine
Quai de la Loire
AVENUE JEAN JAURES
Rue de Crimée
Rue de Flandre
Rue Riquet
Rue de Tanger
Rue Duvergier
Rue de Joinville
Rue de Nantes
Rue Armand Carrel
MAIRIE DU XIXe AR.
Pl. A. Carrel
Laumière
Av. de Laumière
N.-D. des Buttes Chaumont
Lycée H. Bergson
Lycée Tech. Jacquard
Rue Manin
PARC DES BUTTES CHAUMONT
Av. Secrétan
Bolivar
Av. Simon Bolivar
Rue de Meaux
Rue Lafayette
Quai de Valmy
Quai de Jemmapes
BD DE LA VILLETTE
BOULEVARD DE LA VILLETTE
Pl. du Col. Fabien
Colonel Fabien
Rue Louis Blanc
Rue Mathurin Moreau
FONDATION OPHTALMOLOGIQUE A. DE ROTSCHILD
Buttes Chaumont
Rue Botzaris
Rue de la Grange aux Belles
HOPITAL ST-LOUIS
Pl. du Dr A. Fournier
Av. Claude Vellefaux
Rue de Sambre et Meuse
Rue Rébeval
Rue de Belleville
BELLEVILLE
Pyrénées
Rue Rampal
Rue des Alouettes
Rue du Plateau
Villa du Parc
Pl. M. Achard
Pl. J. Rostand
Pl. du Gal Ingold
Rue Bichat
10
11
7
5
2

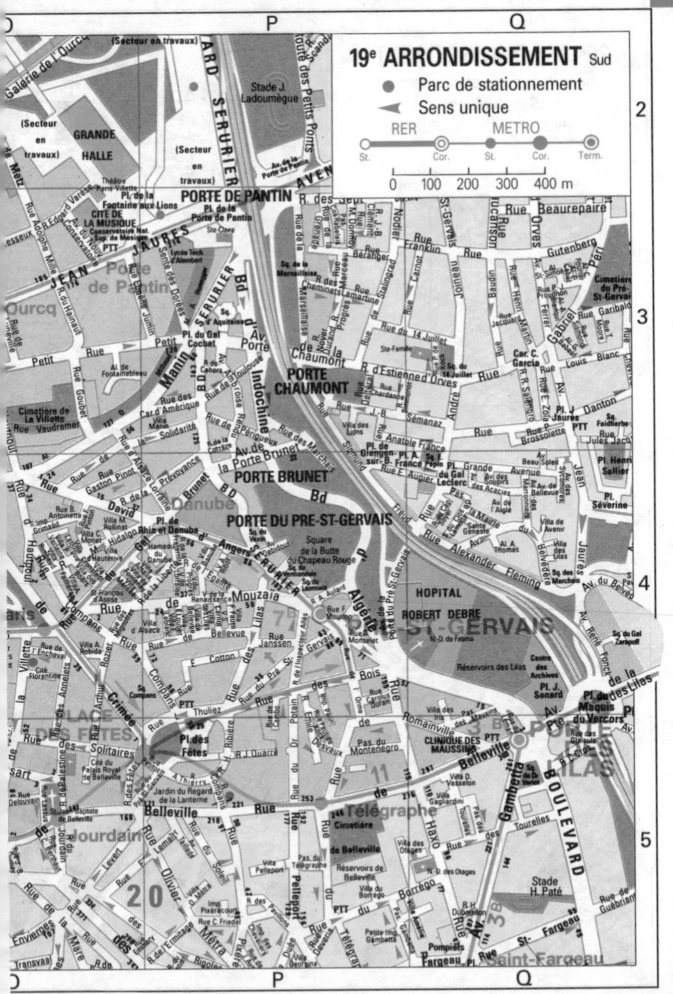
19e ARRONDISSEMENT Sud
Parc de stationnement
Sens unique
RER
METRO
St.
Cor.
Term.
0 100 200 300 400 m
PORTE DE PANTIN
PORTE CHAUMONT
PORTE BRUNET
PORTE DU PRE-ST-GERVAIS
HOPITAL ROBERT DEBRE
GRANDE HALLE
CITE DE LA MUSIQUE
Stade J. Ladoumègue
Stade H. Paté
Cimetière de Belleville
Cimetière de La Villette
PLACE DES FETES
BOULEVARD SERURIER
Rue de Belleville
Av. Jean Jaurès
Rue de Romainville
Rue des Lilas
Rue de Mouzaïa
Av. Gambetta

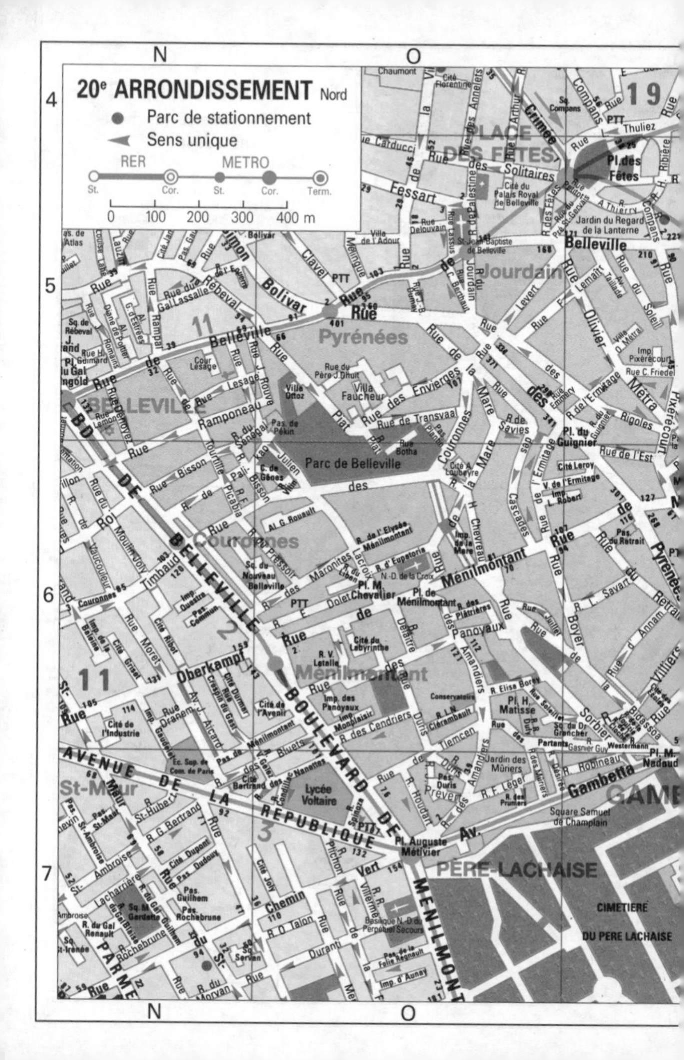

20e ARRONDISSEMENT Nord
Parc de stationnement
Sens unique
RER
METRO
St.
Cor.
St.
Cor.
Term.
0
100
200
300
400 m
N
O
4
5
6
7
19
11
11
PLACE DES FÊTES
Pl. des Fêtes
Belleville
Jourdain
Pyrénées
Parc de Belleville
Couronnes
Ménilmontant
St-Maur
GAMB
PÈRE-LACHAISE
CIMETIERE DU PERE LACHAISE
BD DE BELLEVILLE
BOULEVARD DE MÉNILMONTANT
AVENUE DE LA RÉPUBLIQUE
Rue de Belleville
Rue Bolivar
Rue des Pyrénées
Rue Ménilmontant
Rue Oberkampf
Rue de la Mare
Rue des Couronnes
Rue des Envierges
Rue de Crimée
Rue des Solitaires
Rue Fessart
Rue Rébeval
Rue Ramponeau
Rue Julien Lacroix
Rue des Cascades
Rue Sorbier
Rue Boyer
Rue des Amandiers
Rue Gambetta
Rue du Retrait
Rue du Soleil
Rue Olivier Métra
Rue des Rigoles
Rue de l'Ermitage
Rue Pixérécourt
Rue Jourdain
Rue de Tlemcen
Rue Duris
Rue Moret
Rue Timbaud
Rue du Chemin Vert
Rue St-Maur
Rue de la Fontaine au Roi
Lycée Voltaire
Jardin des Mûriers
Square Samuel de Champlain
Pl. Auguste Métivier
Pl. M. Chevalier
Pl. de Ménilmontant
Pl. du Guignier
Pl. H. Matisse
Pl. M. Nadaud
Jardin du Regard de la Lanterne
Cité du Palais Royal de Belleville
Sq. du Nouveau Belleville
Ec. Sup. de Com. de Paris
Basilique N.-D. du Perpétuel Secours
Sq. M. Gardette
Cité de l'Industrie
Conservatoire
PTT

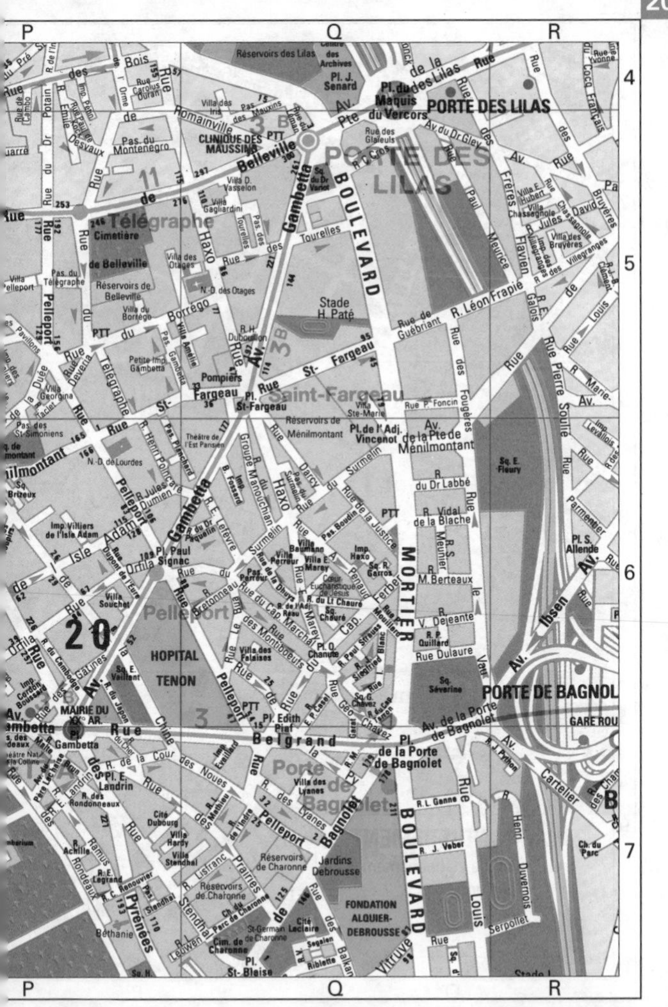

P
Q
R
4
5
6
7
Réservoirs des Lilas
Centre des Archives
Pl. J. Senard
Pl. du Maquis du Vercors
PORTE DES LILAS
Rue de la Pte des Lilas
Av. du Dr Gley
Rue des Glaïeuls
R. C. Cros
Rue de Belleville
CLINIQUE DES MAUSSINS
PTT
Villa des Iris
Pas. des Mauxins
Rue de Romainville
Rue Carolus Duran
Rue de l'Orme
Rue des Bois
Pas. du Montenegro
Rue Émile Desvaux
Rue du Dr Potain
Villa D. Vasselon
Villa Gagliardini
Sq. du Dr Variot
Av. Gambetta
BOULEVARD MORTIER
Rue Paul Meurice
Rue des Frères Flavien
Villa E. Hubert
Villa Chassagnolle
R. Jules Chassagnolle
Rue David
Rue des Bruyères
Villa des Bruyères
Rue des Villegranges
Imp. des Villegranges
Télégraphe
Cimetière de Belleville
Réservoirs de Belleville
Villa des Otages
N.-D. des Otages
Rue Haxo
Rue des Tourelles
Pas. des Tourelles
Stade H. Paté
Rue de Guébriant
R. Léon Frapié
R. E. Galois
Rue Louis Lumière
Villa Pelleport
Pas. du Télégraphe
Rue Pelleport
Rue du Borrégo
Villa du Borrégo
Villa Amélie
Pas. Gambetta
R. H. Dubouillon
Petite Imp. Gambetta
Pompiers
Rue St-Fargeau
Pl. St-Fargeau
Saint-Fargeau
Villa Ste-Marie
Rue P. Foncin
Rue des Fougères
Rue Pierre Soulié
R. Marie
Rue du Télégraphe
Villa Georgina
Rue Deverna
Rue de la Duée
Pas. des St-Simoniens
Rue de Ménilmontant
Rue St-Fargeau
R. Henri Poincaré
Pas. Planchard
Théâtre de l'Est Parisien
Réservoirs de Ménilmontant
Pl. de l'Adj. Vincenot
Av. de la Pte de Ménilmontant
Sq. E. Fleury
Imp. Levallois
N.-D. de Lourdes
Sq. Brizeux
R. Jules Dumien
Imp. B. Fossard
Groupe Manouchian
Rue Haxo
Pas. du Surmelin
Rue Darcy
Rue du Surmelin
R. du Dr Labbé
Rue de la Justice
PTT
R. Vidal de la Blache
Rue Parmentier
Pl. S. Allende
Imp. Villiers de l'Isle Adam
Rue Villiers de l'Isle Adam
R. du Dr Paquelin
R. E. Lefèvre
Pas. Boudin
Villa Baumann
Villa Perreur
Villa E. Marey
Imp. Haxo
Sq. R. Garros
R. S. Meunier
M. Berteaux
Rue Orfila
Pl. Paul Signac
Rue du Pelleport
Rue Dupont de l'Eure
Villa Souchet
Pelleport
Rue Bretonneau
Pas. Perreur
Rue de la Dhuys
Rue du Cap. Marchal
R. de l'Adj. Rouxeau
Cœur Eucharistique de Jésus
R. du Lt Chauré
Sq. Chauré
Rue du Cap. Ferber
Rue Mouillard
R. V. Dejeante
R. P. Quillard
Rue Dulaure
Av. Ibsen
20
HOPITAL TENON
Rue des Gâtines
Sq. E. Vaillant
R. du Cambodge
Imp. Cordon Boussard
Rue Le Bua
Rue des Montibœufs
Villa des Falaises
Pl. O. Chanute
R. Paul Strauss
R. J. Siegfried
Rue Géo Chavez
Sq. G. Chavez
Sq. Séverine
PORTE DE BAGNOLET
Av. Gambetta
MAIRIE DU XX^e AR.
Pl. Gambetta
R. du Japon
Rue de la Chine
Rue du Cher
Rue Belgrand
PTT
Pl. Edith Piaf
R. E. P. Casel
Av. de la Porte de Bagnolet
Pl. de la Porte de Bagnolet
GARE ROUTIÈRE
Av. Cartellier
R. J. Prévost
Rue de la Cour des Noues
Av. du Père Lachaise
Pl. E. Landrin
R. des Rondonneaux
Imp. Éveillard
Rue de la Py
Villa des Lyanes
Porte de Bagnolet
Rue des Cyanes
R. L. Ganne
Rue Henri Duvernois
Cité Dubourg
Villa Hardy
Villa Stendhal
R. de l'Indre
R. Mathieu
Rue Pelleport
Rue de Bagnolet
BOULEVARD
R. J. Veber
Ch. du Parc
R. Achille
Rue Ramus
Rue des Rondeaux
R. E. Légrand
R. C. Renouvier
Rue Lisfranc
Rue des Prairies
Réservoirs de Charonne
Jardins Debrousse
FONDATION ALQUIER-DEBROUSSE
Rue Louis Serpollet
Rue des Pyrénées
Pas. Stendhal
Rue Stendhal
Ch. du Parc de Charonne
St-Germain de Charonne
Cité Leclaire
Cim. de Charonne
Rue Riblette
Rue Ségalen
Rue des Balkans
Rue Vitruve
Béthanie
R. L. Leuwen
Pl. St-Blaise

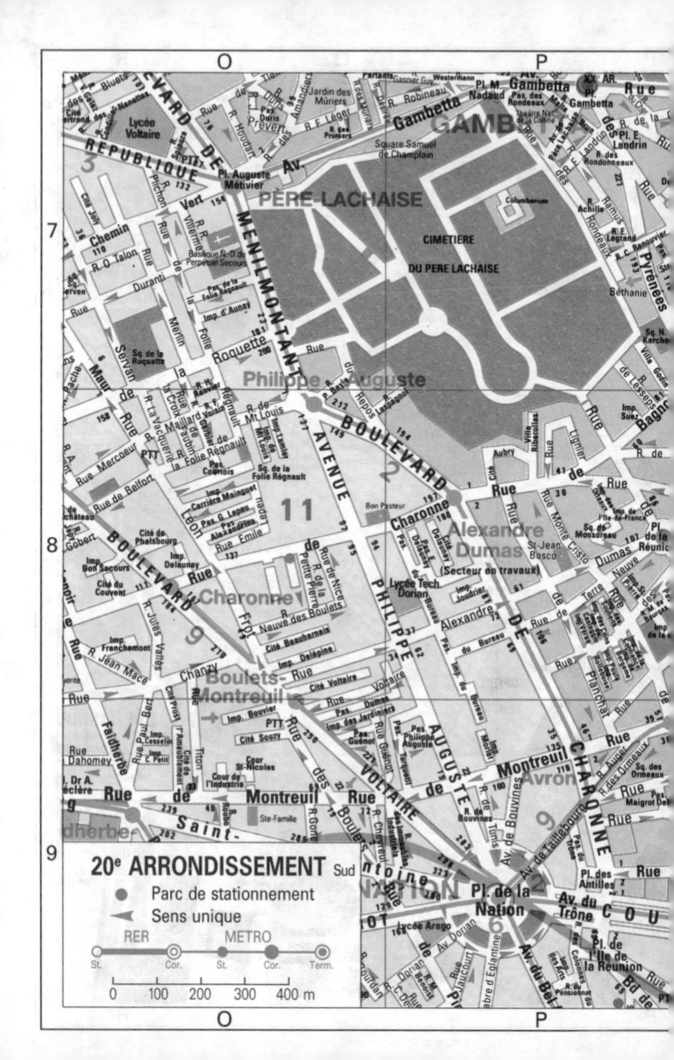

O
P
7
8
9
20e ARRONDISSEMENT Sud
Parc de stationnement
Sens unique
RER
METRO
St.
Cor.
St.
Cor.
Term.
0
100
200
300
400 m
PÈRE-LACHAISE
CIMETIERE
DU PERE LACHAISE
Columbarium
GAMBETTA
Gambetta
Pl. Gambetta
Square Samuel de Champlain
Jardin des Mûriers
Lycée Voltaire
Pl. Auguste Métivier
RÉPUBLIQUE
MENILMONTANT
Philippe Auguste
BOULEVARD
AVENUE
PHILIPPE
AUGUSTE
11
Alexandre Dumas
(Secteur en travaux)
St-Jean Bosco
Lycée Tech Dorian
Bon Pasteur
Charonne
CHARONNE
Boulets-Montreuil
Rue de Montreuil
VOLTAIRE
Avron
Pl. de la Nation
Lycée Arago
Av. du Trône
Pl. de l'Ile de la Réunion
Sq. de la Roquette
Sq. de la Folie Régnault
Basilique N.-D. du Perpétuel Secours
Cité de Phalsbourg
Rue de Belfort
Rue Mercoeur
Cité du Couvent
Imp. Franchemont
Cour St-Nicolas
Cour de l'Industrie
Ste-Famille
Béthanie
Sq. des Ormeaux
Sq. de Monsoreau
Pl. des Antilles
Pyrénées

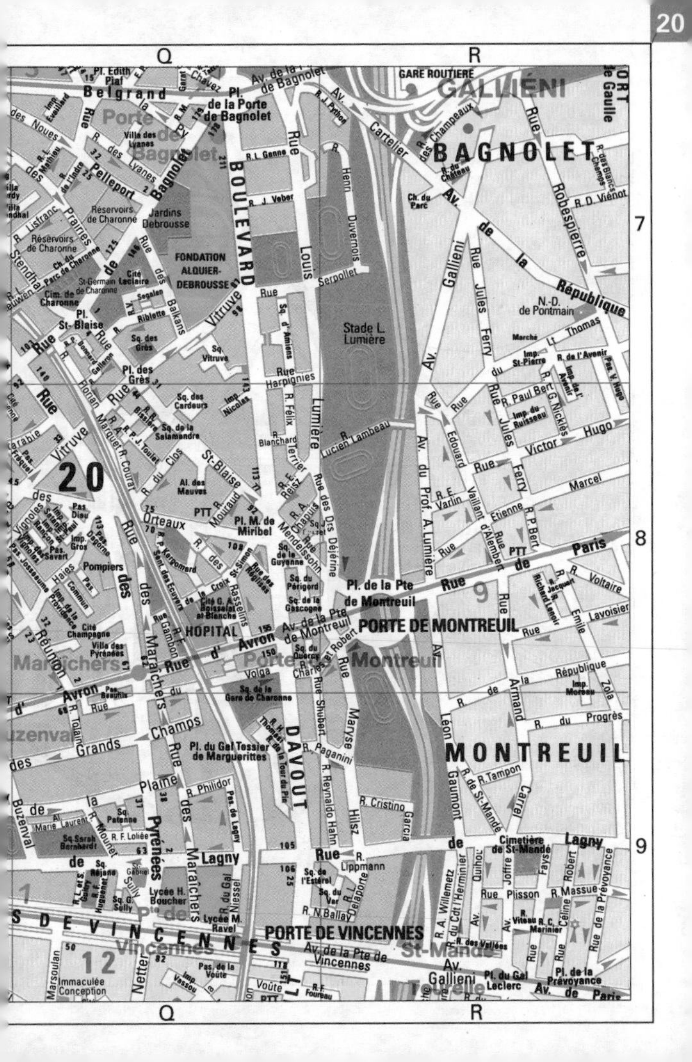
Q
R
GARE ROUTIERE
GALLIENI
Pl. Edith Piaf
Belgrand
Pl. de la Porte de Bagnolet
Av. de la Porte de Bagnolet
R. J. Python
Av. Cartelier
Rue des Champeaux
Porte de Bagnolet
Villa des Lyanes
R. des Lyanes
Pelleport
R. de l'Indre
R. L. Genne
R. J. Veber
Henri Duvernois
BAGNOLET
R. du Château
Ch. du Parc
Rue Robespierre
R. des Blancs Champs
R. D. Viénot
7
Réservoirs de Charonne
Jardins Debrousse
FONDATION ALQUIER-DEBROUSSE
BOULEVARD
Rue Louis Serpollet
Av. de la République
Av. Gallieni
Rue Jules Ferry
N.-D. de Pontmain
Prairies
Stendhal
Cim. de Charonne
St-Germain de Charonne
Cité Leclaire
Segalen
Riblette
Rue des Balkans
Vitruve
Sq. Vitruve
Sq. d'Amiens
Stade L. Lumière
Marché
Thomas
Imp. St-Pierre
R. de l'Avenir
Pas. V. Hugo
Pl. St-Blaise
Sq. des Grès
Pl. des Grès
Rue Harpignies
Rue Paul Bert
Imp. du Ruisseau
R. G. Nicklès
Sq. des Cardeurs
Imp. Nicolas
R. Félix Terrier
Lumière
Florian
Marquet
R. Courat
Sq. de la Salamandre
St-Blaise
R. Blanchard
R. Lucien Lambeau
Rue Edouard Vaillant
Rue Victor Hugo
20
Pas. Fréquel
Al. des Mauves
PTT
R. Mouraud
R. Reisz
Rue des Drs Déjérine
Av. du Prof. A. Lumière
R. E. Varlin
d'Alembert
Etienne Marcel
Orteaux
Pl. M. de Miribel
Mendelssohn
Chapuis
8
Vignoles
Pas. Dieu
Imp. Gros
Pas. Dagorno
Pompiers
Haies
Pas. Commun
R. Kergomard
Rue des Régisses
Sq. de la Guyenne
Sq. du Périgord
Sq. de la Gascogne
Pl. de la Pte de Montreuil
Rue de Paris
9
R. Voltaire
R. Jacquart
R. Richard Lenoir
Emile Zola
Lavoisier
Cité Champagne
Villa des Pyrénées
Réunion
Cité G. A. Boisselat et Blanche
Rasselins
HOPITAL
Rue d'Avron
Av. de la Pte de Montreuil
PORTE DE MONTREUIL
Sq. du Quercy
Charles et Robert
Porte de Montreuil
Maraîchers
Volga
Sq. de la Gare de Charonne
Rue Shubert
Maryse
Av. Léon Gaumont
Rue de la République
Armand Carrel
Imp. Moreau
R. du Progrès
R. Tolain
Buzenval
Grands Champs
Pl. du Gal Tessier de Marguerittes
R. H. Thomas
R. de la Tour du Pin
DAVOUT
R. Paganini
R. Reynaldo Hahn
MONTREUIL
R. Tampon
R. de St-Mandé
Plaine
R. Philidor
Pas. de Lagny
R. Cristino Garcia
Hilsz
Sq. Patenne
R. F. Loliée
Sq. Sarah Bernhardt
Pyrénées
Rue de Lagny
R. Lippmann
Cimetière de St-Mandé
Lagny
9
Sq. Réjane
Sq. G. Sully
Lycée H. Boucher
R. du Gal Niessel
Lycée M. Ravel
Sq. de l'Estérel
Sq. du Var
R. Delaporte
R. N. Ballay
R. A. Willemetz
R. du Cdt l'Herminier
Quinoc
Joffre
Fays
Robert
Rue de la Prévoyance
Rue Plisson
R. Massue
R. Viteau
R. C. Marinier
Céline
R. des Vallées
PORTE DE VINCENNES
Av. de la Pte de Vincennes
St-Mandé
Av. Gallieni
Pl. du Gal Leclerc
Pl. de la Prévoyance
Av. de Paris
12
Immaculée Conception
Marsoulan
Netter
Imp. Vassou
Pas. de la Voûte
Voûte
R. F. Fourneau
PTT
Q
R

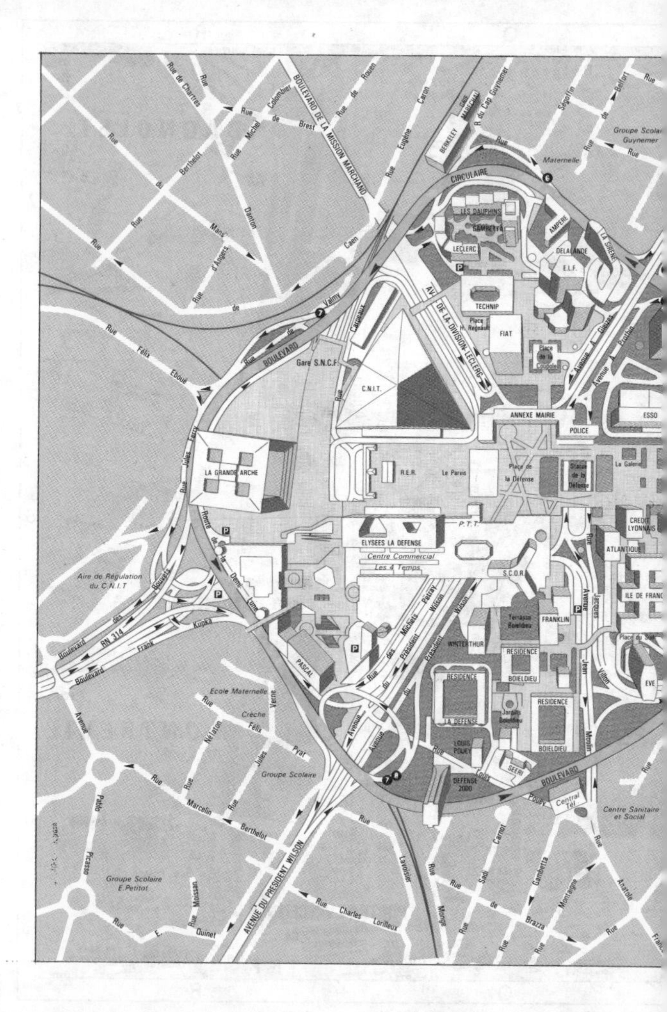

BOULEVARD DE LA MISSION MARCHAND
BOULEVARD CIRCULAIRE
LES DAUPHINS
GAMBETTA
LECLERC
AMPERE
DELALANDE
LA SIRENE
E.L.F.
TECHNIP
Place H. Regnault
FIAT
Place de la Coupole
AV. DE LA DIVISION LECLERC
C.N.I.T.
Gare S.N.C.F.
ANNEXE MAIRIE
POLICE
ESSO
LA GRANDE ARCHE
R.E.R.
Le Parvis
Place de la Défense
La Galerie
CREDIT LYONNAIS
ATLANTIQUE
ILE DE FRANCE
P.T.T.
ELYSEES LA DEFENSE
Centre Commercial Les 4 Temps
S.C.O.R.
Terrasse Boieldieu
FRANKLIN
WINTERTHUR
RESIDENCE
BOIELDIEU
LA DEFENSE
Jardins Boieldieu
LOUIS POUEY
SEERI
DEFENSE 2000
PASCAL
EVE
Central Tél
Aire de Régulation du C.N.I.T
RN 314
Boulevard des Bouvets
Boulevard Frank Kupka
Route de la Demi Lune
Rue Jules Ferry
Rue Félix Eboué
Rue des Michels
Avenue du Président Wilson
AVENUE DU PRESIDENT WILSON
Avenue Jean Jacques
Rue Jean Moulin
Avenue A. Prothin
Avenue A. Gleizes
Rue Louis Pouey
Ecole Maternelle
Crèche
Groupe Scolaire
Groupe Scolaire E. Petitot
Groupe Scolaire Guynemer
Maternelle
Centre Sanitaire et Social
Rue Marcelin Berthelot
Rue Félix Pyat
Rue Jules Verne
Rue Nélaton
Avenue Pablo Picasso
Rue Moissan
Rue E. Quinet
Rue Charles Lorilleux
Rue Lavoisier
Rue Monge
Rue Sadi Carnot
Rue de Brazza
Rue Gambetta
Rue Montaigne
Rue Anatole France
R. du Cap Guynemer
BERKELEY
Rue Ségoffin
Rue de Belfort
Rue de Chartres
Rue Berthelot
Rue Michel
Rue Colombier
Rue de Brest
Rue de Rouen
Rue Eugène Caron
Rue Danton
Rue d'Angers
Rue de Valmy
Rue Carpeaux
Place du Sud

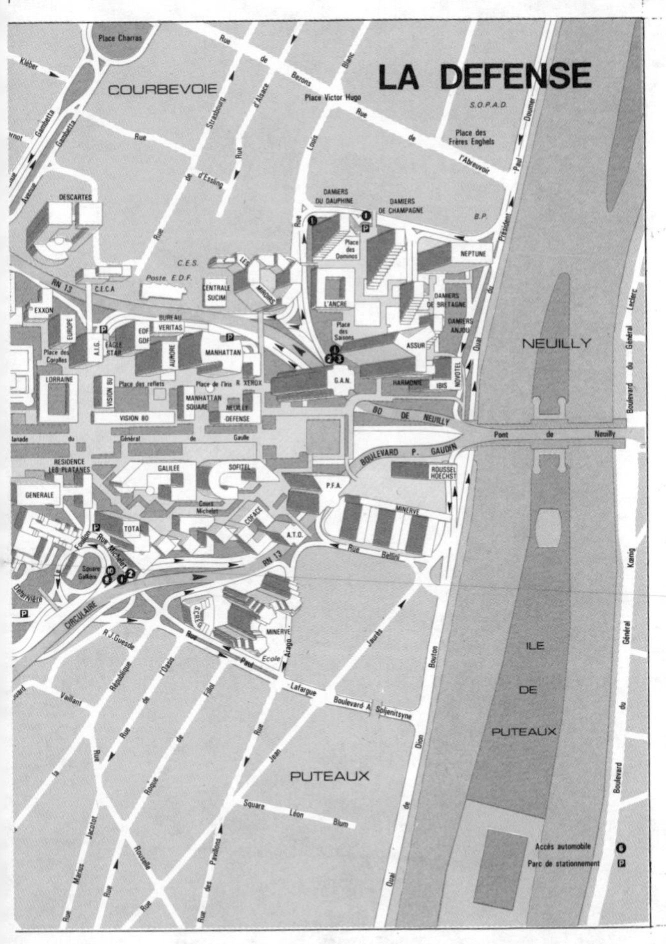

LA DEFENSE
S.O.P.A.D.
COURBEVOIE
NEUILLY
PUTEAUX
ILE
DE
PUTEAUX
Place Charras
Place Victor Hugo
Place des Frères Enghels
Rue de Bezons
Rue de l'Abreuvoir
Rue de Strasbourg
Rue d'Alsace
Rue d'Essling
Rue Louis Blanc
Quai du Président Paul Doumer
DESCARTES
DAMIERS DU DAUPHINE
DAMIERS DE CHAMPAGNE
B.P.
NEPTUNE
Place des Dominos
L'ANCRE
DAMIERS DE BRETAGNE
DAMIERS ANJOU
ASSUR
Place des Saisons
C.E.S.
Poste E.D.F.
CENTRALE SUCIM
LES MIROIRS
RN 13
C.E.C.A
EXXON
EUROPE
A.I.G.
EAGLE STAR
EDF GDF
BUREAU VERITAS
AURORE
MANHATTAN
G.A.N.
HARMONIE
IBIS
NOVOTEL
Place des Corolles
LORRAINE
VISION 80
Place des reflets
Place de l'Iris
R. XEROX
MANHATTAN SQUARE
NEUILLY DEFENSE
BD DE NEUILLY
Pont de Neuilly
Boulevard du Général Leclerc
Esplanade du Général de Gaulle
RESIDENCE LES PLATANES
GENERALE
GALILEE
SOFITEL
BOULEVARD P. GAUDIN
ROUSSEL HOECHST
P.F.A.
MINERVE
Cours Michelet
COFACE
TOTAL
A.T.O.
Rue Bellini
Rue Michelet
Square Galliéni
CIRCULAIRE
R.J. Guesde
Rue Paul Lafargue
Rue Arago
MINERVE
Ecole
Jaurès
Quai de Dion Bouton
Boulevard A. Soljenitsyne
Boulevard du Général Koenig
Rue de la République
Rue de l'Oasis
Rue Roque de Fillol
Rue Jean Jaurès
Square Léon Blum
Rue des Pavillons
Rue Rousselle
Rue Marius Jacotot
Vaillant
Accès automobile
Parc de stationnement